歴史知のアネクドータ

武士神道・正倉院籍帳など

石塚正英

社会評論社

＊目　次

第四部　たゆまぬ学び　*The roads to learning*

はしがき

ジェネレーション・ギャップという言葉がある。世代間の断絶・隔絶という意味をもつ言葉である。これは、もっともありふれた使用方法としては、一定の年齢層、例えば一〇代の考えることは五〇代にはわからない、などというような意味合いで使う。けれども、ジェネレーション・ギャップは、単なる年齢的な差異以外のケースでも感じることがある。それは、ある世代なり集団なりがある重大な事件や社会現象を共通に体験した場合に、それを体験しなかった世代・集団との間に感じるものだ。ともに赤紙令状で召集され戦地で生死をともにした「戦友」「戦中派」、敗戦時に少年時代をすごした「焼け跡派」、一九六〇年六月に国会議事堂周辺をデモしたりした「安保世代」「全学連」、二〇一一年三月に東日本大震災で被災した「三・一一」世代。そのような世代は、共通の体験をもつ者として、往々、いくつになっても阿吽の呼吸ができたりする。その画期は、彼ら固有の世代、いわば彼らにとっての現代史の開始を告げている。けれども、共通の体験としての一時代から少しでもずれた人々には関心が向かない、理解しがたい、といったことが多々生じてくることも事実であろう。

そのような世代を自らに当てはめてみると、トランプが米大統領に就任した二〇一七年はもしかして、トランプ派あるいはアンチ・トランプ派というような括りの世代形成の始まりかもしれないと思った。当時（二〇一七・一二・三一）の『毎日新聞』社説を見ると、「トランプ政治元年」とか「国際政治の軸足が動いた」とかの見出しが読まれ、トランプ著『グレート・アゲイン』から次の一節が引用されている。「米国は必要なら本当に軍事力を使う。そう人々に知らしめれば、米国の待遇は変わる。

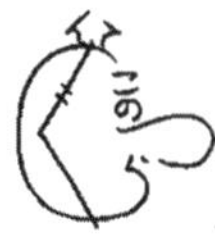

尊敬をもって処遇されるようになる」。

アメリカをふたたび偉大にするという趣旨の“American First”をスローガンに掲げたドナルド・トランプは、共和党有力者が何といおうと現状に不満を抱く有権者から支持を得て大統領選を制し、二〇一七年一月二〇日、第四五代アメリカ合衆国大統領に就任した。以後も彼の言動は、一貫して、国民に対するポピュリズムを煽った、あるいは国民が求めるポピュリズムに応えたものであるといえよう。そこに私は、ナショナルな政党政治の終焉とトランスナショナルな結社運動の浸透を見通している。かつてファシズムの時代には一党独裁という方向で政党の解体が生じた。現在は、生活様式や価値観の多様化、ボーダーレス化を通じて、国民代表という政党の解体が現象していると分析できるだろう。

トランプ以後の二〇二二年二月、今度はロシアのプーチンが、国内全土を情報統制下におきつつ、隣国ウクライナに軍事侵攻し、核攻撃も辞さない、とまで言い放った。ウクライナは歴史的に見て、けっしてロシア人の土地ではない。古代ウクライナ地方に建国されたキーウ（キエフ）公国は「ルーシ」という民族の国（キーウ・ルーシ）だった。その民族名の意味する内容は、一〇～一二世紀にかけてドニプロー（ドニエプル）水系でノヴゴロド公国やキーウ公国をたてたノルマン系民族を指した。スラヴ系とは違う。とにかく「ルーシ」「ルテニア」「ロシア」などは、のちのスラヴ世界における一地方（土地・人・文化）を指すに過ぎなかったのだが、やがて一八世紀以降東スラヴ世界を統合する「種族的・民族的意味」＝ネーション・ステート「ロシア」の意味内容で統合されるに至ったのである。一九世紀初ロシアに登場した統合理念は「スラヴォフィル（スラヴ愛国主義）」と「ザパトニキ（西欧主義）」だったが、それはともに近代的な思想・思潮に含まれる。私が約四〇年前から問題にしてきたのは、ドニプロー水系で古代から中世にかけて存在した「ルーシ」たちである。

彼らの愛郷思想を、私は「ルッソフィル（Russophil）」（ルーシ愛）と命名した。二〇二二年二月からのロシアによるウクライナ侵攻を重ね合わせると、いわば「キーウ愛郷思想」である。ここに記した「郷」は国家的なナショナリズムとは類型が違う。郷土的な朋友思想で、私は「パトリオフィル（patriophil）」と呼んでいる。国家（都市）でなく社会（共同体）を束ねる思潮であり、それは先史・古代に起因する。近代における朋友思想は、一八世紀的な友愛と自由・平等（普遍）から、一九世紀的な個性とナショナリズム（個別）へと転変した。二度の大戦を経験した二〇世紀は、その反省の上に立って普遍と個別の綜合を目指していたのだが、二一世紀に至ってむしろ対立へと逆戻りし、武断派であるトランプ・プーチンの出番となった。

　そのような現状を憂える私は、ジェネレーション・ギャップよりもヴァリュー・ギャップを強く感じる。多様性といえば聞こえはいいが、ようするに価値観の断絶・隔絶、あるいはその転倒・転変が頻発しているのである。現代はいわば、様々な地域・領域における価値転倒の社会なのである。本書は、そのような研究テーマをもって執筆活動を続けている私の論文集成である。学術論文もあればエッセイもある。書き言葉もあれば話し言葉もある。テーマも様々である。いずれの章節においても、どこかしらに、何かしらの〔価値転倒〕が見え隠れしている。また、これまでにもしばしば言及してきた私なりの〔多様化史観〕は、共時的・空間的な場に加え、通時的・時系列的なイメージが備わっていたが、後者は、直近三部作の副題「文明を支える原初性」の通り、いっそう強まった。最終章は、私の研究遍歴を振り返る回想録である。書名のアネクドータはドイツ語表記だが、ギリシア語のアネクドトス（ανέκδοτος、anekdotos）を語原としている。私は「逸話」「落穂ひろい」の意味に使っている。

第一部　探究と叙述

Forschung & Darstellung

第1章 武士神道と武士道の類型的相違

はじめに

コロナパンデミックが全世界を席捲していた二〇二二年一月九日、NHKテレビは大河ドラマ「鎌倉殿の13人」の放送を開始した。感染防止のためいわゆる巣篭り生活を日常としていた人々はこれを楽しみ、いきおい古都鎌倉は脚光を浴びだした。そのような雰囲気の中、同年一月二二日、BSフジでは、三重テレビ放送制作の特別番組「氏神さま―私たちの身近な祈り」（全一〇回シリーズ放送）の第一回「日本の神々」（再放送）を放映した。ナレーターは冒頭部分で、貞永元年（一二三二年）制定の「御成敗式目」の第一条に言及した。そこには、私にとってすこぶる興味深い表現が含まれている。神と人との相互依存の関係である。

その第一条にこうある。

〔原文〕一、可修理神社専祭祀事
右神者依人之敬増威、人者依神之徳添運、（以下省略）

〔書き下し文〕一、神社を修理し祭祀を専らにすべき事
右、神は人の敬ひによつて威を増し、人は神の徳によつて運を添ふ。（以下省略）

ここに記されている神は絶対神・至高神ではない。「海の神」「山の神」「風の神」など、いわゆる自然諸神である。そのような神々は人（信徒）に敬われてこそ神格（神威）を維持できるのである。また、人々（信徒）は自然諸神の徳によってこそ幸運を得ることが出来るわけである。そこに神々と人々との相互依存の関係を読み解くことができよう。このような神人相依は先史の自然崇拝、あるいは民俗神に関連しており、下層民衆の信仰世界では歴史貫通的にノーマルだったと言える。

その段階の自然信仰を、本稿では「自然神道」という術語で括ることにする。「原始神道」「古神道」「民俗神道」など、幾つかの類似する名称はあるが、本稿では独自の術語「自然神道」をもちいて相対的に独自の括り方をしておく。従

来のアニミズム的な解釈によるものでなく、[☆01]私なりに構築してきたフェティシズム的な解釈によるものである。[☆02]

先史の精神である自然信仰に特徴的な内容を含みもった自然神道はまた、鎌倉武士の懐いた神観念ないしは武士神道へと連なるものと言えよう。その際、六世紀に伝来した仏教と自然神道との習合、いわゆる神仏習合の過程が武士神道の成立に介在する。本稿では第一に、『御成敗式目』第一条冒頭に記された「神者依人之敬増威、人者依神之徳添運」の意味を、神仏習合の背景としての〈先史の精神〉と比較することで考察してみたい。そこから第二に、自然神道（山川草木禽獣との関り）→武士神道→武士道の思想的系譜を吟味する。

そこで前もって述べておきたいことがある。それは、新渡戸稲造（一八六二〜一九三三）の『武士道（Bushido, the Soul of Japan）』についてである。これはもともと英語圏の読者を対象に英語で執筆され一八九九年フィラデルフィアで出版され翌年日本で日本語版が刊行されたものである。そこをきちんと理解して読まねばならない。たとえば、武士道を彼は「the deeds of the SAMURAI サムライの行為」としたり「an ethical system 人倫体系」「the code of moral principles 道徳原理規範」としたり、あるいは「Chivalry 騎士道」とか「Precepts of Knighthood 騎士の心得」としたりしている。新渡戸本はまた、二〇世紀初の人々の読者を対象に執筆されたもので、御成敗式目などの第一次資料を前提にした学術書でもありえない。

また、その新渡戸著作から四二年後に刊行された井上哲次郎（一八五六〜一九四四）の『武士道の本質』（八光社、一九四二年）は、それはそれで日米開戦の激昂を印象付けており、彼のいう武士道は大東亜共栄圏を築く大和魂と併記される。本稿の論述目的は、そのような現代思想でなく、それらの遠い背景としての自然神道（山川草木禽獣との関り）→武士神道を吟味することである。明治後期になって新渡戸の英語本で海外に一躍知られるようになった“Bushido”や、大なり小なり国威発揚を促すことになった「武士道の本質」は、本稿におけるいわばアネクドート（落穂拾い）である。[☆03]

一　先史社会の神観念

人類社会は、先史から現代まで、多様な類型と発展を繰り返してきた。それを時間軸で大別すると、先史社会と文明社会の二つに類型化できる。文明の〈挑戦と応戦〉という枠組みで大がかりな文明史観を打ち立てた史家アーノルド・トインビーは、以下のように区分した。第一代文明（シュメール、エジプト、ミノス、インダス、殷、マヤ、アンデス）、第二代文明（ヘレニック、シリア、ヒッタイト、バビロニア、インド、中国、メキシコ、ユカタン）、第三代文明（ヨーロッパ、ギリシア正教、ロシア、イラン、アラブ、ヒンドゥー、極東、日本、朝鮮）。トインビーによるこの分類はおしなべて文明社会に括られるが、私にすれば、第一文明の多くは「文明」でなく「先史」社会に括られる。

私は先史と文明を区分する基準の一つを神観念に見出す。自然神か文明神か、が基準である。その際、自然神は信徒による崇拝の対象であるとともに攻撃・廃棄の対象でもある。この自然神は先史に端緒を有する物在・具象であって、信徒はこれと物理的で現象的な交互的関係を取り結ぶ。対して、文明神の典型はユダヤ教、キリスト教、イスラム教である。それら文明宗教の崇拝対象は概ね拝跪一辺倒の超越神である。それから見たなら、前者の自然神は神ではない。神々を崇拝し攻撃もする精神文化は儀礼であっても宗教ではない。

本稿で考察の対象に取り上げる神観念は前者である。自然諸神である。それは、垂直世界でなく水平世界を往来する可視的な存在である。かような自然神造立の儀礼観念を、私は〔先史の精神〕と呼ぶ。それを特徴付けると、以下の三項目に該当する。①神が人をつくるのでなく、人が神をつくる。②暦の中に行事・儀礼があるのではなく、行事・儀礼の後に暦ができていく。③〔模倣の見立て〕によって神と神と交信するのでなく、〔成切りの実現〕によって神と交信する。〔先史の精神〕の真逆が〔文明の精神〕である。後者からみると、三項目とも価値や地位、順序が転倒している。先史人は理性や理念よりも感性や感念に馴染む精神をもち、文明よりも野生に馴染む身体をもつ。

〔先史の精神〕を今に伝える民間信仰に、例えば道祖神信仰や成り木責め信仰がある。私は一九九〇年代に御殿場や頸城野で幾つかフィールド調査したが、村々の道祖神はけっこう小ばかにされからかわれる。小正月のドンド焼儀礼では火中に投ぜられるケースもある。道祖神は、何かもっと崇高な、もっと神聖な神の使いとか、別の神の代理のようなものではない。この点は他の石仏、例えば庚申塔とはちがう。庚申塔に刻まれる像の青面金剛は、それ自体が神として崇拝されるのでなく、あくまでも供養塔の添え物として崇拝されたのである。それに対して道祖神は、それのみ単独の神であった。その単独神を、信徒たちはぞんざいに扱う[☆04]。

道祖神は、古くは平安末期の『今昔物語』に下層庶民の神として登場し、例えば以下のように記されている。国司任官の推薦にあたって「『選任されるだろう』と言われた人は、手をすり合わせて喜び、（中略）『選任されまい』と言うのを聞いた人は、たいへん腹を立て、『なにをたわけたことをぬかす古大君め。道祖神をまつって血迷ったにちがいない』などと言い、ぶりぶりおこってかえっていった」☆05。ここで道祖神は八当たりの相手にされ罵声を浴びせられている。そのように神々を遇するのはフェティシズム的崇拝の一形態であり、神格の高低はともかくとして、篤き信仰の対象（神体）であったことは揺るぎない。昔に限ったことではない。当時も今も、信徒にとって慰めの神なのである。

それから成り木責め儀礼であるが、これは果樹の稔りを願う儀礼で、現在も小正月に行われている。一月一五日あるいは太陰暦で最初の満月の日に、果樹を脅して豊熟を祈願する。二人一組になり、一人は柿や梅、銀杏など実のなる木の幹を鉈とか斧、ヨキで叩いて軽くキズをつけ、「なるかならぬか、ならなければ切るぞ」と唱える。もう一人は「なります、なります」と答えて傷口や根元に少量のお粥（小豆粥が多い）をそえる。切りつけて削がれた樹皮は囲炉裏で燃やして防虫の祈願としたりする。ところによっては「なりそか、きりそか、ならぬと切り倒すぞ！」といって切り付け、傷跡にお粥をぬる、などさまざまなバリエーションがある。叩く道具も、昔はドンド焼きの燃え残りの松や竹だったり、霊力あると見なされた棒切れだったりした。見かけは樹木霊を脅迫しているのだが、実際には表皮を傷つけて樹木自体を虐待しているのである。この風習は、信州伊那谷をはじめ日本全土に行われ、外国でも見られる☆06。二〇二二年一月一一日、わが民俗調査フィールドである上越市吉川区在住の上野正氏から、ＳＮＳを通じて以下の証言を受け取った。今から「五〇年も昔、柿やいちぢくの木にそうした覚えがあります。吉川区吉井という所でした。時期はちょうど今頃だったですよね。鉈でした。私と母か、祖父だった気がします。何かを言ったかどうかはわかりません。木の幹に鉈めをつけて小豆粥を盛ったことは覚えています。場所は屋敷回りだけでした」（facebook 上野→石塚 20220111）。

〔先史の精神〕において、自然諸神はときに虐待儀礼を交えてねんごろに崇敬される。自然物からなる神々は、人間にできない不可能事を実行するよう懇願され、物理的に強制される。そのような物的存在への儀礼を、私は、霊的存在への儀礼であるアニミズムとは相対的に区別して、フェティシズムという術語・概念で定義している。アニミズムにあっては、非人間存在とコミュニケートする場合、人間と同様に霊魂を有するとみなし、非人間を人間化（擬人化）する。それに対してフェティシズムにあっては非人間存在をそのままでコミュニケーションの相手とする。それを神とするケース、つまり擬神化もありえる。フェティシズムとアニミズムのどちらが先行するか、ということは問題にならない。問題なのは、両者は類型を異にしていることであり、その上で往々、習合していることである。ある神体について、欠損や代替えに際して霊魂（アニマ）の移動（遊離）を認める度合いの強まりに応じて、アニミズムの傾向は強まる。その移動は自然崇拝の時代から文明宗教の時代に転換すると決定的になるが、そうなってもフェティシズム（モノ自体への儀礼）は通奏低音のように潜在していく、庶衆の神観念に今も残り虐待される道祖神のように。

さて、本稿の中心テーマである武士神道に関連する考察に進もう。それは鎌倉期以降に武運の神・軍神として全国的に信仰されることとなる八幡神についてである。日本宗教文化史専攻の逵日出典『八幡神と神仏習合』によると八幡神は、国東半島は宇佐地方における自然諸神との習合によって、その輪郭を現わした。以下の如くである。

〔引用一〕神体山信仰で対象となった神は、当初において単なる神霊（特に自然神）であったと考えられるが、やがて男女二柱の神、すなわちヒコ・ヒメ神と受け取られるようになる。農耕生活における信仰の基礎は、穀物の豊かな稔りを祈ることにあるので、男女二柱の神を祀ってその営為（いとなみ）に期待したのであろう。

〔引用二〕素朴な神体山信仰がおこなわれてきた宇佐地方は、あくまでもそれを基盤としながら、山頂の三巨石を天三降命、つまり天照大神の三女神と仰ぐようになっていった。三女神に対する信仰は、やがて「比売神」として統一された観念で受けとめられていき、御許山信仰は後世にも強い影響力をもち続ける。☆07

以上の行論をまとめると、自然神から夫婦神への転訛が読み取れる。すなわち日本神話における宇摩志阿斯訶備比古遅神（ウマシアシカビヒコヂ）（湿地に棲息する葦の芽に由来）から伊邪那岐（イザナギ）・伊邪那美（イザナミ）（夫婦神）への崇拝対象の変化と一致する。また、山岳＋巨石神＝自然信仰→天三降命（アメノミクダリノミコト）つまり天照大神の三女神といった信仰の文明宗教への変化、というようにシェーマ化できよう。日本における神々転変のその現場へ、朝鮮半島南部から八幡神の素材となる文明神（仏教＋道教）が伝播してきた。さらに、奈良時代末期、神と仏（の一歩手前の菩薩）が習合した。八幡大菩薩はこうして顕現した。この事態は、神像が作られる発端ともなり、こうして東大寺僧形八幡神像は刻まれるに至った。七二〇年、ヤマトに叛旗を翻した隼人の叛徒に対する八幡神軍（ヤマト勢力）による征伐は、武士による八幡神信仰隆盛の思想的背景となる。

その下地・背景には、宇佐地方の自然諸神と、八幡神の素材となる文明神との習合・雑修があった。このようにして、先史社会の神観念は八幡神信仰において文明社会の神観念にとって代わられた。いや、正確に述べると、とって代わられたのでなく、先史の神観念は通奏低音として潜在するようになっていくのである。その事態を次節において詳しく論じてみる。

二　自然神道から武士神道へ

自然神は崇拝と攻撃の交互的扱いを受けた。例えば風の神は農民信徒による撃退の対象だった。田植え後に生長する稲（風媒花）の受粉に役立つ風は、秋になると農作物に甚大な被害を及ぼす台風ともなる。人々は、どちらかというと後者に供えて風の神を祀った。あるいは風の神——私がフィールドとしている越後では「風の三郎」と称した——を敬して避けるためである[☆08]。その勇ましい流儀は農民諸衆のなせる業(わざ)だったが、奈良・平安の宮廷では、人は自らが暴風とたたかわず、人間に代わって荒ぶる自然を制御してくれる大神、文明の風神を信仰した。「級長戸辺命(シナトベノミコト)」と「志那都比古命(シナツヒコノミコト)」である。ただし、この信仰はことさら武士神道へと連なるわけではない。

八幡神と並んで武士が崇拝して全国に行きわたった神に、諏訪神がある。こちらは八幡神のように朝鮮半島からの外来神ではなく、古事記に記されている建御名方神(タケミナカタノカミ)をもって諏訪神としている。しかし諏訪神とて習合の結果であって、御柱に象徴されるごとく諏訪地方の自然神（山岳、樹木）信仰をもとにしている。その点は八幡信仰と同様、自然神と文明神の習合なのである[☆09]。時代が平安から鎌倉へと移行するに際して、貴族にかわって歴史の舞台に登場して来た武士は、そのような習合神を精神的支柱にしつつ、新時代の政治的社会的原理を打ち立てていった。

そのあたりの経緯を追うにつけ、日本中世史研究者の奥田真啓は『中世武士団と信仰』において、「同一の武神が一の武士に味方して他方の武士の敵となるのである」と述べている点が興味深い[☆10]。相互に敵対する勢力が各々に信仰する神が同一であることは、名称は同じでもその神は「我らが氏族の神」という個別性を保持しており、信仰目的が普遍的・抽象的神性でなく個別的・具体的神性を目ざしているである点に留意すべきである。さらには、最澄や空海のもたらした仏教をも、鎮護国家仏教でなく山岳信仰などとの神仏習合の一例と位置づけ、その観点から武士神道と関連づける必要がある。

その様相を、御成敗式目と鎌倉武士の家訓を史料にして検討してみる。まずは御成敗式目であるが、本稿冒頭の「はじめに」で次のように記しておいた。「ここに記されている神は絶対神・至高神ではない。『海の神』『山の神』『風の神』など、いわゆる自然諸神である」と。実はかの御成敗式目第一条とそっくりの文章が北条家の家訓、北条重時（一一九八～一二六一）の「極楽寺御消息」に読まれる。「仏神を朝夕ながめ申、こゝろにかけてたてまつるべし。神は人のうやまうによりて威をまし、人は神のめぐみによりて運命をたもつ」[☆11]。時系列から判断して、こちらは御成敗式目に倣ったものとされているが、ここにみえる「仏神」は神仏一般と微妙に違う。仏となった神であるところの八幡大菩薩である。宇佐地方における先史的自然神が朝鮮半島から渡ってきた〔仏教・道教〕集合神と重習合して生まれたものである。その姿形は、東大寺の鎮守八幡宮神体「僧形八幡神座像」に理想型を見出した。ここに自然神＝自然神道から人格神＝武士神道への移行が読み取れる。私は、この重集合的八幡神像を武士神道の代表的神体とみなす。重習合なのだから、そこに自然信仰の要素は潜在している。先史の精神たるフェティシズム・アニミズム、あるいは両者のアマルガムが自然神道となって、さらに武士神道に合流しているのである。「極楽寺御消息」からもう一箇所引用する。

> 女わらべなればとていやしむべからず。天照大神も女体にておはします。又じんぐうくわうぐうも、きさきにてこそ、しんらこく（新羅国）をばせめしたがえられしが。又おさなきとていやしむべからず。八まん（幡）（た）いない（胎内）より事を御はからひあり。老たるによるべからず。又わかきによるべからず。心正直にて君をあがめ民をはぐくむこそ、聖人とは中なれ[☆12]。

家訓の中で、そのような自然神の余韻を残す代表に、もう一つ、「鬼神」がある。「常に敬鬼神崇祖考は古人の教、不可有形情二敬。凡崇敬のこゝろあれば、邪志止で武道可興起事」[☆13]。これは江戸時代になってからの事例で、酒井忠胤（ただたね）（一六七九～一七一二）の「酒井隼人（忠胤）家訓」である。ここに記されている「鬼神」については以下の注記がある。「敬鬼神……「子曰く、民の義を務め、鬼神を敬して之を遠ざかる」（『論語』雍也第六）」[☆14]。この「敬鬼神」的処遇は、風の神などに対する農耕儀礼の一つであったと私は推定している。自然神道の原則的対応である。その儀礼が武士神道に流れ込んでいるのである。

鎌倉開府から一〇〇年ばかりした頃の、斯波義将

（一三五〇〜一四一〇）の家訓「竹馬抄」を読むとこう記されている。

〔引用一〕をろかなるおやといふとも、そのをしへにしたがはゞ、まづ天道にはそむくべからず。

〔引用二〕仏事も神事も、そむき侍べきとこそ覚侍たれ。たとひ一度のつとめをもせず、一度の社参をばせずとも、心正直に慈悲あらん人を、神も仏もをろそかには見そなはしたまはじ。ことさら伊勢太神宮、八幡大菩薩、北野天神も、心すなほにいさぎよき人のかうべにやどらせ給ふなるべし。又我身のうき時などは、神社に祈などする人のみ侍る也。いとはかなくおぼゆる也。たゞ後生善所と祈ほかは、仏神の願望侍べからず。[☆15]

自然神道の面影をもとめると、それは「天道」に見られる。それに対して武士神道の面影は「八幡大菩薩」に見られる。そしてさらに、伊勢神道の主神「伊勢太神宮」（天照大神）と人神（神となった人、菅原道真）「北野天神」が加わっている。時代の転変がそうさせているのである。ただし、北条早雲「早雲寺殿廿一箇条」には、「第一仏神信心申すべき事」とある。[☆16] まだ八幡神が健在である。

そうした武士神道に寄り添うがごとき旅芸人が、平安末期から各地を流転する。猿楽・田楽・傀儡子、白拍子や歌比丘尼など、もともと平安期から見られた一座一行とともにあった盲目の女性芸能者、瞽女である。平安末までは琵琶法師のように琵琶を奏でていたが、やがて江戸期までには三味線で村々を巡り、戸口で一寸門付けし、屋内でじっくりと瞽女唄を披露した。演目は「曾我物語」を筆頭に、葛の葉子別れ、山椒太夫（船別れ）、小栗判官、八百屋お七などだった。民衆社会史の研究者である五十嵐富夫の『瞽女―旅芸人の記録』には、次のような記述がある。

〔引用一〕安産・子そだて・また蚕の孵化をうながして、その成長をたすける。それから稲や麦の発芽をうながす霊力をもたらすものと信じられてきたのだという。その呪力は農業生活の根底を守ってくれるものであるから、瞽女の来訪は福をもたらすものと信じられ、ありがたがられたものだ。／つまり瞽女は活力をあたえ、誕生させ、生成させ、保護する呪力をもつと信じられ、宗教者と同じ役割をしてきた。常民は瞽女を手厚くもてなし、とまり宿や昼宿を提供した。／瞽女を賤視する意識はきわめて稀薄であった。

〔引用二〕他方、瞽女は神に仕える巫女の名残を留めているようにも考えられる。[☆17]

この引用文は、五十嵐が古谷綱武「瞽女の民間信仰」（『新潟日報』一九七五年一一月三日付）を読んで、それをまとめたものである。したがって今から半世紀ほど以前の事例である。しかし、古谷談話自体がすでに過ぎ去った昔の回想である。よってその概略は数百年のあいだ受け継がれてきたものと判断してよかろう。今も昔も、瞽女の呪力・霊力は自然信仰の所産に含まれるだろう。瞽女が仕える神―琵琶を奏でる弁才天など―は彼女らの身の丈とさして変わりのない自然神（水神）だったろう。また、霊力をもつ瞽女、聖なるマレビトをもてなすことは、フレイザー『金枝篇』のモチーフである共感呪術にあたる。[☆18] 理屈なしに、瞽女唄に漂う喜怒哀楽は、これを楽しむ農民の身心に沁み込むのであった。

瞽女たちが細々ながら活躍する敗戦直後の越後高田（現新潟県上越市）に生まれた私は、子どもの頃、祭礼の日になるとよく寺社境内（特に東本願寺別院山門）で三味線を弾いては参拝客から施しを受けていた盲目の女性たちを見かけた。作家の水上勉はこの瞽女たちに注目して小説を書き、それは映画化されもした。その水上自らが感じ入っているように、越後瞽女たちは聖（ひじり）に通じる存在である。マレビト信仰の上では、托鉢の行者ばかりでなく雑多な漂白の民は一種の聖なる存在つまり勧進だった。村人は偶然か一定の年月を経てか自村に立ち寄る来訪者を一種の勧進として歓待したのだった。このような瞽女芸能は、農民社会のみならず、質実剛健を旨とする鎌倉武家社会にも相応しい日常文化の一つだったと思われる。

また、最も人気を博した瞽女唄である「曾我物語」には没落する家族への憐憫、いわゆる判官びいきのペーソスが込められている。その場面で仇討は正義なのである。中世武士団の研究者である石井進は次のように記している。

〔引用一〕あえて推測するならば、当時の社会では法律によって禁止されていた敵討ではあるが、死刑の危険をおかしてまでも、やむにやまれずそれを敢行しようとするところにむしろ人の心をうつものがあり、それが敵討ものの歓迎された理由なのだ、ということにでもなろうか。

〔引用二〕このようにみてくると、『曾我物語』には、私的復讐を否定して公的な裁判に従うべきだとする考えかたもあらわれてはいるものの、その比重はごく小さく、この物語のつくられた鎌倉後期以前には、私的復讐が正義であるとして、ひろく社会にうけいれられていたことが推定できそうである。[☆19]

私刑に対する石井の講評は、まさに近代と前近代の社会的断層の存在を予感させる。一種の神明裁判である。現在は、「天地神明に誓って」という慣用表現に残存しているだけである。アウトロー的な社会的匪賊・義賊の活躍にも、近代と前近代の社会的・法的断層が横たわっている。[☆20]そのうちの前近代の基準を神観念の転換点に見出している。私は、自然神道から武士神道までの御成敗式目的な神観念と、明治維新以後における国家神道から武士道にかけての万世一系的な神観念の間には、目に見えにくいが深い溝がたしかにある。ただし、その断層は、ちょうど日本列島中部のフォッサマグナ（中央溝帯）のように大きな幅がある。ざっくりと示すならば、鎌倉開府から幕末・維新まで六〇〇年に及んでいる。その長い転換期について、次節で考察してみたい。

三　武家の家訓から商家・農家の家訓へ

武家の家訓を鎌倉期から江戸期に読み継いでいくと、そこに記される神霊や崇拝対象に変化が現れる。また、商家の家訓、農家の家訓が登場すると、身分や生業の違いによる区別がよみとれる。武家は、八幡神（仏神）、天神、あるいはそれらを氏神として勧請したものから家族神、神君・権現様（徳川家康）へと切り替わる。以下、武家・商家・農家の順に引用する。

〔引用一〕神の罰より主君の罰おそるべし。主君の罰より臣下百姓の罰恐るべし。其故は、神の罰は祈もまぬかるべし。主君の罰は詫言して謝すべし。只臣下百姓にうとまれては、必国家を失ふ故、祈も詫言しても其罰はまぬかれがたし。故に神の罰、主君の罰よりも、臣下万民の罰は尤もおそるべし。[☆21]

〔引用二〕大権現様以来、泰安我等御用に相立チ来タル段、無クニ其隠一候。[☆22]

この二例はともに武家であるが、前者の黒田如水（キリシタン大名、黒田孝高一五四六～一六〇四）は、一見すると神仏信仰よりも主君への忠誠を誓うように見えるが、じつは、「臣下百姓」への目配り気配りを怠るな、という戒めを記している。当時の百姓とは、網野善彦『中世の民衆像』（岩波書店、二〇〇九年）ほかによれば、農民だけとは限らず、村落に住むかそこと行き来をして生活する人々の多くを含んでいた。[☆23]この家訓には黒田如水の領民対策がにじみ出ている。後者の井伊家は徳川家臣の筆頭だけあって、井伊直孝（一五九〇～一六五九）は仏神をさしおき、「大権現様」への崇敬を隠さない。以下は商家と農家の事例である。

〔引用三〕神明棚、持仏壇毎朝払ひきよめ、精誠祈念仕べし。今日一飯一衣を得るも、天地、神仏、国王之御守護無之して、其業成べからず。高恩日夜忘るべからざる事。[☆24]

〔引用四〕神仏への礼儀なくてわ人の道にあらず。依て、天神地祇ひ今日の難有(アリガタキ)御礼の演方(のべ)は、天下泰平、国家安全、五穀成就、家内安全と願ふ事を日行(ニッコウ)として、如此(カクノゴトク)勤め行へれば信心は外にわなし。神仏ひ何かぐづぐづ願ふは心願とも言ふべし。是はいらぬ事也。[☆25]

〔引用三〕は大坂の豪商鴻池家の始祖「幸元が慶長一九年（一六一四）に子孫への訓戒を目的として認めたものとされている」[☆26]。商家の家訓らしく家業の安寧を祈る内容であり、かつ、祈りの対象がバラエティーである。「天地」には自然神道の、「神仏」には武士神道の影響がうかがわれ、「国王」からは江戸開府当時の時代思潮がうかがわれる。〔引用四〕は、篤農家である田村仁左衛門吉茂（一七九〇～一八七七）の「吉茂遺訓」（一八七三年稿本）である。注目すべきは、「天下泰平、国家安全、五穀成就、家内安全と願ふ事」はせよ、しかし心で神仏に願いを立てる「心願」は「いらぬ事」と言い切っている点である。ここに至って武士神道の精神は風前の灯火となった感がある。天下泰平の世に、武士階級とて大権現様に忠誠を誓えば、優先順位では個人の精神修養は二の次になったとも考えられる。そのほか、農家らしい家訓に「天道(テントウ)を恐れ慎むべき事也。（塚田家覚書）」[☆27]や「月待日待(ツキマチヒマチ)に福引たり共無用之事。（井口家家訓）」[☆28]などがある。「月待日待」は庚申信仰と同様、農耕儀礼や民間信仰を利用しての娯楽の流行を物語っている。

武家社会の政治倫理や庶民道徳を揺るがせにできなかった徳川幕府は、その統制強化を目的に、例外的な揺るぎを黙認した。その一端は駈込寺などのアジール（無縁地）に垣間見られる。日本の中近世にあって社会的辺境＝下層社会は地理的辺境＝山岳山林、村境、川原や橋げた、市のたつ場末とおおよそ一致していたようで、網野善彦『無縁・公界・楽―日本中世の自由と平和』（平凡社、一九七八）によると、そうした辺境にはアジールという、隔離されはしているものの神聖な、自由な場が存在した。その代表は人里はなれた地や山林の寺院だった。五十嵐富夫『駈込寺―女人救済の尼寺』（塙書房、一九八九）によると「寺院のアジール制は中世において各地に存在したが、特に戦国の世においては敗残者、犯罪人が追手を逃れて寺社に遁入するのが慣例化していた。その事例として、京都の石清水八幡宮の境内には上記の人々が常に多数ひそんでいたといわれている。(中略)アジールとして、後代まで遁入者を保護したのは紀州の高野山であった」[☆29]。その高野山で修行する僧侶は高野聖となったのだが、そうであれば聖たちの中には罪科人あがりの人々が散見されたことになる。ちなみに、「鎌倉の東慶寺は、今日では、鈴木大拙、西田幾多郎、和辻哲郎等の哲学者や小林秀雄、高見順、太田水穂、真杉静枝等の文学者やその他、岩波茂雄、田村俊子等の墓のある寺として有名であるが、かつては、駈込寺として、苦しめる女人救済の寺として、社会的に多くの貢献をした尼寺である」[☆30]。

こうしたアジールの消極的抵抗は決して幕藩体制の脅威とはならなかったが、徳川幕府の国教とみなされる朱子学への積極的抵抗には厳罰で臨んだ。その一端は「士道」提唱者の山鹿素行(一六二二~八五)への抑圧に見られる。山鹿は『聖教要録』(一六六五)の中で、「理」について以下のように記している。「条理ある、これを理と謂ふ。事物の間、必ず条理あり。条理紊(みだ)るるときは則ち先後本末正しからず。性及び天皆理と訓ず、尤も差謬せり。凡そ天地人物の間、自然の理ある、これ礼なり」。この中の「性及び天皆理」の箇所に以下の注記がある。「理を宇宙・万物の本質と考える朱子学の主張。素行では理は道徳的価値に関わらぬ条理なので、この主張を誤謬とみる」[☆31]。また、「天地」について以下のように記している。「天地は陰陽の大いに形せるなり。天地の成ること、造作按排を待たず、ただ已むことを得ざる自然なり。故に長久なり、終始なし」[☆32]。この引用文の限りでは、山鹿素行は自然とその運行に神意や人為を介在させていない。あえて特徴づけるならば朱子学の対極にある「理」の概念が介在している。『山鹿素行』校注者の田原嗣郎は以下のように記している。

素行では「理」はそれぞれの事物の理であり、したがって「性」もそれぞれの個別の人の性である。然るに朱子はこれら世界を構成している多くの具体的な部分としてのさまざまな人や事物における差異を無視し、それらのすべての存するそれぞれの理を根本の一理に還元してみようとし、さらにその理即ち道を直接性心に求めようとする。[☆33]

物事の抽象・理論を嫌い具象・実践を重視する山鹿は、天地の観念以外に、例えば鎌倉期以来の武士神道においても同様の傾向をみせた。それは「士道」と表記されるが、ようするに武士以外の庶衆にも天地の観念に類似する道を用意していくのである。『山鹿素行』校注者の守本順一郎は「素行の神」および「士道」について以下のように記している。

〔引用一〕素行の神が、ヒエラルキーをなし、個別的な呪霊を悪として積極的に斥けたとしても、彼の最高の超越者＝神としての天地は、未だ半ば自然＝血縁的であり、ヒエラルキーに参加する限り他の神は否定されることがない。素行の天（地）は、他の一切の神を否定するクリスト教の唯一の人格神ではない。こうして、素行の神が、はじめ儒教的思考の中で求められたとしても、素行はまた日本の正統の（自然的・血縁的なヒエラルキーを構成している）神々を視野の中に容れざるを得ない。[☆34]

〔引用二〕素行が、文と武との、自然と作為との、封建的支配に本来的に存在する対立＝矛盾を、儒教と神道との結合によって包み得たことは、素行の思想が、徳川期封建社会の典型をほぼ総括し得たことを示している。幼にして林家の門に入って聖教を学び、また兵学によって武を知った穎異の浪士の、権力からの距離（流謫！）と、三民からの距離との自覚が、君主に対しては被支配者であり、三民に対しては支配者である、封建的支配の結節点たる「士」に、素行自身の主体性を托することとなる。（中略）士がこの禁欲的な職業倫理を、「士道」として自覚したとき、彼の主体性の確立であり、思想の現実的完成である。[☆35]

〔引用一〕について。読んで字のごとく、山鹿の思想性は、本稿でいう自然神道や仏神（八幡神）に馴染む傾向を蓄えている。「日本の正統の云々」は、直接には天津神系神道を指すのだろうが、その歴史的背景には明らかに自然神道が潜んでいる。儒学者の彼を介在させても、自然神道から武士神道へのコースは違和感を覚えない。彼は、「理」のまえに「道」をおき、個別の相互を連携させるのである。だが、国学である朱子学を否定したうえでのそうした立論は、幕府にとって百害あって一利なしだった。参勤交代などで政治的な道を張り巡らし、幕藩体制という枠内であれ一定の中央集権化をはかる徳川の方針にそぐわないことは間違いなかった。一六六六年に『聖教要録』を刊行して朱子学を批判した山鹿は、翌年に播磨赤穂藩へと追放されたのである。

〔引用二〕について。一見すると鎌倉期武士神道の復古と思われなくもない山鹿の「士道」は、武士階級の道であるけれども、ウイングを二様に有する「権力からの距離」という立ち位置から「三民」に向って新たな社会変革の途を拓いたことは紛れもないことである。彼の「士道」論の動機的成果については、先に商家の家訓と農家の家訓を示したように、一部で実践されはした。武士階級以外の諸階層に家訓的な戒めが浸透したのは理解できる。それに対して「士道」論の結果的—すなわち想定外の—成果は、徳川幕藩体制が崩壊して数年後、一八七三年の徴兵令発布＝国民皆兵によって現実のものとなった。その段階では封建的な「士道」でなく、近代的な「武士道」として換骨奪胎されて登場することとなった。次節で検討する。

四　武士神道から武士道へ

前節までに説明したように、中世を通じて八幡神と諏訪神は武神として崇敬された。八幡神は、京都の石清水八幡宮と、そこの神霊を勧請した鎌倉の鶴岡八幡宮が最も有名である。諏訪神は、むろん、諏訪湖畔の諏訪大社が最も有名である。鎌倉武士の信仰とその形態には、中世的な神仏習合神の信仰から古代の民俗的神祇や自然信仰の名残が垣間見られた。その傍証として、御成敗式目の第一条がある。けれどもその名残は儀礼文化の地下深くに沈潜していった。それよりも戦国時代へのうねりに乗じて、八幡社や諏訪社、それに仏教の護法神前で武運長久儀礼（出陣式）が執り行われるようになっていった。その動向は天下泰平の江戸期に入って農耕儀礼や冠婚葬祭儀礼へと切替わったものの、幕末・明治初年の征韓論や一八七四年台湾出兵の動きを経て、再び頭をもたげた。

武運長久儀礼は、全国各地に中世から建立されてあった諏訪社や八幡社で無数に執り行われた。なかには八幡・諏訪両神合祀の合殿もあった。長野県神社庁によると、長野県佐久市矢嶋宮脇に鎮座する諏訪八幡神社は、健御名方富命すなわち諏訪神、誉田別天皇すなわち八幡神、八坂刀女命すなわち諏訪神の后神を祭神に祀っている。また、「八幡社は鎌倉八幡宮の御分社と伝えられ、諏訪社は諏訪大社の御分社にて、往昔、当社より幣帛を奉ったとの記録が、諏訪大社に現在すると云う」[☆36]。私が民俗調査のフィールドにしている新潟県上越地方には以下の両神合殿が存在する。八幡神社諏訪神社（現上越市名立区濁沢）、八幡諏訪合殿神社（現上越市板倉区稲増）、八幡諏訪社合殿（現上越市三和区末野新田）。私事に及ぶが、わが実父の故石塚鉄男（現上越市三和区末野新田出身、一九一七〜九六）は、一九三九年の応召出征に際し、現上越市新道地区稲田の諏訪神社に詣で武運長久を祈願した。なぜ近隣の合殿でなく樹齢八〇〇年の欅が繁る稲田に詣でたのか、それは不明だが、とにかくこうして八幡神社や諏訪神社で頻繁に戦勝祈願の行われる時代は、戦争に明け暮れる時代でもあったわけである。その現場で「大和魂」とともに唱えられた国威発揚のスローガンは「武士神道」でもなければ「士道」でもなく、「武士道」だった。

明治維新後に唱えられた武士道は、同時期に唱えられた良妻賢母主義と同じく、近代国家を支える現代思想だった。[☆37] しかし、その起原を神武東征に見出したりするものだから、また、徳川時代から類似の用語が使用されてきたものだから、てっきり古代からの伝統と系譜を有する思想と勘違いしている人々がいる。そうではない。自然神道（古代の民俗的神祇）→武士神道（中世の御成敗式目）という前段があって、その先に明治期の国家神道と武士道が登場することとなったのである。

日清戦争（一八九四～八五）後の一八九九年、武士道に関する英文の著作がアメリカで出版された。著者は国際連盟事務次長を務めたことのある新渡戸稲造（一八六二～一九三三）である。彼は、一八六二年に南部藩士の家（曹洞宗）に生まれ、一八七八年に洗礼を受け（洗礼名・パウロ）クリスチャンとなったといわれる。新渡戸の、そのような実存的および時代思潮的価値意識が先行している点を忘れずにおかねばならないが、『武士道』執筆の動機は「ド・ラヴレー氏とわが妻に納得してもらえるような答えを出そうとするうち、私は現今の日本の倫理観を解き明かすには、封建制と武士道（Bushido）の理解が不可欠であるということに思いいたった」からだった。[☆38] ここに記された妻はメアリー・エルキントン（日本名新渡戸万理子）である。夫婦間の相互理解という意味で、その動機は理解できるが、以下の執筆方針には素直に頷けない。「本書の全体を通じて、大事な点についてはヨーロッパの歴史と文学から類似の例を示して説明することを心がけた。そうすることによって本書のテーマが、外国の読者に理解されやすくなるだろうと思ってのことである[☆39]」。「類似の例」の提示は、一歩間違うと、日本にはヨーロッパと同じような道徳・倫理観がある、といった基準としてのヨーロッパ的価値観に類似している、という説明と見紛うことになる。新渡戸は時として形式と内実の区別を曖昧にする。例えば赤穂浪士・忠臣蔵（The Forty-seven Faithfuls）への言及に指摘できる。[☆40]「忠臣蔵」は、人形浄瑠璃や歌舞伎に代表される「仮名手本忠臣蔵」（一七四八年大坂竹本座で初演）で人気を博した。つまり民衆文化の開花とともに生まれ発展した産物であり、鎌倉武士の精神とは、いわんやヨーロッパの騎士道とは似て非なる文化である。「忠臣蔵」は、民衆思想・消費文化としての武士道、いうなれば「娯楽武士道」である。中世鎌倉期に「御成敗式目」あるいは「家訓武士神道」として確立したのは、先史古代の自然信仰・自然神道を背景にもつ武士神道の流れにあった。その家訓武士神道から、やがて江戸期までに武士神道のメタモルフェーゼとして、いわゆる「武士道」が派生した。武士道では自然や祖先に由来する

「神」は稀薄であるか欠落している。江戸期の家訓を読むと垣間見えてくる。崇拝の対象が自然神とか氏神とかから「忠君」とか「神君」とかに切り替わっている。その段階で、主君のため忠臣が滅私奉公的に活躍し本懐を遂げる「娯楽武士道」が勢いを増していった。その二種の武士道、すなわち江戸期の武家に伝わった家訓武士道と庶民に流布した娯楽武士道のうち、忠臣蔵は後者の類型に含まれる。こうして武士神道は、神抜きの武士道となり果て民衆（娯楽）文化のシナリオへと転化していったのである。なお、被支配層が支配層の模倣をするという現象は、歴史貫通的である。

さて、次には、新渡戸の本書にすこぶる影響を受けたとされるアメリカ大統領セオドア・ルーズベルトについての書き込みを引用する。「ルーズベルト大統領が本書を読み、数十人の友人に本を配られたという知らせを公の筋からいただいた。過分の名誉にして、喜びこれにまさるものはない」[☆41]。この一文には傍証が存在する。日露戦争中にアメリカでルーズベルトとしばらく行動を共にした金子堅太郎の証言である。以下に関連個所を引用する。

> 大統領のルーズベルト氏は、非常に日本の武士道を研究している。（一九〇四年：引用者）六月七日に僕に午餐会にきてくれというから、ニューヨークからワシントンに行って午餐会に臨んだ。その会食中ルーズベルト曰く
> 「僕は日本の武士道ということがしきりに新聞紙上に現われるから、いろいろ本を見たがいかんせん武士道ということを書いた本がない。よく武士道とか武士とかいうことを言うが、一体どういうことを武士道というのか、何か書いた本はないか」
> と聞くから
> 「それは書いた本がある。新渡戸稲造というボルチモアの学校で勉強した日本人が、武士道について英語で書いた小さい本がある。それを読めば、すっかりわかる」
> 「そうか、それが欲しい」
> と言って約束しました。それから後で私が送ったところが、ルーズベルトがそれを読んで、初めて日本の武士道ということを知って、ただちにニューヨークに電報をかけて三十部取り寄せて、それを五人の子供に一部ずつやって、
> 「これを読め、日本の武士道の高尚なる思想は、我々アメリカ人が学ぶべきことである。この「武士道」の中に書いてある「天皇陛下」ということを修正すればそれでよろしい。アメリカは共和国であるから天皇はない。俺

は主権者であるけれども、大統領である。よって「天皇陛下」という事をアメリカの国旗という字に直せば、この武士道は全部アメリカ人が修業し又実行してもさしつかえないから、御前達五人はこの武士道をもって処世の原則とせよ」

と言い聞かせたということを聞いた。それから残り二十五部は上下両院の有力なる議員とか、又は親戚とか、あるいは内閣大臣の人達にこれを分配して、この「武士道」を読めといった。この書で初めてルーズベルトが武士道を会得して、ますます武士道ということを研究するようになって、ついには柔道まで官邸でけいこするに至った。[☆42]

以上の金子講演（回想）には、ルーズベルト一家の質素な生活が記されている。金子はそのほか、日本における良妻賢母の精神をルーズベルトに説いている。ニューヨーク市郊外オイスターベイのルーズベルト私邸における質素な暮らしを詳細に紹介している。そのライフスタイルがルーズベルトをして武士道精神へ接近させたのかもしれない。だが、金子の回想録を半世紀ぶりに復刻した私の印象では、この生活は一八〜一九世紀アメリカ人の開拓者精神を物語っており、それは明治期の武士道でなく、その歴史的背景に潜む鎌倉武士の開拓者精神に比肩することができる。つまり、ルーズベルトが親近感を懐く武士道には、のちに井上哲次郎が『武士道の本質』で説くことになる忠君愛国でなく質実剛健の益荒男ぶりを特徴とする武士神道の地下水脈が及んでいるものと推測できる。

むすびに

おくればせながら、ここで井上哲次郎の『武士道の本質』読後感を記す。武士道において、井上は文よりも武を優先している。あるいは、文の中でも「海ゆかば」の如き武に貢献する文芸を好む。また、井上の意識においては、明治期からの国家神道と類型を異にする武士神道と武士道の相互関係が希薄である。私は神道の発端を自然神道（先史の精神・自然の精神）に見出し、そのあとに武士神道をおき、前者における神観念と儀礼が後者に引き継がれたと考えている。その意味では後者は前者の派生である。それに対して武士道は神観念が自然神あるいは仏神から天照大神へ、神君へと入れ替えられたもの、すなわち自然神道（先史の精神）の派生でなく国家神道（文明の精神・国家の精神）に転化・転倒したものと、私は了解している。さらには、井上は源氏政権の樹立をもって武家時代が開始し武士道が復活したと見ているが、私は政権樹立へと向かう平安末の時期に武士神道の発生を見通している。繰り返すが、武士道は近代的な政治・社会思想であって、明治維新以後に確立する。そのような読後感を抱きつつ、あらためて『武士道の本質』を読むと、序文で次の一節に出会う。

何分支那事変が四年半も続いて、而して大東亜戦争となり、是と共に独・伊二国も欧州方面は固より、大西洋だの阿弗利加だの、なかなか広範囲に亘つて戦争を拡大して居る。殊にわが日本の武士道が赫々たる戦果を収めつつあることに関して、世界各国驚嘆止まざる情勢であるから、此の際本書の発行は少なくも社会の一部の要求に応ずる所以ではなからうか。さういふ所から本書を『武士道の本質』と名付けて八光社に託して之を世に公にすることにした次第である。[☆43]

井上哲次郎の武士道思想は武術偏重である。新渡戸稲造のように、「武士道の究極の理想は不戦、すなわち戦わざることであるということ（the ultimate ideal of knighthood was Peace）」の対極に位置している気がする。[☆44] 井上において、武士道の究極の意義は帝室護衛にあるようだ。つまり、ヤマト政権とともにあるようだ。しかしながら、武士道は下士官クラス以下の一兵卒にまで行きわたっているとは思えない。そのことは、例えば二・二六事件の現場を一瞥すると納得できる。[☆45] また、井上はこうも主張する。「日本では一人も俘虜にはならない。全滅か勝利かの、二つ外無いといふのが日本の武士道の特色である」。[☆46] 井上は知らないだろうが、日本は一八八六年（明治一九年）六月五日、捕虜の保護を定めた最初のジュネーヴ条約に加入している。日米開戦前の一九四一年一月、時の陸軍大臣東条英機は戦陣訓（陸訓一号）を発令し、その中に「生きて虜囚（りょしゅう）の辱（はずかしめ）を受けず」という一節を含ませた。井上の本書はその翌年の刊行である。これが井上の考える武士道である。また井上は、神社神道を靖国神社に結びつけて、戦場で勲功を挙げた者や戦死した者を祭神とする儀礼的慣習を称えている。鎌倉武士を精神的に支えた武士神道とは、ずいぶんかけ離れてしまっている。武士神道は八幡神など自然信仰を漂わせる習合神への帰依を根拠としているが、武士道は天皇・主君への忠義を根拠としている。相互に似て非なる概念といえる。

それから、井上は、文化は国家（武力）によって護られると断じているが、それは転倒した理解だ。文化こそ国家存立の基盤である。ここにいう文化とは文学芸術を生み出す生活文化、衣食住を充たす生業文化である。その営みに従属するかたちで国家が構築され、文学芸術が創作される。日本列島が政治的に統合される以前の弥生時代後期と、列島規模で統合された飛鳥・奈良時代との前後を、私は先史社会から文明社会への転回とみている。古墳時代がその過渡期である。また、八幡神をもたらした人々のごとく半島から列島への渡来民のうち、新たな技術や生活様式を携えてきた人々は、列島における先史社会から文明社会への文化的転回に寄与しているとみている。[☆47]

最後に、神道における呪術性について付言したい。このテーマに関して私が以前から関心を持っているのは、開墾地には開墾した共同体や個人の魂がやどり、他人にわたってもその印象は消し去られず、徳政令などはこうした観念を含んでいた、というような歴史である。けれども、ここではその問題には入らないでおく。

去る二〇一九年に大嘗祭が挙行された。この儀礼は、新天皇が即位後に初めて行う新嘗祭（稲の収穫祭）である。稲は日本古来の聖なる植物とされ、いわば古来歴代天皇の霊的象徴である。ところで、民俗学者の折口信夫（一八八七～一九五三）は、この祭儀には呪術性が潜んでいると指摘している。しかし、昭和初期の一九二八年、おりしも昭和天皇即位にかかわる大嘗祭実施年に折口が提起した呪術性に富む新説は、昭和から平成に移る一九九〇年前後（昭和天皇逝去にかかわる大嘗祭実施年）に至って、岡田莊司ほかの神道研究者によって疑問視され、呪術説は否定された。折口新説が披露されたころ、日本は軍国主義路線を拡大していた。よって、呪術性に富む折口説は神国日本を支える国家神道イデオロギーに利用された、との読みもある。けれども、折口が問題としているのは古代の呪術儀礼（自然神道）であって、古代王権が成立した奈良時代以後の宗教儀礼（宮廷神道）ではない。いわんや明治時代の大嘗祭（国家神道）ではない。

フレイザーの外魂説によれば、天照大神とて肉体に見立てられた神殿の老朽化に従って自らにも衰えが生じ、それに伴って霊魂も衰える。[☆48]その発想は先史古代的であり、遷宮の背景には平安以前のフェティシズム的アニミズム的世界観があった。折口が論証の対象にしたのは、平安以降に文明的な洗練の度を増す以前の〔先史の精神〕にかかわる。そこでは呪術を伴う儀礼が社会を動かしていた。折口は古代に起因する大嘗祭に、まさしく呪術を伴う儀礼を捉えたのだった。神道儀礼の起点である。

注

01　アニミズム研究に関する最新の文献を挙げておく。奥野克巳・清水高志『今日のアニミズム』以文社、二〇二一年。「まえがき」にこう記されている。「本書は、人類に普遍的に見られるアニミズムと呼ばれる思考と、そこで見出される自然を徹底して考察し、思想としてそれがどれほどの深度を持ちうるものなのか、その限界まで探究しようとしたものである。（中略）途中、アニミズムの自然観、オントロジーを検討するにあたって、奥野さんも私もいずれも仏教とアニミズム、また仏教と現代哲学というテーマに惹き寄せられることになり、そのことが私には一つの思想的転機をもたらすことになった」（二～三頁）。本書を含め、従来のアニミズム研究では、自然をアニマとは相対的に区別して、モノをモノとして考察する立場が欠落している。私は、その点を意識してほぼ四〇年になる。

02　フェティシズムは、本稿の議論におけるライトモチーフに相当する。詳しくは本論で展開する。私が一九八〇年代前半から四〇年近くにわたり追究してきたフェティシズム研究の主要著作群を以下に示す。①『フェティシズムの思想圏―ド＝ブロス・フォイエルバッハ・マルクス』世界書院、一九九一年。②『フェティシズムの信仰圏―神仏虐待のフォークローア』世界書院、一九九三年。③『「白雪姫」とフェティシュ信仰』理想社、一九九五年。④『信仰・儀礼・神仏虐待―ものがみ信仰のフィールドワーク』世界書院、一九九五年。⑤『歴史知とフェティシズム―信仰・歴史・民俗』理想社、二〇〇〇年。⑥『脚（ピエ）・フェティシズム―フロイトを蹴飛ばす脚・靴・下駄理論』廣済堂出版、二〇〇二年。⑦『儀礼と神観念の起原―ディオニューソス神楽からナチス神話まで』論創社、二〇〇五年。⑧『フェティシズム―通奏低音』社会評論社、二〇一四年。⑨『価値転倒の社会哲学―ド＝ブロスを起点に』社会評論社、二〇二〇年。⑩『フレイザー金枝篇のオントロギー――文明を支える原初性』社会評論社、二〇二二年。

03　武士神道でなく武士道に関する最新の研究論文に以下のものがある。堀川峻・酒井利信・大石純子「近代初頭の武士道思想に関する一考察―「武士道の淵源」と「武士道と倫理・道徳」に着目して」、日本武道学会編『武道学研究』五四‐（一）、二〇二一年。本稿の叙述目的は以下のようである。「本研究は、この大きな課題を解き明かすため、まず近代武士道が隆盛していく明治三〇年前後よりも以前に説かれた武士道論に着目していくことで、近世以前からの思想的な連続性・つながりと、明治維新から近代武士道隆盛までの思想的変遷を明らかにすることを目的とする」（一六頁）。それ自体には大いに関心あるので、全体を通読してみた。しかし、本稿の叙述目的つまり自然神道から武士神道にかけての議論にはさして参考とならない。

04　一九九〇年代のフィールド調査結果は以下の拙著に収録されている。『歴史知とフェティシズム』（理想社、二〇〇〇年）の第三章「虐待される道祖神」。

05　武石彰夫訳『今昔物語集―本朝世俗篇（下）全現代語訳』巻三十一第二十五、講談社、二〇一六年、五九八頁。道祖神の箇所について、原文は以下のようである。「道祖ノ神ヲ祭テ狂フニコソ有ヌレ」。森正人校注『新日本古典文学大系三七 今昔物語集 五』巻三十一第二十五、岩波書店、一九九六年、四九六頁。なお、『今昔物語集』の成立事情について、追塩千尋「『今昔物語集』本朝部の神に読まれる以下の説明が参考となる。「神仏習合史の通説的理解によると、『今昔』成立期とされる平安末期は本地垂迹思想が確立し、神々の本地仏が比定される中で両者の関係は仏主神従となった時期とされる。しかし、中世に神々の復権がなされる中で神祇の地位が向上し、やがては神主仏従の逆本地垂迹説などが生み出されるに至る、という図式が描かれている。『今昔』の時期は、仏主神従から神主仏従に至るまさに転換期、ということになる」。速水侑編『日本社会における仏と神』吉川弘文館、二〇〇六年、二二一頁。

06 飯田市ホームページ「市田柿」参照。https://www.city.iida.lg.jp/site/ichidagaki/history-nariki.html

07 逵日出典『八幡神と神仏習合』講談社新書、二〇〇七年、〔引用一〕一五頁、〔引用二〕六七頁。

08 〔風の三郎〕儀礼については以下の拙稿を参照。「風の神とその儀礼―越後の風の三郎vs大和の志那都比古命」、NPO法人頸城野郷土資料室編『「裏日本」文化ルネッサンス』社会評論社、二〇一一年、所収。ほかに以下の文献を参照。NPO法人頸城野郷土資料室編集発行『風の神信仰フィールド調査 吉村博ドキュメント第二』、二〇〇九年。同書にはまた、同じく風の神を撃退する薙鎌儀礼に関する説明がある。

09 二〇一四年、諏訪信仰の一例を上越市茶屋ケ原（海岸沿い）の乳母嶽神社に確認してみた。同じ境内に山神大明神、加具奴知命、諏訪神などが合祀されている。そのうち山神大明神は自然神、加具奴知命は伊邪那岐に殺された火の神である。乳母嶽神は、境内の由緒書きに次のように記されている。「源義朝の家来、野宮権九郎が落ちのびてこの地に隠棲したとき、ここの海で東西に織り合う『四海波』の沖合から霊像を得てこれをまつったところ、『乳不足の婦人はわれを祈念せよ』とお告げがあったと伝えられている」。そういう伝承であればマレビト神の一種であろう。ようするに他所から流れ着いた神であるから、諏訪神と同類という事になる。

10 奥田真啓『中世武士団と信仰』柏書房、一九八〇年、七六～七七頁。本書は『武士団と神道』（白揚社、一九三九年）の増補復刻版であり、「兄の書棚から：奥田妙子」「解題：安田元久」などが補足されている。

11 北条重時「極楽寺御消息」、小澤富夫編集・校訂『武家家訓・遺訓集成』ぺりかん社、一九九八年、三七頁。

12 同上、四八頁。

13 「酒井隼人（忠胤）家訓」、同上、二九四頁。

14 同上、三〇二頁。

15 斯波義将「竹馬抄」、小澤富夫編集・校訂『武家家訓・遺訓集成』、〔引用一〕六六頁、〔引用二〕六六～六七頁。

16 北条早雲（一四三二～一五一九）「早雲寺殿廿一箇条」、同上、一一四頁。

17 五十嵐富夫『瞽女―旅芸人の記録』桜楓社、一九八七年、一一二頁、一一三頁。

18 フレイザーの共感呪術に関する最新の文献として、以下のものがある。石塚正英『フレイザー金枝篇のオントロギー―文明を支える原初性』社会評論社、二〇二二年。

19 石井進著作集刊行会編『石井進の世界②中世武士団』山川出版社、二〇〇五年、〔引用一〕六八～六九頁、〔引用二〕七〇頁。

20 前近代から近代にかけての過渡期に出現した社会的匪賊について、私は一九世紀ドイツの手工業職人ヴァイトリングを事例に研究している。以下の拙稿を参照。「社会的匪賊への親近感」、石塚正英『革命職人ヴァイトリング』社会評論社、二〇一六年。

21 小澤富夫編集・校訂『武家家訓・遺訓集成』、一八五頁。

22 同上、一八二頁。

23 網野善彦『中世の民衆像』（岩波書店、二〇〇九年）では、百姓像が次のように描かれている。「たしかに近世に入ると、『農夫』を『俗に百姓と云う』とするような状況が進行しているとはいえ、古代・中世・近世を通じて国制的な身分用語として用いられた『百姓』の語は、一貫してその本来の語義―さまざまな多くの姓をもつふつうの人という意味で使用されていたことは、間違いない事実である」（一一七～一一八頁）。

24 同上、二五四頁。

25 同上、三六七頁。合わせて、以下の文献を参照。「吉茂遺訓」、熊代幸男ほか校注・執筆『日本農業全書二一 農業自得・農業自得附録・農業肝用記・農業根元記・吉茂遺訓』農山漁村文化協会、一九八一年、二二一頁。なお、吉茂つまり田村吉茂は、農業にかかわる限り、自然信仰を強く意識していた。その証言を一八四一年吉茂執筆の「農業自得」から以下に引用する。「草木は自然に生え育つものであり、虫害その他の心配もない。しかし穀物は、生命を養う根源となるもので、宝のうちでも第一のものである。そこで種子を播くときは、天地と種子を三度おがみ、土神へ五穀の豊穣を願うべきである」同上、七～八頁。ここに記されている「土神」には現代語訳の注記が以下のように付されている。「土公神（どくじん）。陰陽道において土をつかさどる神。春は竈に、夏は門に、秋は井に、冬は庭にあって、その場所を動かせばたたりがあるという」同上、八頁。江戸から明治にかけて、田村吉茂のような農民たちは、武士神道よりも、それ以前からの自然神道ないし自然崇拝の世界に生きていたと考えられる。

26 同上、二五二頁。

27 同上、二八一頁。

28 同上、三四五頁。

29 五十嵐富夫『駈込寺―女人救済の尼寺』塙書房、一九八九年、一一頁、一三頁。

30 同上、一六頁。

31 田原嗣郎・守本順一郎校注『日本思想大系32 山鹿素行』岩波書店、一九七〇年、一八頁。

32 同上、二三頁。

33 田原嗣郎「解説 山鹿素行における思想の基本的構成」、同上、四五八頁。

34　守本順一郎「解説 山鹿素行における思想の歴史的性格」、同上、五三七頁。

35　同上、五四六頁。

36　長野県神社庁ホームページ「諏訪八幡神社」（二〇二二年三月三日アクセス）
https://www.nagano-jinjacho.jp/shibu/03tousin/02kita-saku/2071.htm

37　良妻賢母主義を近代の思想とみる研究を、私は一九九〇年代にすすめた。その報告を以下にまとめてある。石塚正英「良妻賢母主義の解明によせて」、同『ソキエタスの方へ』社会評論社、一九九九年、所収。

38　新渡戸稲造著・山本史郎訳『対訳 武士道』朝日新聞出版、二〇二一年、序、一二頁。

39　同上、序、一四頁。

40　同上、六二～六三頁。

41　同上、第十版（改訂版）への序、二〇頁。

42　金子堅太郎講演・石塚正英編『日露戦争・日米外交秘録』（一九二九年の講演、長崎出版、一九八六年復刻）、一〇四～一〇五頁。

43　井上哲次郎『武士道の本質』八光社、一九四二年、二～三頁。

44　新渡戸稲造、前掲書、二七〇頁。

45　石塚正英「思想としての二・二六昭和維新」、同『歴史知のオントロギー―文明を支える原初性』社会評論社、二〇二一年、第一七章、参照。

46　井上、前掲書、一三二頁。

47　井上は、武士道を神武の神代に起因させる。以下の通りである。「武士道の歴史に就いて述べます。私は武士道の歴史を、四つに分かつことが適当であると思ひます。第一期は神武天皇より鎌倉時代の初に至るまで、第二期は鎌倉時代より徳川時代に初に至るまで、第三期は徳川時代全体で、即ち徳川時代から明治維新に至る迄であります。第四期は明治維新以後のことで、即ち今日迄であります」。井上、同上、五〇頁。

　日本の歴史は神武から始まるとは、哀しいかな。また、サホビメ・サホビコなどヤマトに敗れた諸族の古代史に武士道は存在していないのか。本書刊行の一九四二年であれば、もう考古学の成果によって縄文期はそうとう解明されている。エドワード・モースが大森貝塚を調査したのは一八七七年である。京都大学に考古学講座がおかれたのは一九一七年である。私の大まかな分類でみると、第一期は自然信仰＝自然神道の時期であり、第二期は平安末期からの武士神道の時期である。そして第三期は明治維新以後のナショナルな武士道の時期である。つまり、私にすれば、武士道は近代的な道徳観念だということである。

48　石塚正英「大嘗祭における呪術性の再検討―折口・フレイザー・ド＝ブロスをヒントに」、同『フレイザー金枝篇のオントロギー』社会評論社、二〇二二年、第一六章参照。

　なお、本論文は令和時代に入って喧しくなってきた男系天皇の議論への問題提起を含んでいる。万世一系とは男子一二六代までの一系列でなく、その都度ニニギ（瓊瓊杵尊）に戻って累代を統べることだ、という提起である。継承の基準は男子か女子かではない。ニニギに戻るのが基準である。天皇の死は一回きりで、その際に浮遊した霊魂は神代の昔、ニニギが体内に宿していた霊魂にリセットされている。それを継承する新天皇は、死んだ天皇とは無関係に、また新たに一代を築くのである。個々の天皇の霊魂と肉体はもろともに一代で途絶え、初期値にリセットされたニニギの霊魂が新たな天皇に入り込む、ということであろう。折口の昭和三年講演記録「大嘗祭の本義」からは、そのように類推できる。一代としては霊魂も肉体も消滅する、という考えに立てば、アニミズムとフェティシズムの交点が見つかる。すなわち、一代としては霊魂も肉体も消滅する状態はフェティシズムに相応し、初期値にリセットされたニニギの霊魂が新たな天皇に入り込む状態はアニミズムに相応する。

ちなみに、二〇一四年元日に放送されたNHKスペシャル「シリーズ遷宮」第一回の『伊勢神宮』の中で、権禰宜である吉川竜実は、以下のような内容の説明をした。歴代の天皇は、即位（大嘗祭）に際して、先代の天皇から神霊を受け継ぐのではなく、ニニギから直接に神霊を受け取る。つまり原初回帰を繰り返して系を繋ぐ。これが万世一系の意味である。吉川による以上の説明をもとにすれば歴代天皇間の肉体的な受け継ぎは副次的である。壬申の乱など、一見すると直系から傍系への変更ないし断絶があるように見えるが、系統はその時々の天皇二代間の授受によるのでなく、たえずニニギに返って受け継がれるのである。ニニギの神霊を身に受けたものが直系なのであって、それは血統の遠近に優先する。よって、遷御の儀や大嘗祭がニニギ回帰を介して系統的に受け継がれる限り、万世一系が途絶えることはない。その際、神霊の受け継ぎ方は、おそらく穀物即ちコメの食事によってである。そして、このコメないし稲こそ神霊＝稲魂を宿す身体なのである。神を食う儀礼が大嘗祭、新嘗祭なのだ。そこから先は、私の研究領域、フレイザー『金枝篇―呪術と宗教の研究』の舞台へと入っていく。

第2章

正倉院籍帳に読まれる家父長像の歴史知的二類型

はじめに

日本史の時代区分にもちいられる基準というか概念には、幾つか存在する。広く用いられるものは、原始（先史）、古代、中世、近世、近代、現代という区分である。そのほか、旧石器とか縄文土器とかの利器に因む名称がある。また、奈良時代、鎌倉時代など場所に因む名称がある。さらには、貴族時代、武家時代、元禄時代など支配階層やその文化に因む名称がある。ほかにも、奴隷制、農奴制、資本制など社会経済の様式による区分がある。

それらの中で、学術的にみていずれの時代に該当するものかと悩む表現に律令制とか家父長制とかがある。前者は公地公民制を理念とするもので、大きく括ると古代に該当し、飛鳥時代の後半つまり七世紀後半から奈良時代つまり八世紀いっぱいを存続期間としている。さて、その時代を社会経済の様式で区分するとどうなるか。奴隷制か農奴制か。また後者の「家父長制」は、パターナリズム（父親温情主義）まで含めると古代から現代にまで使用される制度・概念である。

そうした幅を有する歴史用語のうち、本稿では「家父長」に特化して、古代史における家父長像の二類型を炙りだしてみたい。時代区分でみると、原始（先史社会）から古代（文明社会）に向かう過渡期における二類型となる。ただし、私の研究視座である〔歴史知（Historiosophy）〕では、時系列的区分は時代往還とセットになっている点を予め説明しておきたい。

たとえば、一九世紀の歴史家たちは、進歩史観（歴史は進歩する）でもってギリシア時代以来の循環史観（歴史は循環する）を克服した。けれども、二一世紀の歴史家たちは、こんどはその進歩史観をもう一つ別の史観によって乗りこえなければならない。この課題を私は、知の枠組みに関連させて〔歴史知〕という用語で提起している。経験知や感性知など前近代に根をもつ知と、科学知や理性知など近代に成立した知と、その双方を時間軸上で―将来的に―連合させる試みである。自然と人間、感性と理性、野生と文明、前近代と近代、非合理と合理、ファシズムと民主主義といった二項対立をとらず、諸々の価値や概念を二項間の交互的往復運動の中に投げ込む。どちらかの項に意味や価値があるのでなく、二項間の交互運動にそれらを見いだす。そのような発想のもとに新たな歴史視座を展望するならば、それは循環史観と進歩史観を連合させる視座、私の造語で表現するならば〔歴史知〕ないし〔多様化史観〕となる。時系列的区分は時代往還とセットになっている、という意味は以上のとおりである。

大日本古文書　巻之一

文武天皇

大寶二年

○御野國味蜂間郡春部里戸籍 正倉院文書

（續目裏書）（美濃）（安八）御野國味蜂間郡春部里太寶貳年戸籍

（續修四）

上政戸國造族 下々戸兵士

上政戸國造族石足戸口十三 正丁二 兵士二 少丁三 小子二 緑兒一 并十 正女二 緑女一 并三

下々戸主石足 年卅三 兵士　戸主兄國足（兄）年卅四 正丁　嫡子安倍 年六 小子

戸主弟高嶋（弟）年廾七 兵士　嫡子八十麻呂 年二 緑兒　戸主弟久留麻呂 年廾五 正丁

次大羆 年廾 少丁　次廣國 年十九 少丁　次友乎（乎）年十八 少丁

戸主甥奈世麻呂 年十 小子　戸主母國造族麻奈賣 年冊七 正女　戸主妻國造族志祁多女 年卅二 正女

大羆兒阿尼賣 年二 緑女

大寶二年十一月　一

なお、本稿における討究の史料として、「正倉院籍帳」（東京大学史料編纂所編『大日本古文書　巻之一』一九〇一年、所収。写真は同書一頁から転載）を用い、それを分析する主要参考資料として布村一夫『正倉院籍帳の研究』（刀水書房、一九九四年）ほか数点を用いる。また、七世紀中ごろの大化改新について、戦後になって、その史実性を疑問視する諸学説が現れた。[☆01]本稿では、大化年間（六四五〜六六〇）から七〇一年大宝律令までの期間に行われた改革をもって、当該の改新を概ね了解しておく。

一　共同体における先史と文明の二類型

冒頭で取り上げた時代区分のうち、最初の画期である「原始（先史）」から議論を開始する。原始を英語で“primitive”といい、先史を“prehistory”という。本稿で対象とする時期は人類発祥の原始でなく歴史以前の人類社会なので、いっそう注目したいのは先史である。私は、人類史を先史と文明に類型的に区別し、宗教・家族・私的所有・国家の成立をもって先史から文明へ転換したとみる。ただし、この転換がみられない、あるいは部分的にしかみられない非文明社会も近現代まで長く存続しているので、正確には二類型併存期に入ったとみる。[☆02]また、その四項目のいずれも断絶的に、一挙的に変化したのではない。先史と文明の中間には、どちらとも決めかねる過渡期が横たわっている。宗教においては神観念に、家族においては婚姻形態に、私的所有と国家においては財の管理形態に、それぞれ過渡的形態が観察される。あるいは、文明期に至った社会においても、先史は完全に潰え去ることなく、文明を下支えしていくと考える。詳しくは既刊拙著に記してあるが☆03、ここでは特に、家族史における「家父長」のイメージに注目して過渡期を考察してみたい。

さて、先史と文明の区切りは、複数の共同社会（共同体）、その諸類型に読みとることができる。たとえば「資本制生産に先行する諸形態」著者マルクスの場合、先史は原始共同体（Ursprüngliche Gemeinschaft）にあたり、文明はアジア的共同体（総体的奴隷制国家を生む）、古典古代（ギリシア・ローマ）的共同体（都市国家を生む）、ゲルマン的共同体（封建制国家を生む）にあたる。原始共同体から三種の文明共同体が類型を異にしつつ派生したとみるのである。研究者によっては、原始→アジア→ギリシア・ローマ→ゲルマンというように単系発展したと誤解する者がいるが、それは論外である☆04。

その点を確認したうえで、共同体における先史と文明との二類型を区分すると、前者は原始共同体のみである。ほかの三形態は文明期の共同体である。ただし、三種とも各々に先史から文明への過渡的形態を実現しており、本稿はそこを討究の場にしている。日本史にあてはめると、弥生時代の後半から古墳時代にかけての期間が過渡期である。その期間の記録は中国の『漢書』や『後漢書』、『魏志倭人伝』に断片的に残されたが、それらはあくまで外的あるいは外交的な記録である。共同体内部にかかわるような文字記録は、おそらく正倉院に残された断簡に頼る以外にありえないだろう。それは最古のものでも七〇二（大宝二）年作成の戸籍であり、すでに文明の時代に入って久しい記録である。けれども、その記録中には弥生時代までの、いまだ単婚家族を形成するに至っていない氏族共同体の余韻が、たしかに残っている。その部分の考察が本稿のメインテーマである。

なお、ここに記した「氏族」であるが、欧米の人類学で用いられる概念とは相対的に区別される。欧米の用語〝clan〟は、先史社会の基本単位であって、それが複数集って部族〝tribe〟を形成する。氏族内では通婚が禁じられ、部族内ではそれが行われる。二分組織〝dual organization〟と称する。複婚（一夫多妻、多夫一妻、場合によっては多夫多妻など）ではあれ、氏族内の族外婚と部族内の族内婚という禁忌が制度化している。それはやがて紀元前九～

八世紀ギリシアの集住（シノイキスモス）に見られるような文明期にさしかかると、氏族共同体の解体と単婚（一夫一妻）家族の成立、都市国家（ポリス）の形成などが進行する。

一方、古代日本の場合はそうしたギリシア・ローマ的な展開は確認できていない。先史日本海域における諸民族の移動を考慮すれば、さまざまな形態が日本に介在したのかもしれないが、文書によるエビデンスは残っていない。確認できるのは考古学的な成果である。たとえば、田中良之『骨が語る古代の家族―親族と社会』に示された古墳時代前期の葬制がエビデンスになり得る。「弥生時代には確実に認められた同じ棺への男女の埋葬は、前田山遺跡の分析からキョウダイであると推定された。では、それは古墳時代へとそのまま継承されたのだろうか。私はこれまでの研究で、古墳時代前半期の埋葬原理が双系のキョウダイ関係であることを示してきた☆05（田中良之『古墳時代親族構造の研究』柏書房、一九九五年）」。

この田中論文に引き付けて区分すると、兄妹・姉弟・兄弟・姉妹を含むキョウダイ葬制は先史か、あるいは先史から文明への過渡期に括られ、夫婦葬制は文明に括られる。男女が並んで埋葬される事例のみを根拠に、それは夫婦か親子の関係だ、と結論する研究者は、論証のガードが甘い。

二　家父長制組織の二類型

ここで「正倉院籍帳」に考察の史料を求めてみよう。この資料は東京大学史料編纂所が一九〇一年に刊行した『大日本古文書』巻之一に収められている。七〇二（大宝二）年の御野国と筑豊諸国の「戸籍」、七二一（養老五）年の「下総国戸籍」、その後に続く諸国の「計帳」、「陸奥国戸口損益帳」などの文書を総称したものをいう。この分野における先行研究につき、年代順に二例を扱う。門脇禎二『日本古代共同体の研究』（東京大学出版会、一九七一年）、および布村一夫『正倉院籍帳の研究』（刀水書房、一九九四年）である。まずは門脇著作に考察の事例を拾う。

> いうまでもなく当時の日本社会は、とっくに母系制の段階を脱していた。（中略）要するにここでは、大嶋郷の構造をみてゆくうえで、基本的には父系制に移行しているとはいえ、少くとも氏族共同体との関連を見失わないように検証してゆく視角を必要とするのではないかということをいいたいのである。☆06

ここに出ている「大嶋郷」とは、現在の葛飾区・江戸川区付近にあったと推定される下総国葛飾郡大嶋郷である。

そこの戸籍を分析するかぎりで、「当時の日本社会は、とっくに母系制の段階を脱していた」ものの、依然として「氏族共同体」が介在していた、ということになっている。この記述はおおいに評価でき、注目に値する。親族関係は父系になっているものの、社会形態は先史的な余韻を残している、ということなのである。「正倉院籍帳」には「郷戸」と称する広狭さまざまな親族組織が記されている。これは幾つかの家族的親族を束ねた寄合世帯であるが、基本単位は家族でなく郷戸である。後々に単婚世帯として分立していくであろう狭義の家族はいまだ存在していない。この点は重要である。大嶋郷の「郷戸は、郷戸主の血縁ばかりで構成されており、郷戸主の家族グループの房戸と、郷戸主の従父兄の家族グループの房戸からなっている[07]」。

門脇はマルクス主義歴史学に寛容である。あるいは、マルクスとエンゲルスが依拠したアメリカの人類学者モーガンやスイスの神話学者バッハオーフェンの集団婚説に立脚している。その点を、私は高く評価する。現代の歴史学や人類学や比較家族史の分野では、マルクス、エンゲルス、モーガン、バッハオーフェン、彼らの学説はこぞって修正されるか否定されるかしており、そのままでは到底使い物にならない、とされている。しかし私は、彼らの学説それ自体はしっかりした土台のうえに構築されていると思っている。だが、無批判であってはならない。その一例を門脇著作から引用する。

大嶋郷は、アジア的形態の共同体の原初的な様相を留めているものとみて間違いないようである。さらにいうなら、大嶋郷は、その規模からみて到底、自然集落そのものではない。大嶋郷戸籍の末尾にみえる甲和里、仲村里、嶋俣里こそが、むしろ自然的な集落としてとらえうるものであろう。したがって大嶋郷はすでに、家父長制的世帯共同体を構成単位として、自然的な集落結合のせまいわくをつきやぶっていたといえる[08]。

門脇がここで使用する「アジア的形態の共同体」とは、マルクス主義共同体論における「総体的奴隷制」のことと思われる。農業共同体であるアジア的形態は、血縁による部族共同体（Stammgemeinschaft）である。その中に、狭義の家族は未だ出現していない。家父長的家族によって占有されるヘレディウム（宅地、庭畑地など）の形成も未だ微弱であり、土地＝共同マルクは少数専制支配者による共同占取で、共同体構成員は事実上無所有の状態にある。完全な自給自足経済で、農業と工業の分割は見られない。こうした形態は四大文明発生地に広く存在し、とくにインドでは一九世紀に至るまで部分的に残存した。

ところで、それはインドや中国の、いわゆるアジア的専制国家の場合には大なり小なり当てはまるが、古代日本には妥当しない。弥生時代の農耕社会は、同じアジアでもむしろ中近東から地中海沿岸にかけての周辺的農耕社会、あるいは集住以前の先ギリシア農耕氏族社会（コーメー）に近い。専制体制を敷く以前のヤマト政権は、地方農耕勢力との連合政権として支配地域を確保し拡大したのだった。そうした日本的というか小規模農耕社会の基本単位だった郷戸に関する門脇の説明にはおおむね納得できる。

大嶋郷の郷長たる地位は、私富の保有に裏付けられてはいない。そういう意味で郷長は、伝統的な（共同体の）首長権をうけついでいたのではないだろうか。（中略）郷長は、郷飲酒礼などでは重要な宗教的権限も示したであろう。大嶋郷の郷長や里長の在り方が氏族共同体の首長の在り方の遺制を示しているといえないであろうか。☆09

ここでの郷長の説明は、ギリシア・ローマで迫りくる中央集権的都市国家（ポリス）にあらがった旧組織、解体の度をはやめつつあった氏族共同体の首長を思わせる。私は旧組織の氏族的首長を〔氏族パーター〕とし、新組織の家父長的首長を〔家族パーター〕として区別している。〔氏族パーター〕の一部有力者は、氏族を割って出て城塞ポリスを構築し、自ら〔家族パーター〕に転身していった。そうしてついに、父系家族（ファミリア）の長、いわゆる家父長（パトロヌス）となって奴隷を所有し、妻子の生殺与奪権を揮った。彼らは都市国家を支えた家父長的首長である。☆10

さて、ここに二種の首長を列記したが、私のいう〔家族パーター〕は通常の奈良平安期の家父長に一致するが、〔氏族パーター〕の方は、いうなれば「正倉院籍帳」に記された「郷戸」の首長、あるいはその弥生的先駆に近似する。私のその捉え方は、門脇が「伝統的な（共同体の）首長権をうけついでいたのではないだろうか」と記す根拠と一致する。門脇は、そのような体制を「家父長的世帯共同体」と定義し、A・B・Cに類型化して説明している。

〔引用二〕A型の家父長制的世帯共同体、つまり戸主の従父兄弟の世帯グループによって構成されるものである。（中略）B型の家父長制的世帯共同体、つまり戸主とその甥の世帯グループによって構成される郷戸である。（中略）戸主とその同世代の兄弟の世帯グループの結合によるもの、つまり家父長制的世帯共同体のC型であるが、（中略）

〔引用二〕各小世帯の単婚家族化の傾向が、世帯共同体の同一世代の広い血縁的結合紐帯を弱めているのである。逆にいえば、世帯共同体における家父長的統制が強化されてきていると予断できよう。

〔引用三〕各々の小世帯は、いっきょに独立性を実現しているのではない。ただそれが、家父長制的世帯共同体の従前の血縁紐帯、したがってその構造の変化を余儀なくさせてきているにすぎない。（中略）各々の小世帯の単婚家族化といっても、それは家父長制的世帯共同体の内部構成の問題であって、まだその枠を破りうるものではない。

〔引用四〕寄口や奴婢を含み込んでも家父長制的世帯共同体の体制は本質的には崩れていない。しかるに、これを、家内奴隷制家族と認定してよいのだろうか。むしろ、大宝二年戸籍の示す村落実態は、家父長制的世帯共同体の在り方が、非血縁家族員の在り方をいかに規制しているか、といった側面が強調さるべき段階のように思われる。[☆11]

門脇の説では、八世紀初頭は未だ家父長制的世帯共同体の時代が残存している、ということだ。ここに記されている「寄口（きこう）」は氏族中の零落した人々を指すと思われる。したがって、関係が疎遠かも知れないが血縁関係にある人々であると考えられる。これは、私の分類では古代国家形成の過渡期（弥生後期から古墳時代）に存在する共同体である。

ちなみに、郷戸内の親族構成を①一般大衆と②地方豪族に区分して研究した高島正人の論稿「わが律令初期における家族と家口の構成」から一部を以下に引用する。

上来、述べたところを要約すれば、現存する律令初期の籍帳からすれば、当時の家族（家口）構成を推せば、伝統的族長の系譜を引く地方豪族と一般庶民の二つの型があることを知り得る。一般庶民の家は、ふつう十名内外の規模を持ち、家長夫妻を中心としながら、三世にわたって塁世共居する場合の多い大家族的構成を示し、半数以上の家では、奴婢や従属的家口はまったく含まない。奴婢など、家長家族に従属的家口を含む場合でも、その口数は少なく、数口以上を含むものは稀である。これに対して、地方豪族層の家は、家長の家族の外に従属的家口―十名前後の使用人とその家族―及びぼう大な奴婢を含むところにその特異性がある。又家長家族の構成の基本は、庶民の家族とほぼ同様であるが、多数の妻妾を持つことと傍系親の分析独立が遅れ勝ちな点から、自然家族の口数が多くなりやすいように思える、ということになろう。[☆12]

高島が引用文中で取り上げている「伝統的族長の系譜を引く地方豪族」とは、私の区分では弥生後期から古墳時代にかけて経過する過渡期にあって、〔氏族パーター〕の中から有力となった〔家族パーター〕の郷戸である。そして高島が取り上げている「一般庶民」とは、有力な〔家族パーター〕に従属しつつある中小・弱小の〔家族パーター〕の郷戸である。ちなみに、引用文中に「多数の妻妾」とあるが、このような妻と妾の併記、同等扱いは理に適っている。[☆13]私にすれば高島による区分と同類の区分と思われる考察を、以下に引用する。日本古代史研究者の今宮新は、著作『班田収授制の研究』（龍吟社、一九四四年）の中で次のように相反すると思われる内容を記している。

〔引用一〕律令時代以前に於いては、一方に大土地所有が発展しつつあると共に、他方村落内部に於いては、未だ郷戸的の存在が強力であつたと推測しなければならない。即ち戸主の強力なる統制の下に、共同の財産を有し、共同の労働を為してゐたのが、地方民の姿であつたらうと思はれる。かくて当然戸による土地の共有、耕作の共同等が行はれてゐたと見るべきであらう。

〔引用二〕要するに彼等（地方豪族—引用者）が郡司として地方に勢力を揮ひ得たことは、彼等が大化以前よりの豪族であつて、血縁的にも地縁的にも、地方に強固なる基礎を維持しつづけてゐたために外ならないのである。かかる点より見て、地方に於ける公地公民主義の実施は、これが完全に行はれたと見ることは極めて困難であると言はなければならない。[☆14]

以上の、一見して内容が食い違っている引用を解釈すると、こうなる。〔引用一〕は、先史から弥生後期へと継続してきた共同体の慣例が残存していることの証拠である。力点は共同体成員の側に置かれている。それに対して〔引用二〕は、弥生後期から古墳時代への過渡期に、ヤマト政権国家形成へと揺れ動く社会的転換の中を生き抜く郷戸主に焦点が当てられている。私の過渡期論を裏付けるのに役立つ既述の一つではある。

いずれにせよ、私は、大化改新以後の古代国家の時代については、門脇のように家父長制的家内奴隷制を想定しない。一時代をなし一体制を画するほどには、奴隷は階級として生まれなかったからである。むしろ、布村一夫の説くプロト封建制と比較する必要がある。布村は、奈良時代として律令国家とかの表現は歴史の時代的区分を曖昧にするとしている。そうではなく、奴隷制とか封建制とかの表現を取るべきと考える。そのうえで、奈良時代の国家体制をプロト封建制とみる。「プロト」とは「プレ」と同様、「前の」とか「先駆的」という意味なので、奈良時代は古代奴隷制でなく、先駆的ながら中世封建制に括られるということである。ただし社会は、高島が分析したように、①一般大衆と②地方豪族の二種が混在していることを見落としてはならない。

布村によると、ヨーロッパでは労働地代（賦役）の段階に対応する農民は農奴（サーフ、ヴィレン、ライプアイゲネ）である。また労働地代でなく生産物地代の段階に対応する農民は隷農（ヘーリゲ）である。そのような区分を大化改新後の班田農民にあてはめると、彼らは労働地代を課せられるもののそれ以上に生産物地代（田租）を課されたから隷農である。それに対し大化改新前に豪族の私有地（田荘）を耕作していた部民は農奴である。そのいずれも奴隷ではない。奴隷とは、良民である班田農民が所有していた私奴婢のことである。この奴隷たちは春秋戦国以降の中国に存在した国家所有＝総体的奴隷制のそれでなく、せいぜいのところ、物部氏や蘇我氏など豪族が支配する家父長制的所有の範疇だった。

班田収授法を研究した虎尾俊哉は、著作『班田収授法の研究』（吉川弘文館、一九六一年）の中で、郷戸主や班田農民をこう描写している。

想像を許されるならば、口分田は戸主を通じて（郷戸・房戸制下では房戸主を通じて）班給され、その戸内に於いて、戸主は更にその構成家族＝「家」にこれを配分する。そして各「家」の長はその配分された口分田に対して用益権を持ち、或いは質物としたりすることもできるが、戸主或いは房戸主は郷戸主全体或いは主戸・房戸（いずれもその中に幾つかの家を含み得る）の占有する口分田について、より上級の権利をもっていたのではあるまいか。☆15

虎尾は「想像を許されるならば」と前置きしているが、当たらずとも遠からずと言えるだろう。口分田はすべて郷戸主にわたり、その後各成員に配られた。「より上級の権利をもっていた」ということの、その意味なり意図なりをどう解釈するか。私は、①弥生時代の起原を考慮すると成員への配慮に重きを置きたい。一方、②成員を経済的に支配する方向における上位権力として解釈すれば、生殺与奪権の一部、とも考えられる。門脇がA・B・Cに類型化したうちのA→B→Cの順に①から②へとシフトしていったのだろう。

そうした事態を総合すると、ここで大化改新以前と以後（七〜一二世紀）の社会制度を総体的奴隷制とするのは間違っていると結論づけるのが正しい。また、大化改新によって登場した班田農民はヨーロッパ史では奴隷にでなく農奴に分類される。布村によれば「大化後の班田農民は隷農であるといえるにちがいない。そして大化前の部民も、それにちかいものであったことは（中略）あきらかである」[☆16]。

そのほか、布村は郷戸に組み込まれている限りでの「家」に触れている。しかし、これは単独で存在してはいないし、一夫一妻婚に立脚しているともいえない。確立した実体としての制度でなく、主戸・房戸を含む相互関係の中の班田農民の家族である。布村は『記紀』の記述によせて、こうも述べている。

〔引用一〕『記紀』では、ソロレート婚が記録されているが、レヴィレート婚は記録されていないことを記しておく。死去した兄の妻を、弟あるいは近親者がめとる婚姻である。フレーザーはソロレート婚とレヴィレート婚とが対になっており、ともに集団婚の遺制であるとした研究成果を示しており、これはうけいれるべきであるが、そうするとソロレート婚がみられる上代日本ではレヴィレート婚もおこなわれていたと推測される。近代日本でもレヴィレート婚がおこなわれているのでなおさらであるが、上代におこなわれていたとしても、『記紀』では記録されなかっただけかもしれないのである。

〔引用二〕八世紀での婚姻は、一夫一妻婚が制度として確立しておらず家父長権のもとにある婚姻である。さまざまの婚姻諸形態がみられ、原始の集団婚の名残りとしての一夫多妻婚をもともなっている先（プレ）一夫一妻婚にあるとすることができるのである[☆17]。

布村は、ここで「原始の集団婚の名残り」という表現を用いているが、この術語はいわゆる乱婚と変わらないと、けっこう誤解されてきた。私はこの術語に二分組織間の族外婚といった狭義の定義をあてがわず、なんらかの複数婚の諸形態として広義に用いている。よって、この語に拒絶反応はない[☆18]。

それから、布村の記述は、私を否応なくわがファミリーヒストリーに引き寄せる。私の父方祖父（石塚寅三郎一八九〇〜一九四四）の弟（辰寿）は、父方祖父の妻つまり私の祖母（シヨ）の妹（ミヨノ）と結婚している。つまり私の祖父夫婦は叔祖父夫婦と兄弟姉妹そろい婚である。一種の集団婚になっている。また、私の妻方父親（義父、慶野義雄）の妻（義母、ゆわ）は、義父の実兄（義伯父、清三郎）が戦死したため義父の妻となった。義母は兄から弟へと夫婦関係を改める、つまりレヴィレート婚の関係にある。この慣習を、わが郷土の上越地方では「なおる」と言い習わしている。

なお、郷戸は先史共同体の解体によって事後的に成立したもので、文明家族（単婚）への過渡的な集団であるとしても、中には大陸や半島から渡来した人々が形成したものと入れ子状態になっただろう。あるいは畿内を中心に両者は混交しもしただろう。渡来神の八幡信仰などを参考に、生活文化として討究する必要がある。☆19

三　パトリオフィル

前節で、〔氏族パーター〕と〔家族パーター〕に言及したが、前者は郷戸段階までの氏族的首長を指し、後者は中央集権体制の進んだ飛鳥時代以降の家族的・家父長的首長を指す。どちらも家父長と称されるが、類型は異なる。部族連合時代のヤマト政権はまだ氏族的首長の連合体だった。『日本文化史』の著者ジョージ・サンソムは、同書においていみじくもこう記している。十七条憲法という「聖徳太子の戒告の時代には、日本はまだ單一政治單位という所には遠く及ばなかつた」。「皇室自身實は土地に飢えた多数の氏族の一つであつたに過ぎない（they were only one among many land-hungry clans.）」☆20。だが、大化改新以降の専制国家を統率する天皇家系と、それにつき従う官僚的豪族たちは、あきらかに家父長的首長である。布村は、郷戸がしだいに〔氏族パーター〕から〔家族パーター〕へと変化していく事態を以下のように記している。

八世紀は男尊女卑の世界であり、むしろ男の父権、そして家父長権のつよい時代であるとみるのがふさわしい。農耕する生産者たちのあいだでは、働く妻の地位が比較的に高いこともありうるとしても、あるいは原始の女の自由を保存していたとしても、そうじてプロト封建国家の専制君主のもとにあり、貴族の専横がみずからの「家」の家父長権をゆるしているかぎりでは、郷戸のなかでの家父長権が力よわく、未熟であるとしても、やはりそこでの家父長権・父権の強大化しつつあるのを、みおとすことはゆるされないのである。☆21

布村の文体・文脈にはやや物語る雰囲気が漂っており、解釈に悩ましいところがある。それを承知のうえで引用文を私なりのターミノロジーで解釈すると、こうなろうか。

①八世紀に至ってもなお、未だに旧来の郷戸は諸地域に残存しており、そこでは「家父長権が力よわく、未熟である」。

②しかし八世紀は貴族の時代であって、寧楽の平城京では家父長権が確立し強大化しており、そういう社会組織が専

制国家を支えている。この引用文をそのように解釈するとして、正倉院の戸籍断簡には、①のような往にし方の遺制が記録された、ということである。正倉院籍帳を調べる布村によれば、班田農民もまた遺制の中に暮らしていたようである。

「籍帳」にみられる班田農民にも、一夫多妻婚がみられる。たとえば筑前国の肥君猪手のように妻妾四人をもつものもいる。妻と妾との実質的な区別はなく、すべて妻たちであるとしても、彼の三人の妾のうちのはじめの一人に姓が記載されているが、あとの二人は無姓であるし、年齢差からみても、姉妹ではないかと憶測できる。もしそうならば、ソロレート婚がおこなわれていたことになる。[☆22]

「籍帳」のほかに物証が十分でない学問的仮説であっても、それ相応の考察がなされていれば、応分の配慮がなされるべきだ。この記述はその一例になる。ここに記された一夫多妻婚は、私にすれば〔氏族パーター〕のそれであって、〔家族パーター〕のそれとは区別されなければならない。たとえば、藤原不比等・三千代の娘である安宿媛（光明子、七〇一～六〇）は、不比等（六五九～七二〇）の孫である聖武天皇（七〇一～五六）と結婚した。叔母・甥婚である。また、大伴旅人の弟宿奈麻呂は異母妹の坂上郎女と結婚した。異母兄妹婚である。そのような同ウジ内の近親婚は貴族の間では奇異でなかった。[☆23] だが、先史的婚姻形態としては規律上ありえないものだった。なぜなら、先史において個別の家族は存在せず、したがって、ありえない家族内の近親婚は当然ありえなかった。それのみか同氏族（clan）内の婚姻すらも禁忌（insest taboo）の対象だったからである。

そのような氏族共同体は欧米の人類学的神話学的研究によって明らかにされているが、日本の古代史においても門脇や布村による正倉院籍帳研究によって、類似の古代的共同体「氏（ウジ）」――門脇の表現では「家父長制的世帯共同体」――において、部分的に解明されてきた。ここで門脇が記す「家父長」は私にすれば〔氏族パーター〕である。それに対して、彼が以下の文章で記す「家父長」は〔家族パーター〕である。「共同体内部における家父長制の発達→共同体内部における共有奴隷の発生→共有奴隷の、共同体首長の家内奴隷への転化→家父長制的家内奴隷制の発展」。[☆24] ここで門脇は、家父長制発達の結果として奴隷制が生まれるように図式化しているが、奴隷制は家父長制とパラレルに発生・展開するのである。そこはおかしいのだが、いま問題にしたいことは、家内奴隷を所有するに至った家父長は〔家族パーター〕だということである。

さて、ここで考察を大きく先に進める。それは、〔氏族パーター〕が統べる氏族共同体の統合理念と、〔家族パーター〕が統べる家族共同体のそれとは、相互に類型が別だということである。前者の氏族共同体を統べる理念を、私は「パトリオフィル"patriophil"」と造語・命名している。「パトリ」は郷土を、「フィル」は愛を意味し、合わせて「郷土愛・愛郷心」となる。それは政治的・国家的・国土的であるよりも社会的、あるいは文化的・人間関係的な概念であり、権力的であるよりも非権力的な規範概念である。組織形態でいえば、政治的な国家（nation state）でなく風土的なクニ（regional country）に近い。それはまた、古代ギリシア・ローマの父権・家父長権（paternitas）と相対的に区別される。むしろ、先史地中海社会において紀元後に輪郭をあらわにするローマ皇帝権（imperium）＝中央集権にあらがう社会的抵抗権＝地域的カウンターパワーである。

用語「パトリオフィル」は近代のパトリオティズム（愛国主義）を連想させるが、本稿では郷戸のような先史から文明への過渡的社会を統べる原理、あるいは非文明的社会を統べる原理という意味で使用する。それに対して後者「パトリオティズム」は国家を統べる原理として一括して「ナショナリズム」と称しておく。こちらの用語は、政治学などでの使用例では「国民主義」や「国家主義」と訳され、近代的な概念だが、本稿では国家成立時の古代にまでその使用範囲を拡張して使用する。

本稿で用いるパトリオフィルとナショナリズムの区別を端的に定義すると、前者は人間を介する母子間の血縁関係的な愛であり、それに準じる母方伯叔父・甥間の血縁関係的な氏族愛である。先史に起原を有する氏族愛＝同族内愛から派生した観念である。それに対して後者は、土地を介する父子間の地縁実体的な家族愛であり、それに準じる父方兄弟間の地縁実体的な祖先愛である。都市的・国家的な次元での祖国愛に収斂していく。☆25 その二語のうち、かなめは郷戸の家父長権に絡まるパトリオフィルである。

郷戸が勢いをもっていた時代から、それが減じていった時代にかけて、ヤマト政権は豪族の連合体から中央集権的な再編を為し遂げていった。だが、郷戸とその首長（郷戸長）たちは農耕組織の主体として残った。班田は郷戸単位で授受されたのだった。門脇は記す。

〔引用一〕法制的に擬制された側面はなお郷戸の内部構造そのものにまで及ぶものではなかった。したがって、大嶋郷では、家父長制家内奴隷制の発達もきわめて未熟であるから、大嶋郷の農業経営は、家内奴隷制的な経営であったとすることはできない。大嶋郷の諸郷戸の経営にあっては、依然として血縁成員が主要労働力なのである。〔引用二〕もちろん八世紀初葉の時点では、共同体の首長は国家権力につかまれており、郷長として下級の地方官僚とされている。だがその郷長である孔王部志己夫は、孔王部小山の房戸主であり、郷戸主の兄である。（中略）つまり、大嶋郷の郷長たる地位は、私富の保有に裏付けられてはいない。そういう意味で郷長は、伝統的な（共同体の）首長権をうけついでいたのではないだろうか。（中略）郷長は、郷飲酒礼などでは重要な宗教的権限も示したであろう。大嶋郷の郷長や里長の在り方が氏族共同体の首長の在り方の遺制を示しているといえないであろうか。☆26

引用文中に「家父長制家内奴隷制」という用語が使用されるところは、布村の説くプロト封建制を了解する私の理解と異なるのではあるが、全体として、弥生後期から古墳時代にかけての、氏族共同体解体から国家形成にむけた過渡期を俯瞰する描写として、おおいに評価できるものである。過渡期における農業経営に「依然として血縁成員が主要労働力」だったという分析も頷ける。大嶋郷の郷戸といった〔氏族パーター〕的家父長の中から、彼らを武力的・法的に統率する大伴氏や物部氏といった氏族が〔家族パーター〕的家父長として突出しだし、その群雄割拠状態から、やがてヤマト政権に代表される中央官僚的国家権力が成立する。桓武天皇時代に権力中枢に上り詰めた下総国猿嶋郡の孔王部氏は、その典型であろう。孔王部氏はもともと下総国葛飾郡大嶋郷に多かった。近代に至ってナショナリズムを生みだす先駆体が登場したのである。

対して、もともとの〔氏族パーター〕的家父長たち、門脇のいう家父長制的世帯共同体の統率者たる郷戸長たちは、私にすれば、パトリオフィルを精神的基軸として、あるいは陰に陽に中央官僚的国家権力にあらがうことを通じて、氏族的血縁的組織を維持していったのだった。

むすびに

以上に縷説してみた家父長像の二類型について、まとめとして、二類型が歴史知的に関連しあっている点を指摘しておきたい。例えば、八世紀初頭の籍帳に足跡を残す班田農民と、二〇世紀前半の東北などで寄生地主制下に苦しむ小作人階層の法的性格を比べてみよう。前者は、郷戸単位ではあるが租庸調を支払う納税者である。労役（庸）に際しては手弁当で出かける。法的には自立している。河内祥輔「大宝令班田収授制度考」によれば、「班田収授制は、本質的に、全国民を―男女・良賤すべての人間を口分田班給の対象にしたものであったと判断できるのである」[☆27]。全国民の男女・良賤すべての人々に口分田が班給された。これは現代からみて注目に値する。対して明治期から昭和前期にかけての小作人たちは、土地を持たないので納税（地税）の義務はない。納税者でなければ参政権はない。一家をなしていても法的には自立していない。長かろうが短かろうが、歴史を挟んで観察されるそうした事態の比較は、私が大いに重視する〔歴史知〕的観点からは必須なのである。

それから、現代思想としての家父長を問う場合、それは家事労働と資本主義、家族の現代的危機の要因、性別役割分業と資本主義、生殖革命と女性の解放、などに関連して批判的なコンテキストにおかれることが多い。批判が増大するということは、家父長思想にせよ良妻賢母思想にせよ[☆28]、いずれもこれまで日本型企業社会を支えてきた強力なイデオロギーであり続けてきたことの傍証でもある。

さて、家父長思想は、今となっては悪しき伝統であるとして、その廃絶あるいはスクラップ&ビルドを求めるのなら、その参考例として、経済単位としての郷戸に目を向けるべきである。経済単位としての家族が〔家族パーター〕つまり専制的な権力者たる家父長を生みだしたとすれば、経済単位としての郷戸は〔氏族パーター〕つまり郷戸成員相互の諸関係共有的な生存圏を維持する氏族長を生みだしていたのである。その際、〔氏族パーター〕の氏族長のことを、本稿ではあえて家父長と言いかえてみた。本来は奇妙で誤解を招きかねない表現なのだが、そのように言いかえた理由は、彼らの中からやがて〔家族パーター〕が出現し、郷戸はヤマト連合を構成し覇権を競い合う氏族・豪族に転化していったからである。

昨今は、結婚してからも夫婦各々が個人として経済単位であり続けるケースが増加している。言葉は適切でないかもしれないが、男女関係の離合集散が新しい男女のパートナーシップを生みだすかもしれない。その際、なんらかの連合の基軸を見出すのに、弥生後期の郷戸に観察される人間関係は参考となるだろう。歴史は同じことを繰り返さない。ただし、歴史は温故知新の素材である。時系列的区分は時代往還とセットになっている、という〔歴史知〕的視座から見ると、温故知新の素材としての郷戸を考察することは、将来社会的な意味を有しているはずである。

注

01　大化改新の「趣旨」を説明した外国人に、イギリスの外交官にして日本文化の研究者ジョージ・サンソムがいる。彼は、『日本文化史（*Japan,a Short Cultural History*, 1931.）』（創元社、一九五一年）の中で、こう記している。「土地權に關しては有力者からその土地又は権力を代用物の提供無しに取上げるということは、當然改革者にとつて餘りにも危険なことであつた。だから比較的勢力のある家族及び團體の頭首（The more powerful heads of families and groups）には、官職又は位階と、その身分相應の給與とが與えられた。大抵の場合有力な頭領や地主はその土地の所有權を追認されていた。然しながら理論的には天皇の下賜によつてこれを持つていた。記録には特に明言していないがこれは明瞭な事實であつた。この下賜地を『食封』と云つた」（一四四頁）。支配層にとって、食封（じきふ）は公地公民制度の抜け道といっても過言ではない。そのサンソムは、本書を草するあたって「正倉院籍帳」を参考にしている。「大化改革後餘り時を隔てぬ頃に使用されたこの種の臺帳の残闕（Fragment of such registers in use not long after the Taikwa reform）が、今帝室の倉庫正倉院に保存されている。その一部をここに寫して叙述に代えたい」（一四八頁）。G. B. Sansom, JAPAN A *Short Cultural History*, London The Cresst Press, 1952（1st. 1931）, p.97, p.100.

　なお、サンソムは古代の戸籍に関係する術語を以下のように英語に訳している。郷戸世帯"household"、戸主"head of household"（原文 p.100. ほか）。ところが、訳者福井利吉郎は、本来は「世帯」に相応する語である"house"を「家」、"household"を「家族」と訳している場合がある（訳書六七頁ほか）。それは誤訳に近い。ところでサンソムは、「氏」を"clan"と英訳している（原文 p.102. ほか）。本文でも多少は触れているが、欧米民族学では、"clan"は概ね「部族"tribe"」を構成するもので「氏族」と邦訳する。日本古代の「氏"uji"」と同じではない。サンソムはそのほか、「氏神"clan god"」と「氏の上"clan chieftain"」とを混同せぬように、と但し書きしており、その趣旨は理解できるが、「氏"uji"」は"clan"でなく、むしろ「家門・門閥」を意味する"family"としておくべきか。

02　「非文明」という概念を、私は二種に区分している。①文明成立以前つまり先史（社会）、②文明成立後も先史の原理や文化を部分的にせよ維持する非文明（社会）。人類学では後者を未開（社会）としてきた。だが、単系発展説を採らない私は、いずれ文明化するという予見を含む「未開」概念に疑問を感じている。詳しくは以下の拙稿を参照。「フレイザー『金枝篇』日本語版監修者解説」、フレイザー著・神成利男訳・石塚正英監修『金枝篇—呪術と宗教の研究』第一巻、国書刊行会、二〇〇四年、所収。

03　拙稿「ゲシュレヒターポリス（氏族遺制都市）とアヴンクラート（母方オジ権）」、『NPO法人頸城野郷土資料室学術研究紀要』、Vol.6/No.07 2021.03.29.「先史社会を現代人はどう見たか—トインビー・ヤスパース・フレイザー」、『NPO法人頸城野郷土資料室学術研究紀要』、Vol.6/No.11 2021.05.09.「先史文化を現代人はどう見たか―デュルケム・マリノフスキー・ラドクリフ＝ブラウン」、『NPO法人頸城野郷土資料室学術研究部研究紀要』、Vol.6/No.13 2021.06.06. 以上はすべて以下の拙著に採録されている。『歴史知のオントロギー：文明を支える原初性』社会評論社、二〇二一年。

なお、私は基準として家族のほか、一神であれ多神であれ、神観念を備えた宗教を据える。その意味では、不可視の神観念をもたず自然物それ自体を聖なる存在とする原始神道は先史文化に属するとみている。

04　類型展開と単系発展の相異については以下の拙稿を参照。「唯物論的歴史観再考察」、『立正西洋史』創刊号、一九七七年。同論文は以下の拙著に再録、『歴史知と学問論』社会評論社、二〇〇七年、第三章「唯物論的歴史観再考察」。

なお、資本制に先行する生産様式あるいは共同体類型について、市民社会論の研究で一世を風靡した平田清明の『市民社会と社会主義』（岩波書店、一九六九年）から関係個所を引用する。「近代市民社会が資本家社会へと自己転変することを、われわれは知っている。同じく、古典古代的共同体が、それ固有の内的構成にもとづいて、奴隷制社会へと自己転変するのであり、ゲルマン的＝封建共同体が、それ固有の内的構成にもとづいて、農奴制社会へと自己転変するのである。これら自己転変の過程を、マルクスは「固有の弁証法」と性格づけていた。西ヨーロッパ史の各段階において、第一次社会形成の第二次社会形成への不断の転化が、成就するのである」（九八頁）。平田によるこの転変図式は、一方では原始→アジア→ギリシア・ローマ→ゲルマンという単系発展を否定している点で評価できる。しかし、他方では、転変の意味に重大な問題を残している。私にすれば、転変の前提は社会であり、その結果は国家なのだ。即ち、アジア的共同体から総体的奴隷制国家が派生し、古典古代的共同体から都市国家（ポリス）が派生し、ゲルマン的＝封建共同体から中世封建国家が派生するのである。平田は社会（第一次）→社会（第二次）を見通したが、私は社会（共同体）→国家（都市）を見通している。本書を読んだ一九七〇年に、すぐさまこの違いを確認した。

05　田中良之『骨が語る古代の家族―親族と社会』吉川弘文館、二〇〇八年、八四頁。以下の拙文に詳しい分析がある。「先史と文明を仲介する前方後円墳の儀礼文化」、拙著『歴史知のオントロギー』、三一一～三一二頁。

06　門脇禎二『日本古代共同体の研究』〔第2版〕、東京大学出版会、一九七一（初一九六〇）年、八頁。

07　同上、九～一〇頁。

08　同上、三六頁。

09　同上、三六頁。

10　石塚正英「ゲシュレヒターポリス（氏族遺制都市）とアヴンクラート（母方オジ権）」、『歴史知のオントロギー』、一九九頁以降。

11　門脇禎二、前掲書、三九～四〇、四二、五五、六五頁。

12　高島正人「わが律令初期における家族と家口の構成」、立正大学文学部編『立正大学文学部論叢』立正大学、一九六〇年、三四〜三五頁。なお、高島には、本稿に関連するものとして、以下の諸論稿がある。「わが律令初期における戸と家の構造」(『立正史学』一七〜一八号、一九五四〜五五年)、「大宝二年御野国春部里戸籍の分析」(『立正大学文学部論叢』二五号、一九六六年)、「大宝二年御野国栗栖田里戸籍の分析」(『立正大学文学部論叢』二七号、一九六七年)、「大宝二年御野国半布里戸籍の分析」(上・下)(『立正大学文学部論叢』三一号・三四号、一九六八〜六九年)。

13 妾という漢字の冠「立」は、元来は入墨を入れる針という意味の「辛」であり、それを根拠に妾は罪人や奴隷を意味する、との見解がある。しかし、例えば縄文土偶には入墨の文様が刻印されており、弥生人も入墨を施していた。古代ケルト人もまたしかりである。あるいは、日本近海の素潜り漁をなした海女たちは、海中で身を守るために入墨をしていた。妾は必ずしも奴婢だったということではない。なお、郷戸における奴婢の社会的属性として、高島正人はこれを戸主やその妻、その弟の「私有財産」とみているが、それは未だ郷戸という氏族共同体が残存している段階ではあり得ない。厳密には私有でなく占有である。高島正人「大宝二年御野国栗栖田里戸籍の分析」に以下の記述が読まれる。「奴婢は二六戸中僅か四戸に含まれるのみで大多数の戸に含まれない。(中略)同一戸内にある一三口の奴婢が戸主・戸主妻・戸主弟の三者に分有されている例の存在は私有財産制のすぐれた一例として留意するに値し得よう」(『立正大学文学部論叢』二七号、五七頁)。

14 今宮新『班田収授制の研究』龍吟社、一九四四年、一六九頁、六五頁。

15 虎尾俊哉『班田収授法の研究』吉川弘文館、一九六四年(初一九六一年)、三四八頁。なお、同書一一四頁には、班田制と古代中国(唐)の均田制との相違が次のように示されている。「わが班田法の母法たる唐の均田法に於いては原則として女子には給田されることはなかった(寡妻妾の場合には例外的に三十畝給田)。そして却って北魏・北斉等の制度にはこれに類した規定があるので、わが班田法はそれらの北魏・北斉等の制度を採用したのではないかとも言われている。しかし、これは実は誤りだと言わざるを得ない。(中略)かくてこの女子に給田したことは恐らくわが国独自の創意であろう」。ここに記された「わが国独自の創意」を、私はわが持論の〔氏族パーター〕段階の郷戸に関係づけたく思っている。

16 布村一夫『正倉院籍帳の研究』刀水書房、一九九四年、五一八頁。隷民だの農奴だのと呼ぶとずいぶん不自由な存在に聞こえるが、貴族と同じ良民に属するといえば、なにか自由な存在に聞こえる。形態から見れば、班田農民は私奴婢をかかえる独立の農民だったことに違いはないのである。以下の拙文を参照。石塚正英「Cultus」、同『母権・神話・儀礼―ドローメノン【神態的所作】』社会評論社、二〇一五年、一二〜一三頁。布村は、遺著『正倉院籍帳の研究』で、こう記している。

わたしは、ウジやカバネを検討することによって、大化改新にさきだっている二〇〇年間は、すでにプロト封建制のもとにあったのではないかとみるにいたっている。もはや氏姓時代ではおかしい。このような時代の「籍帳」に母系出自がみられるとするのは奇妙である。妻方居住婚もあるが、班田農民のあいだでは夫方居住婚がつよいのである。「籍帳」に見られる郷戸は家へ分解しつつあるが、これはウジが家へ分立しつつあるのと対応している（五五三頁）。

布村が「籍帳」を座右にして力説したいことは、私にすれば、「郷戸」とは先史から文明への過渡期の親族形態だ、ということである。

17　布村一夫、前掲書、六頁、三二一頁。

18　「集団婚」の一つに「対偶婚」がある。門脇は前掲書で、「籍帳」にこの術語を以下のように当てはめている。対象は「大宝二年筑前国嶋郡川辺里戸籍」に読まれる人物「肥君猪手」に係る。

　猪手は三人の妾をもっている（戸籍にないが、かつては別にもう一人の妾をもっていた）。そのうち二名は姓の記載がないが、第一妾はやはり宅蘇吉志であるから、戸主妻の場合と同様に略されたものとみたい。そうすると年齢からみて、妻と三人の妾は姉妹であったのではなかろうか。この関係は、母と庶母の関係にも適当しうると思われる。だから、姉妹関係は、母・庶母と妻・三人の妾か、母・庶母・妻と三人の妾かである。だとすれば、肥君猪手の婚姻関係は、かれの子供や従父兄弟のそれと比べて、いちじるしく古い形態を留めている。そればかりでなく、川辺里の一般村落成員のそれと比べても古いといえよう。それはふつうの一夫多妻制ではない。こうした肥君猪手の父子二代にわたる婚姻形態は、まさに対偶婚といわれるものにほかならない。猪手の家族構造の古さは、このような婚姻形態にもあらわれているのであろうか（一二三頁）。

引用の事例を、門脇は対偶婚としている。しかし布村にすれば、それは対偶婚でなく、その残存か派生のソロレート婚である。論理展開させると、ソロレート婚をレヴィレート婚と合わせると、対偶婚からプナルア婚（自己の配偶者がその兄弟姉妹と性関係を持つ形態）に戻る。なお、本文中に「乱婚」という術語をもちいたが、先史に乱婚はありえない。乱婚は、それを乱すような婚姻制度や規律があってはじめて成り立つが、集団婚はそれに相応しい規律の中で行われているのである。また、モーガンが想定したものの後の研究者によって実在を否定されたホルド内での世代間・兄弟姉妹間での婚姻、いわゆるマレー婚は、乱すべき規律が存在しない婚姻形態であって、規律を乱しているわけではない。私はそれを「乱婚」とせず、「無規律婚」と呼びかえている。

19　石塚正英「武士神道と武士道の類型的相違」、『頸城野郷土資料室学術研究紀要』Vol.7/No.1, 2022.（本書第一章）参照。

20　サンソム、前掲書、一一三頁、一四六頁。G. B. Sansom, *ibid.*, p.73, p.98.

21　布村、前掲書、三三三頁。

22　同上、二八頁。なお、引用文中に記されている「妻と妾との実質的な区別はなく」については、注一三をも参照のこと。

23　日本神話に同母婚の事例を拾ってみる。『古事記』岩波文庫、一七四〜一七五頁に次の文章が読まれる。第一九代允恭「天皇崩之後、定木梨之輕太子所知日繼、未即位之間、姦其伊呂妹輕大郎女而歌曰（天皇崩りましし後、木梨の軽太子、日継知らしめすに定まれるを、未だ位に即きたまはざりし間に、その同母妹軽大郎女に姦けて歌ひたまひしく、後略）」。「姦けて」とは、ここでは許されざる近親結婚のことである。当時、異母の間柄にある兄弟姉妹は結婚を許されていたが、同母の間柄にある者どうしの結婚は許されなかった。

24　門脇、前掲書、一七〇頁。

25　パトリオフィルとナショナリズムを時系列で区分した拙稿として以下のものがある。「ルッソフィル（ロシア原初主義）とスラヴォフィル（スラヴ愛国主義）」、『頸城野郷土資料室学術研究部研究紀要』Forum37 2018. 拙著『歴史知の百学連環―文明を支える原初性』社会評論社、二〇二二年、再録。表題にある「ルッソフィル」はパトリオフィルに、「スラヴォフィル」はナショナリズムに比定される。
https://www.jstage.jst.go.jp/article/kfa/2018/37/2018_1/_pdf/-char/ja

26　同上、三一〜三二頁、三六頁。

27　河内祥輔「大宝令班田収授制度考」、『史学雑誌』第八六編第三号、一九七七年、二九〜三〇頁。

28　私は、「良妻賢母主義」を封建的思想でなく近代的思想と見なしている。その根拠と論証については以下の拙稿を参照。「良妻賢母主義の解明によせて」、石塚正英『ソキエタスの方へ―政党の廃絶とアソシアシオンの展望』社会評論社、一九九九年、一四六頁以降。

第3章 幸徳秋水『基督抹殺論』の中のヘーゲル左派

はじめに

由々しきフレームアップの一つ大逆事件で処刑された幸徳秋水（傳次郎、一八七一〜一九一一）には、その半年前から書き始め獄中で脱稿（一九一一年一月二四日）の直後（二月一日）に刊行された遺作がある。『基督抹殺論』（丙午出版）である。執筆の動機に関しては、岩波文庫版（二〇〇四〔初一九五四〕年）の解説（林茂・隅谷三喜男）に詳しいのだが、私は、その解説に読まれるヘーゲル左派に関する記述に着目している。ダーフィッド・フリードリヒ・シュトラウス、ブルーノ・バウアー、フリードリヒ・エンゲルスなどのキリスト教批判を紹介したあとに、こう記されている。「秋水がエンゲルスを除いて以上記した人々の見解を大幅にとり入れて、彼の論理の骨組みとしていることは、『基督抹殺論』を一読して明らかなことである。（中略──引用者）ともあれ、秋水はヘエゲル左派の研究を主要なよりどころとし、（後略──引用者）」☆01。「秋水はシュトラウス＝バウエルの線にそって、キリスト神話説を展開するとともに、これを在米中偶然知ったカアキン教授の十字架は生殖器崇拝の表徴であるという説と結びつけたのである」☆02。

文中のカアキン（Carkin）なる人物について、私は未詳であるが、先史古代の十字架崇拝とキリスト論を組み合わせた幸徳の発想にも、おおいに関心を持っている。本稿ではその二点、つまり『基督抹殺論』の中のヘーゲル左派（シュトラウスとバウアーに特化）について、および『基督抹殺論』の中の十字架崇拝について、何がしかの考察を記してみる。

一　『基督抹殺論』の中のヘーゲル左派──シュトラウス

一九一〇年一一月、幸徳秋水ほか二五名は、刑法七三条の「大逆罪」（一九〇八年一〇月施行、一九四七年改正で削除）により大審院に付された。その頃、幸徳は獄中で『基督抹殺論』を仕上げるのだが、その中にシュトラウスとバウアーに関連する記述が読まれる。少々長いが引用する。

〔引用一〕四福音書記事の矛盾が枚挙に遑あらざるは、ストラウス等既に痛快に之を指摘せり。余は今其較着なる二三を挙げん。／第一に、馬太と路加とが耶蘇の系譜を記するをみよ。両者の相異の甚しきは、古来の耶蘇教徒が熱心に糊塗し牽強付会せんとして到底能はざる所にあらずや。☆03

〔引用二〕若し夫れマリヤとエリサベスの会見の状が、全く神話的にして歴史的ならざるは、亦ストラウスの切言せる所。☆04

〔引用三〕予は近世基督教の碩学として、名声世界に重きを為せる四大家に就て之（新訳聖書の真価―引用者）を聞かん。四大家とは誰ぞや。曰く、フェルヂナンド・シー・バウル、曰く、ダヴイド・エフ・ストラウス、曰く、アイ・ビー・バウエル、曰く、ジヨセフ・イー・ルナン是れ。☆05

〔引用四〕（バウルと―引用者）同じくチュービンゲン派の碩学なるストラウスの『耶蘇伝』が一時基督教世界の恐怖となれるは、亦た世人の知る所也。

　ストラウスは、其の大著に於て、四福音書が口碑小説に過ぎざること、其附せる作者の名は虚偽なること、一世紀以上の口語的伝説時代を経たる後、種々の編著の為されしこと、基督の死後、彼れに関する奇怪の伝説除々に発生して、後人の仮作の材料たりしことの結論に達せり。

　基督てふ史的人物が真に一たび存せしやは、別に論ずるところある可し。孰れにするもストラウスの研究は、有力に新訳全書の諸書の信ずるに足らざるを証明する者なり。

　バウエルも亦た一代の鴻儒也。彼れ初め一書を著して酷烈にストラウスの『耶蘇伝』を難せしも、後ち其説を改めて、福音書、使徒行伝、及び主なる保羅（パウロ―引用者）の諸書が偽作なることを主張せり。☆06

幸徳は、いったいどのような経路や経緯でもってシュトラウス『イエスの生涯（*Das Leben Jesu, Kritisch bearbeitet*, Tübingen. 1835-36）』を知ったのだろうか。師匠にしてルソー『民約論』訳者の中江兆民（一八四七〜一九〇一）から教わったのだろうか。幸徳死後では、羽仁五郎（一九〇一〜八三）が一九二一年からのハイデルベルク留学に際してシュトラウス『イエスの生涯』を読み知った。☆07 その経路や経緯は羽仁自身がはっきり記している。幸徳の場合は明確には辿れない。

　それはともかくとして、幸徳のシュトラウス理解を吟味してみたい。むろん、シュトラウス自身の思想を分析することが前段にくるので、まずはその段落を以下に設けてみる。

シュトラウスは『イエスの生涯』の「まえがき」でこう記している。「キリスト教信仰の内的核心が、自分の批判的研究とはまったく独立なものだということは、著者にもわかっている。キリストの超自然的な生誕、奇蹟、復活、昇天は、たとえその現実性が史実としては疑われるとしても、永遠に真理でありつづける（bleiben ewige Wahrheiten）」[☆08]シュトラウスは、中世的なままの伝統的な、超自然的なカトリック信仰を否定するものの、一八世紀に流行する啓蒙主義的な、自然主義的な、宗教的無関心の時代思潮とも距離をおいた。彼の立ち位置は以下の通りである。超自然的解釈、自然主義的＝合理主義的解釈、神話的解釈、以上の三種類を区分した上で、第三を選択するのである。ただし、神話的解釈自体は従来からあって、それらに対する変更をも迫るのである。そうしたシュトラウス独自の立場に関する私の説明を、以下に引用する。

従来の、このような神話的聖書解釈に対して、シュトラウスは、少なくとも以下の三点の変更をなす。①従来の神話的解釈法は、イエスの幼少期等物語の一部分についてのみ妥当とされてきたのだが、それは物語全体に妥当する。②従来は物語の核心を神そのものの精神としてきたが、核心は民衆の精神、民衆の共同体精神、その物語の舞台となっている場所や時代を生きた民衆の精神である。③従来、神は無限とされてきたが、神は、自然および人間精神という有限なものを引きずっている。神（無限）は人間（有限）を自己の外化として定立している。その二者のあいだには、神から人間へのコースで啓示が、また人間から神へのコースで信仰が、相互交渉的に存在している。その際、神と人間とを結びつける神人キリストは、個人でなく、類である。[☆09]

以上の解説は原書（一八三五年初版）を踏まえた上ではあるが、私なりのものである。その限りで記すのだが、幸徳のシュトラウス理解は適切でない。第一、「キリストの超自然的な生誕、奇蹟、復活、昇天は、たとえその現実性が史実としては疑われるとしても、永遠に真理でありつづける」とのシュトラウス発言と、以下の幸徳発言（引用済み）はそりが合わない。「若し夫れマリヤとエリサベスの会見の状が、全く神話的にして歴史的ならざるは、亦ストラウスの切言せる所」。聖書物語の「核心は民衆の精神、民衆の共同体精神、その物語の舞台となっている場所や次代を生きた民衆の精神」であり、それ自体は「永遠に真理でありつづける」のである。それがシュトラウスの主唱する神話的解釈の内実である。幸徳のいう「神話的」とは似て非なる内実をもっている。

それでは、幸徳の捉えたシュトラウス思想はまるきりの勘違いかというと、そうでもない。「ストラウスは、其の大著に於て、四福音書が口碑小説に過ぎざること、其附せる作者の名は虚偽なること」という観点は紛れもなくシュトラウス的である。その根拠は、シュトラウスからの以下の引用に読み込むことができよう。

> 或る民族ないしは或る宗派の伝説は、その真の基準的要素に従えば、けっして一個人の作品ではなく、かの社会の普遍的個体性の作品であって、だからこそ自覚的に故意に生まれたのではなかったのである。このような知らぬ間の共同生産が可能となるのは、その際の伝達の媒体が口頭伝承（die mündliche Überlieferung）であることによる。☆10

幸徳の表現「口碑小説」、この部分はシュトラウスの「口頭伝承」と意味が一致している。聖書の神話的解釈は、文字を介してでなく、いわんや文字信仰によってではない。ギリシア神話なども「口承による神々の伝承によって（auf die mündliche Göttersage）」☆11様々な解釈を受けてきたように、口頭で伝えられる行為が伝えられる内実の普遍を保障するのである。それが神話的解釈にとって最も重要なモメントの一つなのである。

二　『基督抹殺論』の中のヘーゲル左派
――ブルーノ・バウアー

幸徳秋水は『基督抹殺論』でブルーノ・バウアーにも、考察に割いた字数は少ないが言及している。シュトラウスは聖書物語を古代民衆の共同体的意識、いわば共同主観であるとしただけで、キリストの存在自体は否定しなかった。それに対してバウアーは、キリストそれ自体の存在を否定した。幸徳も指摘している通り、『イエスの生涯』第一巻が一八三五年に刊行された当初バウアーは、むしろ聖書の史実性を弁護しようとして、シュトラウス批判を展開した。それは「D・Fr・シュトラウスの批判的労作であるイエスの生涯、第1巻」（『科学的批判年誌』一八三五・一二）、「D・Fr・シュトラウスの批判的労作であるイエスの生涯、第二巻」（同、一八三六・五）、「D・Fr・シュトラウスの論争集」（同、一八三八・六）の発表に示される。それが一八三九年に至り、バウアーは、保守的プロテスタントのヘングステンベルグと論争することによって、以後、シュトラウス的立場に移行することになるのだった。

ところでバウアーは、民衆信徒の共同意識を重視するシュトラウスと違って、人間個人の自己意識を重視していく。バウアーは、『ヨハネ福音書批判』（一八四〇年）や『共観福音書批判』（一八四一年）において、キリスト教成立にかかわる精神的財として、古代三派（ストア派・エピクロス派・懐疑派）の自己意識の哲学を強調している。彼によれば、福音書の物語は人間の自己意識の発展過程におけるたんなる一段階にすぎず、したがってそれはけっして固定化・制度化され得ない。その議論を展開する過程で、バウアーはキリスト教とともに、キリスト自体をも否定したのだった。幸徳は、バウアーが「福音書、使徒行伝、及び主なる保羅（パウロ—引用者）の諸書が偽作なることを主張せり」としている。その際、幸徳が言う「偽作」には、キリストそのものの否定が含まれているのか、その点は定かでない。けれども、キリストをめぐるシュトラウスとバウアーの議論が大きく異なっていることはつかんでいただろう。

バウアーによれば、人間の自己意識が分裂・解体することによって宗教は生まれた。だが、いったん自己意識の客体となった宗教（キリスト教）は自己意識と疎遠になっていき、自己意識の発展にとって桎梏と化していく。そこで、バウアーが目指す目標は、桎梏たる宗教を神格もろとも批判し、破壊することとなったのである。そこはシュトラウスのキリスト教批判と決定的に相違する。バウアーは、自己意識の疎外態たるキリスト教を批判・否定することによって、必然的に無神論へと移行していく。[☆12] おそらく、その方向は幸徳の目標とするものと似通っていたはずである。岩波文庫版『基督抹殺論』解説を読むと、以下の記述に出会う。

> 秋水がこのような自己の態度（宗教問題について親しい友人の前で示す優柔不断—引用者）に疑を抱くようになったのはその第一次入獄の頃からであり、はっきりとそれをすててキリスト教を積極的に排撃するに至ったのはその出獄乃至アメリカからの帰国後、言いかえるならば、彼がドイツ社会民主主義的議会政策をすてて一切の権威を否定する無政府主義の立場をはっきりと採るに至った頃からではなかろうか。[☆13]

一九〇四年一月に『共産党宣言』の翻訳を『平民新聞』に掲載し即刻発禁となり、一九〇五年二月、新聞紙条例違反で半年ばかり巣鴨監獄に投ぜられ、獄中でクロポトキン思想に接したとみられる。[☆14] 出獄すると秋に渡米し、アナルコサンディカリズムに接し、一九〇六年春に帰国した。その時系列を参考にしつつ『基督抹殺論』の内容を検討すると、幸徳にとっては、シュトラウスの聖書批判以上にバウアーのキリスト抹殺が眼中にあったと思うのだが、その印象をうかがう文章は記述されていない。ただ、以下の文章はバウアーの思想を下敷きにしているかと、想像させはする。

〔引用一〕嗚呼基督何者ぞ。今や問題は殆ど解決せるに近し。基督が血あり肉ある史的人物として、曾て一たび此世界に存在せしとの証左は絶えてあること無し。[☆15]

〔引用二〕然り。基督なる者は、初期以来衆民に在ても学者に在ても、其僧侶信者の間に在てすらも、単に一個信仰の影像としての外、其実体を認むるに由なかりき。彼れは史的実在の人物に非ざる也。[☆16]

〔引用三〕故に予は下の宣言を以て擱筆す、曰く、基督教徒が基督を以て史的人物となし、其伝記を以て史的事実となすは、迷妄なり。虚偽也。（中略―引用者）之を世界歴史の上より抹殺し去ることを宣言す。[☆17]

キリストの実在性は、シュトラウスの共同主観的観点・神話的解釈からすると肯定される。シュトラウス的な立ち位置からすると、神々を信仰する諸民族のもとには、信仰される限りの神々は個々に存在し、諸民族に固有な歴史と文化を織りなしているからである。対してバウアーの自己意識の哲学からすると、それはいっさい否定される。幸徳の立ち位置はバウアー的であることに間違いはない。

三　『基督抹殺論』の中の十字架崇拝

幸徳は、キリスト抹殺という叙述目的を達成するため、十字架崇拝を先史古代の生殖器崇拝と結びつけた。それは世界各地に先史から存在しており、キリスト教の十字架崇拝はその一例、ないしは派生であると結論している。以下に『基督抹殺論』から関係個所を引用する。

〔引用一〕如此にして其討究の歩を進め、彼等の由来に溯らば、吾人は必ず太古の社会に弘通し瀰蔓せる二大信仰に到達すべし。一は即ち太陽崇拝、他は即ち生殖器崇拝是れ也。[☆18]

〔引用二〕然り、古代の信仰に対し、直ちに近世思想の立場よりして之を律するは不公の甚しき者也。当時に於ては有ゆる自然の力は、神聖なりと思惟されき。[☆19]

〔引用三〕就中、最も普通一般に行はれたる者を十字形となす。十字形の宗教的記号をもて基督の磔刑に出づとなし、基督教専有の物となすは、大なる謬り也。十字は野蛮蒙昧の時より之れ有りて、世界到る処に礼拝せられたりき。[☆20]

〔引用四〕夫れサターンの表号は十字と羊児の角なりき。ジュピターも羊角を附せる十字を有せりき。ヴエナスのそれは十字を画せる円環也。埃及の諸神も十字と卵形（Oval 即ち女陰を象とる、後に言ふ所ある可し）に依りて表せらる。（中略—引用者）印度のクリシナの像も、十字の上に描かれ、若くば彫刻せらる。埃及人のオシリスを描くや、亦た十字を画せる円の中央に置く。[☆21]

幸徳の場合、人類学や比較宗教学を修めたわけでないので、十字架像にかんする事例研究は乏しい。なるほど、先史社会に登場する記号・図像として、太陽崇拝（自然への信仰）が第一に挙げられ、生殖器崇拝（生命への信仰）についても同様の指摘ができる。ただし、生殖器をダイレクトに十字架像と結びつけるのは如何なものかと、少々疑問に思う。幸徳の意図、つまり「十字形の宗教的記号をもて基督の磔刑に出づとなし、基督教専有の物となすは、大なる謬り也」[☆22]という結論を得たいのであれば、むしろ十字架像をそれのみで追究した方がよい。私の研究成果を参考に述べると、以下のように指摘できる。カラル遺跡（ペルー）の十字形像、アイルランドとその周辺地域に散在するケルト十字像、ゲルマン地方におけるオークなどの樹木とその形像、バビロンのサカエア祭での十字架による処刑など。

以上のうち、カラル遺跡の十字形は、今から五〇〇〇年以上の過去に存在した遺跡から出土している。ケルトやゲルマンの事例はキリスト教伝来以前の遺物である。バビロンの事例は、磔刑という用途としてはキリスト教と共通しているが、時代は紀元前である。サカエア祭での磔刑の風習はやがてユダヤのプリム祭に伝わり、それがやがてキリスト磔刑のモデルとなった。私が監修しているフレイザー『金枝篇』第八巻（国書刊行会、二〇二一年）に含まれる「キリスト磔刑」には、キリスト生誕のはるか以前からユダヤ人が挙行してきた磔刑が紹介されている。ペルシアのスサでユダヤ人の敵ハマンを十字架上で焼き殺す場面であり、その情報源は旧約聖書の『エステル記』（九・二〇〜二八）である。時系列で整理すると、バビロンのサカエア祭→ユダヤ教のプリム祭→エルサレムのキリスト処刑と、三種の磔刑が並ぶことになる。いずれの事例も、その時々の宗教的慣習や法に従って執り行われたもので、違法な行為ではない。[☆23]

幸徳秋水は、本論中で「ダルヴィエラ伯の『記号の変遷』に依れば、西班牙人が中米を取れるの時、土人の神殿中に十字形を祭れるを見き」と記している。[☆24] それが生殖器に関連しているとは結論しがたい。卍や渦巻模様とも関連しているからである。よって彼は、私が時系列に即して為したような説明でもって十字架を「基督教専有の物となすは、大なる謬り」と批評すればよかったのである。彼はおそらく、文中で引用しているイギリスの神智学者アニー・ベサント（一八四七〜一九三三）の学説に依拠したのだろう。

アンニー・ベサントは曰く「吾人は印度、埃及、西蔵、日本等に於て、十字架が常に生々の力の象徴たることを見る。其は婦人少女が護符として着けたる者にして、殊に寺院神殿に奉仕する婦人少女が、彼等に取て其宗教心喚起の源たるべき者の記号として着けたるが如し。然り。十字の記号は男根の醇化（レフワイン）せる者に過ぎずして、基督教が之を有するのは、偶ま以て其起源の異教に在るを示す者のみ。（後略―引用者）」と。[☆25]

ベサント、それからカアキン教授を引用しつつ彼が事例に用いている生殖器崇拝の対象（男根）は、それが石像や木像に模されると十字の形にも見えるので、あながち間違ってはいないが、それが最有力な説明と理解してはならないだろう。[☆26] 生殖器はそのままの形像で聖なる形像なのであって、ここに挙げた事例はみなそれに該当する。ことさら十字形像に見立てることで信仰心を深めたわけではない。インドでも日本でも、石や藁で作った性神や道祖神などは、むしろ男根の形状をそのまま強調している（写真は松本市里山辺の八坂神社に鎮座する陰陽石道祖神、撮影：川島祐二）。あるいはまた、形状は生殖器であっても、信仰内容はアレゴリーである。例えばインドのリンガ（男根）はシヴァ神であり、日本の道祖神は防災の神であったりする。いずれにせよ、幸徳がキリスト教を否定し根絶するために十字架を考察するのはさして意味をもたない。

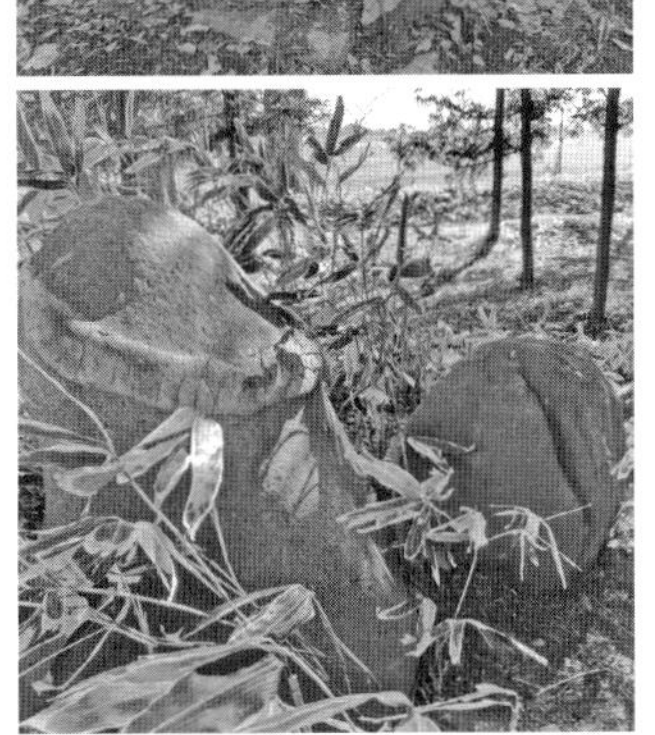

それよりも、幸徳がプラトンに注目している箇所を引用して、十字形像の考察をまとめることにする。

〔引用一〕プラトーの思想は、其浩瀚の著作中に散在若くば瀰蔓する者にして、之を簡約すること難しと雖も、而も基督教の教義が間接若くば直接に此紀元前四百年の大賢より借り来れるの争ふ可からざるは、多数学者の認むる所也。☆27

〔引用二〕基督教がヒローの教派に酷似せることは、基督教徒の学者彼等自身も亦た之を否認することなし。☆28

〔引用三〕以上根本的教義に於て、基督教が単に古代異教の遺物たるに過ぎざるを知らん。☆29

幸徳は先史古代の十字形像とプラトン思想（イデア論）をどのように関係させているだろうか。引用からわかることは、最初期のキリスト教徒はアレクサンドリアのフィロン（紀元前後）からプラトン思想を学んだ、ということである。フィロンは比喩・アレゴリーによる叙述を得意とした。それはむろんプラトン思想に由来するが、紀元後、フィロンの叙述スタイルは、やがてオリゲネスなどキリスト教父たちに影響を残してゆく。幸徳が記している「古代異教の遺物」の内容は、実のところ具象的な形像でなく、その背後に潜む抽象的な理念であり、生殖器像であれば、その形像に潜む生命・霊魂である。古代人は男根の中に霊魂を見通していたという仕儀である。幸徳は、一方でヘーゲル左派のキリスト教批判を盾にし、他方で太陽崇拝や生殖器像崇拝を盾にして、基督抹殺論を書き上げたのだが、前者と後者の内的関連は弱い。ヘーゲル左派のキリスト教批判を展開するのに太陽崇拝や生殖器像崇拝が必要である根拠は薄い。☆30 けれども、プラトン→フィロン→オリゲネスの系譜上に観察できる抽象神崇拝（生殖器像は生命・霊魂のアレゴリー）であれば、両者は関連している。

いずれにせよ、幸徳は最後の力を振り絞って『基督抹殺論』を書ききった。その覚悟に関連して、歴史研究者の西尾陽太郎はこう記している。「そしてこの反面『キリスト抹殺論』に最後の熱意をこめた。兆民の無神無霊魂説を継承した秋水の唯物論がこの中に結晶する」。☆31 また思想史研究者の絲屋寿雄は、幸徳に語った中江兆民の言葉として、こう記している。「肉体と精神をはなればなれに解釈するのは自分は納得いかない。ヒショロヂーとサイコロジーは到底はなすことができない。精神の健全であり活発であるかどうかは、必ずその肉体が健全活発であるかどうかと関係がある。（中略—引用者）肉体を外にして霊魂あるべき筈がない、自分は頑固な唯物論者（マチアリスト）である」。☆32 なんと、この論理展開は「神々の根拠、および根原は観念論ではけっしてない！ 唯物論が神々の根拠および根原なのである」と言い切るヘーゲル左派の一人フォイエルバッハの立論とそっくりである。[☆33] 幸徳は、『万朝報』に関係していた一九〇二年に行った演説のために草稿を書いたが、その中にフェイエルバッハに関する以下のメモがある。「即ち神は有るんでなくて銘々拵へるのである、フォイエルバッハ、人は己れに似せて云々」[☆34]。

むすびに

ヘーゲル左派のキリスト教批判と太陽崇拝や生殖器像崇拝のうち、前者に関係するまとめをもって「むすび」としたい。

これまで、幸徳秋水とヘーゲル左派との関係に特化して議論した人がいたか、いなかったか。それは未詳である。けれども、ヘーゲル左派が一九世紀前半から今日にかけて人々に投げかけている諸問題は少なからず存在する。マルクス主義もその一つであるが、ここでは「無」について指摘したい。このテーマで第一に思い当たるのはマックス・シュティルナー『唯一者とその所有』（一八四五年）に記された次のフレーズである。「私の事柄を、無の上に、私はすえた」[☆35]。無神論とか無政府主義とか、「無」を冠して今日に伝わる思潮は、ヘーゲル左派以降、否定の「無」でなく、肯定の「無」となって我々のもとに置かれている。例えば、「無政府（主義）anarchism」とは、政府が無い、存在しない、という否定的意味でなく、無政府という秩序が存在する、という肯定的意味である。「無神（論）atheism」とは、神が無い、存在しない、という否定的意味でなく、無神という秩序が存在する、という肯定的意味なのである。そのようなものの見方を打ち出した人物の一人に、フォイエルバッハがいる。彼は『キリスト教の本質』（一八四一年）の中で、こう言い放った。

〔引用一〕したがって、宗教に対する自覚的な理性の関係においては、ただ或る幻想を破壊することだけが問題である。

〔引用二〕そして我々は、すでに私が明らかにしたように、宗教的関係をただ転倒し（umkehren）さえすればよい。すなわち宗教が手段と認めるものを常に目的としてとらえ、宗教にとって従属的なもの・副次的な現象・条件であるものを主要事象・原因へ高めればよい。そうすれば幻想を破壊し、くもりのない真理の光を眼の前にもつことになる。[☆36]

読んで字のごとく、無神（論）とは、神が無い、存在しない、という否定的意味でなく、無神という秩序が存在する、という肯定的意味なのである。[☆37]そして、その状態は「幻想の破壊」という否定としてあるだけでなく、それを通じて生まれる「くもりのない真理」という肯定を意味している。いっときヘーゲル左派の思想圏に共住したことのあるミハイル・バクーニンは、「ドイツにおける反動」（一八四二年一〇月）という論説で、こう宣言した。「破壊への情熱は、同時に創造への情熱である」と。[☆38]破壊は否定で創造こそ肯定であるが、前者無くして後者は実現しないのである。

かくして、幸徳秋水の思想スタイル、「無」の思想形成に、ヘーゲル左派思想は多大な影響を及ぼし始めたのだった。しかし、かの由々しきフレームアップ事件が、その歩みをストップさせた。

注

01　幸徳秋水『基督抹殺論』岩波文庫、二〇〇四（初一九五四）年、一九一頁。

02　同上、一九二頁。なお、岩波文庫では「カアキン（Carkin）」と記されている。しかし、それはラーキン（Larkin）の誤記であると、大逆事件研究者の大岩川嫩氏から指摘を受けた。大岩川氏によれば、原本を見た山泉進氏（明治大学名誉教授）の指摘だということである。

03　同上、一六頁。

04　同上、一七頁。

05　同上、三五頁。

06　同上、三七～三八頁。

07　羽仁五郎のシュトラウス接近については、拙稿「聖書の神話的解釈とフェティシズム―シュトラウスを論じてフォイエルバッハに及ぶ」、『フェティシズム―通奏低音』社会評論社、二〇一四年、八三頁以降、参照。

08　ダーフィット・フリードリヒ・シュトラウス著、生方卓・柴田隆行・石塚正英・石川三義訳『イエスの生涯・緒論』世界書院、一九九四年、「まえがき」から。*Das Leben Jesu, Kritisch bearbeitet*, Tübingen, 1835, S.vi.

09　石塚正英「聖書の神話的解釈とフェティシズム―シュトラウスを論じてフォイエルバッハに及ぶ」八六～八七頁

10　シュトラウス、前掲書、七六頁、*Das Leben Jesu*, S.74.

11　シュトラウス、同上、七頁、*Das Leben Jesu*, S.3.

12　石塚正英「ブルーノ・バウアーの自己意識」、拙著『近世ヨーロッパの民衆指導者』社会評論社、二〇一一年、一四〇頁以降、参照。

13　幸徳、前掲書、一八一頁。

14　獄中から堺俊彦に宛てた書簡（一九〇五年五月三〇日）に以下の記述が読まれる。「目下枕頭に在るは、我社絵端書の一人クロポトキン氏の『田野、製造所及工場』、エンゲルス氏のフォイエルバッハ論なり。入監後屡々丸善に問い合わせて得ざりしヘツケル氏『宇宙の謎』英訳本を、黒岩君より恵贈され、大いに渇想を癒せり。願くば感謝の意を致せ」。塩田庄兵衛編『幸徳秋水の日記と書簡』未来社、一九九〇年、一五八頁。また、小田原からサンフランシスコのアルバート・ジョンソンに宛てた書簡（一九〇五年八月一〇日）に以下の記述が読まれる。「私が獄中で読みました沢山の著書の中には、ドレーパーの「宗教学術の衝突」があり、ヘッケルの「宇宙の謎」があり、ルナンの「耶蘇伝」があり、特にあなたのお送り下されたラッドの「ユダヤ人及クリスチヤンの神話」と、クロポトキンの「田野、製造所及工場（"Fields, Factories, and Workshops"）」とは幾度となく読み返しました。（中略―引用者）事実を申せば、私は初め「マルクス」派の社会主義者（a Marxian Socialist）として監獄に参りましたが、其の出獄するに際しては、過激なる無政府主義者（a radical Anarchist）となつて娑婆に立戻りました」。同上、一六三頁。

15　幸徳、前掲書、一〇八頁。

16　同上、一一〇頁。

17　同上、一二三頁。

18　同上、六六頁。

19　同上、六七頁。

20　同上、七一頁。

21　同上、七三頁。引用文中に『埃及の諸神も十字と卵』とあるが、それはアンク（エジプト十字）のことで、生命を意味するとされる。

22　同上、七一頁。

23　石塚正英「カラル遺跡（ペルー）の十字形像」、「シンボルによる価値転倒―十字形像を事例に」、ともに拙著『歴史知のオントロギー―文明を支える原初性』社会評論社、二〇一一年、第五章、第六章、参照。

24　幸徳、前掲書、七一頁。

25　同上、七二頁。一九一〇年四月一一日付け英文書簡（Dear Old Friend and Comarade）には以下の記述が読まれる。「三週間前に当地（湯河原―引用者）へ来て、目下、キリストは単なる神話で実在はしなかったこと、基督教の起源は異教の神話の中に見出されること、聖書の大部分は偽造のものであることを主張する著書を書いている。これを書くに当つては御急送のラッド氏及びA・ベサントの本が大いに役立つた（I owe much to Mr. Ladd's and A. Besant's books which you sent me.）」。塩田庄兵衛編『幸徳秋水の日記と書簡』、四二三頁。

26　幸徳の渡米日記（一九〇五年一二月二二日）にProf. Carkinへの言及が読まれる。「ジョンソン翁に伴はれて図書館に行きカードを求む。翌日カードを得書籍を借り来る。宗教上のSymbolに関する調べを為さんが為めなり。先日、Liberal ReviewのProf. Carkinの論文中、十字架が生殖器崇拝のシムボルの名残なるをいへるを見て、余の興味を曳き、研究の念を起せり」。塩田庄兵衛編『幸徳秋水の日記と書簡』、一四二頁。この日記から、幸徳の生殖器崇拝への着目はにわかなことだった印象が伝わる。この日記に関連して、西尾陽太郎はこう記している。「キリストの穴探し」がここで形をとりはじめている。これは秋水の唯物論の深化でもあり、権威否定論の進展でもある」。西尾陽太郎『幸徳秋水』吉川弘文館、一九八七年、一五四頁。

27　幸徳、前掲書、七九頁。

28 同上、八三頁。

29 同上、八六頁。

30 私であれば、キリスト教批判に関連する前者と後者を、それぞれ別個に議論する。現に、以下の著作でそれを果たしている。ヘーゲル左派のキリスト教批判：『フェティシズム—通奏低音』（社会評論社、二〇一四年）、『フォイエルバッハの社会哲学』（社会評論社、二〇二〇年）。太陽崇拝や生殖器像崇拝：『歴史知のオントロギー——文明を支える原初性』（社会評論社、二〇二一年）。

31 西尾陽太郎『幸徳秋水』、三〇六頁。

32 絲屋寿雄『幸徳秋水』清水書院、二〇一五年、五三頁。中江兆民は「続一年有半」の中で以下の言及を為している。「精神とは本体ではない。本体より発する作用である。働きである。本体は五尺躯で有る。此五尺躯の働きが、即ち精神てふ霊妙なる作用で有る」。中江篤介著『続一年有半』博文館、一九〇一年、七頁。なお、冒頭には、幸徳による「続一年有半、一名無神無霊魂は」で始まる序文「引」が記されている。

33 *Ludwig Feuerbach, Gesammelte Werke*, hg. v. W. Schuffenhauer, Akademie-Verlag, Berlin, Bd.7, 1969, S. 99. ここで、唯物論を肉体に、観念論を精神に置き換えれば、兆民とフォイエルバッハの重なりが見えてくる。さらにフォイエルバッハは次のようにも言う。「人間がまだ精神と肉体とを相互に引き裂かず、文化がなお歪曲の技術—すなわち内的衝動および根拠なしにあらゆる言動ができる技術—の中に存立していないところ（中略—引用者）そこには肉体的にかがむことが存在しており、そこでは一般にいっそう後の時代にとっては象徴である、事象の記号が、事象そのものなのである」。*Ibid.*, S. 293.

34 幸徳秋水全集編集委員会編『幸徳秋水全集』別巻二、一一五頁。

35 石塚正英「シュティルナーのヘーゲル左派批判」、拙著『ヘーゲル左派という時代思潮—A・ルーゲ／L・フォイエルバッハ／M・シュティルナー』社会評論社、二〇一九年、一一三頁以降、参照。

36 Ludwig Feuerbach, *Das Wesen des Christentums*, Reclam, Stuttgart, 1974, S.406.

37 「無」について、中江兆民は次のように語っている。「世界の大は愚か、塵一つも無くなるものでは無い。即ち終の有る可き筈で無い。若し一物でも無よりして有で、即ち始めが有つて、その有が、又無に成りて即ち終が有ると云ふと大変な事で、非論理、非哲理、泡沫、幻影、前後矛盾、自家撞着、大混雑、大混乱と成り了はるので有る」。中江篤介、前掲書、六五～六六頁。この発想には徹底した唯物論が読み込まれるが、兆民のいう「有」には精神（生命・霊魂）も入る点に留意しなければならない。精神・観念は身体・物質とともに「有」るのであって、精神・観念の存在を軽んじているわけではない。兆民門下の幸徳にその留意点が当てはまるかは、微妙である。シュトラウスに寄り添えば当てはまるが、バウアーに共鳴すると当てはまらない可能性が増す。

ただし、幸徳が以下のように回想している点は記憶しておきたい。「先生は唯物論に拘泥して居るものではない、有神有霊魂説を破するには唯物論を借て来た處が多い。／併し積極の立論をするに至っては大に唯物論を攻撃して居る」。「兆民先生 其ノ二」、幸徳秋水全集編集委員会編『幸徳秋水全集』別巻二、一五九頁。

また、絲屋は兆民の唯物論と幸徳のそれとを比較して次のように論じている。「さて、明治思想史のうえでの幸徳秋水の偉大な功績は次の点にあると思います。中江兆民の自然主義的唯物論にとどまらず、それを社会現象の領域に発展させたことです」。絲屋寿雄、前掲書、一一〇頁。

38　M. Bakunin, *Die Reaction in Deutschland*, in: Deutsche Jahrbücher für Wissenschaft und Kunst, hrg.v. Arnold. Ruge u. Theodor Echtermeyer, Leipzig. 5Jg.(1842.10), Nachdruck Vaduz/Liechtenstein. 1972, S.1002.

なお、幸徳はバクーニンから多くを学んでいるが、ほんの一例として、幸徳がバクーニンに言及した大石誠之助宛て書簡（一九一〇年五月二六日）を以下に引用する。「封入の絵葉書は桑港の同志が作って見本をよこした外に、バクニンとクラボトキンのも出来てる。安重根のは日本製のは発売禁止になつたから、是も直くやられるだらう」。塩田庄兵衛編『幸徳秋水の日記と書簡』、五二九頁。

〔付記一〕本稿の参考に用いた文献中、幸徳秋水に直接かかわるものを列記しておく。

飛鳥井雅道『幸徳秋水―直接行動の源流』中央公論社、一九六九年。
幸徳秋水全集編集委員会編『幸徳秋水全集 別巻二』明治文献、一九七三年。
西尾陽太郎『幸徳秋水』〔新装版〕吉川弘文館、一九八七年。
塩田庄兵衛編『幸徳秋水の日記と書簡』〔増補決定版〕、未来社、一九九〇年。
塩田庄兵衛『幸徳秋水』新日本出版社、一九九三年。
絲屋寿雄『幸徳秋水』清水書院、二〇一五年。

〔付記二〕本稿は、『大逆事件の真実をあきらかにする会ニュース』編集者の大岩川嫩氏から多大な評価を受けた。また大岩川氏の依頼（二〇二二・六・四）を受けて、私は続編「幸徳秋水にとってのヘーゲル左派―『基督抹殺論』によせて―」を執筆し、同ニュース第六二号（二〇二三・一・二四）に寄稿する予定でいる。

第4章　超自然は文明固有の概念である――フレイザー『サイキス・タスク』批評

はじめに

ある時期にあるテーマで一世を風靡した思想家や研究者が、変節せずとも、その後に何かを契機にして激しく批判されたり忘れ去られたりして行くという事態はときおり生じる。どういうわけか、私の研究に裨益するところの多い人物にはその傾向が目立つ。まずは、一八世紀フランスの思想家で『フェティシュ諸神の崇拝（*Du Culte des dieux fétiches*, 1760）』の著者シャルル・ド＝ブロス（一七〇九～七七）である。フェティシズム概念と用語の創始者である彼は、一九世紀に隆盛となったアニミズム理論からの批判を通じて学説をほぼ否定された。次に、一九世紀アメリカの人類学者で『古代社会（*Ancient Society*, 1877）』の著者ルイス・ヘンリー・モーガン（一八一八～八一）は集団婚を唱えたが、それは一夫一妻婚支持者の批判にあってほぼ否定された。同時代スイスの神話学者で『母権論（*Das Mutterrecht*, 1861）』の著者ヨハン・ヤーコプ・バッハオーフェン（一八一五～八七）は先史社会における母権と無規律婚を唱えたが、父権支持者の批判にあってやはりほぼ否定された。そして一九世紀末から二〇世紀前半の人類学者で、『金枝篇（*The Golden Bough*, 1890-1936）』の著者ジェームズ・フレイザー（一八五四～一九四一）は、世界大で事例蒐集にあたり偉業を称えられたが、やがて、自らはフィールドに向かわず実証的裏付けを欠いたアームチェアーの研究者という批判を受け、蒐集した事例の資料的価値を疑われた。

それらの批判動向について、私はいずれも全面的には支持していない。ド＝ブロスは自然崇拝において霊的存在よりも物的存在を重視し、モーガンは個別家族と区別される氏族集団を探究した。バッハオーフェンはギリシア・ローマ的父権・政治的権力と区別される先史母権の精神的威信・氏族社会的規範を捉えた。いずれも文明期と区別される先史社会・野生社会に端を発する研究テーマである。それらは文明期に存在することとなった事例と類型を異にしている。その差異性を無視しては、批判は批判足り得ない。

文明社会の基準をもって先史社会や野生社会を推し量ろうとしても埒はあかない、と私は考えている。

さて、ド＝ブロスは先史世界に限定していたフェティシズムについて、私はそれを通奏低音のように歴史を貫通しているものと捉えるのだが、概念としてはド＝ブロスの見極めた通り、文明でなく先史に属する。ド＝ブロス『フェティシュ諸神の崇拝』を読んでいないと思われるフレイザーは、そのせいだとは断じないが、自身で頻用するアニミズムについて、これはフェティシズムのように先史に端を発するものか、あるいは文明期を貫くものか、というような区別の論理にあまり関心を示していない。アニミズムは、母国スコットランドを含めて古今東西の世界各地に遍く存在していると見ている。そのせいであろうか、場合によっては先史の概念と文明の概念とを混同してしまうことがある。本稿では、そこを問題にする。フレイザーの著作中、その課題に相応しい事例を拾うとなると、『金枝篇』（一八九〇～一九三六）でなく『サイキス・タスク』（一九〇九）が適している。そこで、「魂の仕事」という意味の書名を有する後者を参照しつつ、以下において「超自然」「政府」「所有」「婚姻」を事例に、概念の混同問題を吟味してみたい。

一　超自然

フレイザーは、「自然」概念との対応関係で構築されている「超自然」概念について、先史にも超自然が生じると言わんばかりの議論を、次のように記述している。

多くの民族において統率者（governors）は超然とした種類の存在（a superior order of beings）であって、被統率者（the governed）が権利を要求したり抵抗の意志を示したりすることの出来ない一定の超自然的あるいは呪術的な威力（supernatural or magical powers）を保持しているという俗信（superstition）によって、統率の仕事（the task of government）は著しく都合よく運ばれてきた。☆01

フレイザーがここで事例に挙げている民族は先史社会人でなく現代にいたるまで非欧米文明的な生活を営んできた人々である。私は「野生人」という表現を採用している。この引用文には以下の文章が続いている。

これに関してコドリントン博士は、次のように話している。メラネシア人の間では、「これまでは首長たち（chiefs）の権威は、彼らが相互交通してきた精霊または亡霊（the spirits or ghosts）から彼らが超自然的な威力を授けられているという信仰に基礎を置いてきた。ところで近年バンクス諸島で実際あったように、この信仰が消滅してしまったので、首長の位置は曖昧になっていく傾向が生ずるに至った。そして今では一般にこの信仰が動揺してきたので、ここに新しい種類の首長が起らなければならない。さもなくば無秩序の時代（a time of anarchy）がやってくるに違いない。☆02

現代のような科学的な自然概念が成立していない時代や地域においては、科学的な自然概念を前提にして成立する「超自然」は生じ得ない。中世キリスト教的な真理と世界観ができあがると、いわゆるオカルト的な現象が「超自然」となろうか。ルネサンス期に流行した神秘主義的なネオプラトニズムの心酔者、たとえばジョルダーノ・ブルーノ（一五四八～一六〇〇）やヨハネス・ケプラー（一五七一～一六三〇）、それにアイザック・ニュートン（一六四二～一七二七）たちは、自然界は神が創造したと観念していたのであるから、彼らの自然観も現代人のそれとは違っていた。とにかく、科学的真理や宗教的真理の介在していない先史・野生世界に、科学的自然や宗教的自然は存在しないのであり、いわんやそれらを前提にした超自然は存在していないのである。フレイザーはその区別を理解していないか、曖昧にしている。

二　政府

それから、上に引いた文章には‘governors’とか‘the governed’‘the task of government’という表現が見られる。フレイザーがここに‘government’という術語を差しはさんだ点については、少々理解に苦しむ。この用語は、語原的にはいざ知らず、通常は先史でなくギリシア・ローマ文明期の「政治（polis）」とか「総督（gubernator, praefectus）」に関係するからである。国家＝政治＝政府の存在しない先史社会に‘government’は存在しないはずである。にもかかわらずフレイザーがこの用語を使った根拠は、統治の概念を広くとって、氏族社会の首長制にも妥当させたからなのだろう。私が高校生の頃から使用している三省堂の『新クラウン英和辞典』（一九六四年、四八版）でこの‘government’を引くと、①政治、政体、②政府、内閣（ministry, administration）、③支配、管理（direction, management）とある。その三種のうち、政治的権力は生まれていないか微弱な共同体である先史社会に妥当する意味は③だけであろう。ようするに長老や保護者による監督・

管理である。

フレイザーは上記引用文のあとに続く段落で、バジル・タムスンなる人物の言葉として以下の引用をなしている。「メラネシアの統治組織の秘密を解く鍵は祖先崇拝である（the key to the Melanesian system of government is Ancestor-worship.）」。[☆03] ここに記されている統治組織はつまり非文明的・野生的社会の管理組織である。君主制でも貴族制でも民主制でもない。非文明的・野生的社会の管理組織について、フレイザーのみならず他の観察者も〝government〟という用語を使用しているのであれば、私としてはその使用方法に異論をさしはさむことはしない。むしろ意味の多様性に応じて、訳語にも多様性を持たせることが必要と思う。岩波文庫の永橋訳では「政府」となっているが、さすがにそれは適訳でない。誤解を招く。私は、さしずめ「統率」「統率者」「統率組織」としておく。文中に〝chiefs〟という語が出ているので、「首長」「首長制」という表現もあり得るが、この訳語から〝government〟を想起するには無理があろうから、そのように訳したくはない。

三　所有

さて、『サイキス・タスク』には、〝government〟のほか、〝private property〟や〝marriage〟など、文明と非文明を画する場面で登場してくる術語に関する詳論がある。エンゲルスの著作『家族・私有財産・国家の起原（*Der Ursprung der Familie, des Privateigenthums und des Staats*, 1884.）』と類似している。そのこともあるので、私は『サイキス・タスク』で使用されている術語の内容が気にかかる。そのうち、「私有財産（private property）」に関するフレイザーの議論を見てみよう。まずは必要箇所を引用する。「タブー（禁忌）」がキータームである。

これから私は第二の命題にすすむ。それは、或る諸部族の間で、また或る諸時代において、俗信は私有財産に対する尊重の念（the respect for private property）を強め、その結果それを享受するための安全確保に寄与するところがあった、という命題である。

これがありのままに残るのは、おそらく、タブーのシステムが最高度に発展しているポリネシアを措いてほかにはないだろう。なぜなら、先住民の意見によると、事物（a thing）をタブーとすることは、それに超自然的な威力もしくは呪力（a supernatural or magical energy）を賦与することであり、その結果実際に、所有者以外は誰もがそれに近づけなくなるからである。こうしてタブーは、私有財産の絆を強めるための強力な手段となったのである。社会主義者ならば、その絆を鉄鎖の釘づけと言うだろう[☆04]。

この引用文だけを読むと、ポリネシア諸島の先住民は、たとえタブーという共同体時代からの禁忌慣習を介してであれ、個々人が所有権を尊重しているように思ってしまう。しかし、その前に考えておかなければならない疑問が二点ある。第一点は、前近代的なタブーの取り決めと近代的な法的な取り決めの一致不一致である。前近代に関係するタブーを近代的な所有権と内的に関連させることはできない。前者の場合、所有権の発生する根拠は呪力にあるからである。第二点は、ポリネシア諸島民はタブーを介して所有権を一般的に保持しているのか、ということである。以上の二点のうち、第一点ははっきりしている。タブーを介する所有権は近代的な所有権と決して同一ではない。第二点は、フレイザーが『サイキス・タスク』に記した以下の説明にヒントがある。

マルサケス諸島では、タブーは祭司たちに啓示された神々の意志の表現としての神的な性質を帯びていたと言われている。そのようなものとして有害な過剰に障壁を据え、掠奪を防止し、人々を団結させた。とくにそれは、タブー扱いされたり特権を与えられたりした諸階級を土地所有者（landed proprietors）に変えた。土地は彼らとその相続人たちのみに帰属し、一般庶民は勤労と漁撈で生計をたてた。タブーは地主たちの塁壁（bulwark）だった。タブーのみが彼らを一種の神権によって、一般庶民にはあり得ない豊富と奢侈との座に押し上げた。また、彼らの安全を保証し、貧乏で嫉妬深い隣人から彼らを保護し得たものは、このタブーに他ならなかったのである[☆05]。

読んで字のごとく、マルサケス諸島では全住民に所有権が賦与されていたのでなく、それは、一部の特権階級―祭司とか地主とか―に呪術を介して独占されていただけである。法的な、あるいは近代的な意味での私有財産・私的所有とは違うわけである。ようするに、ポリネシアの共同体的社会において、個人的なタブーで設定されてはいるものの、法的権利・概念としての「私的（private）」という概念は妥当しない。にもかかわらず、フレイザーはそこを曖昧にしたまま「私有財産（private property）」という術語を、意識的にか無意識的にかは分からないが、呪術的社会に転用したのだった。

四　婚姻

このテーマについてフレイザーは、ほとんど非文明・非欧米地域の伝統的制度を事例に引いている。前節で問題にした「私的（private）」のような、先史や非文明と縁遠い概念や制度は出てこない。代表的な事例を以下に引用してみる。

アッサムのカアシ人は外婚的（exogamous）にある多くの氏族（clans）に分れている。すなわち、いかなる男性も、彼自身の氏族の女性とは結婚しない。もし男性がその氏族の女性と同棲していることが見つかれば、それは近親相姦としてあつかわれ、大きな災難の原因となると信じられた。人々は雷に撃たれ、あるいは虎に食い殺され、女性はお産中に死んでしまう等々である。罪を犯した男女は、その氏族員によって祭司のところに連れて行かれ、一匹の豚と山羊を供犠として供えさせられる。それが済むと二人は追放される。彼らの犯罪は、計り知れないからである。☆06

ここに記されている「氏族（clan）」は文明期の家族とは区別され、先史に起原を有する。文明期の家族と区別される先史期の氏族の特徴を、以下に整理してみよう。モーガンの議論を参考にして私が作成してここに転載した基本図にあるように、先史時代や非文明的野生社会では、単一の家族でなく最低二組織からなる氏族集団「二分組織」が社会的単位だった。二組織で一部族（tribe）を構成する。この図はむろん説明のために単純化したもので、現実に二氏族で一部族という社会が存在したかどうかは問題外である。氏族制度は最低二つの相異なる組織が対をなす。それぞれに祖父母・両親・子ども世代がいるものの、父と母は互いに別組織に分かれて生活している。そのうち結婚適齢期の男女は、儀礼を介して氏族外結婚（族外婚）をする。それは同時に部族内結婚（族内婚）である。ただし、個人間でなく、集団的である。近親婚タブーをまもり、けっして同一氏族内で結婚してはならない。☆07

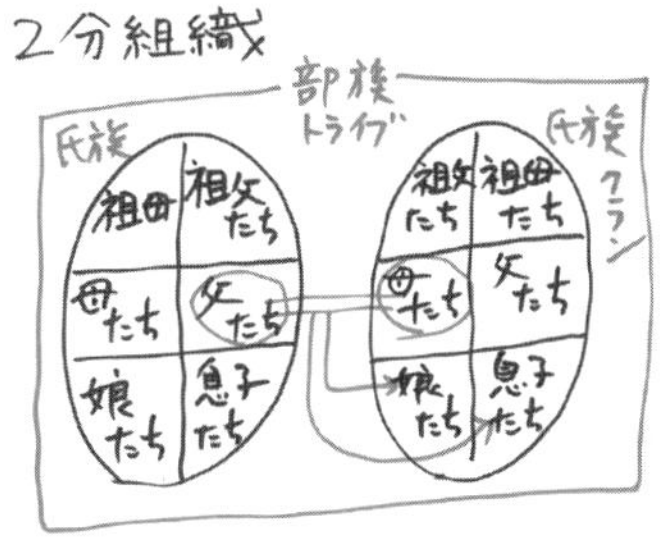

さて、以上の説明にフレイザーの上記引用文を照らすと、ほぼモーガン理論に一致することがわかる。タブー破りが徹底的に糾弾されるのは、なにも婚姻についてのみではない。氏族社会ではすべからくタブーが生活を律している。フランスの宗教社会学者エミール・デュルケム（一八五八

〜一九一七）によれば、氏族の女性には当該氏族の神霊が宿り、代々受けつがれていく。そこでの近親婚タブーとは、氏族神との交わりを制限することで、部族内での男女の自由な交わりを開放する儀礼なのである。この儀礼は、文明期の家族倫理、性道徳と正反対の価値を含んでいる。

なお、フレイザーはモーガンと同様に、その時代の最有力な思潮、すなわち進化主義のもとに、近親婚タブーの歴史的限界について、宗教的要因を介在させて、以下のように説明する。

知識の進歩につれて、人間の両性の交渉が動植物の増殖に作用することができると想像するのは誤りだと認識し始めてからも、彼等は長期にわたる習慣から、或る種の性的関係が有する邪悪な行為という観念を捨て去ることができなかった。彼らがそれまで懐いていた推理が誤った性質のものだと認めた後までも、やはり捨て去ることができなかった。したがって、古い理論が消滅した後まで、古い行動は存続するのである。性道徳の古い慣習は引き続いて観察されることとなるが、然しこの慣習が社会の尊敬を失わないでいくためには、それを新しい理論的基礎の上に置くことが必要である。そしてこの基礎は、思想の一般的進歩に伴い、宗教によって与えられることとなった。[08]

フレイザーは古い、タブー厳守の婚姻制度から宗教的婚姻制度が新しく生まれ出るように描いている。私は、この二種の婚姻制度は相互に類型を異にしていると判断する。進化主義あるいは進歩史観の観点に立つと単系発展を観念しがちであり、A、B、Cといった多様な諸類型の併存を見失いがちであり、A類型なりB類型なりを並行に観察できなくなる恐れがある。先行のAの上に後継のBというように垂直に重ねてしまいがちなのである。例えば、Aが先史型でBが文明型というケースをみると、なるほどAはBよりも時系列では先行しているかもしれない。なるほどAからBが生まれる事例もあるだろう。[09]けれども、Aからの後継以外に、Aとの対立としてBが発生する事例もあろう。あるいはまた、AともBとも異なるC類型の存在を否定してはならないだろう。また、Bを産み出したAは、その後も滅びずAのままで存続していくケースもあるだろう。Cは何も後継を生まないまま滅ぶこともあるだろう。

滅ぶと称しても、それはその時々に営まれた集落や都市のことであって、住民は離散して、子孫が後世まで生き続けることもある。よって、或る先史文化は滅びず、現代世界に散見されるのである。南米アンデスのスープ河畔に発見されたカラル遺跡に構築された文化は、紀元前二〇〇〇年から前一〇〇〇年頃まで存続し、先史のまま滅んでいったが、当時の文化は現代に遺存された。[☆10] フレイザーは、知識の進歩や宗教の存在を重視するが、ルソーに言わせると、それは富と力の不平等を生む触媒となった。なるほどその通りであって、学術や宗教は人智を育む食べ物となったものの、奸智を肥す飲物ともなってきた。現代世界にあって、情報や知識は知性や智慧に深まるまえにデジタル消費される。宗教は共苦や隣人愛を醸し出すまえに処世的に乱用される。その原因を探っていくと、先史よりも文明の領域に踏み込むことが多い。

　フレイザーは「古い理論が消滅した後まで、古い行動は存続する」とする。その通りである。これを私は文化慣性と称している。理論と行動の間にみられるこのギャップを捉えて行動の分析を行うことが求められるのである。私の先史研究は、それを目的としている。現代人が「超自然」を先史・野生の観念であり現代人とは無縁であると考えること、それ自身がギャップの現れなのである。

むすびに

フレイザーは、『サイキス・タスク』の結論部分で、ある重要な指摘を行っている。少々長文になるが一気に引用する。

> 　政治、私有財産、結婚、および人命の尊重は市民社会の全構造を支えている柱である。これらのものを動揺させることは、とりも直さず社会をその根本から動揺させることに他ならないのである。それで、もし政治、私有財産、結婚および人命の尊重などのことが市民社会の存立そのものに有益であり、また必須であるとすれば、その一つ一つを強化したという点において俗信（superstition）は人類に一大貢献をなしてきたのである。俗信は多数の人々に、なるほど誤った動機ではあったが、正しい行為に対する動機（a motive, a wrong motive it is true, for right action）を提供した。誤った動機で正しい行為をすることの方が、最上の意図で誤った行為をすることよりも世界のためにははるかによいことなのは言うまでもない。社会の関心ごとは、行為であって意見ではない。我々の行為が正義であり善でさえあれば、我々の意見が誤っているかどうかなど、その他の人々にとっては少しも構わないのである（if only our actions are just and good, it matters not a straw to others whether our opinions be mistaken.）。[☆11]

この説明文からは、非文明地域の諸民族とその文化に対する絶大なる擁護が読み取れる。その基本的特徴は、先史社会・野生社会から文明社会・近代社会への連続性である。ただし、フレイザーの場合、前代は後代を産み出す、という進化主義的連続である。現代世界では野生的生活様式や文化は非欧米地域に残存し、欧米地域はそこから進化して高度な様式や文化に進んでいる、という捉え方である。私はそうは考えない。上記の本論において政治、私有財産、結婚いずれにも、進化でなく類型の違いを強調してきた。先史と文明は別の原理で動いている。けっして連続はしていない。私は単系発展説に立脚するものではない。先史から古代が生まれ、古代から中世や近世・近代が単線的に、親子のように生れた、などとは考えていない。少なくとも、先史の原理や精神は、文明のそれとは別個の歩みをなして現代に至っているのである。ただし、先史は表面化せず、人類社会の深層に沈潜して、文明を下支えしているのである。文明は先史の様式や文化、価値をいわば転倒させて生まれたのである。両者のそうした交互関係が存続しているのであって、先史はけっして失われていないのである。その点について私はここ数年において必死に文章化し、このほど出版した。『歴史知のオントロギー』（社会評論社、二〇二一）である。それから二〇二〇年九月からまる一年を費やして、「フレイザーde書斎の煌き」と題するオンライン連続講座を遂行して、その成果をも出版した。『フレイザー金枝篇のオントロギー』（社会評論社、二〇二二）である。

　最後に、岩波文庫版『サイキス・タスク』翻訳者永橋卓介の訳文について触れておく。彼は、本書において「トラヂャ人（Toradjas）」「ナンヂ人（Nandi）」というように非欧米諸民族を「〇〇人」とする。「〇〇族」とはしないのである。同じ訳者による岩波文庫版『金枝篇』の訳語と違って、おおいに評価できる。ただし、私が「野生人」としている'savages'は「蠻人」とし、私は「先住民」としている'natives'は「土民」としている。その訳語は、現在では適切でないが、訳書が刊行された一九三〇年代という制約がある。総じて、よく配慮の行き届いた翻訳だろうと思っている。☆12

注

01　James George Frazer, *Psyche's Task—A Discourse Concerning the Influence of Superstition on the Growth of Institutions*, Macmillan. London, 1909, p.4. 永橋卓介訳『サイキス・タスク』岩波文庫、一九七七年、（初）一九三九年）、一四〜一五頁。適宜、訳文を変更している。

02　*ibid.*, p.4. 翻訳、一五頁。

03　*ibid.*, p.5. 翻訳、一五頁。

04　*ibid.*, p.17. 翻訳、三二〜三三頁。

05　*ibid.*, p.20. 翻訳、三六〜三七頁。

06　*ibid.*, p.32-33. 翻訳、六五頁。

07　氏族社会と集団婚に関するモーガンの議論については以下の文献を参照。布村一夫『原始共同体研究』未来社、一九八〇年。同『共同体の人類史像』長崎出版、一九八三年。

08　*ibid.*, p.46. 翻訳、一三七〜一三八頁。

09　先史・野生から文明への観念的連続を暗示するものに亡霊による犯罪抑止効果がある。死霊に人命尊重という積極的な役割を与えず、また犯罪それ自体の中に後悔や反省の根拠をもたせるのでなく、「死霊の恐怖」を使って、目には目を、といった報復を企てている。以下に引用する。

　死霊の恐怖は人命を保護するために、二重の方法で働くということができる。一方においてそれは、各個人が自分のために同胞を殺すことをためらうように仕向け、他方において全社会が殺人者を罰するように鼓舞するのである。こうしてそれは、一人一人の生命を道徳と法律との二重の囲いの中に置くわけである。

ibid., p.80. 翻訳、二〇三頁。

10　カラル遺跡とその文化的特徴については、以下の拙著を参照。「カラル遺跡（ペルー）十字形像の先史性」、石塚正英『歴史知のオントロギー――文明を支える原初性』社会評論社、二〇二一年、第五章。

11　*ibid.*, p.82-83. 翻訳、二〇四〜二〇五頁。

12　参考までに、フレイザー著、神成利男訳・石塚正英監修『金枝篇―呪術と宗教に関する研究』第一巻（国書刊行会、二〇〇四年）に付した日本語版監修者解説から、関係個所を引用する。

　これは重要なことなので、縷々解説する。訳語の中には今では差別語になっているものが散見されるので、それを訂正した。多くは身体障害に関する表現であるが、そのほか特に民族名について、例えば「トラジャ族（the Toradja）」とある場合、「トラジャ人」とある場合、「トラジャ人」と修正した。「ヂ」を「ジ」としたのは旧字の訂正にすぎないが、「族」は少数民族に対する差別表現にあたる場合が多いので、「人」とした。二一世紀の諸民族共生社会では、例えば「〜族」は国家を形成する以前の社会集団で、「〜人」というのは国家を形成している社会集団をさす、といった近代に固有の歴史的限定的概念に変更を加える意味での改訳である。ただし、民族学の学術語になっている「部族（tribe）」「氏族（clan）」については「族」をそのまま使用し、例えば「トラジャ部族（the Toraja tribe）」等とした。また、「土人（native）」「原住民（native）」「インディアン（indian）」はおおよそ「先住民」とした。「未開人（savage）」

「未開人（primitive man）」「野蛮人（barbarian）」は「野生人（自然に即して野に生きる人の意味）」に、「ジプシー（gypsy）」は「ロマ（人間の意味）」に、「エスキモー（esquimaux）」は居住地域によっては「イヌイット（人間の意味）」に、それぞれ置き換えた。「酋長（chief）」は「首長」とした。「支那（China）」は「中国」とした。そのほか、漢字で表記された外来の単位、例えば「呎（feet）」などは「フィート」とした。

ところで、二〇世紀初頭のヨーロッパ人がsavageやbarbarianを人種差別的な意味で用いていたのは当時の「常識」に属することなのだから、百年後の翻訳においてそうした意味の訳語が選定されてもおかしくない、と見る人がいる。しかし、監修者はその見解を全面的には支持しない。なぜなら、その当時における「常識」と今日の「常識」とは明らかに異なっているからである。百年前の原著者は差別について無自覚であったとしても、百年後の読者はそれを自覚している。しかも、どちらの態度もいわば「常識」的なのである。また、言わずもがなのことではあるが、フレイザー自身は民族差別を主要目的にしてこの大著を編集したのではない。なるほど一方では、差別的な文脈になっている個所がなくはない。しかし他方では、生地スコットランド（自民族）の民間信仰に言及する場面でも分け隔てなく上記の原語を使用している。したがって監修者は、訳語選定基準の一つとして、そのときどきの「常識」に従うという一貫性を保つことにした。（二〇二一年一〇月二三日脱稿、二〇二二年二月一三日補筆）

〔付記〕『金枝篇』翻訳全一〇巻の刊行は、もっか第八巻に達したところである。先般、刊行元の編集部と協議し、残り数巻を極力はやめに出版することとした。

第5章
国家の興亡に立ち会った歴史家たち——ロシアのウクライナ侵攻に鑑みて

はじめに

史学史・文化史の研究者、もと立正大学文学部教授の酒井三郎（一九〇一〜一九八二）は、『国家の興亡と歴史家』（弘文堂書房、一九四三年）において、文字通り、国家の興亡に深く関係する古代史家を扱っている。すなわち、バビロニア（新バビロニア、前六二五〜前五三八）によるユダ王国滅亡に関連して旧約聖書にその言動の刻印されている預言者イェレミヤ、そして故郷のアカイア同盟都市解体後ローマに住んだ紀元前二世紀のギリシア人歴史家ポリビオス（前二〇四頃〜前一二五頃）を論じている。前者は亡国ユダの民とともにバビロニア社会に生き、後者は自ら捕虜となってローマに送られそこで生きた。けれども、二人とも、故国を滅ぼした敵国の興隆に歴史の運命ないし歴史の法則を見出すこととなる。

酒井は、イェレミヤとポリビオスの両者を「歴史家」の範疇において、興亡に対する歴史家の態度—その変化—を考察している。その際、イェレミヤに関しては先史ユダヤの神観念〔砂漠の神〕を軸にすえ、ポリビオスに関しては彼の〔世界史叙述〕と〔運命観〕を軸にすえている。本稿では、以上のような内容をもつ酒井三郎著『国家の興亡と歴史家』（弘文堂書房、一九四三年）の提起するものについて、『〔復刻・解説〕国家の興亡と歴史家』（青木信家代表編集、北樹出版、二〇一〇年）を座右にしつつ、少々の議論を行ってみたい。折りしも、ロシアがその故地キーウを武力攻撃して併合せんとしている。ウクライナ侵攻である。国家の興亡、ここに再現されつつある。

一　歴史家の任務

酒井は、預言者であるイェレミヤを歴史家の中に加える。その根拠は何か。預言は必ずしも幸福や繁栄にかかわるものとは限らない。追放や滅亡の預言もおおいにありうる。すなわち、預言には預言される当事者の意志や欲求は介在しえない。預言者は神＝宗教的真理＝本質にしたがって過去から現在へと推移してきた世界（現象・事象）を、同じく神の言葉＝意志として未来に向かって敷衍する。預言歴史家イェレミヤは、彼にとっての現代を生きる人々が、現代を利するように過去を解釈することに賛成しない。現代は、これを生き抜く人々によってその意義が決まる。過去の栄光や悲惨は過去の人々の行為に属する。これを現代人は正しく認識あるいは反省し、現在から未来への道筋を見出す。預言者であるイェレミヤは、そのような意味において歴史を認識し未来を預言したのである。酒井は言う。

「現代は未来に連なる。未来は、しかしながら、現代のあり方によって異なってこなければならない。現代をどのように生きるかということによって、未来が決せられる。ここにイェレミヤの数々の預言が意味をもってくる。彼の時々の預言は、神の恵みを楽しみあう生活という未来を志向してはいるが、動き行く現代の情勢に応じて、同一ではあり得なかった。一定の中心に結ばれながらも、動揺するところの振子のように、一貫して確固たる目標を指しつつも、異なりたる現在を規程しなければならなかった」[☆01]。

議論を本格化させるに先立ち、ここでまず古代シリアのセム系民族ヘブライ人の歴史に一瞥を与えておきたい。ヘブライ人は、元来、アラビア半島北部の砂漠地帯からユーフラテス川流域にかけて遊牧生活を送っていたが、前一八〇〇年頃パレスチナに移住し、その一部は前一五〇〇年頃エジプトに移動した。そのうちエジプトへ移っていたヘブライ人は、前一三世紀後半にエジプトの圧政から逃れるため、預言者モーゼに率いられて脱出し、パレスチナに定住した。前一一世紀に初代国王サウルによってヘブライ統一王国が建設され、彼がペリシテ人と戦って敗死するとダヴィデ（位前一〇〇〇頃～前九六〇頃）が王位を継承し、イェルサレムを都とした。ダヴィデの子ソロモン（位前九六〇～前九二二頃）は、商業・貿易を盛んにし大規模な土木工事を行ない、いわゆる〝ソロモンの栄華〟を築くに至った。またソロモンは、ペリシテ人の勢力を排除するため、フェニキア都市ティルスの王ヒラムと友好条約を結び、両者共通の敵ペリシテ人の挟撃に成功した。

ところで〝ソロモンの栄華〟は、ヘブライ人民に対する重税・強制労働・土地収奪の上に成り立っていた。そうした情勢を背景にしつつ、ソロモンの死後、王国は北の一〇部族によるイスラエル王国と、南の二部族によるユダヤ王国に分裂し、イスラエル王国は前七二二年、アッシリアに滅ぼされ、ユダ王国も前五八六年、新バビロニアに滅ぼされた。

酒井は、以上の史実のうち、ソロモン王＝ヘブライ人とティルスのヒラム王＝フェニキア人の同盟に注目する。

「ダビデの治世が、ヘブライ人の極盛時代とされている。エウフラト河を北境とし、南紅海に達し、ダマスクを併せて、版図の拡大は嘗てその比を見なかった。首都イェルサレムの宮殿は、その完成を見なかったが、その子ソロモンに至って、『ソロモンの栄華』と称せられる輪奐（りんかん）の美を誇ることとなった。しかしソロモンがフェニキヤの技術者を得んがために、ツロ（チル）の王ヒロムと契約を結んだ（列王紀略上五の一二）ことは、フェニキヤ文化の流入を誘致し、異邦の宗教礼拝を許容する結果となった。精神生活の重視と世俗生活の繁栄とは多くの場合対立する。荒野の神ヤーウェは、天幕のうちに満足する神であった。宮殿の造営、軍備の整頓、これに伴う徴税と賦役は、これ等精神生活を重視するものから喜ばれなかったことはいうまでもない。ましてソロモンの妻妾を蓄え、偶像崇拝を許す態度は、遂に伝統的精神を尊重するものの堪えるところでなかった」[☆02]。

　一神教徒のヘブライ人に対して、フェニキア人は多神教徒であった。その違いがヘブライ王国の分裂とユダ王国の滅亡に深く関係したとみえる。これは酒井の考えというよりも、イェレミヤの宗教思想である。歴史の展開ないしその原因を、近代のように社会経済や政治からでなく宗教文化や民俗儀礼から見定めることを、酒井は、古代においては歴史家の任務と捉えるのである。

　『預言』とは一般に考えられるように、直ちに未来に対する預言と解することは如何であろうか。むしろ神に代わって神の意志を語ることであると解すべきであろう。その限りにおいて、未来への預言もあり得る筈である。それは、しかしながら既に触れたように、過去の如実なる把握に基づく未来への洞察でなければならない。過去の歴史的社会が、正しく理解された場合、それは求めずして未来への見通しとなる筈である[☆03]。

二　興亡に対する歴史家の態度

　本書で酒井が取り上げる二名の歴史家は、いずれも同時代史家である。イェレミヤは滅び行くユダ王国を生きた人物であったし、ポリビオスは興隆しつつあるローマ共和国を生きた人物であった。そのほか、古代の歴史家をざっと見渡してみても、同時代史家がほとんどである。ペルシャ戦争とヘロドトス（紀元前五世紀中葉）、ペロポンネソス戦争とトゥキディデス（紀元前五世紀後半）などなど。旅行や放浪、あるいは移住や捕虜などの境遇において王朝の興亡や諸民族の抗争を目の当たりにし、その只中に身をおきつつ、内外の地理風土・歴史文化に関する認識と判断力を養った。

たとえばギリシア人のヘロドトス（前四八四頃〜前四二五頃）は、南イタリア、エジプト、バビロニア、スキタイ（南ロシア）、小アジアなど各地を旅行して見聞をひろめ、彼の時代までに書きつがれた種々の伝承記録（語られてきたことがら）を尊重しながら、いわゆる『歴史（Ιστοριαι）』をまとめあげた。ユダヤ教からキリスト教に改宗した歴史家ベルンハイム（一八五〇〜一九四二）によると、ヘロドトスの歴史叙述は物語的歴史（時と所との順序に従って史実を物語り報告する形式）の原型をなす。ヘロドトスと同じギリシア人歴史家のトゥキディデス（前四七〇頃〜前四〇一頃）は、紀元前四三一年に始まったペロポンネソス戦争に参加した（前四二四年のこと）。その体験と厳正な史料批判とによって、いわゆる『歴史（Ιστοριαι）』を著した。これは歴史自体の中に歴史を動かす原動力を見いだそうとするもので、実用的歴史叙述の先駆とされる。このように、紀元前五世紀の古代ギリシアにおいて、ヘロドトスとトゥキディデスの二人がそろって人間の活動を客観的な事実として記録したのであった。

そのような歴史家たちを横において、酒井はあえて預言者イェレミヤを歴史家として検討する。

イリオスの滅んだ日からこの方、多くの国家の興亡が繰り返えされた。そうしてこれに関する歴史家の探究は、思うに二つの方面においてすすめられてきた。一つは興亡の事実がどのようにして起こりどのようにして進行したか、という政治的・社会的・経済的現実のそれであり、他は興亡の事実そのものの歴史上における意味づけの考究であった。前者を現実史的と称し得るならば、後者を精神史的と称してよかろう。しかし今自分がここに窺わんとすることは、そのいずれでもない。歴史叙述家がその生きた当代にあって、その国家の興亡をどのように見、それがどのように歴史叙述の上にあらねばならなかったかということに、主として及びたいと思う。このことは、歴史家の現代的関心がどのようにあったか、ということの一面を窺う訳になる。[☆04]

ギリシア神話に登場する都市イリオスの滅亡から説き起こして、酒井は実に含蓄のある問題意識を述べている。国家の興亡と歴史家の関係に言及するのに、酒井がなぜイェレミヤを選定したか、その根拠がここに明白となった。

〔引用一〕イェレミヤにとっては、むしろ国家滅亡後の善後処置そのものが、より大きな問題として脳裏に徂徠していたに違いない。[☆05]

〔引用二〕（イェレミヤにおいて）ユダ滅亡の後に著しく窺われるのは、バビロニヤへの絶対服従とユダ復興の思想とである。バビロニヤへの絶対服従は、彼がバビロニヤから好遇された故のみではない。上述のような国家滅亡の後にユダの安寧のためには、バビロニヤへの服従が何よりも必要であった。しかもこの意見は国家の滅亡前、バビロニヤ軍が迫った時から主張するところのものであった。

> ヤーウェかくいい給う。この都市に留まるものは剣と饑饉と疫病にて生命を失うべし。されどいでてカルデヤ人に降るものは生きん。………（38の2）

と。このような主張はイェレミヤ記後半の随所にこれを見ることができる。バビロニヤの侵寇は、ユダにとっては初め禍であったが、既に禍ならざるものに転化したことは、既に窺ったところである。[☆06]

〔引用三〕即ちバビロニヤへの服従が幸福を齎すに反し、エジプトとの妥協、エジプトへの移住が不幸に終わることを説くのである。（中略）要するにイェレミヤの後半の態度は、バルクと共に、一貫して親バビロニヤ的である。かくの如きは、イェレミヤ記前半には全く見られないところで、前半では悪徳に対する審判としてバビロニヤの禍害のみが主張されていた次第である。[☆07]

ユダ王国滅亡後のイェレミヤは、預言者であるよりも政治家であるように感じられるが、それこそ、酒井の脳裏には歴史家と認識された所以である。ヘロドトスの歴史叙述が物語的であり、トゥキディデスの歴史叙述が実用的であったとすれば、イェレミヤの歴史叙述は箴言的であった。いずれも歴史叙述のヴァリアントなのである。そして、この三者ともに歴史家として、諸勢力興亡の局面推移に対する明白な態度決定をなし得ていたのであった。

三　イェレミヤの神観念

本書で酒井が取り上げたもう一人の歴史家ポリビオスの検討に入る前に、イェレミヤのヘブライ思想についてどうしても確認しておきたい問題がある。それは彼の神観念である。

さきほどヘブライ史に触れたが、その中にイェルサレムが登場していた。さて、この都市の名は今から四〇〇〇年ほど前から文献に現れ、前一〇〇〇年頃にダヴィデがこの地を占領し、ヘブライ王国の首都とした。その後ソロモンがヤーウェの神殿を建設し、イェルサレムは全盛期を迎えた。だが王の死後、王国は南北に分裂し、イェルサレムはユダ王国の中心地となった。その後前六世紀初め、新バビロニアのネブカドネザル二世（位前六〇四～前五六二）は前五九七年、前五八六年の二度にわたってイェルサレムを攻撃してこれを破壊し、前五八六年、ユダ王国は滅亡、住民はバビロンに強制的に移住させられた。史上に名高いバビロンの捕囚（前五八六～前五三八）である。

その後、捕囚された人々の一部は、イェルサレムに戻って神殿を再建した。そして前二世紀、イェルサレムはマカベア家の王国であるハスモン朝（前一六六～前六三）の首都となった。しかし、この再建後のイェルサレムも前六三年、ローマの将軍ポンペイウス（前一〇六頃～前四八）に攻め滅ぼされた。この時ポンペイウスは多数のヘブライ人すなわちユダヤ人を捕えてローマに連行したが、彼らは奴隷あるいは解放奴隷としてローマに住んだ。

だが、ローマによる占領下にあっても、ユダヤ人のイェルサレム奪回の試みは幾度か繰り返された。その第一は前三〇年代のヘロデ王（位前三七～前四）によるものであり、次いで後四〇年代のヘロデ王の孫ヘロデス・アグリッパによる試みが挙げられる。そして、六六年から七〇年にかけてユダヤ戦争が、一三二年から一三五年にかけてはバル・コホバの乱がローマの支配に抗して起こった。しかしながら、ユダヤ人によるイェルサレム再建というこうした試みはことごとく失敗し、一三五年からユダヤ人の流浪生活、いわゆるディアスポラ（ギリシア語で〝あまねく散る〟の意）が始まることになった。

ここに記したイェルサレム史は、いわばヤーウェ神殿興亡史である。それをイェレミヤはユダ王国時代に見聞していたが、本人は神殿に座すヤーウェにはなじまなかった。ヤーウェはなによりもまず砂漠の（天幕・幕屋）に座すのでなければならなかった。この問題に関連して、酒井は次のように記している。

〔引用一〕イェレミヤはヘブライの士師、預言者一般のそれと同じく、国家の運命は神の意のままにあると考えた。換言すれば、ヤーウェの予定計画に基づいて国家の変遷が見られるとしたのである。イェレミヤによれば、ヤーウェは荒野の神である。そうであるから、イスラエルの民族が、荒野にさまよいつつあった時こそ、神と民族との蜜月の時代であった。国家の機構が整い、君主の政治が行われる時代は、漸く頽廃の始まる時代である。この点イェレミヤは多くのその先蹤（せんしょう）と軌を一にする神観にたったが、しかし彼は、神は個人の心の中に内在すると考えた。ここに彼の神観は一歩を踏み出したのである。ユダ国民の各自の精神的純潔、そこに国家の運命

が繋がると見たのである。☆08

〔引用二〕ヘブライ人の神たるヤーウェの信仰は、元来沙漠の神のそれであった。そうであるから、荒野に求められ、天幕の中に祭られるべき神であった。しかしヘブライ人のカナンへ移住して以来、彼らの生活は遊牧から農業へと推移するものが多く、従って土地の農業神たるバールの信仰も、又民間に勢力を得ることは不可避であった。バールは燔祭と犠牲とを献げる神であり、神殿にいることを喜ぶ神であった。ハブライ人の神とバール信仰との混淆、それこそイェレミヤ時代の信仰界の傾向であったと思われる。☆09

神殿に座すヤーウェと砂漠に座すヤーウェ、その相違を酒井は神観念の性格変化において議論している。すなわち、ヤーウェは、砂漠のテントに信徒と一緒に暮らしていたころはヘブライ固有の民族神だったが、ソロモンがフェニキアのティルスと友好条約を結び文物制度の交流を本格化して以降、ヤーウェは神殿に座すこととなった。その過程で、ヤーウェの観念は超民族神・世界神に昇華していったのである。

　酒井の議論に私なりの議論を重ねると、次のようになる。砂漠のテントにいたころ、ヤーウェはそれ自体が崇拝の対象であった。酒井は、イェレミヤにとって神は「個人の心の中に内在する」としているが、その説を私はとらない。砂漠時代、神には形があった。ちょうどヤコブの叔父にあたるラバンが所有し崇拝していた小像テラピムのようにしてあった。族長時代あるいはテント生活時代のヘブライ人は、神と住まいを共にしていた。そして、神の可視像を祀っていたのである。これは偶像（idol）ではない。一八世紀フランスの比較宗教家シャルル・ド゠ブロス（一七〇九〜七七）の定義になる「フェティシュ（fetish）」である。☆10 たとえば、ラバンにとっては、彼が所有していたテラピムそれ自体が彼と彼の一族の固有フェティシュなのであった。ほかには代えられない。ラバンは、不可視のヤーウェ以外に可視の神を崇拝していたのではない。不可視のヤーウェという神観念自体が、その頃にはまだ鮮明となってはいなかったのである。

　ユダヤ教がユダヤ教になる以前の、いわばプレ・ユダヤ教では、ヤーウェは岩石だったとの説がある。グラント・アレン『神観念の進化』には次のような記述がある。

〔引用一〕サウルが王に選ばれたのはミズパの石塚の傍らであった。アンモン人に対する勝利ののち、サウルは「王国を興す」ためギルガルの大きなストーンサークルに行き、「民はギルガルのヤーウェの前にサウルを立て、和解の供物を捧げた」。この個所ははなはだ有益かつ重要である。なぜならここで我々は、聖書記者の見解によると、少なくともヤーウェはその当時にはギルガルにあって、ストーンサークルの聖石中に居を構えていたことを見るからである。[☆11]

〔引用二〕ヘブライ人の神にして後代に至って洗練され霊化されてキリスト教の神となったヤーウェは、その起原においては、それがいかに彫刻されていようとも、とどのつまりイスラエル民族の祖先の聖石以外の何物でもなく、かつまた、これを煎じつめればおそらく、或る古代のセム民族の族長ないし指揮官を記念するための自然石以外の何物でもなかった。この自明なる推論は避けられるものではない。[☆12]

サムエル上書(一一〜一四、一五)に依拠するグラント・アレンの議論を正しいと仮定するならば、岩石神ヤーウェはおそらくギルガルで執り行われたような儀礼によってその場で創出されたはずである。「在りて在るもの」という意味をもつヤーウェは、自然界に在りて在るものたる可視神から出発したということになる。けれども、エジプトで文明の恩恵に浴する過程で、ヤーウェ神はファラオを超える絶対神に成長する。すべてに超越して「光よあれ!」と発声する絶対的存在に昇華したのであった。

砂漠のテントにいたころ、ヤーウェはそれ自体が崇拝の対象であった。その頃には形があった。その形の一例は、石塊だったと推論できる。先史ヘブライの民は、テントの中で、プレ・ヤーウェ(天幕ヤーウェ)を箱に入れておき、移住のたびにその箱を持ち運んだのであろう。やがてその箱には十戒を記した石板が収められることになるが、それはずっと後のことである。イェレミヤは、砂漠時代のプレ・ヤーウェこそヘブライの民に固有であると意識していたのではなかろうか。そうであるとすれば、イスラエル王国の分裂やユダ王国の滅亡は、プレ・ヤーウェの意志から離反したソロモン王以降のイスラエルの民が被った運命的な歴史だったのではなかろうか。その点を考慮しつつ、酒井著作から次なる引用をしておきたい。

〔引用一〕人々は、イェルサレムの神殿ある限り、国家の滅びることはないと信じた。イェレミヤにあっては、神殿は信仰の本質ではない。信仰は内心の問題であって、神殿には何らの価値もない。神殿を崇拝し、神殿の保有を以て国家の安泰を信ずるのは、むしろ笑うべき錯誤とイェレミヤには映じた。[☆13]

〔引用二〕イェレミヤ＝バルクに見られる超国家的・世界的なる神は、イェレミヤ記の第三群の叙述により明確な表現を見る如く思われる。（中略―引用者）さてユダの民族神から世界神への転化には、紀元七〇年の分離（ヂァスポラ）と共にイェス＝キリストの偉大な業績が忘れてならないことは、今更いうまでもない。そうしてキリストの神の国家は、ユダの偉大的なるものとはなったものとして把捉された。わがイェレミヤ＝バルク的思想は、まさにその中間過渡を形式するものであった。☆14

四　歴史家ポリビオス

本稿の議論としては後半に入るが、ここでポリビオスに言及してみたい。捕虜となってローマに移り住んだ紀元前二世紀のギリシア人歴史家ポリビオスは、プラトンやアリストテレスの政治思想を身につけていた。とくにプラトンは、平等化主義およびその具現である民主政（Democracy）を排撃し、「哲人政治」すなわち少数者による貴族政（Aristcracy）か哲人王独裁の方を高く評価した。彼にとって、ソクラテスを死に追いやったアテネのDemocracyは衆愚政治ないし暴民政治だった。

ポリビオスが移り住んだローマは、建国以来どのような歴史を歩んできたか。ローマは、ギリシアと同じく都市国家として出発したとしても、アテネのような規模で民主政を実現することはなかった。総じてローマの政治は、共和政の時代でも、平民を中心としてではなく貴族階級の比重が重いまま、連合政権のごときものとして存続した。すなわちローマでは、紀元前五世紀頃、先住エトルリア人の支配（王政）に代わってラテン人の支配（共和政）が成立し、以後約二世紀の間、貴族（patrici）と平民（plebs）とがローマの統治権をめぐって抗争を展開し、けっきょく、法律上の統治機関たる平民会と事実上の統治機関たる元老院（senatus）の二極支配が共和政下に出現したのであった。

そのようなわけで、ローマは、民主政治の点では、実践面でさして成果を挙げなかった。しかし法律制度の上では、人間の社会的権利・義務の関係を法律によって規制するという業績を残した。これによって史上初めて、個人（主義）というものが制度的に確立し、私法・私権の制度も整えられ出した。また、共和政の時代を通じて平民会を基盤として貴族と争った平民階級は、護民官（前四九四）、十二表法（前四五〇）、リキニウス・セクスティウス法（前三六七）、ホルテンシウス法（前二八七）等を制定して自己の権利を拡大し、やがて市民権を得るに至った。これがローマ市民権であり、ローマ世界の拡大とともに市民権も拡大され、ローマの市民は帝国内各地の自由民（異民族）にも適用され、ここに万民法が発達した。平等化主義の促進に、ローマは貢献したのである。

だがローマの統治形態それ自体は、国家のあり様が都市国家→領土国家（前九一〜前八八年の同盟市戦争後ローマ市民権がポー川以南のイタリア半島に拡大）→世界帝国へと転化していく過程に対応して、平民会対元老院→元老院対独裁官（Dictator）・初期の皇帝→皇帝対軍隊という力関係を反映させたものに変化していく。すなわち、ローマでは、共和政の時代において一時的に民主政的政体が成立したものの安定せず、やがて独裁政を経て帝政へと転変していったのである。その間にローマの有力貴族は、奴隷労働によるラティフンディウムを拡大し、圧倒的な軍事力を背景にして、いわゆる「ローマの平和 Pax Romana」の経済的基盤を築き上げた。

ところで、ポリビオスはローマ史を世界史の叙述として書きあげることになった。一国の歴史記述法には編年体（年代順の編集）と紀伝体（個別毎の編集）がある。ポリビオスは諸国・諸民族の歴史を並行して記述しつつ、それをローマ世界という総合史にまとめた。その過程を叙述するに際して彼の念頭にあった鳥瞰的観念は政体循環である。諸国・諸民族のみならず、偉大なローマ世界とて栄枯盛衰をまぬかれない。ギリシア人は、変化するものには価値はない、永遠的で普遍的なものにこそ価値があると考えた。変化するものとしての日常でなく、その根底を貫いているもの、繰り返し出現してくるものに注目した。歴史は繰り返す、循環する。

その発想をプラトン（紀元前五〜四世紀）がアテネ等の都市国家について説いた政体循環論で整理すると、僭主政（Tyranny）→貴族政（Aristcracy）→民主政（Democracy）という系列である。プラトンは、平等化主義およびその具現である民主政（Democracy）を排撃し、「哲人政治」すなわち貴族政（Aristcracy）の方を高く評価する。彼にとって、実際的に行われていたギリシアのDemocracyは衆愚政治ないし暴民政治としてのそれに映ったのである。大衆を軽視するプラトンにとって最良の政体は貴族政である。もしこれが腐敗すると、まず金権政治（Timocracy）になる。その結果やがて政治権力が少数者に握られて寡頭政治（Oligarchy）に堕落する。これは必ずや大衆によって批判され、そこから民主政（すなわちプラトンにとっての暴民政）が出現し、さらにその反動として僭主政（Tyranny）が民主政にとって代わる、とプラトンは考える。ただし、現実の歴史上では、僭主政は金権政治から民主政への過渡期に出現した。また紀元前四〇四年、アテネで三〇人の僭主たちによる寡頭政

治、いわゆる「三十人政権（Thirty Tyrants）」が成立した。[☆15]

プラトンにしたがうと、過去は現在を反省するのに役立つということになる。そのような循環史観は、はやくも紀元前五世紀のヘロドトスやトゥキディデスらに確認できるが、紀元前二世紀のポリビオスにもはっきりとみられる。彼は、一都市・一民族でなく地中海世界の諸国・諸民族がいかにしてローマ人によって支配されるに至ったか、ローマはいかにして勝利したかを記述し、ローマ国家が君主政治・貴族政治・民主政治の連合ないし融合せる混合政体（Status mixtus）である点こそが、世界支配に最適のものだとした。

ローマに対してポリビオスが大いなる期待を寄せることができた理由は、むろんローマの対外領土発展と内政の充実にある。つまり、ポリビオスの生きた時代には、北イタリア、ガリア（前一九一）、カルタゴ（前一四六）、ギリシア・マケドニア（前一四五）が次々とローマの属領となり、キケロの生きた時代には、シリア（前六四）、エジプト（前三〇）がそうなった。またキケロの時代には、二度の三頭政治と史上初の独裁政を経て、ついに元首政（Principatus）が成立した。

しかしローマで帝政が不動のものとなった頃に出現したストア派の思想家セネカ（前四頃～後六五）は、もはやキケロのように、ローマにバラ色の期待をかけるわけにはいかなかった。彼は、圧倒的な軍事力で奴隷叛乱を抑え込んでしまったローマに対して、深い疑念を感じていた。ローマ社会を含め森羅万象は自然界に備わる法＝自然法に従う。それをつくり出した神々さえ、自然界が従う法則に自らも従うのである。ネロ帝（位五四～六八）の側近でもあったセネカは、現にある帝政ローマ＝国家（civitas）とは別個に、何ら人為的な規制を受けることのない、自然的、原始的な人類を想定し、その集団を積極的に「社会（societas）」とみなした。そして、そのどちらをも否定することなく、しかも両者を分離して考えようとした。だがいずれにせよ、現にあるローマが理想の具現されたものでないことは、セネカ以後の人々にははっきりし始めたのである。[☆16]

酒井は本書において、あたかもヘレニズム思想家セネカのようにして、ポリビオスの古典的歴史観にメスを入れた。ポリビオスは、故地メガロポリスなどアカイア同盟滅亡の要因をローマ発展の要因と重ねることで自国の復興を断念した。古代ギリシアのアカイア人は、紀元前一四八年頃にローマ軍に滅ぼされたが、そのとき捕虜となってローマに連行されたポリビオスは、最後まで故地アカイアへのパトリオフィルを失わなかった。国家的なナショナリズム（愛国心）とは類型が違う郷土的な朋友思想（愛郷心）を、私は「パトリオフィル（patriophil）」と呼んでいる。国家（都市）でなく社会（共同体）を束ねる思潮であり、それは先史・古代に起因する。だが、亡国アカイアの復興は敵国ローマの発展にかかっていると思い、非武力的な抵抗運動を続けた。ローマ国家への忠誠心は形式にとどめ、アカイアへの愛郷心をアイデンティティーの核にすえていた。

酒井は、その経緯を下敷きにしてローマ発展の要因を滅亡の要因としても観察するのである。酒井は述べる。

〔引用一〕ポリビオスの歴史は、世界史であったといわれている。後に吾々はそれに触れるように、事実一つの世界史と認めなければならない点が見受けられる。世界史的発展が、その国民のもつ主観的な理想に終わるのでなくて、客観的事実の有無にあるとするならば、ローマの地中海世界の諸地域の併呑は、まさに世界史的な事件であり、その拡大の叙述は世界史を構成するといわなければならない。このようにしてポリビオスの歴史はローマ史であり、また世界史でもある。☆17

〔引用二〕思うにポリビオスの歴史叙述家としての立場は、捕囚期間中に徐々に確立してきたであろう。実際政治家としての活動の中絶が、その最初の主要なる動機であったにせよ、ローマの現状を見、ギリシヤの形勢を聞き、内面的反省を加えるに従って、形成されて行ったことは疑うべくもない。このようにしてアカイヤの衰勢を嘆く感懐は、その衰因への考究に眼を向けしめる理知的判断に変わった。ギリシヤの失敗は、ローマの成功である。ローマ勢力の優大は、その原因が那辺にあるか？ ここに彼が目標を置くに至った次第である。（中略）

即ち歴史研究家としてポリビオスがいい得ることは、過去の国家はこのようにあったということであった。いわば歴史的運命として避けることができなかった次第である。（中略）このような運命観は、ストア派哲学に連関をもつといわれている。それは確かに否定できないであろう。そしてその限りにおいて又ギリシヤ的なるものといわなければならない。しかしそれと共に、ポリビオスによる事実についての歴史研究の必然的結論でもあったのである。このようにして成立した彼の運命観には、不可思議なる神の存在を認めなかった。この点イェレミヤと異なる最も大なるものといわなければならないのである。☆18

五　ローマの運命

ポリビオスの歴史観に絡めて、酒井は「運命」を強調する。

運命、これは余人にはいかんともしがたい行路ではあるが、「必然」とは違う。その点に関連して、酒井の次の記述に注目したい。

しかしあらゆる歴史的事件が、合理的にのみ解釈できたであろうか。合法則的に必然に動いてゆくものの間に、不可抗な偶然が入り込んでくることを彼は見なかったであろうか。比較的若い時代に合理的に解決できぬもののなかったポリビオスも、多くの国家の興亡変遷はもとより、親友・知人の死に至る身近の些事に至るまで、さまざまの人事現象を経験するに及んで、割り切れないものを感じたのではなかろうか。そうではあるが、単なる老の感傷でもなければ、諦観でもない、更に以上のものでなければならなかった。合理的に追求することを忘れたとは思われないポリビオスにとっても、原因の探究に探究を重ねた上の不可解なるものが残ったのであった。およそポリビオスにおける「運命」とはこのようなものであった。[☆19]

「運命」は、ローマ社会ではストア派の思想において重視された。その一人セネカは、本稿ですでに記したように、現実的な諸条件のもとにある人間で構成される「国家」と、自然のままの、自然以外の何ものにも規制をうけない人間で構成される「社会」との区別立てを行った。ところでその場合、ローマを含む特定の政治的・歴史的社会に依拠せず、時と所とを超越して普遍的に妥当する法則・規範である自然法、これが「運命」に関係してくるのである。

自然法は、人間がつくった実定法とは違って、自然にもとづいて存在するとされる。また、人間は自然法の下では、自然権として完全な自由・平等を享受することができる、とされる。ヨーロッパにおけるこの思想の系譜は、人間社会に普遍的な法則とか客観的真理など存在しないと考えたソフィストの相対主義を批判したプラトンやアリストテレスの思想にその萌芽が存するとの説もあるが、明確なかたちでは、ポリス社会が崩れ、ポリスの社会生活に何の恒常性も見いだせなくなったヘレニズム時代に登場する。すなわち、この時代の哲学諸派のうち、キプロス出身のゼノン(前三三五頃~前二六四頃)の創始したストア派は、不変なものは宇宙＝自然世界で、その本質は理性であるという考え、いわゆる世界理性の思想を打ち出した。すなわち、宇宙万物には神が遍在するものの、この神とて一種の物質的なものにすぎず、そうしたかれこれすべての物質の中には理性的な力(logos)が存在している。このロゴスによって森羅万象が運命的に生起し、この現象がいわば神の摂理としてあらわれるのである。この思想は、その後キケロ、ガイウス、ウルピアヌスら古代ローマの政治家・法律家たちに受け継がれた。

以上に挙げたローマの知識人のうち、自然法という用語を使ったことが文献上ではっきりしている人物は、キケロである。共和政下のローマでギリシア思想の紹介につとめたキケロは、ストア派が唱えたところの、人間の個々の欲求を超越して普遍的に存在する nomos physikos（自然の法）をラテン語 jus naturale において解釈した。すなわち彼は、まず、現世世界ばかりか神がみまでもみな一様に従わざるをえないような世界秩序を想定し、人類は、この秩序に即して活動するかぎりにおいて「正義（justia）」を獲得できるとした。また、それを得るためには、たとえローマの最大権力に対してでも抵抗する構えを示した。現に彼は、カエサルがディクタトルへの道を歩んだ時、共和主義者としての立場からこれに反対しポンペイウスに味方した。またカエサル死後にはアントニウスに反対した。その為、やがてカエサル派に暗殺された。それでもキケロは、当時にあって、ローマの発展それ自体に対しては、先述したごとく、大きな期待を懐抱していた。彼にしてみれば、もしローマ世界の人々が自然法に反するような生活を営んでいるとすれば、そのような悪を抑制するために政府が存在することは当然なのであり、ローマ社会の発展はしたがってローマ国家の発展と軌を一にしているのであった。

それが、セネカの時代になってくると、ローマ国家の下での現実と、自然法下に想定される人類の自由・平等状態との乖離が目立つようになるのであった。またこの乖離は現実的国家と理想的社会との間のものにとどまらず、人の肉体と霊魂との間のものとしても意識されるようになっていく。セネカは、これをストア学説とプラトン以来の霊魂不滅説とを結合させることによって捉え、霊魂を肉体の上においた。それでも彼は、ゼノンの説いた〝人は自然と合致して生きるべし〟という態度を棄てなかったのである。[☆20] やはりセネカはどこまでもヘレニズム世界の哲学者だったのである。

酒井は、ポリビオスの運命観はストア派哲学に関係すると間接的に解説しているが、もしその指摘が正しいとしても、ポリビオスにはその萌芽が見られた、程度にとどめるべきである。ポリビオスが感じ取った「運命」は未だ紀元前二〜一世紀のローマ社会には顕在化してはいなかったのであるから。

ただし、酒井は一九三二年に発表した「ギボン『ローマ帝国衰亡史』に関する二・三の問題」において、ローマの運命はローマ自体にかかわるのみでなく、ローマ帝国に含まれる多くの民族にまで関係している点を指摘している。[☆21]

ローマの拡大は一民族、一国家を超越した世界的帝国を形成した。それゆえに、その没落は多くの国と民族とに等しく起こる没落をたどりつつもよりおおいなる意味を有する。それは世界史における衰亡の問題（Dekadenzproblem）の代表的意味でなければならぬ。そこに「ローマの没落」は個別的、特殊の問題であり、また共通の問題でもある。[☆22]

この指摘から考えると、我々は、ポリビオスの叙述から、ポリビオスの意図とは別に、未来―すなわちローマ帝国の衰亡―の預言を読み取ることができなくはない。

むすびに

酒井は、一九四三年にあって軍国日本の末路を洞察する史家である。『国家の興亡と歴史家』の「はしがき」を執筆した日付は同年三月である。前年夏にはミッドウェー海戦敗退があり、前月にはガダルカナル島攻防戦敗退があった。翌々月にはアッツ島玉砕がまっていた。史家酒井三郎は、いったい何を意図して「国家の興亡」を上梓したのか。「はしがき」には次の記述が読まれる。

「国家の興亡という大なる出来事に際して、過去の歴史家はどのような態度をとったであろうか。」「その歴史叙述と時代との連関を見ようとするのが、本書の目的である」。[☆23]

酒井はその意図を、おそらくは、かつて卒業論文「ギボン『ローマ帝国衰亡史』に関する二三の問題」を叙述した一九三二年当時に抱懐したのだろうが、一九四三年という国家存亡の危機に直面して、まさしく史家の任務を痛烈に意識し、あるいはまた、「人は歴史に何を学ぶか？」と自問したはずである。

かように、酒井は、権力の絶頂を迎えつつあるローマに衰亡の予兆を感じとったセネカに比肩される。一九三二年に「あらゆる歴史叙述は、書かれた対象と、それを書いた歴史家およびその時代思潮を包括する時代との交錯である」[☆24]と述べていた酒井は、その言葉を自らにも向けている。すなわち、ローマ史の同時代人ポリビオス、一八世紀後半に『ローマ帝国衰亡史』を書いたイギリスのエドワード・ギボン、そして一九四三年に『国家の興亡と歴史家』を書いた酒井三郎は、同じくローマ史をテーマに歴史を叙述しているが、それぞれに異なった時代と思潮を背負い、それを自明の理としつつ、その時代を生きる史家として歴史叙述に挑んでいるのである。

自国ユダ滅亡を神の意志として叙述したイェレミヤ、自陣アカイア同盟滅亡を混合政体完成への道程として叙述したポリビオス、その二人に対して、酒井はミッドウェー海戦敗退をいかように捉えたか。その回答は本書『国家の興亡と歴史家』の行間に示唆されていると思われる。☆25

さて、二〇二二年真夏の現在、ロシアのプーチンは半年にわたって隣国ウクライナに侵攻している。その動向はさらにポーランドやバルト諸国におよぶ様相を呈してきた。第二次世界大戦から八〇年近く経過したが、国家の興亡はおさまるどころではないようだ。私は一人の歴史家として現今に立ちあっている。

注

1　酒井三郎著・青木信家代表編集『［復刻・解説］国家の興亡と歴史家』北樹出版、二〇一〇年、五八頁。本書は酒井の同名著作（弘文堂書房、一九四三年）、および酒井「ギボン『ローマ帝国衰亡史』に関する二・三の問題」『西洋史研究』（東北帝国大学西洋史研究会編、一九三二年）をあわせて復刻したものである。後者は、『［復刻・解説］国家の興亡と歴史家』では「E・ギボン『ローマ帝国衰亡史』叙述のなりたち」と改題されて一三一頁以降に収録されている。復刻版の編集は、酒井三郎の教え子を中心にして、以下の立正大学西洋史研究会メンバーによって行われた。青木信家、石塚正英、鈴木正弘、中島浩貴、川島祐一。

ところで、酒井は『国家の興亡と歴史家』の「はしがき」で以下のように記している。「新しい時代の展開と共に、歴史叙述の視野も拡大し、史料のもつ精神が再吟味されつつあることは、史学発展のために喜ぶべきことである。しかし若い歴史の世代が、必ずしもよい傾向のみを担っているのではない、といわれている。自分のささやかな研究も、無論、この時代の大いなる流のうちに、いつとはなしに流されつつあることと思う。そうであるから、それへの反省が、自分をして「歴史家と時代」といったものに、眼を注がしめる。自分は常に思う」（二五頁）。「はしがき」には昭和一八年三月の日付が記されている。「時代の大いなる流のうちに、いつとはなしに流されつつある」の意味、真意はおのずとわかる。

なお、本稿に関係する古代史については、おおよそ以下の文献を参照。石塚正英『情報化時代の歴史学』北樹出版、一九九九年。とりわけ以下の項目：Ⅱ オリエント（4．移動する諸民族、5．オリエント世界の統合、6．イェルサレム史）、Ⅲ ギリシア・ローマ（7．ギリシア世界の成立と展開、8．ギリシア世界の衰微、9．マケドニア・ヘレニズム、10．古代ローマ、11．古代地中海の植民史、12．古代ヨーロッパ経済史、13．帝政ローマの盛衰、14．ユダヤ民族史）

2　『国家の興亡と歴史家』、三八～三九頁。

3　同上、五八頁。この記述は、一九四〇年代を生きる酒井の心情吐露に近い気がする。

4　同上、三五～三六頁。

5　同上、七二頁。

6 同上、七二〜七三頁。
7 同上、七四頁。
8 同上、三三頁。
9 同上、四二頁。
10 ド＝ブロスの「フェティシュ」に関しては、以下の文献を参照。石塚正英『フェティシズムの思想圏』世界書院、一九九一年、同『フェティシズムの信仰圏』世界書院、一九九三年。この術語は、アフリカ等の原初的自然神（フェティシュ）信仰を命名するのにド＝ブロスが造った語である。ビュフォンやルソーと同時代のド＝ブロスは、一八世紀当時としては最新の研究方法であった比較宗教学の立場から、当時のアフリカ大陸やアメリカ大陸に残存する原初的信仰について研究した。そしてその土着信仰をフェティシズムと命名し、およそつぎのように特徴づけた。これは本来の宗教以前のもので、本来の宗教の出発点である偶像崇拝（Idolatrie）が存在するよりも古い。宗教でないフェティシズムと宗教の一形態である偶像崇拝との相違は決定的で、例えば前者においては崇拝者が自らの手で可視の神体すなわちフェティシュを自然物の中から選びとるが、後者においては神は不可視のものとして偶像の背後に潜む。つまり前者ではフェティシュそれ自体が端的に神であるのに対し、後者においてフェティシュはいわば神の代理か偶像かである。その背後か天上にはなにかいっそう高級な神霊が存在する。また、フェティシズムにおいてフェティシュは、信徒の要求に応えられなければ虐待されるか打ち棄てられるかするが、偶像崇拝において神霊は信徒に対し絶対者なのである。こうしてド＝ブロスは、フェティシズムを宗教と明確に区別したのである。
　なお、ヤーウェは始原においてはフェティシュだったという主張を、カール・カウツキー（一八五四〜一九三八）も行っている。「イスラエル人の聖物は最初はフェティシュ以外のものではなかったらしい。すなわちヤコブが義父ラバンから盗んだ『偶像』（テラフィム）から、ヤーウェを収めてある契約の櫃（Bundeslade in der Jahve steckt）にいたるまで、ことごとくフェティシュなのであって、この櫃を正当な方法で所有するものは勝利と雨と富をさずかると考えられていた」。Karl Kautsky, *Der Ursprung des Christentums. Eine historische Untersuchung*, Berlin（West）1977, S. 199. 栗原佑訳『キリスト教の起源』法政大学出版局、一九七五年、二〇四頁。
11 Grant Allen, *The Evolution of the Idea of God, An Inquiry into the Origins of Religions*, Watt & Co., London,1911（1st ed. 1897）, p.49.
12 *ibid.*, p.50. なお、族長時代の原ヘブライ宗教における聖石信仰に関して、以下の文献を参照。石塚正英『フェティシズムの信仰圏』、とりわけ第二章「オリエント・ギリシアのフェティシュ信仰」。また、先史古代の地中海世界における神観念の類型とその特徴づけに関して、以下の文献を参照。石塚正英『儀礼と神観念の起原』論創社、二〇〇五年。
13 酒井、前掲書、六一頁。
14 同上、七八〜七九頁。
15 近藤和貴「プラトン『メネクセノス』と「忘却の政治」」、政治哲学研究会編『政治哲学』二六巻、二〇一九年、参照。

16 ラテン語 societas（ソキエタス）は「政治なき社会」という意味である。それに対して civitas（キヴィタス）は「政治としての社会」である。後者はギリシア語の polis と同義で、市民とか政治という意味である。

　なお、ソキエタスに関連して、酒井の以下の文章に注目したい。「彼（ポリビオス—引用者）の歴史叙述の目的である「ローマの偉大」は、実はアカイヤの復興に連るものである。むしろアカイヤの復興を念じての、ローマの偉大の探究であるといふべきであろう」（一〇一頁）。ここに、アカイアに対するポリビオスのパトリオフィル（愛郷心）がみえる。ポリビオスはギリシア南部アカイア地方のメガロポリスに生まれた。対ローマ戦（前一四六年コリントスの戦い）でアカイア同盟軍が敗北してのち、捕虜となってローマに連行されてのち、ローマは偉大であると認識するようになったが、最後まで故地への愛郷心（パトリオフィル）を失わなかった。ただし、それは必ずしも政治的な意識でなく、文化的な観想（(θεωρία)）だったように思われる。いずれにせよ、亡国アカイアの復興はローマの発展にかかっていたようにポリビオスは思っている、と酒井は理解している。「パトリオフィル」についての詳しい解説は、以下の文献を参照。石塚正英「ゲシュレヒターポリス（氏族遺制都市）とアヴンクラート（母方オジ権）」、『NPO法人頸城野郷土資料室学術研究部研究紀要』、Vol.6/No.07 2021.03.29. 本稿は以下の拙著に再録されている。『歴史知のオントロギー 文明を支える原初性』社会評論社、二〇二一年。

17 酒井、前掲書、九三頁。

18 同上、一〇四～一〇五頁、一一三頁。

19 同上、一二一頁。

20 セネカについては、以下の文献を参照。石塚正英『アソシアシオンのヴァイトリング』世界書院、一九九八年。とくに序章の二「ローマのセネカ」。

21 酒井は東北帝国大学時代の恩師にあたる中村善太郎、大類伸らとともに、一九三二年に『西洋史研究』（東北帝国大学西洋史研究会編）を創刊し、これに「ギボン『ローマ帝国衰亡史』に関する二三の問題」を掲載した。

22 酒井、前掲書、一四四頁。

23 同上、二五頁。

24 同上、一三三頁。

25 ところで酒井は、一九四五年をはさんだ学問研究の道すがら、生まれ故郷にして疎開先の高知市で空襲に遭った。「わたしは研究を断念して、公立学校の校長に転出した。しかし土佐の田舎で、土を友として生活する間に、いつとはなしにルソーが復活してきた。じつはわたしの生活そのものの中に、ルソーが深く食いこんでいたことに驚かざるを得なかった」（『ジャン-ジャック・ルソーの史学史的研究』（山川出版社、一九六〇年、一三七～一三八頁）。この述懐を読むと、歴史は都市と田園を往復するものであるような気がする。歴史の往還とは、通時的に時系列を行き来するのみならず、共時的に地域を行き来するものであるような気がする。

第6章 啓蒙期歴史学とルソーの叙述——歴史知的考察

はじめに

言葉としての日本語は、いわゆる大和言葉として存在してきた。これは飛鳥時代とか畿内地域と関連して、古代から日本で使用されてきたコミュニケーション文化である。一九八五年七月、科学万博つくば'85に家族で出かけ、パビリオン「松下館」で弥生言葉を話す弥生人ロボットに出迎えられたとき、不思議にも懐かしい面持ちとなったことが思い出される。弥生の頃、少なくとも漢字・漢語のような表意文字・熟語文化はなかった。それは中国から移入された文化である。当初は万葉仮名のように仮借・借字として表音文字のように受容した。さて、その時から、日本語の意味や概念はダブルスタンダードとなった。例えば、この世の姿「うつせみ」を漢字で記すと「空蝉」となり、セミの抜け殻のようなニュアンスが出てしまう、など。

さて、本論に向かうこととするが、本稿で扱う熟語は「啓蒙」である。これを分解すると、「蒙」は「くらい、こうむる」の意味をもち、「啓」は「ひらく」である。あわせて「くらやみをひらく」となる。しかし、この熟語は中国由来であって、別個の意味をもっていた。『新編大言海』（大槻文彦編、一九五六年）によると、「童蒙（コドモ）ノ智ヲ、拓クコト、童児ニ、教ヘ示スコト。訓蒙。易学啓蒙」とある。「易学啓蒙」は朱熹（一一三〇～一二〇〇）の著作である。[☆01]

さて、本稿のテーマ「啓蒙期歴史学」の啓蒙であるが、概ね「民衆の無知蒙昧を啓く」と理解されている。民衆と蒙昧が結ばれている。啓蒙専制君主の好む構えである。しかし、カントの議論では、理性を結節点にして人間と蒙昧が結ばれている。民衆とは限らず王侯貴族とておよそ人間であれば啓蒙の対象である。つまり、漢語の「啓蒙」と欧語の Aufklärung, Enlightenment, Lumières では一部にニュアンスが生じるのである。さらに、本稿では今一つ、啓くベクトルを一方的でなく交互的に設定した啓蒙思想家をクローズアップする。それはジャン-ジャック・ルソー（一七一二～七八）である。彼は著作『エミール』を書き上げるまでに、人間理性に自然感性を対置させ、その往還の運動をもって啓蒙を成し遂げようとした。本稿はその問題の考察にあてがわれる。

題目に含まれる「歴史知的考察」とは、そのことを指す。前近代→近代→近未来というように時間軸に即して変化していく「知」の枠組みについて、私は、前近代に起因する知（経験知・感性知）と現代に特徴的な知（科学知・理性知）を「歴史知」と称する術語と概念で往還的に連合させ、その枠構造を歴史や社会探究の視座としている。[☆02]その視座から哲学・思想・歴史を眺めやると、真っ先に目にとまる対象の一つがルソーの史学思想、とくに彼に特徴的な、先史・文明の交互的・連合的な歴史観である。

一　啓蒙期の歴史学と啓蒙史学

本論に入るに先立ち、①啓蒙という概念は時代区分に適切か、②歴史叙述と歴史学（研究）の区別、および③〈啓蒙期の歴史学・歴史家〉と〈啓蒙期を考察対象とした歴史学〉の区別について考えてみたい。

ヨーロッパ史における時代区分は、通常は時間軸で古代→中世→近代→現代とされる。非ヨーロッパ史についても、概ねそれに準じた区分がなされる。だが、啓蒙時代という区分はどうか。それはむろん、啓蒙と称するべき文物制度が一時代を画するほどに存続してはじめてなされうる。その条件に照らすと、啓蒙時代は、せいぜい英仏独の三国に該当するのみである。他の国々への伝播は思潮としてあったが、一時代を画すような影響ではない。東欧・ロシアなどに啓蒙専制君主が出現したが、それは統治に偏り個別的であった。[☆03]したがって、啓蒙時代や啓蒙思想をヨーロッパ史全体に妥当させるのは不適切なことである。それは市民革命についても指摘できる。[☆04]

次に、歴史叙述と歴史学（研究）の区別であるが、現代アカデミズムの世界であれば、史料批判を伴う調査研究（Forschung）を土台に仮説論証の叙述（Darstellung）を行う専門研究者と、先行研究や論証を前提しない歴史叙述者、歴史小説家とは、原則として区別される。けれども、一般読書界では双方の区別が曖昧で構わない場合が多い。同様に、いまだ専門史家が登場する以前の啓蒙期においては、例えば『ローマ帝国衰亡史』（一七七六～八八）著者エドワード・ギボンや『ローマ共和国盛衰史』（一七八三年）著者のアダム・ファーガソンのように、他にも業績はあるものの当該史書のゆえに歴史家と称される文化人がいた。『啓蒙史学の研究』著者千代田謙（一八九九～一九八〇）によると、この二人はいわばライバルであって、「その客観的描写主義に於いて、ファーガソンの理智と意志とに訴へることを主とせるに対し、ギボンは感情と想像により多く訴えるところがあつたと云ひ得るであらう」と説明している。千代田の言を前提にすれば、両者いずれの態度・関心も、およそ専門研究とは言い難い[☆05]。

ところが、千代田は、その二人の歴史家の間にモンテスキューを差しはさんで、以下のように興味深い説明を為している。

> モンテスキュウの『羅馬人興亡史論』の珠玉の如き短編は、その後半をギボンの大著によつて継承せられたとすれば、その前半はファーガソンのこの作品によつて祖述せられたと云えよう。ギボンの壮大・絢爛・広汎・卓越、恰かもコロセウムの如く屹立するも、而かもその根本的観照にはなほ多分に啓蒙的合理主義的残滓を留むる観あるに対して、ファーガソンの平明・尋常・地味・中庸、恰かも古きローマ人の実際生活を想はしめながら、而かもその史観の根底に、まさに来るべき浪漫主義的観照の胎動を覚えしめるものを含んでいる辺りは、また少なからぬ興味を惹くであらう[☆06]。

専門分化を経る以前の歴史叙述が、それはそれなりに史学史的にみて大いなる歴史資料であることが、はっきりと確認できるのである。

さらに、その千代田の後継を意識する史学史家である酒井三郎（一九〇一～一九八二）[☆07]は、著作『ジャン・ジャック・ルソーの史学史的研究』で、ルソーに絡めて次のように記している。

> （ルソー――引用者）は専門化されない素人的歴史の範囲を出なかった。しかし彼の中には、真に歴史たるものを含み、一九世紀・二〇世紀に発現すべき多くの萌芽をもっていた。かくしてとりわけ歴史思想家として無視すべからざる地位にあることを述べたのであった。そして彼の史学思想の中には、時代を超えているものも見出し得るものと思う[☆08]。

酒井はいかなる基準や概念をもって歴史叙述と歴史研究を区別しているのか。酒井が一九七〇年代に大学講義でテキストとして執筆した「史学概論講義」によると、系統だった知識、エビデンス（史料）とその批判的処理による知識の吟味、などが歴史研究には欠かせない[☆09]。さらには、それを担う主体（歴史家）による（仮説・構想→論証・考察→結論・叙述）が確立していなければならない。つまり、叙述の対象（出来事）と、叙述可能な主体の双方が前提されるわけである。別言するならば、歴史学が科学となり、歴史家が科学者となっていることが前提である。その基準に照らすと、ルソーの著作は、たしかに研究としての歴史叙述ではない。

ちなみに、職業（Job）としての専門家だからとて、その人物が研究上の使命（mission）を抱いているとは限らない。一八〜一九世紀前半のイギリスでは、働かなければ研究できないミドルクラスをプロフェッション（専門職）とみなし、働かなくても研究できるアッパークラスをアマチュアとみなした。研究職であれ、収入を得る目的をもった研究はジョブであってもミッションでないかもしれないのである。[☆10]

三つ目の問題、〔啓蒙期の歴史学・歴史家〕と〔啓蒙期を考察対象とした歴史学〕の区別について考える。上に挙げた千代田と酒井のうち、後者には最晩年に上梓された著作『啓蒙期の歴史学』がある。その書名を千代田著作の書名『啓蒙史学の研究』と比較すると、一つの疑問がわく。前者は明らかに啓蒙時代に蓄積された歴史学（業績）であって、それは歴史学に関係しさえすれば、啓蒙主義者や啓蒙思想に関係しなくてもよい。対して後者は、文字通りに限定される。啓蒙時代の歴史学を千代田は「啓蒙史学」と呼び、酒井は「啓蒙期の歴史学」と呼ぶ。千代田著作の書名は、啓蒙時代を歴史研究するという意味と、啓蒙時代に行われた歴史研究という二重の意味をもってしまう。書名として適切なのは酒井著作の方だろう。ただし、史学史と哲学史は交叉し重なり合っている。両者を総合するような分野は、文化史ではなかろうか。これには美学史なども入ってくるだろう。

ところで、千代田は、同書で、啓蒙史学に関する定義を記している。[☆11] 私なりの要約で示すと、①興味本位的動機、②衒学趣味的動機、③史料解釈編纂的動機、④専門史学的動機、となる。以上の四項目が、第四を主体として統一されて歴史学を構成する。千代田は『啓蒙史学の研究』の大半を啓蒙期に活躍した文化人の史学史的考察にあてがっている。その代表はヴォルテール、モンテスキュー、ルソーのフランス啓蒙史学である。ほかにイギリス啓蒙史学、ドイツ啓蒙史学と続く。史学史というジャンルを知らないものには、そうした人物のラインナップを一瞥して、哲学史と見紛うことだろう。だがそれはやはり見当違いである。ある時代に活躍した哲学上の人物やその人物が担った哲学思潮を時系列に即して考察するのが哲学史である。それに対して史学史は、ある時代の歴史を叙述した人物やその人物が担った史学思潮を時系列に即して考察する学問分野といえる。例えば啓蒙主義哲学を担うルソーやカントは哲学思想家であって、哲学史の対象である。対して、古代ギリシア・ローマの歴史を叙述するルソーやカントは啓蒙期の古代史叙述者であって、史学史の対象となる。例えば酒井の、のちに『啓蒙期の歴史学』（一九八一年）に再録されることとなる一九三〇年代の論文「一八世紀におけるローマ没落観」、「原始社会を一八世紀にはどのようにみたか」は、すぐれた史学史研究の一例である。

二　学問研究とその動機について

本節では、啓蒙期の知識人たちは、なぜ当時までのヨーロッパ史に思いを馳せたのだろうか、という問題、広く見ると学問研究とその動機について考察する。

エドワード・ギボンは、一八世紀のヨーロッパ諸国の知識人に一般的だったヨーロッパ中心主義を一身に背負っていた。それは『ローマ帝国衰亡史』第一巻に含まれる以下の文章にもうかがわれる（欧文は引用者の挿入）。

> アフリカ人のたいていがそうだったように、セウェルス帝もまた空しい魔法や卜占術（the vain studies of magic and divination）の熱心な信奉者だった。夢判断や前兆解読については深い造詣があり、占星術にいたっては、まさに玄人はだしだった。事実この占星術というのは、今日でこそ知らず、ほとんどいつの時代にあっても、完全に人心を支配していたといってよい。[☆12]

バール神を祀る古代都市エメサにまつわる皇帝マルクス・アウレリウス・アントニヌス・アウグストゥス（位二一八〜二二二）の性格に対するギボンの記述は異常なまでに否定的である（欧文は引用者の挿入）。

> いくら色好みの人間といっても、もし理性さえ伴っていれば、必ずや自然の命ずる一定節度というものを守り、同じ官能欲の満足にしても、たとえば社会的人間関係とか、温い情愛関係とか、さらにはまた趣味性、想像力といったようなものによって、ある程度洗練されるのが常である。ところがエラガバルス帝（Elagabalus）（以下皇帝をこの名をもって呼ぶ）に至っては、その若さと生国と、そしてまた幸運によって毒されたものか、およそ下劣きわまる快楽だけに、とめどなく身を任せたばかりか、やがてはそうした享楽のさなかにおいてすら、飽満と嫌悪を感じるようになった。あとは不自然な人工刺戟にたよるほかなかった。[☆13]

ギボンのこうした記述を読むと、彼がローマ帝国衰亡史を書きたくなった動機を誤解してしまいかねない。紀元一〜二世紀に『ローマ皇帝伝』を書いたスエトニウスや『サテュリコン』を書いたペトロニウスであれば、目撃的証言として歴史叙述に含まれようが、一八世紀の知識人の手になる文書となれば、それ相応のエビデンスが必須である。しかし、ギボンの意図は理解できる。彼の興味の的は、衰亡史の一局面の文化的描写にある。

歴史叙述には、個別的な執筆目的がある。例えば、私が本稿を構想するにあたって抱いた動機は以下のようである。一八世紀的な自由・平等と友愛か、一九世紀的な個性とナショナリズムか。二度の大戦を経験した二〇世紀は、その総合を目指していたのだが、二一世紀に至ってむしろ対立へと逆戻りし、解決手段として武力を望む諸勢力を背景に、アメリカ第一主義のトランプと、ウクライナ無差別武力侵略のプーチンが登場するに至った。そのような今日的思惑から再読を始めた『啓蒙史学の研究』は、その対立・総合の出発点を再確認するのに重要なのである。

プライベートであれ学問研究とその動機に関連するわが事例を紹介した。次節では、ダイレクトに啓蒙史学ないし啓蒙期の歴史学に特化させて、千代田と酒井のケースを少し掘り下げて考察することとしたい。

三　人生論的史学思想

今から半世紀ほど以前、酒井は『啓蒙期の歴史学』「はしがき」で、当該著作を指して、千代田『啓蒙史学の研究』と「多少異なりたる立場から論じている点もある」と記している。[☆14] その意味を、私は以下のように解釈する。千代田著作は一九四五年二月つまり「大東亜戦争」中に、限定一五〇〇部であれ、とにかく公刊された。対して最晩年(一九八一年)に公刊された酒井著作は、「はしがき」によると一九三〇年代から「過去数十年にわたる」一五本の論文を編集したものである。よって、一五本の各々が書かれた時代とその時々の酒井の置かれた状況がおのずと、微妙に関係しているのではなかろうか。酒井は言う。「史学史家はそれゆえに、なぜ彼がそうした叙述をしなければならなかったかという個人的事情にも突きこんでゆくべきだと思う」と。[☆15]

さて、学問研究とその動機について参考となる資料を、千代田著作から少々引用する(力点は原著者)。

所謂学問的静観の態度が実践行動に発展するとき、思想が実際に転換するとき、純正史学研究が啓蒙的教育的修史・読史と合一するとき、まことに精神発展の一個の段階として、啓蒙＝史学の存在は認められるのではあるまいか。それは過去を否定することを辞せず、時に歴史をみづから否定することによつて、真に歴史となることを辞せない。（中略）伝統を打破し、弊風を清掃し、歴史を単に観るに止まらずして、観つゝ創くるところのものである。[☆16]

千代田のいう「啓蒙＝史学」は、例えば、わが研究テーマの一つ、一九世紀前半ドイツのヘーゲル左派思想における「行為の哲学」に類似している。ヘーゲル左派、とりわけアウグスト・チェシコーフスキやモーゼス・ヘスは、ヘーゲル哲学において世界史の弁証法的発展が過去から現在（ヘーゲルの時代）までで終結しているのに対し、異論を唱えた。チェシコーフスキは、一八三八年に出版した『歴史知の序論』において、未来の認識をも可能とするような、現状変革の論理を含んだ歴史哲学を提起する。ヘーゲル哲学が思弁哲学であるとすれば、チェシコーフスキの哲学は、実践活動によって未来をきり拓く哲学、実践哲学なのである。またヘスは、一八三七年に『人類の聖史―スピノザ学徒による』を出版する。この著作は、歴史の発展は現在において終結するというヘーゲル歴史哲学の限界を克服しようとする点を特徴としていた。さらにヘスは、一八四一年に『ヨーロッパ三頭制』を出版する。この著作においてヘスは、ヘーゲル哲学にみられる、理想化されたプロイセン国家という考えを棄て去り、その代わりに、フランス革命の原理をプロイセンの未来へと拡張する。そして、ヘーゲルの、未来志向を含まない思弁哲学を「行為の哲学（Philosophie der Tat）」によって置き換えようとする。この行為の哲学こそ、チェシコーフスキによって首唱され、一八四〇年代初期のヘーゲル左派によって深められた、ヘーゲル批判の哲学なのである。[☆17] この批判運動は、千代田の言う「過去を否定することを辞せず、時に歴史をみづから否定することによつて、真に歴史となること」の一例であろう。

その問題を、酒井はルソー思想に絡めて「人生論的史学」という術語で縷説している。『ジャン‐ジャック・ルソーの史学史的研究』から必要箇所を引用する。

〔引用一〕歴史学は本来ザインの研究である。しかるにルソーのごとく、人生論的歴史を問題とするかぎり、過去的真実は人間の未来のあり方に及び、ゾルレンの問題につながってくる。

〔引用二〕ルネサンス以来謳歌された文化は、実は軽佻浮薄な様相を呈し、道義、風俗の頽廃を来たしつつあるアンシャン・レジムの時代に直面した場合、人生論的歴史家は、解毒剤として未開をたたえ古代を讃美したとしても不思議はあるまい。それは歴史の歩みを古代に溯行させる意味においてではなく、換言すれば、去りゆきし過去の状態を呼び戻そうとつとめる郷愁からでなく、人間を忘れ、人間を無視した時代の人々に対し、人間の真の幸福なる社会を想起せしめるものであり、やがては古いもののよさを未来の理想の中に組みいれんとするものであった。

〔引用三〕ルソーの時代には歴史学の分業は思いもよらなかった。したがって1人にして実証的研究の主張と哲学的な人生論的史学の建設を行った。この二つは現今にあっては兼ね行うことのむずかしいものであるが、ルソーにあってはその二つが看取される次第である。彼は一方ではいわゆる哲学に反対して歴史の立場を明らかにし、他方ではPhilosophesに反対した。かくて先天的観念にもとづく史観によって歴史を解釈することなく、あくまでも事実によって真実の過去を見ようとした。[☆18]

〔引用一〕〔引用二〕は酒井の学問的使命でもあるが、酒井史学に共鳴するわが使命でもある。私は一九八三年刊の著作『三月前期の急進主義―青年ヘーゲル派と義人同盟に関する社会思想史的研究』で、ザイン（Sein, 存在）とゾルレン（Sollen, 当為）の交叉を「はしがき」に記している。以下に引用する。

人類の歴史ないし歴史上の人類は、古い時代ほど未熟で野蛮で、新しい時代ほど成熟していて理性的だと主張できたような時代は、とうに過ぎ去ったようにも思える。本書は、歴史と人類に対するそのような観方をいささか念頭に置きつつ、しかし将来に向かって人類はまちがいなく発展することをも同時に希望として懐きつつ、書かれたものである。別の表現を用いてこの矛盾した発想を述べれば、次のようである。すなわち本書は、従来現代人によって最も大切とされてきたもの―理性と科学精神とを、これと正反対のもの―感性とユートピア精神とによって補強し、後者によって前者の解体を防止せんと試みたものである。[☆19]

酒井がルソー思想に絡めて使用する「人生論的史学（人生論的歴史学）」は、ザインからゾルレンを展望することまでを研究目的に設定している私のような研究者には、まことに好ましい術語である。ただ、それは史学だけとは限らない。〔引用三〕に関係してくるが、二一世紀現在の研究分野としては分業＋協業＝インターディシプリナリー（学際、学科横断）の研究方法となって久しい[☆20]。しかし、横断の成果たる学際ができる前段に、まずは一九世紀を経過する中で専門学科（ディシプリン）が立ち上がった。その過程で、ルソーのように学問芸術を全面否定し、先史の自然的世界や、端的に自然への回帰をもくろむ発想は、いわばアナクロニズムとして否定されていった。『学問芸術論』（一七五〇年）でルソーは、「芸術がわれわれのもったいぶった態度を作りあげ、飾った言葉で話すことをわれわれの情念に教えるまで、一目で性格の相異を示していました」というくだりは自然人の良風（Bon Sauvage）を説明し[☆21]、結局は、学問芸術の発展は人間精神を堕落させてきたという結論で結んでいる。学問は、その起原において、人間の悪徳に基づいており、不正を認めるために発達してきたという。また芸術も同じで、人間が奢侈におぼれるのをたすけてきたという。

だが、私は、ルソー思想を象徴するが如きフレーズ「自然へ還れ」を、往還的に解釈することで、このフレーズを未来社会の形成に活かそうと思っている。「自然へ還れ」の歴史知的考察ということである。例えば現代の若者たちがまま描く〔四本足のニワトリ〕は、ルソー的に解釈すれば、けっして自然からの離反を暗示するものでなく、自然に佇む本原的な余韻を暗示するものだということである。二本足は理性的画一に向かう印象だが四本足は自然の中の揺らぎを物語っており。交互的に補い合っているだけである。ルソーは、『人間不平等起原論』の一部と考えて執筆していた『言語起原論』（死後の一七八一年刊）において、野生人が見たこともない人間に遭遇すると、自分よりよほど大きくて強いものとの印象を懐くが、接するうちに自分と同じ人間だと再認識する、といった内容を書いている[☆22]。それは自然的主観と合理的客観の交互的補いである。以下、本稿は佳境に立ち入る。

四　「自然へ還れ」の歴史知的考察

「自然へ還れ」について、私は、「フランス啓蒙思想とルソー」（『近世ヨーロッパの民衆指導者』第二章　社会評論社、二〇一一年）と題する論文で、すでに簡単な考察を終えている。ルソーは、歴史的事実としての自然状態を語ったわけではない。ディドロ、ダランベールら百科全書派の時代とはいえ、古代史や非ヨーロッパ地域の民族学的研究はいまだ乏しい。伝道師や旅行者を通じてヨーロッパにもたらされる資料も少ない。歴史的事実として先史古代人や自然人を記すなどということ、それは無理なのである。ルソーの叙述目的は別のところにあった。彼は、人生論的史学的な論理的展開の一出発点として、自然状態を語った、というように私には捉えられるのである。合理主義的歴史観とともにロマン主義的なそれをも先取りしていた感のあるルソーであるから、先史・自然→現代・文明→先史・自然→などという単純な歴史循環論は考えられないことだった。さりとて、アンシャンレジーム期のフランスを筆頭とする爛熟し切った物質文明を解体せねばならない、とも意識していた。彼は以下のように考えた（／は改行）。

> そこ（専制主義の支配するところ―引用者）には考慮すべき誠実も義務もなくなり、極度に盲目的な服従だけが奴隷に残された唯一の美徳となる。／これがすなわち不平等の到達点であり、円環を閉じ、われわれが出発した起点に触れる終極の点である。[☆23]

『人間不平等起原論』中のここに記された「起点」とは、『社会契約論』に至れば、契約の起点であることが分ってくる。歴史的起点でなく、人類としての存在論的な起点である。人間が人間として存立するにあたっての起点（ザイン）である。それは先史人の足下にも、一八世紀人の足下にも、いや二一世紀人の足下にもある。私が読んだ限りでのことだが、ルソーの著作『学問芸術論』から『エミール』に至るまで、この存在論的な起点―ドイツ語では Anfang とし、ものごとの原初にあたる―は歴然としている。のちにジョゼフ・プルードンが深層に潜む「真実の社会（Société réelle）」と表層を覆う「公認の社会（Société officielle）」というダブルスタンダードを描いていっそう明確に示すことになる、社会の基層（真実）と表層（公認）の関係を、[☆24]私はルソーの平等観と自由観にみとおす。以下は『社会契約論』からの引用である（力点は引用者、／は改行）。

> 「各構成員の身体と財産を、共同の力のすべてをあげて守り保護するような、結合の一形式を見出すこと。そうしてそれによって各人が、すべての人々と結びつきながら、しかも自分自身にしか服従せず、以前と同じように自由であること」。これこそ根本的な問題であり、社会契約がそれに解決を与える。／この契約の諸条項は、行為の性質によって、きわめてはっきり決められているので、すこしでも修正すれば、空虚で無効なものとなってしまうだろう。だから、この条項は、おそらく正式に公布されたことは一度もなかったのであろうが、いたるところにおいて同一であり、いたるところにおいて暗黙のうちに受けいれられ是認されていた――社会契約が破られ、そこで各人が自分の最初の権利にもど

り、契約にもとづく自由をうしない、そのためにすてた自然の自由をとりもどすまでは。／この諸条項は、正しく理解すれば、すべてが次のただ一つの条項に帰着する。すなわち、各構成員をそのすべての権利とともに、共同体の全体にたいして、全面的に譲渡することである。☆25

この引用文には「自然の自由」と「契約にもとづく自由」とが記されている。両者は、自由としていっさいの区別はない。しかし、契約後、諸条項は一度も全うされたためしがない。よって一度も「最初の権利」「自然の自由」に戻ったためしがない。「自然の自由」とは、人間が単独で保持するものかもしれない。だが、人間が人類として、共同して保持するためには「自然の自由」から「契約にもとづく自由」に切り替えざるを得ない。切り替えが完全でなければ、いつでも初期値に立ち戻ることだ。「われわれが出発した起点」をこのように了解することが、ルソー思想の全体像にいっそう近づくものと思われる。私がそう結論づける根拠は〔文明を支える原初性〕というものの見方である。先史の社会や文化の原初性は、文明期に至っても滅びない。いわば潜在ないし併存するのである。両者は類型を異にしつつ、重層的に併存する。先ほど例に挙げたプルードンの「真実の社会」と「公認の社会」に似ている。文化に特化させて、私の説明を拙稿「感性文化と美の文化」から引用して補足する。

人類文化は先史古代と文明近代において、形成の方向や目的において、大きく異なっている。前者にあっては、災難や死を避け、あるいは死後の生活を確保するという方向と目的をもっていた。後者にあっては、現在の生活を豊かにし、延命的未来を手に入れる方向と目的をもっている。その両文化をもう一つの基準で区切ると次のように言えよう。生前と死後が連続しているか、あるいはその区別があいまいな先史古代社会では、日常生活の恒久的安寧を願って単純再生産の、循環的な文化が形成された。それを本稿では〔文化の第二類型〕とする。それに対して、生活物資の絶えざる増産、それを達成する技術革新によって特徴づけられる文明近代社会では、日常生活の不可逆的更新、権力をもってする富の拡大再生産を旨とする上昇的な文化が展開してきた。それを本稿では〔文化の第一類型〕とする。登場する順番としては前者が先なのだが、人類史において主流を形成していく重みを考慮して後者を第一とする。ただし、第二は第一の下支えをしていく形で現在まで存続し、文明時代を通じて、両類型は重層的に存続してきた。第二から第一へ、

という単系進化主義的発展ではありえない。[☆26]

ルソーの言う「起点」は、私の説明では〔文化の第二類型〕である。どちらも、原始に限定されるものではなく、人類社会に潜在し、その都度の表層社会を下支えしているのである。

前期ルソーの著述活動を大ざっぱに後づけると以下のようである。『学問芸術論』(一七五〇)→『人間不平等起原論』(一七五五)→『サン・ピエールの永久平和論』(一七六一)→『社会契約論』(一七六二)→『エミール』(一七六二)。その最後の作品に、以下の文章が綴られている。

> かれ(生徒―引用者)の感受性が自分のことだけに限られているあいだは、かれの行動には道徳的なものはなにもない。感受性が自分の外へひろがっていくようになるとはじめて、かれはまず善悪の感情を、ついでその観念をもつことになり、それによってほんとうに人間になり、人類を構成する一員になる。だから、この最初の点にまずわたしたちの観察をむけなければならない。[☆27]

文中の「この最初の点」に注目したい。これもまた先に特記した「起点」のバリエーションである。ルソーにおいて典型的と見なされてきた、先史→文明→先史→という円環・循環は、実は決して循環でないことがはっきりしている。さりとて、ヘーゲル哲学のような正→反→合→正→という弁証法的展開でもない。大ざっぱに前者を循環史観、後者を進歩史観と括ってみると、ルソーの史観は、諸要素・因子の交互的な、往還的な転回をなすものである。私なりのターミノロジーで表記すると〔多様化史観〕となる。[☆28]

千代田謙は『啓蒙史学の研究』において、啓蒙史学の現代への寄与に関して次のように記している。

> 要するにベロウの浪漫主義尊重とフューテルの啓蒙主義理解とは、その儘対照的に謂はゞ同一平面上に並べることは許されない。けれども、この喰違ひを認めながら、やはり両者の少なからず共有する共通的部分に基づく比較によって、我々は啓蒙主義と浪漫主義との、第十九世紀史学並びに現代的史学に対する関係について、大凡そ二様の解釈のあることを認めてよいと思ふ。[☆29]

西洋思想史上の流れでは、一八世紀啓蒙主義から一九世紀ロマン主義への単線的展開・系譜として解釈するのがノーマルなのだが、「両者の少なからず共有する共通部分」を見出す千代田の観点はじつに興味深い。「共有」という捉え方は、酒井の著作には読まれない。酒井の理論でいくと、彼は歴史の断絶説と連続説をとりあげ、各時代の傾向は、一気にであれ徐々にであれ、入れ替わっていくだけである。断絶説も連続説も、進歩史観としては同列である。対して共有説は、さきに挙げた〔多様化史観〕に類している。

だが私は、厳密には、千代田の「共有」説ともまた異なる解釈を提起している。「往還」説である。一八世紀啓蒙主義と一九世紀ロマン主義を往還的に捉えるのである。その根拠は、深層社会による表層社会の下支え、という捉え方である。それをルソーに特化して説明すると、先史社会による文明社会の下支え、となる。これまで啓蒙期の歴史家たちは循環史観に立っていると説明されてきた。それは大枠では間違っていないのだが、それのみではなかったのである。人類社会は、先史・古代と文明・近代の両極を交互的に動き回って自由を実現していくという、ルソーに見通すことのできる交互的・連合的な歴史観があった。古代ローマのストア派哲学者セネカの場合は、彼自身がネロ帝の側近として頽廃の坩堝に身を置いていたものだから、まずはゲルマニアなど辺境への思いが先行したのかも知れない。しかし、一方的に辺境に退却するだけではことが進まない。さりとて、セネカの同時代人イエスのように、信仰世界で垂直に昇天しようとしても、後世のキリスト教会はそうはさせなかった。そういった一八世紀にあって、現実と理想の間でなく、先史から存在する自然と社会―どちらも現実である―を行きつ戻りつする歴史観・社会観に適した過渡期として、啓蒙期があったのではなかろうか。[☆30]

セネカに言及したついでに、酒井のもう一つの著作、一九四三年刊行の『国家の興亡と歴史家』に触れよう。[☆31] 酒井は、本書において紀元前二世紀ローマの歴史家ポリビオスを論じている。アルカディア生まれのギリシア人ポリビオスは、ギリシア語でいわゆる「歴史」を著し、ローマによる世界統一の由来を記したが、それはトゥキディデスにみられたような循環史観によって貫かれている。また紀元前一世紀ローマの歴史家リヴィウスもこれと同じような立場で「ローマ建国史」を著した。北イタリアのパドバ生まれのリヴィウスは、ローマ建国からアウグストゥスの時代までを、永遠に不変なる実体としてのローマ権力の展開過程とみなした。このように古典古代の歴史家たちは、不変の実体が循環して歴史が発展するという立場をとった。

しかし、「永遠に不変なる実体としてのローマ」というような立場は、ローマが帝政期を迎える頃、一群の人々によって疑問視されることとなる。その一人にストア派の思想家セネカがいたのである。ローマで帝政が確立した頃に出現したセネカは、圧倒的な軍事力で奴隷叛乱を抑え込んでしまったローマに対して、深い疑念を感じていた。ローマ社会を含め森羅万象は自然界に備わる法＝自然法に従う。それをつくり出した神々さえ、自然界が従う法則に自らも従うのである。こうしてセネカは、ローマにおける大理石に囲まれた文明生活の瓦解と、辺境のかなたに、ガリアやゲルマニアに残る先史以来の自然人たちの生活に思いを馳せたのである。ルソーは、「怒りについて」などセネカの文章を通じてそのような思いを確実につかんでいた。以下に、『エミール』の扉に掲げられたセネカの言葉を引用する。

わたしたちが苦しんでいる病気はなおすことができるし、よき者として生まれついているわたしたちは、自分を矯正しようと望むなら、自然の助けをかりることができる。

―セネカ「怒りについて」第二巻第十三章―[☆32]

酒井は本書において、あたかもヘレニズム思想家セネカのようにして、ポリビオスの古典的歴史観にメスを入れた。酒井は、一九四三年にあって軍国日本の末路を洞察する史家でもあったのである。

むすびに

酒井は『啓蒙期の歴史学』の「はしがき」に、こう記している。「史家のいかなる歴史叙述にあっても、それは彼がたつ現実的基盤を反映しないものはひとつもない」と[☆33]。私にすれば、ここに記された「現実的基盤」には、深層と表層の二類型が存在する。それを啓蒙期に特化して説明すると、深層はカントが見抜いたものである。繰り返すが、カントの議論では、理性を結節点にして人間と蒙昧が結ばれている。民衆とは限らず王侯貴族も啓蒙の対象である。対して、表層は啓蒙専制君主が依拠したものである。啓蒙とは「民衆の無知蒙昧を啓く」統御術と理解され、民衆と蒙昧が結ばれている。啓蒙期の思想家でみると、大方は表層を見ていたが、ごく少数なれど、ルソーやシャルル・ド＝ブロスには深層が見えていた。ド＝ブロスの言い分を以下に引用してみる。『フェティシュ諸神の崇拝』（一七六〇）からの引用である。

かつて本原的なものであった表象〔動植物〕は、時代順からして後代の神々の像に、今日ではたんに慣習的に付着している象徴にすぎなくなってしまった。ユスティヌスは昔の崇拝の記念として後世の神々の彫像に取り付けられた太古の聖なる投槍について語っているのだが、その話には表象から反対表象へのこのような反転の明らかな証拠が見いだされるし、偶像崇拝そのものに依

然として残存している古代フェティシズムの特徴に関するはっきりとした証言もまた見られるのである。☆34

歴史・社会には深層と表層の二類型が存在する、という着想を得たのはプルードン読書を通じてのことだが、それに学術的な目鼻を付けるのに貢献した著作が『フェティシュ諸神の崇拝』だった。ド゠ブロスが自らつくった術語「フェティシズム」とは、神と人間との間の〔創造・被造〕および両者の地位をめぐる転倒現象を指している。この語をやがて一九世紀人のマルクスが経済学に、デュルケムは社会学に、フロイトは精神分析学に、それぞれ応用することとなった。私は若きマルクスの『フェティシュ諸神の崇拝』読書（一八四二年春）と、そのときに執筆した摘要ノートを座右にして、この深層と表層の間の転倒現象を徹底的に研究してきた。☆35

このド゠ブロス→マルクスの思想的系譜には、〔啓蒙史学〕と一線を画する、〔啓蒙期の歴史学〕が介在していることに気づいた。思想家ルソーと歴史叙述者ルソーの交叉する啓蒙期歴史学である。わが研究生活の半世紀を振り返って思えば、一九七〇年代から八二年まで教えを受けたルソー研究者酒井三郎と、一九八〇年代初から一九九三年まで教えを受けたド゠ブロス研究者布村一夫（一九一二～九三）の二人に導かれて、本研究を指向し、今日こうして叙述できたのである。本年（二〇二二年）は酒井死歿四〇年であり、布村生誕一一〇年である。本稿はその節目を記念するものでもある。

注

01　鯨岡勝成、事典項目「啓蒙」、石塚正英・柴田隆行編『哲学・思想翻訳語事典』論創社、二〇〇三年、九二～九三頁、参照。

02　術語「歴史知」とその解説に関しては、以下の拙著を参照。『歴史知と学問論』社会評論社、二〇〇七年。

03　例えば、啓蒙専制君主の筆頭であるフリードリヒ大王（二世、位一七四〇～八六）について、『反マキアヴェッリ論』（京都大学学術出版会、二〇一六年）監訳者の大津真作は、次のように解説している。「フリードリヒの好んだ言葉『国家第一の下僕』とは、国民は国家に奉仕しなければならないことだけを意味した」（四八〇頁）。また、こうも書いている。フリードリヒの原稿には「ヴォルテールによる訂正と削除の大鉈が振るわれ、章によっては、フリードリヒがもっとも主張したかった部分まで削除され、置き換えられてしまった」と（四七六頁）。

04　市民革命が世界史上に有する限定性に関して、拙稿「市民革命と民主主義」では以下のように説明されている。「〝没革命性〟の内容は次のように要約できる。①資本制社会を生み出すのはブルジョワ革命であるというよりも産業革命であること。なぜならブルジョワ革命に成功しなくとも上からの改革で資本主義社会へ至る道もあるから。②フランス革命で典型的にみられたような封建勢力と民衆との激しい階級闘争は、他の革命ではさほどみられないこと。加えて、フランス革命自体にしても、民主主義の要求は最終的に拒否されたこと。③どの国の革命も幾度かの政治的変革を経てはじめてワ革命の諸課題が達成されていること」（石塚正英編『世界史プレゼンテーション』社会評論社、五九頁。）啓蒙主義も市民革命も、一時代を画するほどの世界普遍性を伴わないということである。

05　千代田謙『啓蒙史学の研究』三省堂、一九四五年、四九三〜四九四頁。

06　同上、四九八頁。

07　一八九九年生れの千代田と一九〇一年生れの酒井は、学問的に親密な関係にあった。少なくとも一九五〇年代から、ともに史学史の研究上で協同していた。専門分野の関係から当然ながら、熊本大学教授であった酒井の博士号請求論文「ジャン・ジャック-ルソーの史学史的地位」は、広島大学に提出され千代田謙教授が審査した。一九七六年頃、立正大学勤務時代の酒井に大学院で教えを受けた私は、酒井最晩年の一九八一年刊『啓蒙期の歴史学』で編集のアシスタントを引き受け、とくに独語引用文の和訳を担当した。

08　酒井三郎『ジャン・ジャック-ルソーの史学史的研究』山川出版、一九六〇年、二八五頁。

09　酒井三郎・綱川政則・石塚正英共著『歴史研究の基本』北樹出版、二〇〇六年、参照。

10　アカデミックポストに就きたい一心で勉学に励む人に多いのだが、研究職を退くや研究を止める。そうしたアカデミシャンはジョブとしての研究職にあっただけのことである。ちなみにイギリスでは、民族学、民俗学、フォークロア研究の分野においても、アマチュアが多数参加し、重要な成果を生み出したことは有名だ。「一九世紀に、国外を対象とした民族誌、国内を対象とした民話集・フォークロア研究が大量に出版されたが、そのほとんどは大学の研究者ではないひとびとによって書かれている」。志村真幸『南方熊楠のロンドン』（慶応義塾大学出版会、二〇二〇年、二〇頁。

11　千代田、前掲書、二九〇〜二九一頁。

12　エドワード・ギボン、中野好夫訳『ローマ帝国衰亡史』第六章「セウェルス帝の死」訳本第1分冊、二三二頁。Edward Gibbon, *The History of the Decline and Fall of the Roman Empire*, London, 1862, p.48.

13　ギボン、同上、二六二頁。*ibid.*, p.55.

14　酒井三郎『啓蒙期の歴史学』日本出版サービス、一九八一年、はしがき、ⅶ頁。当該箇所を、その前後の文章を含めて引用する。「千代田謙氏の『啓蒙史学研究 第一部 概論篇』のあることは、故誰しもよく知るところである。ただ不幸にして大戦のさなかに出版され（一九四五年三月、三省堂版）、一五〇〇部に限定され、今や絶版で手にすべくもない。上述のように本書は、到れり尽せりの千代田氏のものに代るべき代物ではないが、同じ時代を扱ったものであり、また多少異なりたる立場から論じている点もある。しいていえばいま啓蒙史学史の類書がないために、上梓を決意した次第である」。

15　同上、はしがき、viii頁。
16　千代田、前掲書、二一三頁。
17　石塚正英『近世ヨーロッパの民衆指導者』社会評論社、二〇一一年、同『ヘーゲル左派という時代思潮』社会評論社、二〇一九年、参照。
18　酒井三郎『ジャン・ジャック・ルソーの史学史的研究』、二七三頁、二七四頁、二八一～二八二頁。
19　石塚正英『三月前期の急進主義―青年ヘーゲル派と義人同盟に関する社会思想史的研究』長崎出版、一九八三年、はしがき、二頁。
20　当今のインターディシプリナリーは、学問分野を超えて、産官学軍共同にまで越境している。
　例えば、二〇一六年六月三〇日付共同通信（https://this.kiji.is/121215084565857789）において、以下の配信がなされた。「防衛装備庁がイスラエルと無人偵察機を共同研究する準備を進めていることが、三〇日までの日本政府関係者や両国外交筋への取材で分かった。既に両国の防衛・軍需産業に参加を打診しており、準備は最終段階という。」その半月後、二〇一六年七月一四日、東京電機大学ＨＰ「ニュース一覧」に、以下の記事が掲載された。「建築・都市環境学系 島田教授が『日経産業新聞』に掲載／防衛省の二〇一五年度の研究助成事業に採択された、小型無人航空機（ＵＡＶ）に開口レーダーを搭載し、災害につながる地上の異変を察知する技術の研究に関するインタビュー記事が掲載されました」。
21　ルソー、今野一雄訳『エミール』上、岩波文庫、二〇〇五年、一六頁。
22　ルソー、原好男・竹内成明訳『ルソー選集６』白水社、一九八六年、一四五～一四六頁、参照。
23　ルソー、本田喜代治・平岡昇訳『人間不平等起原論』岩波文庫、二〇〇四年、一二六～一二七頁。
24　プルードンの「真実の社会」「公認の社会」に関する説明については、以下の論文を参照。住岡英毅「プルードンにおける『真実の社会』に関する教育的社会性」、『社会学評論』第四三巻・第一号、一九九二年。
25　ルソー、桑原武夫・前川貞次郎訳『社会契約論』岩波文庫、二〇〇四年、二九～三〇頁。
26　石塚正英「感性文化と美の文化―バウムガルテン・ヘーゲル・フレイザー」、同『歴史知のオントロギー―文明を支える原初性』社会評論社、二〇二一年、二五八頁。
27　ルソー、今野一雄訳『エミール』中、岩波文庫、二〇〇四年、二三頁。
28　「多様化史観」に関する詳細は、以下の拙稿を参照。石塚正英「歴史知と多様化史観―循環史観と進歩史観を超えて」、同『歴史知と多様化史観―関係論的』社会評論社、二〇一四年、一五九頁以降。
29　千代田謙、前掲書、六頁。
30　エルンスト・カッシーラーは、著作『啓蒙主義の哲学』の中でこう記している。「こうしてわれわれが十八世紀の思想を十七世紀のそれと比較してみても、この両者の間には厳密な意味での断絶が全くない、ということが明らかである。新しい認識理念は、十七世紀の論理学と認識論、とくにデカルトとライプニッツが準備した前提から不断に、しかも首尾一貫して発展したものである。思考方式の差異は何ら根本的な変化を意味しない。この区別はたかだか力点の移動にすぎない。次第次第に価値の力点は普遍的なものから個別的なものへ、「原理」から「現象」へと移動した。だが根本的な前提、すなわちこの二つの思考の分野にはいかなる対立矛盾もありえず、逆に完全な相互規定が存在する、という前提は…確乎として存続した」（力点は訳文による）。カッシーラー、中野好之訳『啓蒙主義の哲学』筑摩書房、二〇〇三年、五二頁。カッシーラーの主張は、私の交互的・往還的歴史観と真っ向から対立している。彼と同様、私もまた断絶説には与していない。けれども、連続説にも与せず、先史的原初性による文明的現実性の下支えという構えや、交互的・連合的歴史観を提起している。それはカッシーラーの主張とは相いれない。

31　酒井三郎『国家の興亡と歴史家』弘文堂書房、一九四三年。本書は、酒井の論文「ギボン『羅馬帝国衰亡史』に関する二・三の問題」（『西洋史研究』第一輯、東北帝国大学、一九三一年）と合わせて、二〇一〇年に復刻版が刊行されている。青木信家（代表編集）『国家の興亡と歴史家』北樹出版。私も編集委員の一人である。

32　ルソー、今野一雄訳『エミール』上、岩波文庫、二〇〇五年、一五頁。

33　酒井三郎『啓蒙期の歴史学』、はしがき、vii頁。

34　Charles de Brosses, *Du Culte des Dieux fétiches, ou Parallèle de l'ancienne Religion del l'Égypte avec la Religion actuelle de Nigritie*, p. 161-162. シャルル・ド＝ブロス、杉本隆司訳『フェティシュ諸神の崇拝』法政大学出版局、二〇〇八年、七四～七五頁。なお、ルソー思想と大いに関連するド＝ブロス思想を基軸にして考察した拙著群を以下に記す。

（1）フェティシズムの思想圏―ド＝ブロス・フォイエルバッハ・マルクス、世界書院、一九九一年。
（2）フェティシズムの信仰圏―神仏虐待のフォークロア、世界書院、一九九三年。
（3）「白雪姫」とフェティシュ信仰、理想社、一九九五年。
（4）信仰・儀礼・神仏虐待―ものがみ信仰のフィールドワーク、世界書院、一九九五年。
（5）歴史知とフェティシズム―信仰・歴史・民俗、理想社、二〇〇〇年。
（6）ピエ・フェティシズム―フロイトを蹴飛ばす脚・靴・下駄理論、廣済堂出版、二〇〇二年。
（7）儀礼と神観念の起原―ディオニューソス神楽からナチス神話まで、論創社、二〇〇五年。
（8）フェティシズム―通奏低音、二〇一四年。
（9）フォイエルバッハの社会哲学―他我論を基軸に、社会評論社、二〇二〇年。
（10）価値転倒の社会哲学―ド＝ブロスを基点に、社会評論社、二〇二〇年。
（11）歴史知のオントロギー―文明を支える原初性、社会評論社、二〇二一年。

35　石塚正英『マルクスの「フェティシズム・ノート」を読む―偉大なる、聖なる人間の発見』社会評論社、二〇一八年、参照。

第7章 シュタインの自治国家構想——not 国家連邦 but 自治連邦

はじめに

本稿で取り上げるローレンツ・フォン・シュタイン（Lorenz von Stein、一八一五～九〇）は、一九世紀ドイツの国家学者、社会学者、教育行政学者である。ユトランド半島南部のシュレスヴィヒ公国に生まれ、キールとイエナ大学で哲学と法学を学ぶ。ヘーゲル哲学とザヴィニー歴史法学を批判的に摂取したのち、一八四一年から四三年までパリに滞在、多くの社会主義者や共産主義者と接触した。その間、社会の概念に注目し階級闘争の必然性を認識した。一八四六年キール大学員外教授に就任後、デンマークからのシュレスヴィヒ独立運動に関わり四九年免官。一八五五年から八五年までウィーン大学教授。一八八二年、憲法起草調査のため渡欧した伊藤博文や海江田信義、有賀長雄らに憲法や行政法を教授、その講義録は明治の日本で広く読まれた。主著に『今日のフランスにおける社会主義と共産主義』（ライプツィヒ、一八四二年）、『一七八九年から現代までのフランスにおける社会運動の歴史』全三巻（ライプツィヒ、一八五〇年）、『国家学体系』全二巻（シュトットガルト、一八五二～五六年）などがある。

わが国におけるシュタイン研究の泰斗である柴田隆行は、シュタイン学説の中でもとくに社会概念と自治概念に注目した。彼は、著作『シュタインの自治理論』（御茶の水書房、二〇一四年）の中で、こう記している。「〈社会の学〉としての国家学を構築せんとするシュタインにとって、自治こそが国家の本質である。誤解を恐れずに言えば、シュタインにとって国家は自治体であった」[☆01]。柴田はまた、「自治」のドイツ語表記に関連して、同書にこう記している。「ローレンツ・フォン・シュタインら一九世紀ドイツの自治理論者はSelbstregierungではなくSelbstverwaltungという言葉を意図的に使用した。その背後に、国家と社会の対立ないしは分離・区別という認識があったことは確かである」[☆02]。シュタインと同時代の職人革命家ヴィルヘルム・ヴァイトリングを研究する私は、類似の概念について以下のように考察している。ヴァイトリングは、未来社会の秩序は政治組織に関わる「統治（Regierung）」でなく社会組織に関わる「管理（Verwaltung）」によるものとした。「その期間（未来社会）にも古老のもとに指導者は存在するのであるが、ヴァイトリングはもはやこの段階では『統治』という言葉を使っていない。そのかわりに、『管理（Verwaltung）』という言葉を使うのである」☆03。

本稿で私は、ヘーゲル哲学に造詣の深い柴田が理解するシュタイン思想に対して、ヴァイトリングの結社運動を半世紀にわたって研究してきた私が理解するシュタイン思想を併置することを通して、シュタインの「自治国家」構想を吟味してみることにする。なお、本稿に引用するシュタイン著作のうち、『国家学体系』（全二巻）は原則として柴田隆行訳であることを付言しておく☆04。

第一節　社会・人格・国家

シュタインは人間の集団をさして、ある時は「社会（Gesellschaft）」とし、ある時は「共同態（Gemeinschaft）」とし、またある時は「有機体（Organismus）」としている。そのうち、国家に対比する意味では「社会（Gesellschaft）」が用いられ、国家と同類としては「有機体（Organismus）」が用いられる。さらには、「共同態」は、「人間共同態（die menschliche Gemeinschaft）」という大きい括りのほか、社会的歴史的な土壌から生まれた組織である「村落共同態（Dorfgemeinschaft）」や「職業共同態（Berufsgemeinschaft）」などに用いられる☆05。また、一八五六年刊の『国家学体系』第二巻（柴田訳）において、こう定義されている。

〔引用一〕ところで個人（die Einzelnen）は一人ではなく共同態の中に（in Gemeinschaft）いる。

〔引用二〕共同体（Gemeinde）はその純粋概念からして礼拝と裁判と武力（Waffen）という三つの機能の行使のための平等人の共同態（Gemeinschaft Gleicher）である。

〔引用三〕我々は共同占有と個人占有とを備え精神生活の外面的秩序に進歩した共同態（Gemeinschaft）を共同体（Gemeinde）と名づける。それゆえ共同体はその根原的な概念からして法的でも国家的でも教会的でもなく純粋に社会的な概念（ein rein gesellschaftlicher Begriff）である。あらゆる他の意義は派生的なものである。

〔引用四〕たとえ共同体の中に社会の所定の形態が立てられてもじっさいこの形態の内部ではもともと占有と同様すべての個人は互いに平等である。それゆえ純粋で根原的な社会的人格態（die gesellschaftliche Persönlichkeit）はまず共同態におけるあらゆる個人の社会的平等（die gesellschaftliche Gleichheit aller Einzelnen in der Gemeinschaft）を含む[☆06]。

この引用文中には、「共同態（Gemeinschaft）」と「社会的（gesellschaftlich）」が一文の中で同時に用いられている。ということは、シュタインにおいて、この二語（Gemeinschaft と Gesellschaft）はさしたる区別を有していない、ともいえようか。

次に、本稿でキーワードとなるシュタインの「人格」について、一八五二年刊の『国家学体系』第一巻（柴田訳）において確認しよう。

> 自由な価値の創造において進歩の要素を見出すが、それは自由な価値によって価値生成や価値分量の源泉が自然的事物の所与の分量から、また人格的所有の（des persönlichen Eigenthums）法的制限から、人格態自身の（der Persönlichkeit selber）創造的で自由な活動へと引き入れられることによる、ということである。それゆえこれが高くあればそれだけいっそう自由な価値も高くなる。精神的人格態の発展（die Entwicklung der geistigen Persönlichkeit）がより多く促進されればそれだけいっそう多く自由な価値発展も上昇するであろう。人間の教養はこれによって高潔な財貨生活の要素となる[☆07]。

引用文訳者の柴田は、研究生活上でヘーゲル思想に多大な影響を受けてきた。とくにヘーゲル的な“Persönlichkeit”（通常は「人格性」と訳される）を、哲学者の寺澤恒信がヘーゲル『大論理学』初版に用いた訳語「人格態」に倣ってそのように訳している。「ヘーゲル哲学の場合にとくに言えることであるが、-heit や -keit という語尾をもつ名詞は、或るものが所有する『性質』ではなく、それそのものの存在様態を示すことが多い[☆08]。」「人格が、一個の存在ではなく各人に必然的に備わる本質的な存在者としてあるとき、その人格は人格態である[☆09]。」「人格態ほんらいの概念からすれば、君主制が人格態概念に最も適合する。このように述べて、シュタインは君主制にたどりつき、そこからさらに国内体制へと講義を進める[☆10]。」「社会がその概念からして人間共同態における精神生活の外的秩序であるとしたら（Wenn nämlich die Gesellschaft ihrem Begriffe nach, die äußere Ordnung des geistigen Lebens in der menschlichen Gemeinschaft ist.）[☆11]」というように記すシュタイン、あるいはヘーゲル哲学に基礎を置くシュタインに、柴田は惹かれたのだろう。

その点に関して、「人格」とか「本質」とかを環境（自然＋社会）の結晶とみる私には何のこだわりもない。☆12 むしろ、「社会秩序はいまやもはや精神生活一般の秩序ではなく、むしろ占有とその分配の自然によって規定される秩序である」☆13と主張するシュタインに惹かれる。アソシアニストの私は、〔社会の原理〕（前期）あるいは〔社会の学〕（後期）を唱えたシュタインに惹かれるのである。ただし、シュタインは、上記の引用にすぐ続いて、こうも記している。彼の研究の先に、「人間社会の形態の中に人倫的秩序と占有分配との結合（die Verbindung der sittlichen Ordnung mit der Vertheilung des Besitzes）が与えられ社会一般についての理論が完結する」☆14のだと。よって、シュタイン自身は、柴田と私の双方にとって魅力ある思想家なのである。

次に、シュタインが思念する「国家」にまつわる彼の文章を『国家学体系』第二巻から引用する。

> 国家学はこれまでその有機体（Organismus）の究極の諸要素を分けることができなかった。ギリシア哲学のプラトンやアリストテレスの先駆者たちが社会を国家と融合させ取り違えて（die Gesellschaft mit dem Staate verschmolzen und verwechselt haben）以来、こうした理解は最近まで通用し続けた。そしてあらゆる不明、非体系性、恣意がその本質的根拠をこの融合の中にもつ。この融合は、自然科学でなされるであろう総合された身体を単純なもののように扱おうとする根本的誤謬と同じ誤謬を、国家学において犯した。しかしあらゆる現象を単純な根本関係に還元することで学問の新しい時代が始まるのは、事物の自然の上にある必然性である。☆15

ヘーゲル学徒であるシュタインは、国家と社会を区別しなかったギリシア哲学を「国家と融合させ取り違え」たと、マイナスに評価している。たとえば、アリストテレスの「ポリティケ・コイノニア（πολιτική κοινωνία, politike Koinonia）」は政治的な概念で「ポリス共同体」と訳されるが、ほぼ「国家」と同義である。ポリスにおける直接民主主義と、それを担う市民が原点にある。労働から解放されたされた市民が政治的な広場（アゴラ）に集まって議論し決議する。自由な市民の権利は生まれながらのものである。それはマイナスでも何でもない。ただし、奴隷制度の上に君臨する市民の権利に関連するのみである。それに対して、ジョン・ロックの「シビル・ソサエティ（civil society）」はすなわち政治社会（political society）のことである。ロックにおける市民社会とは、氏族・部族など先史古代の共同体が解体したあとに出現するものである。共同体から自立した自由な個人が同意（consent）と信託（trust）によって創出する社会である。その新社会において人々は、同意（社会契約）によって自然状態から社会状態に移行し政治的秩序を確立する。ロックにおいては、権利上の自由・平等と現実・事実上の不平等を前提としているものの、封建時代と比べて末端の人々にまで豊かになる可能性を保障している点が特徴的である。ただし、個人としての人間の豊かさに関連するのみである。シュタインとしては、この方がむしろマイナスであるとみなければならないはずである。さらにルソーの「ソシエテ・シビル（société civile）」は、ロックの場合と正反対に、現実の不平等から完全に解放された市民（citoyen）がつくる社会秩序である。権利上だけでなく事実上でも平等を普遍化した社会＝国家を要求する。所有の絶対的平等に固執はしないが、所有によって人々が自然から分断され社会から支配される状態の解消を展望する。このルソーにおいてようやく、個人を単位とする市民社会を超えでる新たな社会を発見する回路を探り出すことになる。シュタインは、一八四三年から五四年のあいだにルソー『人間不平等起原論』や『社会契約論』を読んでメモを執っている。[☆16]さらに、シュタインの師匠ヘーゲルの「ビュルガリヘ・ゲゼルシャフト（Bürgerliche Gesellschaft）」は、法的ないし国家的な関係としての市民社会でなく、物質的にして経済的というか、人々が金儲けに汲々とする社会である。政治的国家から明瞭に区別される、〔欲求の体系（das System des Bedürfnisses）〕としての諸関係である。利己的な市民社会だけに、国家が理性的に介入してこれを統括することになる。国家が市民社会を否定的に乗り越える、あるいは弁証法的に止揚する、とした方が適切な表現かもしれない。ここでは、ようするに政治的国家なくしては個人は救われない。このヘーゲル的発想を、シュタインはなぜマイナスに思わないのだろうか。最後に、シュタインの同時代人マルクスの「ビュルガリヘ・ゲゼルシャフト（Bürgerliche Gesellschaft）」においては、私的所有権に基づいて人々が所有階級と非所有階級とに分裂しており、人間疎外が極まっている。政治国家はその分裂を維持することに役立つのみなので、この国家を打倒し諸個人を分断している私的所有を廃止し、もって共同社会（die Assoziation）を再建する必要がある、とする。シュタインにすれば、このような国家観こそ、マイナス中の超マイナスなのである。[☆17]それでなのか、シュタインは生涯にわたりマルクスを無視し続けた。

シュタインは、一八四二年著作では「社会」と「プロレタリアート」に最大限の言及をなしていた。それが、一八四八年以後は「国家」と「人格」に力点が移行する。そのようにシュタインが〔社会の原理〕から〔国家の原理〕

に移行した根拠の一つは、シュタインが"Persönlichkeit"――柴田の訳では「人格態」――を巡って、改めてヘーゲルないしドイツ観念論の系譜に身をもどしたことではないだろうか。ただし、すっかり戻ったのでなく、フランス体験を通してのことであり、それはやがて彼の社会国家論に結実して行くのではないだろうか。[☆18]

　シュレスヴィヒ・ホルシュタイン独立の失敗や一八四八年革命の敗北、つまり政治的なインパクトは、柴田によればシュタインの上記移行の根拠性に乏しい。「シュタインの社会から国家への軸足の移動は、彼の人格態論だけで説明できることがらであり、彼の実践的な活動の挫折が仮になくても生じえたであろう」[☆19]。いかにもヘーゲル研究者柴田のとる立場である。とはいえ、柴田は『自治理論』ではこう書いている。「自らも積極的に関わった一八四八年の三月革命の敗北を機に、人間をばらばらに解体する『社会』よりも、社会的な問題を統一的な視点で解決すると期待される『国家』が大切だとの考えに至った」[☆20]としている。ヴァイトリング研究者の私は、一八四八年革命がシュタインの思想に少なからぬ感化を及ぼしたと判断している。

　なお、シュタインが理想と考える国家形態は「侯国ないし王国（das Fürstenthum oder Königthum）」だということなので、その点でも彼はヘーゲル主義を堅持している。[☆21]さてそうであるならば、平等原理やプロレタリアートと王国の折り合いはいかに？

第二節　労働に関する文明論的立論

　平等原理やプロレタリアートとくれば、労働とその概念が問題になってくる。シュタイン『国家学体系』第二巻から引用する。

〔引用一〕人間は労働によって同時に現実世界の中に新たな世界を創るという事実は、人間は無限の神的使命の担い手（der Träger einer unendlichen, göttlichen Bestimmung）であるという命題と同一である。

〔引用二〕学問や宗教といった純粋に精神的な労働は社会的労働（die gesellschaftliche Arbeit）に属さない。それは精神的労働それ自体だけを見出そうとし真理とか美とかの像の設定にのみ目標や享楽を見出す。この純粋に精神的な労働が同時に経済的所得源泉として利用される場合でさえそれは社会的労働には属さない。というのも後者の場合この純粋に精神的労働の経済的意義は個体の経済的生活に尽きるからである。

〔引用三〕社会的労働はこの意味で社会的自由（die gesellschaftliche Freiheit）の概念の実現である。労働ではない自由は空虚な言葉である。☆22

〔引用一〕でシュタインが定義する「労働」は、私にすれば「使命（Mission）」である。生活のための物質的生産や経済的活動に終始すれば「労働」だが、生活それ自体として の活動であれば「使命」となるのではないだろうか。マタイの福音書（第四章の四）に記されたイエスの言葉「人はパンだけで生きるものではなく、神の口から出る一つ一つの言で生きるものである」の中の「神の口から出る一つ一つの言」を「自らの使命」に置き換えるのである。

それから、〔引用二〕〔引用三〕中の「社会的な労働 "Die gesellschaftliche Arbeit"」とは何か。「学問や宗教といった純粋に精神的な労働」は除外されるとはいえ、文化的・精神的な労働と経済的・物質的な労働の融合ですらないのか。シュタインは区別しないか無自覚なのだが、彼の労働観は、私にすれば市民社会的（gesellschaftlich）であって共同社会的（sozial）でない。後者であれば、シャルル・フーリエのアソシアシオン（ファランステール "phalanstère"）が参考になる。ファランステール内で人々はさまざまな生産労働や創作活動に従事し、また性別や主従の区別、家事労働と社会的有用労働の固定的区別は存在しなかった。次に、シュタインの労働観について、柴田の要約的説明を引用する。

労働は、人間の自由の現実的な生成である。したがって、労働は絶対的に必然的である。この意味で、人類は労働するように造られていると言える。したがって、最良の人間や最良の状況でさえ労働なしでは消滅する。労働は、その範囲においても様式においても、人間の進歩の最も確かな尺度である。☆23

柴田がシュタインに関連させて説明する「労働」は、自然への働きかけ、いわゆる生産活動のことである。ヘーゲル哲学を重視するシュタインや柴田ならば、ときに個人の人格態に関わるかもしれないが、フェティシズムなど原初的思考を重視する私にすれば、人類史上必ずそうなるわけではない。先史社会に重きを置かないヘーゲルに学んだシュタイン、その両者の思想を人倫と人格で理解する柴田はあまり言及しないが、例えば、先史共同体（societas）の儀礼社会では、生産活動は神々との交信、あるいは農耕儀礼の一つである。先史人たちは、自らが生き抜くためには自然の一部を自身に凝固結晶させなければならず、その方向でトーテミズムなどの儀礼制度を整えて社会的な力を共同体に結集し、その力でもって生産活動を組織し完遂した。

フェティシュやアニマなど神的存在との交渉において生産物を調達した。先史社会は、原始労働（物質的生産）とトーテミズム（信仰・儀礼）と氏族（社会制度）のトリプル構成で動いていたのである。本節タイトルの「労働に関する文明論的立論」とは、このような説明に相応しいものである。[☆24]

原始労働は商品生産と縁遠い。それに関連して、シュタインの「財貨生産（die Erzeugung der Güter）」への言及に注目したい。「財貨生産は生産物において完成しており、人格的目的を客体において実現することであり、いわば生産物の中で具現された、自然的現存在に対する支配である」[☆25]。ここでシュタインの言う「財貨生産」は、マルクス『資本論』の場合は「商品生産（die Warenproduktion）」[☆26]となる。マルクスの場合はたんなる生産物（使用価値）と商品（交換価値）は明確に区別されるのだが、シュタインの場合は「財貨生産は生産物において完成しており」とあるように、区別だてが明確でない。あるいは「財貨Gut」と「商品Ware」の概念区別が厳密にはなされていない。ただし「交換価値」自体には言及し、「一見偶然的な現実の交換価値が、完全に規定された法則に従属させられること」を重視してはいる。[☆27]

その議論も含めて、いままでは、ヘーゲル左派（社会国家・自治国家を唱えた意味でシュタインは左派に入る）よりもマルクスの方が科学的と称されてきた。しかし、二一世紀の現在、どちらが間違っている、よりすぐれている、というように価値的に区別する方が疑わしい。その区別だては近代至上主義なのではないだろうか。

上記引用文中の「財貨生産は…自然的現存在に対する支配である」という内容はシュタインがマルクスと共有している価値意識であって、同じヘーゲル左派であっても、フォイエルバッハには似合わない。彼においては、自然は一方的に人間の生存手段でなく相互的な共生者（もう一人の私、我と汝）である。身体は自然そのものである。ギリシア語で身体をソーマ（σῶμα）、あるいはサルクス（σαρξ）という。しかし身体としての自然は、一種の存在者（Wesen）である。社会的関係に入っていない、裸の自然はたんなる物在(Ding)にすぎないが、我＝汝の関係にある自然は存在者である。[☆28]

なお、シュタインがキール時代に作成したとみられる「学習ノート」にはスミス『国富論』からの摘要が多く含まれる。[☆29]そのような背景を考慮すると、シュタインの労働観はスミスのそれに似ている。労働（Arbeit）は結果（作品、work）でなく行為（活動、labour）である。ゆえに「労働は人間の自由の現実の生成」といえるのである。

また、第一節で考察した引用文中にある「自由な価値の創造」だが、ここにもシャルル・フーリエを連想させる要素が潜んでいるように思われる。「自由な価値」、これはファランステール的で、興味深い。フーリエは、秩序なき産業と不平等な財産所有に基づいた資本主義社会では悪徳しか栄えないとし、これに代えてファランステールの建設を説く。この理想社会では、生産的余剰は一定の比率によって各構成員に配分され、したがって私的所有は廃されず、またその構成員は、サン-シモンの産業社会の場合と違って、小所有者、職人など旧来の生産者である。これら小生産者の分業と協業とによって生産力を高め、人間の諸情念を解放し、物心両面において実り豊かな社会を実現することが、フーリエの理想だった。

さらには、『国家学体系』第一巻において、貯蓄銀行に触れられている。以下のようである。「貯蓄銀行の意義は、それが含む倹約と秩序への動機にだけあるのではけっしてない。それはまさに、それによって労働者が同時にたとえより小さな分量でも最小の分量でも資本企画家になる点にある」[☆30]。ここに記された「労働者が同時にたとえより小さな分量でも最小の分量でも資本企画家になる」との指摘は、プルードンの自主管理的なアトリエ（仕事場）に似ている。プルードンが構想する社会では、一定地域の農家（土地所有者にして労働者）が集まって小規模な農業団を形成し、これが基本単位となって、さらに幾つかの農業団が集まって一つの農業連合をつくる。また都市においても、幾つかのアトリエが集まって小規模な工業団を形成し、これが基本単位となって、さらに幾つかの工業団が集まって一つの工業連合をつくる。そして最後に、農業と工業とが相互に結合して（連合契約）、農工連合を形成する。こうして完成された農工連合は、経済的な機能と同時に地方自治的な政治的機能をも果たす。中央の政府（本来の政府ではなく、たんなる管理局）は、この地方的な、自主管理的な農工連合に従属する。

フーリエもサン-シモンもプルードンも、すべてシュタインが一八四二年著作でポジティブに考察した社会主義者たちである[☆31]。

本節の最後として、シュタインの機械観を検討する。この問題について、柴田は『社会と国家』中で以下のように記している。「機械は力学的な労働を自由な労働から引き離した。それは、機械のなかで働く労働者を機械労働の一部とした」と[☆32]。シュタインの機械観は、同時代の手工業職人ヴァイトリングの機械観からみて、じつに現象的なものである。ヴァイトリングは未来社会に有益なものとして機械の発達に積極的な評価を下している。ヴァイトリングが最新の科学技術に敏感であった一例をここに挙げよう。それは、一八四二年刊の主著『調和と自由の保証』に綴られた〝飛行船〟についての一節である。

当初人類はただ足で歩くのみだったが、やがて馬などに乗るようになり、それから乗り物で移動するようになった。それに続いて道路をつくり、運河を開いた。いったんこうしたことに慣れてしまうと、さらには鉄道の発明や蒸気力の応用へと駆り立てることになった。これは現在でも日々に改良されているし、飛行船による航行がさらにいっそう改善され改良されていったなら、そのうちに道路や鉄道を不要にしてしまいやしないかということを知っている。[☆33]

第三節　自治国家による近代の再編意欲

一八四八年二月、フランスからイタリアへ、ドイツへと、ヨーロッパ各地に市民革命が波及すると、それはシュタインの故郷にも及んだ。デンマークの支配に対するシュレスヴィヒの反乱が勃発し、シュタインはその指導者の一人として、パリの臨時政府の代表になった。

さて、その激動はシュタインの国家観に影響を与えただろうか。むろん、大なり小なり影響を与えただろう。その際、シュタインは将来の構想として、小国間の連邦制を念頭に置いていた。そのあたりの事情を柴田の説明で明らかにしよう。

シュタインにとってはほんらい国家も社会も人格態の自己実現の場であり、したがって、それはまた人間の自由実現の道程であった。たしかに、国家の原理が万民の平等を目指す普遍的な理念であるのに対して、社会は万民の個人的利害関心の追求を原理とし、自由という個別的なものの実現をはかるものである、という違いはあるものの、両者の対立の克服をこそめざすシュタインは、国家か社会かという二者択一的な立論をせず、むしろ両者を相互貫通的なものと捉え、現在ドイツの基本的な立場である「社会国家」の実現をめざしたのである。行政法や自治理論が左右に振れるなかで、シュタインの自治理論は一貫していたと筆者には思える。[☆34]

引用文中の「社会国家」に注記があり、歴史学者ゲルハルト・リッターの著作『社会国家（*Der Sozialstaat*）』（ミュンヘン、一九八九年）で、シュタイン著作（“*Gegenwart und Zukunft der Rechts- und Staatswissenschaft Deutschlands*”, Stuttgart 1867.）から引用したドイツ語が以下のように記されている、“der gesellschaftliche oder soziale Staat”[☆35]。ここに示されたドイツ語に注目したい。私の理解では、「社会的」のドイツ語文にある二種のうち、前者は「市民社会的」、後者は「共同社会的」である。なるほど前者はゲルマン語で後者はラテン語に由来するのであって、内実に大きな懸隔はないとの説も多々存在する。しかし、一九世紀前半、近代への過渡的ヨーロッパの社会思想界を一瞥する限り、前者の概念は市民社会的であり、後者のそれは共同社会的である。

「社会」の原語についてシュタインは、一八四二年刊行の『今日のフランスにおける社会主義と共産主義』で、「フランスのあらゆる哲学者の中に、ゲゼルシャフト（Gesellschaft）の概念、つまりソシエテ（société）が見られる」としている[☆36]。よって、サン-シモンやフーリエ、プルードンらのアソシアシオン（association）をドイツ語に置き換えるならばゲゼルシャフトということにもなるのだろう。とにかく、シュレスヴィヒをデンマークから分離させドイツ連邦に参加させようと考えるシュタインの国家観を同時代の社会思想と較べてみると、国家はなるべく小さいほうがいいというプルードンのウィーン体制観を想起させる。

アナキスト・プルードンの思想は、以下の要点に整理できる。①経済的相互主義を介しての労働権の確立（アソシアシオン）、②政治的または統治的体制の経済体制への解消、③国家（中央政府）メカニズムの単純化と地方分権化、その先の脱国家（フェデラシオン）、④〔国家（キヴィタス）の原理〕に対する〔社会（ソキエタス）の原理〕の優先、あるいは〔公認の社会〕を委縮させ〔真実の社会〕を回復、⑤〔統治の欠如（アナルシ）〕の方向へ。手工業職人など小生産者の理念を大切にするプルードンは、アメリカ南北戦争（一八六一〜六五）に接した折、上記の諸点に鑑みて南北統一を不幸なことと考え、次のような北部批判を行った。「利害関係が対立する場合、連合した多数派は、分離主義の少数派に対して、協約はできないと、異議を申立てうるであろうか。否定論はスイスの多数派に対する分離同盟によって一八四八年に主張された。それは今日ではアメリカ同盟の南部の加盟者によって、北部の連合者たちに対して主張されている。私とすれば、それが連合協約以外に残された州の主権の問題ならば、分離は当然の権利であると思う」[☆37]。

同時代活動家の多くが抱いた中央集権的進歩史観では、プルードンのこの発言は理解されない。ただ、よって立つ基盤は相互に異なるものの、プルードンとシュタインとは、連邦国家・自治国家を指向する点で共通項を有するとみてよかろう。また、国際平和についてのシュタインの意図は、のちのビスマルク的な、大国間の勢力均衡でなく、中小諸国への勢力分散とその連合にある。しかし、そうした展望を描くシュタインは、他方では、階級闘争の過激化を経験して、社会と国家の滅亡をも憂うのである。『国家学体系』第二巻から引用する。

> 〔引用一〕暴力の支配の最初の内的結果は、社会的地位と発展の内的諸要素が精神的財貨すなわち徳や自由で高貴な感官、知恵、愛を重要でないと見なすことにほかならない。なぜならそれらの要素は人間の最高の利害を満足させる力を失ったからである。
>
> 〔引用二〕だがあらゆるこれらの関わりの総体、あるいは物質的なものがこのようにして精神的なものに打ち勝つ形式総体をわれわれは唯物論と名づける。こうしてわれわれは、上位階級における唯物論の支配（die Herrschaft des Materialismus in den höheren Klassen）は――当然個人においてではない――社会的闘争における（im gesellschaftliche Kampfe）暴力闘争の内的結果ないしは社会的破滅の内的形式である。☆38

破滅の第一次原因は「上位階級における唯物論の支配」だという結論は、シュタインの国家論が階級支配でなく階級破滅になっていることを物語っている。しかも、階級を破滅させ、敷いては国家を倒壊させる元凶は、物理暴力的なプロレタリアートの勢力でなく、社会内の上位階級である。これこそ、シュタイン国家論の傑出した結論なのである。国家を倒すのは、第一義的には国家の政治的支配階級である。けれども、ほんとうに力量を蓄えているのは、社会（Gesellschaft）の基底に蠢いている新たな社会的（sozial）諸勢力、つまりプロレタリアートなのである。

むすびに

一八四二年の『今日のフランスにおける社会主義と共産主義』で、シュタインはプロレタリアートを問題にした。この無産の民は、財貨獲得の手段さえ得られれば社会的に向上できる。その手段を与えずにおけば、彼らは暴力革命を惹き起こして財産共有体制を樹立してしまう。そこでシュタインは、国家の打倒を画策する同時代人マルクスと違って、自治国家・社会国家に問題解決の糸口を探った。その課題について、柴田は次のようにまとめている。

> また、社会の問題は、下層階級を、精神的に生き生きとし経済的に安定した中間階級にすることにある、とシュタインは述べており、広義の教育すなわち教養形成（Bildung）は社会理論のなかにきちんと位置づけて捉え

なければならない。そのことをシュタインなりに詳細に論じたのが彼の『行政学』であった。[☆39]

「中間階級」に着目したということで、シュタインは社会学者（Soziologist）であっても社会主義者（Sozialist）でなかったことがよくわかる。一七九〇年代中葉において、革命家バブーフは、農地均分法批判において、「中間階級」創出のペテンを見抜いていた。彼は、共和革命国家フランスに、サン・キュロットほか小生産者救済の期待など、微塵も抱いていなかった。バブーフは、農地均分法によって表現された「おおよその平等」観を否定した。同時期に総裁政府（九五年一〇月成立）もまた、一七九六年（共和暦第四年）四月一四日（ジェルミナル二五日）に、農地均分法に関する九三年三月の国民公会の決定を再確認して、その用語の使用を禁じた。それによってバブーフらは、この用語に代えて「財産共同体（communauté des biens）」なる語を使用していく。財の共有の提唱である。これによって、たんに用語が変化しただけでなく、生産物を共同で管理するという概念が導入され、私的所有権の廃止が明確にされたわけである。[☆40] 等しく農地均分法を批判したとはいえ、総裁政府とバブーフらではその意図は真逆だったのである。

シュタインによれば、国家はプロレタリアートの暴力革命を鎮圧するために存在するのでなく、プロレタリアートの財貨獲得の保障として存在するのである。しかし、その財貨獲得自体は、国家に属する行為でなく社会に属する行為である。そこに、国家と社会との絶えざる闘争が生じる原因があると言える。国家と社会とのこの二極構造は、しかし横に並んだ二極関係としてあるのでなく、国家というい っそう大きな共同体の中に、社会といういっそう小さな共同体があって、その中で後者が前者と対立し、直接矛盾して存在しているという関係である。したがって、シュタインの説く社会国家体制は、いわば二〇世紀西欧の福祉国家に通じるものである。[☆41]

一方でシュタインと同時代のマルクスが、党と国家と社会のうち、社会こそが第一原理なのだということを綱領レベルで確定できなかったのに対し、他方でマルクスと同時代のシュタインは、いまはそのような時でない、社会こそが第一原理なのだと喝破したのであった。自治を貫く国家、自治国家をシュタインは力説したのである。原理の洞察においては、シュタインはマルクスを凌いでいたといえよう。

注

01　柴田隆行『シュタインの自治理論―後期ローレンツ・フォン・シュタインの社会と国家』（以下『自治理論』と略記）御茶の水書房、二〇一四年、「まえがき」i頁。なお、わが国で自治というと、そのほとんどが地方自治体に関連する。けっして国家を自治体とは見做さない。その点を、柴田は以下のように強調している。「岡部一明が報告するところによると、アメリカの自治体はあくまでも市民が設立するものである。『その地域の住民が住民投票で〈つくろう〉と決議して初めて自治体ができる。逆に言うと、住民がつくると決めなければ自治体はない』のであり、じじつアメリカには自治体のない地域が国土面積の大半を占め、約一億人（総人口の三八パーセント）が自治体なしの生活をしているという。（中略―引用者）日本ではここまで徹底して自治を住民の意思に委ねることはできないと思うが、しかし、いつまでも『自治体と言えば地方公共団体を連想する』という固定観念はもはや破るべきではないだろうか」（一四頁）。

02　同上、二〇九頁。

03　石塚正英『革命職人ヴァイトリング―コミューンからアソシエーションへ』社会評論社、二〇一六年、二二二頁。

04　『国家学体系』全二巻は柴田隆行が十数年をかけて完訳してきた。その彼は、二〇二一年一一月の登山中に秩父山中で行方不明となった。彼と私は長い共同研究の間柄なので、現在は私がその関連資料を預かっている。なんとかこの訳業を上梓するべく企図している最中である。今回は柴田訳文をベースに『国家学体系』全二巻を本稿に活用している。原文中の隔字体（ゲシュペルト）は、柴田訳では無視されているので、本稿もそれにならっている。

なお、『国家学体系』第二巻冒頭に記された「三つの本質的に相異なる領域を持つ」国家学の説明が本書全二巻の簡潔な課題提起となる。以下に柴田隆行訳で引用する。

Lorenz Stein, *System der Staatswissenschaft*, Bd.2: Gesellschaftslehre. Stuttgart und Augsburg 1856, S.1-3.

〔引用一〕人間生活が共同態に登場し、諸個人が一部は互いに対立し一部は人格的統一に結合してその最高の人間的使命の達成で互いに担い合い助け合うかぎりで、その人間生活を学問的に把握し、そしてこの学問をその最高の部分からして国家学と名づけるならば、こうして生じる国家学は三つの本質的に相異なる領域をもつ。

　この領域の第一は、人間が自らの外面的活動で自然的なものを外的現存在のかたちで実現するさいの生活の部分や側面についての理論を含む。そのとき人間は自ら生産し費消する財貨を自然的事物から作り自分の資産として、自らの全実存と最内奥に至るまで結びつける。こうしたことが生じる秩序についての理論を、そのさい活動的に証明される諸法則に従って我々は財貨理論ないし国民経済理論と名づける。我々の体系の第一巻はこの理論を展開し形成された体系へと発展させた。

〔引用二〕外的対象を労働取得し生産することなしに、それを費消し享受することなしに生活することは人間にできないのと同様、事物の内なるものが人間精神に与える印象から精神的に自分に属する内的世界を構成することなしに人間は生きることができない。したがって精神的労働、精神的占有、精神的生活は、財貨生活と同様に生活の第二の本質的な部分である。またそれゆえにこの領域の学問的叙述は当然、人間社会の生活についての理論の、つまり国家学の第二部を形成する。

第三部は、この多数の人間が互いに人格的統一へ自分の人格的意志と自分の個体的行為とともに集約するさいに従う秩序と法則についての理論を形成する。この人格的統一を我々は国家と名づける。それゆえ本来の国家理論は国家学の自然に適った第三部である。

これが対象自身の自然によって与えられる国家学体系である。

05　柴田隆行『自治理論』、第四章「自治団体論」、五三頁以降参照。
06　Lorenz Stein, *System der Staatswissenschaft*, Bd.2, S.233, 288, 292, 294.
07　Lorenz Stein, *System der Staatswissenschaft*, Bd.1: Statistik, der Populationistik und der Volkswirthschaftslehre, Stuttgart und Tübingen 1852, S.216.
08　柴田隆行『シュタインの社会と国家—ローレンツ・フォン・シュタインの思想形成過程』(以下『社会と国家』と略記) 御茶の水書房、二〇〇六年、二二三頁。
09　同上、二二八頁。
10　同上、二三三頁。
11　Lorenz Stein, *System der Staatswissenschaft*, Bd.2, S.35.
12　石塚正英「環境の凝固結晶としての人間身体」、石塚正英著作選『社会思想史の窓』三巻「身体知と感性知—アンサンブル」、社会評論社、二〇一四年、二一一頁以降参照。
13　Lorenz Stein, *System der Staatswissenschaft*, Bd.2, S.38.
14　*ibid.*, S.38.
15　*ibid.*, S.25.
16　柴田隆行「ルソー・ノート」、『社会と国家』、二九五頁以降、参照。
17　石塚正英『近世ヨーロッパの民衆指導者』社会評論社、二〇一一年、一六五頁以降、参照。
18　石塚正英「シュタインの「社会」主義—ヘーゲル的国家主義の克服」、石塚正英著作選『社会思想史の窓』第五巻「アソシアシオンの世界多様化—クレオリゼーション」社会評論社、二〇一五年、三一頁以降、参照。
19　柴田隆行『社会と国家』、二七三頁。
20　柴田隆行『自治理論』、五三頁。
21　Lorenz Stein, *System der Staatswissenschaft*, Bd.2, S. 58.
22　*ibid.*, S. 100. 245. 239-240.
23　柴田隆行『社会と国家』、二六七頁。
24　文明論的考察に関しては、以下の拙著を参照。『歴史知のオントロギー—文明を支える原初性』(社会評論社、二〇一一年)、『フレイザー金枝篇のオントロギー—文明を支える原初性』(社会評論社、二〇一二年)、『歴史知の百学連環—文明を支える原初性』(社会評論社、二〇一二年)。
　なお、シュタインは美意識について先史社会とその思考を軽んじており、文明論的に由々しき発言をしている。『国家学体系』第一巻（Bd.1, S.25.）に読まれる以下の文にそれが表れている。

> 満足と同時に喜びを与える客体の能力は美（die Schönheit）である。美と名づけられるのは財貨理論の意味では材料でも労働でもなく、自然的事物ではまったくない。美しいのは生産物（das Erzeugniß）だけである。それゆえ美はもっぱら有用性（Brauchbarkeit）の形態として規定される。美はそれだけでは現存しない。それは有益性（Nutzbarkeit）の明らかな質にほかならない。したがって美は、すべてをまさに有益性で示すさまざまな名称を受け取る。嗜好、粋、軽快、好感、繊細、等々。しかしこのような結合にもかかわらず、美はまったく独立した質であり、そのことがもっとも明確に示されるのがその経済的価値である。美はけっしてただ工場製品で見られるだけではないし、つねに材料や加工に内属する特質だけでもない。むしろいかなる材料でもその特質から巧みな加工によって製品の美が生じうるという根本命題がある。

シュタインの捉える「美」は、「有用性」「有益性」に価値を見いだす文明の基準のようだ。自然美・自然の造形など、美ではないようだ。私は、そのような文明人・理性人の「美学」意識に、以下の拙稿で異論・反論をなしている。石塚正英「感性文化と美の文化―バウムガルテン・ヘーゲル・フレイザー」、同『歴史知のオントロギー』、二五八頁以降。ただし、シュタインは以下のようにして、少しは非文明人に意を砕いている（Bd.1, S. 312-313.）。「野生人でさえ自分の棍棒や小舟を飾る。黒人はビーズを探し、最貧の小屋でもつねに、人間がとことん野獣化しないかぎり美への永遠の衝動のかすかな痕跡を見出すであろう」。なお、柴田は“Wilde”を「野蛮人」とせず「野生人」と訳している。私がもっか監修し続けているフレイザー『金枝篇』の全一〇巻を貫いて採用している訳語を受け入れている。感謝する。石塚正英「フレイザー『金枝篇』日本語版監修者解説」、フレイザー著・神成利男訳・石塚正英監修『金枝篇―呪術と宗教の研究』第一巻、国書刊行会、二〇〇四年、解説参照。

25 Lorenz Stein, *System der Staatswissenschaft*, Bd.2, S.135.

26 マルクス『資本論』第一巻 第一部「資本の生産過程」、第二篇「貨幣の資本への転化」、第四章「資本となるための一般的定式」から。*Marx-Engels Werke*, Bd.23, S.161.

27 Lorenz Stein, *System der Staatswissenschaft*, Bd.1, S. 203.

28 石塚正英「身体を軸としたフォイエルバッハ思想」、同『フォイエルバッハの社会哲学―他我論を軸に』社会評論社、二〇二〇年、一四二頁以降、参照。

29 柴田隆行『社会と国家』第五章「アダム・スミス―国民経済学と国家学」、三四九頁以降、参照。

30 Lorenz Stein, *System der Staatswissenschaft*, Bd.1, S.407.

31 一八四二年著作（*Der Sozialismus und Kommunismus des heutigen Frankreich*, Leipzig 1842）の翻訳書（石川三義・石塚正英・柴田隆行訳『平等原理と社会主義―今日のフランスにおける社会主義と共産主義』法政大学出版局、一九九〇年、第二六回翻訳出版文化賞）から、目次を示しておく。

序文／第一部 平等の原理
第一章 プロレタリアート（フランス史における平等原理の発展）／第二章 革命以前におけるフランス社会の諸対立／第三章 一七九一年、一七九三年、一七九五年の三つの憲法／第四章 革命後におけるフランス社会の諸対立／第五章 ブルジョアジーと人民／第六章 帝政時代と王政復古期／第七章 七月革命／第八章 結果／第九章 フランスにおける平等原理の有機的形態の始まり
第二部 社会主義者
第一章 社会主義の一般的科学的な性格／第二章 サン‐シモンとサン‐シモン主義者／第三章 フーリエ主義一般
第三部 並列する著述家
第一章 一般的性格／第二章 フェリシテ・ド・ラムネ／第三章 ピエール・ルルー／第四章 ピエール・ジョゼフ・プルードン／第五章 ルイ・ブラン
第四部 共産主義
第一章 共産主義の本質／第二章 共産主義の歴史の特徴／第三章 共産主義の歴史／
結び
付録Ⅰ フーリエの体系のために／付録Ⅱ カベの共産主義のために（カベ著『共産主義者信条告白』）

32 柴田隆行『社会と国家』、二六四頁。

33 W. Weitling, *Garantien der Harmonie und Freiheit, mit einem Nachwort* hg. v. Ahlrich Meyer. Reclam. Stuttgart 1974, S. 124. 因みに、当時における電信の水準は次のごとくであった―一八三二年、モールス、有線電信機の発明。一八七六年、ベル、実用的電話の発明。一八九五年、マルコニー、無線通信法の発明。石塚正英『革命職人ヴァイトリング』、三九五頁、参照。ただし、シュタインには彼独自の労働分類の基準がある。機械的労働と形成的・人格的労働である。『国家学体系』第一巻から引用する。

〔引用一〕労働力は二面的である。それは第一に人格的労働力（eine persönliche Arbeitskraft）であり、第二に自然の中にある労働力つまり機械的労働力（eine mechanische Arbeitskraft）である。両者は互いに分離されずに現前する。むしろそれらの結合に労働力一般の高さが基づく。しかしながら労働力のこれらの要素のいずれもそれにもかかわらずその特別な現象をもつ。

〔引用二〕それゆえ機械的労働と形成的労働（die bildende Arbeit）はけっして絶対的には分離しない。しかし同じ労働での両者の相互関係は無限に相違するものでありうる。形成的労働は人格的なものの活動であるから、個々の労働はそれ自体で、形成的労働を機械的労働と並んで要求することが多ければそれだけいっそう高次のものとなり、またこの労働は現実の労働として、形成的ないし自由な活動が機械的労働のもとで同時に運用されることが多ければそれだけいっそうより良いものとなる、ということが明らかになる。ここで普遍において立てられる根本命題は、以下に示すようにたんに財貨理論や経済理論の発展だけでなく、本質的に社会理論の発展においても最深部にまで介入する。そしてじっさいまさにこれに人類史一般の有力な部分が基づいている。

Lorenz Stein, *System der Staatswissenschaft*, Bd.1, S.138-139, 142-143.

34　柴田隆行『自治理論』、五〇頁。

35　柴田隆行『自治理論』、五一頁。

36　石川三義・石塚正英・柴田隆行訳『平等原理と社会主義』、四九頁。

37　プルードン「連合の原理」（一八六三年）、長谷川進・江口幹訳『プルードンⅢ』三一書房、三七五頁。

38　Lorenz Stein, *System der Staatswissenschaft*, Bd.2, S.419, S.420.

39　柴田隆行『自治理論』、八二頁。

40　石塚正英『価値転倒の思索者群像—ビブロスのフィロンからギニアビサウのカブラルまで』柘植書房新社、二〇二一年、一三二頁以降、参照。

41　シュタインの〔社会の原理〕提唱には、現代の諸問題を解決するのに役立つ議論が散見される。それは例えば、『国家学体系』第一巻にある以下の文章に垣間見られる。

　労働者の本来の連合（Die eigentliche Association der Arbeiter.）。労働者の本来の連合が始まるのは、労働者が自分の資産によってあるいは資本への信用によって調達しうるものすべての統一によって、共同態における自分の労働のために資本を基礎付け、かつこのようにして資本企画と労働企画と本来の企画を統一する場合である。したがってそれが労働結合と区別されるのは、本来の連合が経営資本の確立を次の対象としてもつことにより、それが本来の企画と区別されるのは労働者の共同態（die Gemeinschaft der Arbeiter）が同時に企画家の共同態（die Gemeinschaft der Unternehmer）であり続けることによる。それゆえ労働者のこの社会化（diese Gesellschaftung der Arbeiter）が労働の要素から生じるように、この連合も同様にそれが現存する目的である企画の中に労働の自分自身の資本に対する支配を含む。資本に対する労働のこの支配はあらゆる本来の労働者連合の生活原理（das Lebensprincip aller eigentlichen Arbeiterassociation）である。

Lorenz Stein, *System der Staatswissenschaft*, Bd.1, S.396.「労働者の共同態が同時に企画家の共同態であり続ける」という括りは、二〇世紀後半の自主管理社会主義を彷彿とさせる。

第二部　研究の使命

not Job but Mission

第8章 学徒の決意と権威への反抗

本章は、一九七〇年をピークに全国各地の大学で展開した反大学・反アカデミズムの抵抗運動のさなか、立正大学の学生だった私が起草した文章（第一節・二節）、およびその当時の出来事に端を発する後日談（第三節）である。当時の拙稿ドキュメントがあり、それを私は『学問の使命と知の行動圏域』（社会評論社、二〇一九年）に組み込んでみた。以下の第一節と第二節は、そこに収録しなかった原稿である。

第一節 意識の共通性を発見し連帯を勝ち取ろう!!

立正大学史学科に入学以来、常に変わらぬ歴史学への情熱と研究心、そして不断の努力を費やしてきた一史学徒である。当然のことながら専門である歴史学、その中で一年時に学ぶ日本（古代）史というものを、真に歴史学として学ぶことの権利を有する我々学生にとって、あの高島氏の講義はまさに、私物化された歴史学に外ならない。そこには何の客観性も生産性もみられない。知識を、たんに固定してしまった知識として、歴史を完全に過去のものとみるかぎり、まるで生産性のないものとしかうけとめられない高島史観（?）である。そればかりか、彼の教育者としての自覚はさらにみられないのだ。「歴史学は講義を聴いてゆくうちに次第にわかってくるものだ…」「まだほとんど知らない君たちにどうして―歴史学とは?―がわかるかね。もっと勉強してから来なさい。」とは、いったい何を意味するものか。我々はわからないから聴くのである。わかっているんならなんで聴く必要があろう。またわかっているつもりでも、さらに真理に近づこうとする意志が、どうして「…もっと勉強してから来なさい。」となるのか、勉強することを望むからこそ質問をするのだし、質問することこそ、彼のいう「…もっと勉強して…」なのではないか。

さらに気のついたことには、彼の「君たちの要望には応じかねる」ことの根拠としていくつかあげている。一つには事前の連絡、一つには授業時間の問題だった。前者については、我々はあえて問題とする必要はあるまい。なぜなら授業の主体はあくまでも学生である。そして教育者たるもの、研究者たるもの、我々の問う問題がすぐその場で答えられぬようでは失格ではなかろうか。突然の質問で困るのは教授の側だとしたなら、それはまさに、日ごろから我々はどんな質問でもあらかじめ内容をいっておいて、常に教授に予習をして来てもらわねばならないのと同じである。後者については少々問題を掘り下げねばなるまい。そもそも授業の主体は我々学生であることと、授業は何の為にあるかといえば講義を聴くためにあるのではなく、歴史学を研究するためにあるのだ（講義はその手段でしかないことを知らなければならない）、という二点を確認する必要があろう。それを前提として、では先日のような歴史学を追求する主体が、その必要性を自ら認めて要求した討論会というものは前記の二点とどう関係してくるのか。

あくまでも討論会の主体は学生である。そして歴史学を追求する必要性を自ら認めた主体があるかぎり、歴史学を研究するための「授業」として認識できる。そこでは講義の中断されることとはどう関係するのか。たしかにそのことは前記二点のうち一つを失うことになる。ここで再度「講義」の意味するものを考えるならば、当然教授と学生との間のコミュニケーションが問題となるのだが、肝心の教授の、その実体が何ら把握されずに、それにもかかわらず一方的な講義を強いられているのではコミュニケーションどころの話ではない。我々は、まず教授の、彼自身の思考を、その思想を、教育者としての認識をいかに真に認知できるかが今最も我々に問われている問題だったのだ。そういう意味において、先日の討論会は、是非、高島氏を交えて行われなければならなかった。そういった意義をなんら理解せずに（いや、理解したからこそなおさら）単に事務的な問題にすべてを言いくるめて教室を去った高島氏に徹底的な自己批判を要求する！

我々はたんに彼を追求することにすべての意義を見出しているのではない。彼を通して現立正大学教授会の正体を、さらには、立正大学総体の矛盾を根底的に暴露し、断固その追求を貫徹するべく、即ち、真に学問を主体的なかかわりとして真理追求の手段とすべく、大学に存在しているのだ。

現体制内におけるあの大学立法なるものが、どれだけ我々の真理追求を妨げていることか。立正大学教授会はたしかに「立法反対」の声明をしている。にもかかわらず、その立法下に全教授の主体をしばりつけているのだ。彼らはいう。「立法は無視します。」これは何を言っていることなのか。「無視する」とはどういう意味か。かの偉大な法学教授の古西氏は講義の中でこういった。「法は、それが法案でなく、法になった時点から強制力をもつもの。」まさに強制的に従わされるものとしてはじめからあった「大学立法」なのだ。それを古西氏はその同じ口で「無視」するという。

さまざまな矛盾を秘めた、しかしデンと腰をすえた反動権力の下に、強いられてもだからこそ、我々は一刻も早く結集し階級闘争に向けて立ちあがらなければならない。

クラス討論会を意識の源泉に！　史闘委を実践の源泉に！

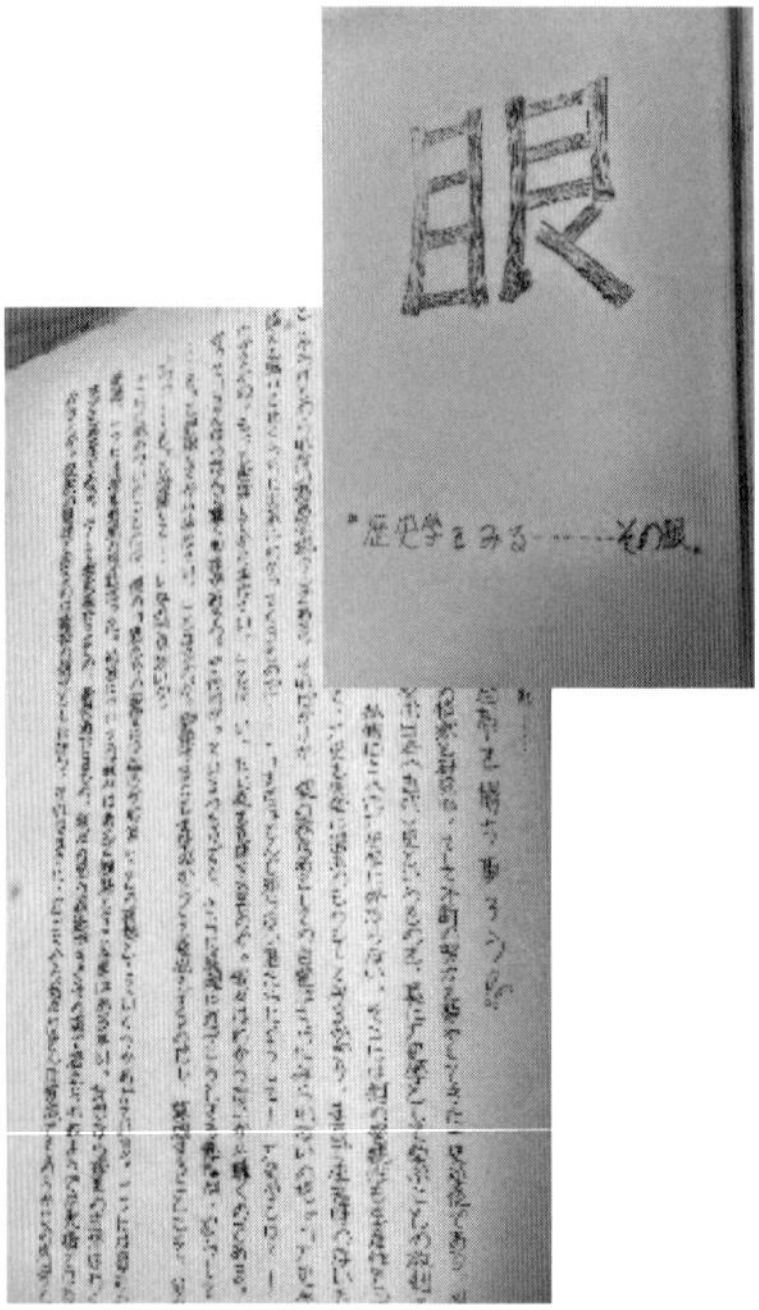

★高島正人助教授の歴史学講義冒頭における討論会要求に対する高島氏の拒絶的対応をめぐる履修生の意見記録集『眼—歴史学をみる…その眼』（上条三郎編集、一九七〇年一二月）所収。

第二節　孤独の中の自由な選択　—発行にあたって—

一二・五（一九七〇年一二月五日）に決行された高島助教授追求討論集会において、数多くの疑問点、矛盾点が暴露された。それは単に事実を示すものとして価値があるのみでなく、広く、多く史学生一人一人の意識の中に共通性を発見したという価値があった。それは潜在的な意識ではあるにせよ、いや潜在的であるが故に、ともすると永久的に葬り去られてしまうのだった。それがまさに連帯（一二五名）という形で、あくまでも自然発生的ではあるが、一部の人の疑問が全体の疑問として一つになった。あの場にいた一人一人が何らかの意識をもっただろうし、そこから何らかの思考の方向をみつけだしたことと思う。その方向が千差万別であることは、きわめて自然な形である。我々は、では次に、意識の方向を、思考の方向を、いかに真理へ近づけ得るかが問題となることに気づく。その方向をみつけてゆくのに、我々は再度あの討論会をふりかえらなければならない。なぜなら、疑問点はなんら解決されていないのだ。ただ、何が疑問なのか、どこが矛盾しているのかを意識したにすぎないからである。しかし認識は、意識する時点でその方向が決定的になってくる。だから我々は、より真理を追求する方面へ、その認識を問わなければならない。

千差万別の認識を、同一方向へとその意識化をはからなければならない。だから、ここにできるかぎり集約された疑問文、反省文、総括文を記載し、その方向性を正すことにする。

…提出された原稿はすべて掲載…

★高島正人助教授の歴史学講義冒頭における討論会要求に対する高島氏の拒絶的対応をめぐる履修生の意見記録集『眼―歴史学をみる…その眼』（上条三郎編集、一九七〇年一二月）所収。

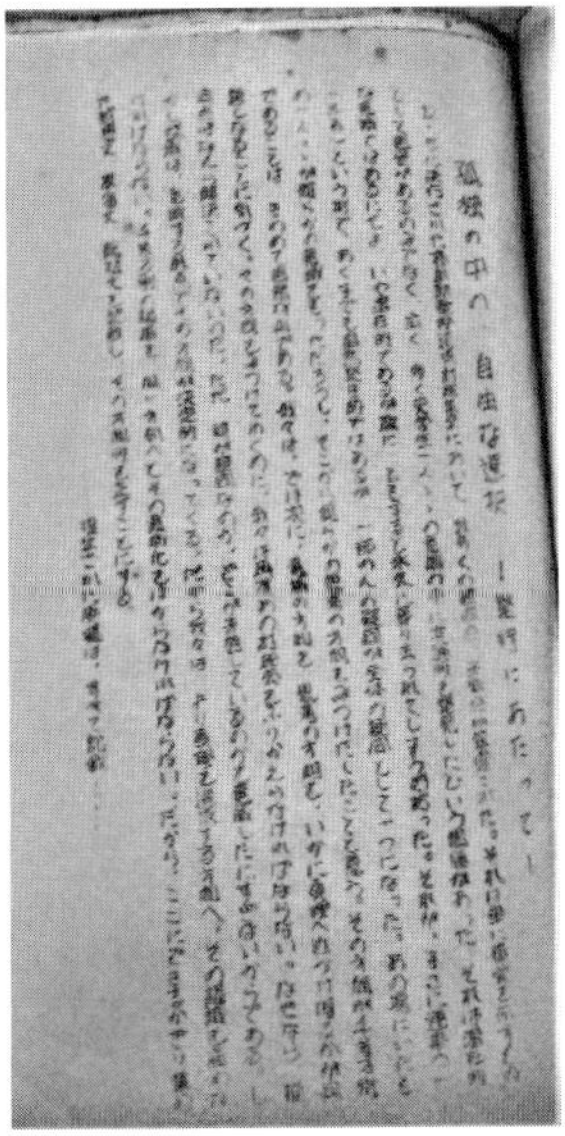

第三節　わが幻の博士号請求論文によせて

一九八一年三月一五日、立正大学院文学研究科史学専攻博士後期課程を満期修了するときを迎えていた私は、指導教授の村瀬興雄氏に、自称「博士号請求論文」を渡した。それまでに書き上げてあった「三月前期の急進主義―義人同盟とヘーゲル左派」の査読をお願いするためだった。村瀬氏は、私の大学院修了直後の七月頃から予備的な査読審査にかかってくださるとのことだった。その間に私は西ドイツ（ボン大学）に語学研修に出かけた。帰国後、正式な申請を行おうと大学院事務室に出向いたのだが、そこで私は思わぬ事態に見舞われた。事務室長さん曰く、石塚の在籍する文学研究科史学専攻では、立正大学出身の教員はまだ誰も学位を取得していない、その先生方が済んでからだ、という趣旨の説明を受けたのだった。ずっとのちにわかったのだが、たしかにその通りだった。国立国会図書館の電子サイトで確認したところ、日本古代史専攻の高島正人教授がまさに一九八二年三月に「奈良時代における諸氏族の研究」で博士号を授与されていらしたのだった。村瀬教授の勧めもむなしく、私の論文は正式な審査にかかることなく、一九八二年二月二〇日に村瀬教授から返却されることとなった。

さてここで、半世紀ほど以前、一九七〇～七一年に、『立正大学学生新聞』に「学問論の構築へ向けて」を連載していた頃に起きた出来事を差しはさむ。[☆01] 当時学部生だった私は、高島氏（当時は助教授）とひと悶着あった。ちょうど反安保の学生運動が激しさを増している頃で、立正大学も例外ではなかった。一九七〇年前期から後期にかけて、私は、大学で行う学問研究はどうあるべきか、教授たちにそれを問う運動を組織していた。しかし大学側からそれは授業妨害とみなされた。私は高島氏の講座「日本史概説」を履修していたこともあって、大学における学問とは？という質問状を幾度か送り、またある日、その答えを求めて教室に「乱入」した。そこで高島助教授とのやり取りがあったものの、実りある回答は得られなかった。

ようするに、彼に教育者としての自覚はみられなかった。「歴史学は講義を聴いてゆくうちに次第にわかってくるものだ…」「まだほとんど知らない君たちにどうして―歴史学とは？―がわかるかね。もっと勉強してから来なさい。」というのが高島氏の回答だった。それはいったい何を意味するものか。我々はわからないから聴くのである。わかっているんならなんで聴く必要があろう。またわかっているつもりでも、さらに真理に近づこうとする意志が、どうして「…もっと勉強してから来なさい。」となるのか、勉強することを望むからこそ質問をするのだろうし、質問することこそ、彼のいう「…もっと勉強して…」なのではないか。私は彼の研究姿勢についてそのように失望してしまったのである。☆02

さて、時を現在に戻す。私は一九九〇年代から、七世紀後半いわゆる大化改新以後の班田農民の法的地位に関心を抱くようになり、正倉院籍帳の文献調査を進めていった。その活動は現在も継続し、二〇二二年三月に至って、論文「正倉院籍帳に読まれる家父長像の歴史知的二類型」を起草した。☆03当然にも先行研究をフォローするべく、高島著作をも読み進めることとなった。まずは①「わが律令初期における家族と家口の構成」（立正大学文学部編『立正大学文学部論叢』立正大学、一九六〇年）を利用した。ついで、例の博士論文を、公刊された②『奈良時代諸氏族の研究』（吉川弘文館、一九八三年）で読んだ。

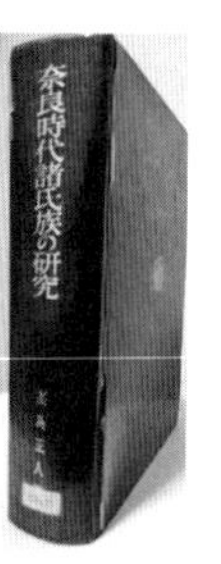

その時点で驚くべき発見をした。①には若干なりとも先行研究のトレースがあるものの、②にはそれが皆無なのである。本文から索引まで合わせて八〇〇頁を越える大著であるものの、実証研究に必須の先行研究への対応が欠如したままなのである。考察に用いた史料を提示する注記は部分的ながら付加されてある。けれども、引用注や参考注、ようするに当該分野の研究論文にはまったく当たっていないのである。二〇を越える章立てで大部なのだが、巻末の索引に記されている人名・事項名はすべて史料に関係するものばかりであり、先行研究に絡むものはない。

一九八三年四月から大学教員となった私は、学問に燃える若者には、研究目的として、新説の提起、通説の修正、通説の補強、新研究方法などの提起を指導してきた。卒業研究の指導においては、「卒業論文の書き方」六項目を指導してきた。それを高島著作（博士論文！）に当てはめると、②と③の裏付けが、あるいは項目そのものがすっかり欠落しているではないか。それでは史料批判もおぼつかないだろう。そのような研究成果だからなのか、『史学雑誌』（東大、一九八三年）中の「回顧と展望　日本（古代）」に以下のように記されたのだろう。「各氏族の奈良時代各時期の族的結合の状況が整理されており、今後の研究の基盤を構築するが、ただ先行研究が殆んど引用されておらず、利用には注意を要する」（同、四八頁、林紀昭筆）

卒業論文の書き方

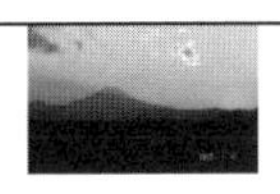

①論文の内容（構成）を構想する→「序論（はじめに）」「本論」「結論（おわりに）」
②序論：当該テーマに関する研究史、自己の問題関心（研究視座）、論述目的を説明する。
③本論：通説や反論したい学説に対する自己の立場を、史料を用いて説明し論証する。
④結論：序論で立てた論述目的の達成や今後に託される課題を確認する。
⑤注記：文献の出典は引用注に記し、本文に直接関係しない議論や補足は参考注に記す。
⑥推敲：論証や議論が修辞上、文脈上、筋が通っているか、誤字脱字はないか、確認する。

思うに、高島氏は「学問とは何か」という問いかけと学問を遂行するという、その使命を自らに課すという自覚が少々足りなかったのだろう。自然と人間、世界と地域、過去と現在、それらは相互に連環し、諸学は相互に連環している。学問研究は政治的行為でなく文化的行為である。なによりも、研究者個人の「学問がしたい！」という自由意思・知的欲求に基づくものである。個人的動機から進んで、社会的有意義性が備わらなければならない。さらには、その「社会的有意義性」とは何か、という問題がある。そうした事柄を考えるために、学問はある。わが幻の博士論文の「はしがき」で、私は以下の言葉を記している。

一九八〇年代の現在から過去二〇〇〇年間ばかりを振り返ってみると、人類は、自ら築いてきた文明というものからいかに多大の恩恵を引き出そうとも、それに匹敵するだけの害悪をもまた自らの文明から蒙ってきたのである。例えば、前世紀において西欧諸国が、近代化というヨーロッパ人好みの、かれらに多くの利益が集中する路線を貫くため、非ヨーロッパ諸民族に及ぼし続けた害悪が、そうである。また例えば、今世紀前半において、欧米諸国および日本が中心になってひきおこした二度にわたる世界大戦が全人類に及ぼした害悪も、そうである。さらに例えば、現代文明の最先端を象徴するものの、一九四五年八月六日と九日以来全世界の人類を絶滅の淵に立たせ続けているかの利器も、そうである。

人類の歴史ないし歴史上の人類は、古い時代ほど未熟で野蛮で、新しい時代ほど成熟していて理性的だと主張できたような時代は、とうに過ぎ去ったようにも思える。本書は、歴史と人類に対するそのような観方をいささか念頭に置きつつ、しかし将来に向かって人類はまちがいなく発展することをも同時に希望として懐きつつ、書かれたものである。別の表現を用いてこの矛盾した発想を述べれば、次のようである。すなわち本書は、従来現代人によって最も大切とされてきたもの—理性と科学精神とを、これと正反対のもの—感性とユートピア精神とによって補強し、後者によって前者の解体を防止せんと試みたものである。☆04

また、第一章は、以下のような先行研究分析から始まっている。

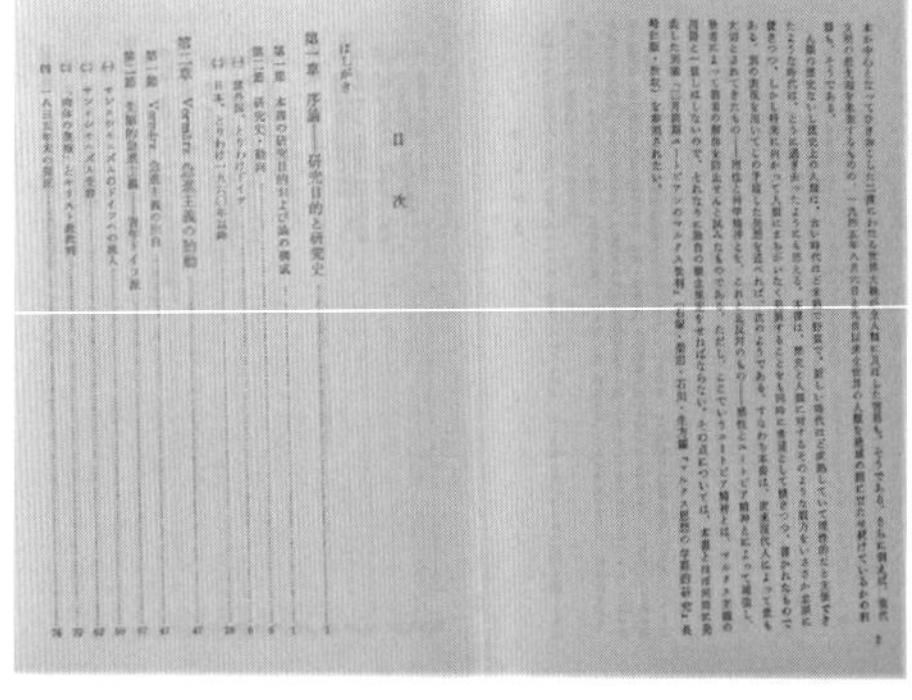

こうした研究史を、私は四万字程度にまとめた。指導教授の村瀬氏は、先行研究史の充実度が論文の完成度をはかる目安だということを私に力説した。高島著作に、それは皆無なのだった。なお、高島著作と拙著は同年の刊行であるが、彼に献本した私の新刊をみて彼は、これは博士論文に値する、と評価し、郷里の長崎県大村湾でとれたばかりの鯛を贈って下さった。素直に、うれしく思った。ただし、私の学位は、約二〇年後の二〇〇一年、立正大学大学院文学研究科哲学専攻で授与されることとなる。一九九一年に刊行済みだった著作『フェティシズムの思想圏—ド゠ブロス・フォイエルバッハ・マルクス』（世界書院）が審査対象であった。私はもともと学位への関心は薄かった。『三月前期の急進主義』は指導教授の強い勧めが動因であったし、『フェティシズムの思想圏』は勤務先の大学で新専攻開設にあたり取得を求められたことによるものだった。

注

01 石塚正英［筆名：上条三郎］学問論の構築へ向けて（上・中・下）『立正大学学生新聞』一九七〇・一二・二五、七一・〇一・二五、〇二・二五。〔『学問の使命と知の行動圏域』社会評論社、二〇一九年、再録〕

02 高島正人助教授の歴史学講義冒頭における討論会要求に対する高島助教授の対応をめぐる履修生の意見記録集『眼—歴史学をみる…その眼』（上条三郎編集、一九七〇年一二月）所収。

03 石塚正英「正倉院籍帳に読まれる家父長像の歴史知的二類型」、『NPO法人頸城野郷土資料室学術研究部研究紀要』、Vol.7/No.03 2022.04.09.（本書第二章に再録）

04 石塚正英『三月前期の急進主義—義人同盟と青年ヘーゲル派に関する社会思想史的研究』長崎出版、一九八三年、「はしがき」。

★ 以下の写真は、高島著作の各章末に注のまったく記されていない事例と、史料提示の注のみならぶ事例である。この二種で著作全体が貫かれている。

（二〇二二年四月一二日起草）

第二章　奈良時代前期の議政官と補任氏族

第一節　文武朝初期の議政官

（1）

第9章　研究活動の実践開始

本章は、一九七〇年をピークに全国各地の大学で展開した反大学・反アカデミズムの抵抗運動のさなか、立正大学の学生だった私が起草した文章である。当時の拙稿ドキュメントがあり、それを私は『学問の使命と知の行動圏域』（社会評論社、二〇一九年）に組み込んでみた。以下の第一節と第二節は、そこに収録しなかった原稿である。

第一節　明治維新と農業

（一）大前提

明治維新が日本資本主義に及ぼした影響をたしかめ、日本における農村と都市の近代化の実状を調査研究し、明治・大正・昭和と存続した天皇制国家を分析すること、これがひとつめの課題である。そして、日本近代の国家権力構造が天皇を頂点とした反民主主義・反人民の構造として存在したことを、一連の階級闘争―地租改正前後からの農民闘争、小作争議、自由民権運動、共産主義的大衆運動等―の展開にたいする国家権力の弾圧を暴露することにより、立証すること、これが次の課題である。そしてまた、第二次帝国主義世界戦争によって敗北した日本帝国主義が、その権力実体を殆ど失ってしまった一九四五年直後から、中華人民共和国の成立、朝鮮戦争を経て、日米安保条約の締結に至る過程で再度明確に資本主義への再生を果たしてゆく歴史を戦前と断絶させてとらえるのでなく、世界資本主義発展過程の一部分として把握することにより、日本資本主義と国家権力の特殊性を分析すること、これが第三の課題である。そして最後に、日本資本主義が一九六五年日韓条約を一つの標識として海外侵略の野望を再びもちだしたことによって、自ら帝国主義へと反動化してゆく過程を分析すること、これが第四の課題である。これらの課題の中で、第一の課題が今回の報告によって手がけられる。

（二）日本資本主義論争

戦前における日本資本主義研究は、帝国主義侵略戦争の一方の頭（かしら）として存在した日本帝国主義という体制下にあってきわめて実践（実戦）的な課題であったし、しばしば研究者自身、非合法のたたかいの真只中で研究せねばならなかった。そうした研究は大きく二つの傾向をもって進展した。一つは所謂〝労農派〟集団であり、他方は〝講座派〟集団である。これら二流の各々は、たがいに明治維新の変革を日本資本主義発達における一大契機とみなしてはいるが、前者はこの変革をブルジョア革命として理解し、その根拠として土地の商品化、労働力の商品化、近代的租税制度の確立等をおいている。後者はこの変革によって生まれた明治体制を絶対主義と規定し、その根拠として、封建年貢をうけついだ地租、地主制の前近代性、農業における封建的小規模経営等をおいている。

明治維新をどのように規定するかという問題は、当時の実践的スローガンの設定にあたって非常に重要であった。これをブルジョア革命とすることは、たんに〝学問上〟の問題でないかぎり、階級闘争の主要な敵がブルジョアジーであることを意味するし、明治・大正・昭和と続いた天皇制国家の支柱が地主とブルジョアジーのブロックであったにせよ、そのヘゲモニーはブルジョアジーにあったことになる。そして反民主主義・反人民国家打倒の闘いはブルジョアジーに向けられることになる。スローガンは社会主義革命・プロレタリア独裁となる。だが維新以後を絶対主義と規定するならば、それはブルジョアジーを中心とした体制でなく地主層を基盤とした封建的な体制としての天皇制であり、反対派のスローガンは絶対主義打倒となる。

明治維新について、以上二傾向のうちどちらに規定するかを最大重要事として〝研究する〟ことは、〝科学的〟ではあるかもしれない。しかし、その論争で日本資本主義の特殊性を強調する場合、労農派は地租と小作料のあいまいな決定やその不当な高さの説明に苦しみ、反民主主義とブルジョア社会との関係づけでも四苦八苦しているし、他方講座派は、日清・日露後の海外侵略戦争が帝国主義間植民地分割戦争であるという事実に対し妙な言い訳けをしている。

（三）明治維新の変革

野呂栄太郎は、明治維新の変革が明治・大正・昭和と「反動的専制的絶対的性質」を残し固定させていった理由として、一つに「反動的な公家」と「本質的には封建意識を脱却し得ない武家」との「意識的協力によって遂行せられた」ものだから、また資本主義の育成にあたって「農業技術の上には何等取立てて言う程の革命的変革は見られなかった」のに対し、所有関係だけは「革命的に根本から覆へされ」たから、と述べている（『日本資本主義発達史』）。

〔**公債制度**〕

維新革命の主体が公家・武家であった点については、変革後も彼らが公家・武家であり続けたわけでなく、自らの存在基盤をくずし、新たな基盤を獲得したわけである。しかしその新たな基盤は、実質的にはほんのわずかの部分にしか保証されなかった。秩祿処分と公債制度がそれである。野呂によれば「公債は封建的搾取階級を資本家的搾取階級たらしむべく発行せられたのである」。そして「公債制度が資本家的搾取の基礎たる資本の原始的蓄積の有力なる槓杆となった」。さらにその基礎は「土地の封建的領有の廃止と資本家的私有権の確認」であった（野呂、同上）。人格的には旧封建的支配者層の一部分が資本家・地主へと転化したのであって、なるほどイギリス等に見られたような農民層の中から借地資本家が形成されるコースではなかった。しかし、だからといって旧公家と武家出身の資本家・地主を封建勢力だとはいえなくなっている。彼らがやがて没落しようが産業ブルジョアジーにのし上がろうが、それは自らまねいた結果であった。

〔**農業と資本主義**〕

農業に関しては、土地の商品化、労働力の商品化によってストレートに資本家的経営方式が採用されてはいない。むしろ前近代的小規模経営が永く残存した。また地主―小作関係が支配的であり、けっして農業資本家―農業労働者関係と同一ではない。農業における明治維新の変革は、けっして資本主義への道を示したものではなかった。これがまず重要である。だから、農村にはびこる地主制というものは、たとえ如何なる原動力によって拡大されたにせよ前近代的経営方式の上に成立していたことは事実である。農業によってあがる収益が資本として農業そのものへ還元されていなかったために、発展しようにも限界があった。またその収益は、耕作者の全剰余労働を収奪し拡大再生産を不可能とすることによってあげられていたのである。

〔**産業資本の形成**〕

だが農村からあがる収益は、都市で工業に使われることになった。したがって、工業はおおいに発展をみた。維新政府による殖産興業、官営企業払下げは、十分そのことを証明している。そして明治末年までには産業革命を経過する。もちろん順序として軽工業が先んずるが、生産機械や工場設置等は始めから先進国の技術を導入し、もっぱら輸出向け商品の生産に力を入れた。工業が成立してすぐさま後進国へと侵略の矛を向けた理由の一つには、圧倒的に農村人口の多い日本で市場を拡大できるはずがなかったことが挙げられる。いや、そもそも国内市場を形成するような発展では資本の短期蓄積は不可能であったといえよう。

（四）地租改正

平野義太郎によれば、地租改正の目的は次のものである。①封建的生産様式を資本制生産様式へ（温室的に）転化するため。②国民的生産・生活資料を資本化し、近代的生産様式への推転を強行的に短縮する人為的手段。③農民の全剰余労働をあげて工業資本へ投入するため。④工業資本の―実は一部政商の或は官閥を叢生せしめた軍事的要素が専ら支配するといった特質をもつ資本主義の―急激な発展のため。⑤この故にとくに明治政府の財源としての近代的租税制度確立のため（平野『日本資本主義社会の機構』）。そのほか、地租改正の性格として、農民層の分解、富の蓄積、封建的諸規制の解体等が未発達だったこと、「封建的体制がなお揚棄せられていなかった」ことを理由に、「それだけますます封建的隷従が極度に利用されなければならなかった」と述べる。そして「封建的小規模農業生産様式の上に立つ貢租の封建的従属関係（労働過程がそのまま全剰余労働の領有過程たること）が、なお地租の本質に残る」としている。一口で言って、地租改正の目的は資本主義の確立であり地租の性格は封建的だった、ということになる。そしてまた、それは農業を封建的小規模経営にくぎづけにし、工業を近代的産業として育成することを目的としていた、ということになる。

この様に表現してしまったなら、地租改正は封建的な政策なのか、それとも資本主義国家が行う資本主義的な政策なのかという点にこだわる人には、何とも理解し難い結論といえよう。しかし、こだわりは一定程度は必要である。

（五）日本資本主義の特殊性

資本主義の確立とブルジョア革命とを混同、同一視することナカレ！　資本主義の確立とは、封建的諸関係が支配的であった段階から明確に飛躍し、資本主義的生産諸関係が支配的となった段階を示す。ブルジョア革命とは、そのような飛躍の段階の基本的条件を与える為の上部構造の変革である。

工業と農業とでは、資本主義的生産様式への移行のばあい、はっきりと区別して考えねばならない。原理的に表現すれば、資本主義的生産様式は工業をも農業をもおおいつくし、世界のあらゆる国々、あらゆる分野にそれを強制する、ということになろう。けれども農業における資本主義的生産様式の採用は、常に工業のそれに従属せられ遅れて進行する。そして時には、工業の発展が資本主義の発展を代表し、それは農業の停滞によっていちだんと促進されもする。歴史的に、イギリスが資本主義発達の先進国とされつつも、ドイツなどの後進国の方がいっそう典型的に資本主義を最高の段階にもってゆく、という現象を生んだ。イギリスが先進国だといわれるゆえんは、二〇〇年にも及ぶ資本の本原的蓄積過程を経過し、農村の解体、国内市場の形成が自生的に発展し、やがて産業革命によって工業の資本主義化を確立していったからであり、それが諸外国に先がけて進行したからである。ところがドイツでは、資本の本原的蓄積過程が短期間であったし、不完全であった。そして何よりも、「自生的」な発展ではありえず、先進国の資本に圧迫されつつ、当初から高度な技術を導入して開化させたのである。因みに、ドイツの後進性の説明は、「ドイツでは、絶対君主制がおくれて形成され、より長く存続していることとは、ドイツ・ブルジョア階級の奇型的発展過程からだけ説明される。この発展過程の謎は、商工業の歴史のうちに解かれていることがわかる」という、マルクスの考えが卓越している。

〈日本資本主義のばあい〉

明治維新の変革は、土地の私的所有（商品化）、労働力の商品化を制度化した。また、地租改正によって近代的租税制度の模倣が行われた。そしてその結果、農村は地主制の形成されるところとなり、都市は殖産興業によって産業ブルジョアジーの形成されるところとなった。農村では地主―小作関係が支配的となり、自作農は自作―小作農へ、また小作農へ転落したし、中小地主も没落した。大地主は小作人に対して不当に高率の現物小作料を支払わせた。地主の納める地租はそうした小作人の全剰余労働の一部分であった。だから、明治政府の財源は地租にあるというよりか、小作人の剰余労働にあるというべきである。

土地の私的所有といっても、それは終局的に土地の地主層への集中をもたらした。また労働力の商品化といっても、それも地主―小作関係として、常に封建遺制のともなう関係として成立し、〈借地農業資本家―賃金農業労働者〉の関係とは明確に区別される。だから、土地は地主が私有できるものであっても農民一般の私有できるものではなかったし、労働力も、農民一般の手中に剰余労働が残る形では存在しなかった。地主は小作地からあがる収益をけっして土地に還元せず（経営の資本主義化をはからず）、高利貸に身を変えたり、工業資本への投資家となったりした。小作人は自ら農業経営を営むことなどできなくなり、農業労働者へ転化することもありえなかった。そしてこの形態は変わる可能性がなかった。というのも、地租改正そのものが農業における資本主義への道をとざすものだったからである。

明治維新政府の政策は、工業の農業からの分離と、その資本主義化に集中されたし、資本の本原的蓄積を人為的に強制的に行うことに集中された。その為には国内のあらゆる富を集中せねばならず、農民の手中に富が残るようでは貫徹されないのだった。そしてまた、富の集中を、国家権力の保証のもとに、政府のリードによって行い、それを昔ながらの商人資本へ投下（払下げ）することにより、それを産業資本へ転化させていった。こうしてみれば、いかに農民が苦しめられたか、農業のブルジョア的発展がいかにとざされていったかがわかる。都市への労働力の流入は、小作人の次男・三男・没落士族の娘などだった。彼ら下層の人々は、その身内は都市と農村のいたるところで搾取されたのである。

日本資本主義発達の一契機としての明治維新がこのように発展したとするなら、そのあり様は先進国イギリスなどからみたならかなり違っている。一つに土地の商品化、労働力の商品化が、未だそれにみあうだけの発達がないままに制度化され、そのことがやがて地主―小作関係を固定化したこと。一つに国内市場の形成などはほとんどみられないまま、当初から輸出商品を生産し、やがて金融資本へと発展したこと。そして、その段階でも依然として地主―小作関係が存続していたこと、等々、進歩と停滞、文明と未開が共存するような形態を生んだ明治維新、その説明は、日本資本主義の発展段階からなされる。けっして封建勢力が強かったからとか、封建的領有制（幕藩体制）が強固だったとか長続きしたからだとか、そのようなことが明治維新と以後の方向を決定したわけではないし、まして、旧支配階級が指導権を握って行ったから云々、は理由にならないであろう。

（六）土地の近代化

土地の近代化とはいったい何を意味するのか？　それは土地が私有に付される段階を示している。資本主義の発達にとっては、土地の私有（商品化）が決定的な契機となる。しかし、土地が私有に付されることと、農業において資本主義的生産様式が採用されることとは等置ではない。農業が資本主義的に経営されることは、土地の近代化を否定するものではない。だが、土地の近代化をもって農業が資本主義的に経営される、とするのはおかしい。農業が依然として封建的な小規模経営様式であったからといって、土地は前近代的だといってもならない。土地が前近代的であれば、当然、様式は封建的であるが。

要するに、土地が近代化されたか否かを決定する標識は、たとえ農業において封建的生産様式が採用されていたとしても、工業が土地の商品化を不可欠とするまでに発展し、それを制度化した時点である。だから工業は土地の近代化を望むが、必ずしも農業における資本主義的経営様式を望むとは限らない。土地が近代化されても、依然として農業が封建的（生産過程が封建的）であることは考えられる。

明治維新の変革、ことに地租改正によって形成された地主的土地所有が零細農（小作）経営を基盤としていたことをもって、その土地所有をすぐさま前近代的だといってはならない。また、地主制下において生産された生産物は、たとえ小作人が直接生産者であり、彼が高率の小作料と封建的慣行のもとに圧迫されていたにせよ、それは商品である。この場合、地主―小作関係が如何なる生産関係であろうと、資本主義にとって、問題はそれが商品として生産されることでしかない。地主―小作関係が資本―賃労働の関係でないからといっても、そこから生まれてくる生産物が商品であり、しかも土地の商品化が制度化しているのであれば、土地所有は近代的とすべきなのである。日本資本主義の発展段階からみて、近代化にとって地主―小作関係の存在が阻害になるとは限らない。明治政府にとって、地主―小作関係（前近代的生産関係）がむしろ不可欠であった理由は、その方がより大きな富を収奪しやすいからであり、工業資本の発展をより促進するものだったから、総じて、資本主義の発展にとって農業の前近代性がプラスになったからである。

因みに、「前近代性」といっても、けっして領主―農奴の関係ではない。地主は、そもそも農民の剰余労働が領主へ集中される場合に、その一部分を収奪するものとして存在した。それは農民の労働生産力の増大と商品生産の増大を前提としており、その意味から、資本主義の発展によって生みだされたものである。この点を考慮するならば、地主の生長は商品経済の発展に促されている。だから、地主―小作関係は資本主義生産様式への前段階に生ずるものである。そして小作人は、原理的には借地農業経営者となるコースをたどるが、日本の場合、資本主義の要請から、その道はとざされてしまった。

＊本論文は、ノンセクト・ラディカルズによる大衆的政治闘争が大学と街頭とからほぼ姿を消した段階に起草された。しかしその研究テーマは、一九六八年の長野時代（大学浪人期）に野呂栄太郎『日本資本主義発達史』を読んで以来、念頭にあったもので、また、数年来の闘争と無関係ではない。学外で明治維新研究グループをつくり、そこでの口頭発表の資料とした。一九七二年六月一六日執筆完了。

第二節　ビスマルクの外交――普墺戦争

(一) ドイツ統一問題とビスマルク帝国

ドイツの統一問題は、ビスマルク登場以前において、一九世紀初頭ナポレオン侵略以後のドイツ連邦時代において、発展しつつある資本主義的諸勢力と、変化・衰退しつつある封建的諸勢力との間に生じた、ドイツ総体の最重要事として存続する問題だった。それは、三月前期の革命的民主主義層（小ブルジョア・インテリゲンツァ・学生等）による運動、そして三月革命期における資本家階級の（ブルジョア革命としての）敗北的民主主義革命、さらに一八六〇年代における対墺・対仏戦争等の歴史過程において、常にスローガンとなってきた。ドイツの統一、その内容については（何故どのような統一を望むかについては）、三月前期の場合、三月革命の場合、ビスマルクの場合で各々異なってはいるが、「統一」そのものは広範な階級に支えられる課題だった。ここでは特に、ビスマルクによる国家統一の歴史過程を前二者からのとらえかえしをまじえつつ、概観してみる。

結果的にビスマルクを論ずると、彼は、帝国主義にまで急速に発展したドイツ資本主義の生みの親であり帝国（ないし資本）主義の代弁者であったかのようすを呈する。また、出身階級から論ずると、封建的諸勢力の代弁者であり、絶対主義的第二帝政の完成者のようにもえがかれ、ルイ・ナポレオンを倒したのちには彼に代わってドイツ（とヨーロッパ）を制覇するボナパルティストのようにも語られる。ブルジョア革命というものは何か断続的・暴力的（フランス革命のごとく）に旧支配階級を打倒して達成されるもの、というイメージをいだくなら、そのような見方からはドイツのブルジョア革命がいつどこで生じたのかは判断できない。また、そもそも革命をある一時期に限定しようとすれば、政治革命としてのブルジョア革命ばかりに気をとられ、ドイツ資本主義支配の確立についてはまったく理解できなくなる。ビスマルクをユンカー階級の代弁者としかとらえないとすれば、そしてまたユンカーを中世的な土地貴族のように規定したとするならば、ビスマルク帝国は中世と近代とが同居するものとなってしまう。さらに、ビスマルクをボナパルティストとえがいたなら、ユンカーをたんに封建的勢力と概念規定するだけでは済まされないだろう。なぜなら、ボナパルティズムとは資本家階級と社会主義勢力との間の政治的均衡を示すことばであって、そこでは封建的勢力は主体でないからである。

ビスマルク（とその帝国）の性格を論ずる場合、その後進性を重要視するのが従来（戦前から）の風潮だった。また経済学の分野では、明治維新論争や日本資本主義発達史の研究においてドイツとの比較を行い、ドイツ帝国の性格を絶対主義国家（後進国）とするか資本主義国家（先進国）とするかについて、前者だと規定する傾向があった。しかし、帝国主義への突入が最も典型的におこった国はほかならぬドイツである。時代が一九世紀末であったことから、もし絶対主義国家として成立したビスマルク帝国が以後何らの政治危機もむかえずに帝国主義段階へ飛躍したとするなら、歴史は風まかせであろう。ここでは直接ビスマルク帝国を扱うのではないが、「統一」とのからみでその問題を念頭におきつつ、ここでは普墺戦争へと至る「史実」の概観を行うこととする。

（二）統一へむけてのビスマルクの外交

時野谷常三郎『ビスマルクの外交』大八洲出版の第六篇「普墺戦役当時に於けるビスマルクの外交」によると、一つにシュレスウィヒ・ホルシュタイン問題、一つに普墺戦争がビスマルク外交の一連の路線上に出現してくる。そこでまずは、シュレスウィヒ・ホルシュタイン問題から手がけてみる。

（i）普墺戦争へむけてのビスマルクの外交

ドイツ連邦が組織されたのち、ホルシュタインは、その中に組織されていたとともに、デンマークと同君連合の関係にあった（他にハノーヴァーはイギリスと、ルクセンブルクはオランダと同君連合）。こうした性格は、ウィーン会議の結果生まれたドイツ連邦が所謂近代国家のような権力（主権）をもっていたわけでなく、諸邦は各々独立した国家であったことを示し、連邦議会は諸邦の連絡機関のようすを呈していた。このような状況の中、一八四八年三月末から八月末にかけてデンマークとドイツ（主にプロイセン）との間に、シュレスウィヒ・ホルシュタインの帰属をめぐって戦争がおこった（第一次シュレスウィヒ・ホルシュタイン戦争）。両公国はデンマークとドイツとの国境に位置し、ドイツ人居住者が多かった。その両公国に対し、デンマークはこれを併合しようとしたのだった。その行為は、ドイツ人にしてみれば両地方におけるドイツ系住民の権利を奪われることを意味した。そこで対デンマーク戦は彼らの権利を守る戦いとして大いに世論をわかせることとなった。当時ドイツはちょうど三月革命の最中であり、支配階級としてのユンカーや金融ブルジョアジーにとってこの戦争は、革命勢力の矛先を国内から国外に転じるのに役立った。なかでもプロイセンの支配階級は、小ドイツ主義をいだきつつ対デンマーク戦役を開始したが、ロシアやイギリスとの利害関係から両公国を併合せず、デンマークとの間に一八四八年八月、マルメーで休戦条約を結んだ。

シュレスウィヒ・ホルシュタイン問題は、次いでビスマルクの登場とともに再燃する。一八六三年にデンマークが両公国を完全併合すると、これを契機としてプロイセンはオーストリアとともに対デンマーク戦争を行い、これに勝利した。そして両公国は普墺両国の共同管理下におかれることになった。それは一八六五年九月、ガスタイン条約によって定められた。

ガスタイン条約ののち、一八六六年一月二三日、ホルシュタインのアルトナで、両公国におけるアウグステンブルク公即位決定のための国民大会が開かれた。この大会の承認は、ガスタイン条約にもあるように、本来普墺両国の一致のもとでなければならなかった。にもかかわらずそれがオーストリアの独断としてなされ、それもプロイセンが排斥するアウグステンブルク公の擁護としてなされ、さらには大会に民主主義者の参加を許したため、こうした事態は、当然プロイセン（ビスマルク）が対墺敵視を強める要因となった。ビスマルクはこの旨をオーストリア政府に伝える際、「両公国の共有権を要求する」ようなことを主張した。その主張は実のところ、大ドイツ主義を排して対墺戦争をもくろむ意図をもち、またオーストリア国内好戦派をひきだす意図をもつものだった。ビスマルクにとってアルトナの大会は、けっして対墺協調の媒介でなく、かえって対墺宣戦のための一手段だった。そのことは、ビスマルクが一八六五年にはナポレオン三世との間で、普墺間の問題に対しフランスは中立を守るよう約束をかわし、イタリアとも好守同盟を結んでいたことからもうかがえる。

オーストリアとしては、アルトナ大会の平和的解決を求めていたし、両公国への利害よりはイタリア（ヴェネツィア）方面への利害を望んでいた。そして、すぐさま対普戦争に突入するのを避け、財政軍備の拡充をねらっていた。しかしオーストリア内においては、対普好戦論と平和政策とのぶつかりあいがあったうえで、やがて前者が勝利してゆくことになる。

ビスマルクは、一八六六年一月二六日にオーストリア外相メンスドルフへ送った書簡で、「共同管理を認めないならば、プロイセンは実力行使も止むをえない」と主張した。これはもちろん、共同管理に力点があるのでなしに、実力行使を突きつけることでオーストリア国内の好戦派をひきだす手段なのであった。オーストリアの返答はビスマルクの望むところとなり、オーストリアはアルトナ大会について、「そこでオーストリアの行政行為は弁明する必要はない。……共同管理をオーストリアがふみにじったという非難に対しては断乎これを排撃せねばならぬ」と反論してきた。

対オーストリア戦争への準備としてビスマルクはまずフランスとの間でビアリッツ条約を結び、ライン左岸に侵入しようとするナポレオン三世の野望をおさえた。ロシアに対しては、対ポーランド政策上の共同支配利害を得ることにより、またロシア皇帝アレクサンドル二世とプロイセン王ヴィルヘルム一世の血縁関係から、ゴルチャコフの反プロイセン運動を考慮しても猛敵対はまず考えられない、とみた。イタリアとは好守同盟を結んでいた。ただ一つ心配なのは、プロイセン後宮内勢力と結託したイギリスだったが、これについてもすぐさま普墺戦争に対する主戦論がでているわけではなかった。さらにビスマルクは、ハノーヴァー、ザクセン、バイエルン等ドイツ諸邦との間でも工作を忘れなかったが、これらの小邦についてはすべてイタリアとの関係いかんにかかっているとみた。

(ii) 普墺戦争について

ガスタイン条約が普墺間にとり結ばれたものである点、オーストリアがドイツ連邦議会の議長である点、そしてガスタイン条約がドイツ連邦議会を無視して締結された点、以上によっていわば板ばさみの状態であったオーストリアは、一八六六年六月一日、問題を改めて連邦議会に提出することを主張した。さらにオーストリアは、ホルシュタイン地方議会を開かせて、両公国に関する相続問題を議定させようとした。このことは、ビスマルクにしてみれば、再度対墺宣戦の口実を得たに等しかった。このような経過をへて、一八六六年六月七日、シュレスウィヒ総督マントフィルはビスマルクの命令によってホルシュタインに出兵し、オーストリアのホルシュタイン総督ガブレンツの軍を破った。そして六月二〇日、イタリアが対墺宣戦を布告した。

プロイセン軍とオーストリア軍の戦況は、七月三日のサドワ激戦によって前者の圧倒的優位が決定した。プロイセンはそこで、かねてから心配していたフランス、ロシア等との関係を再度考慮せねばならなかった。ビスマルクとしては、ここで露仏同盟ないし露仏墺同盟が結ばれることになったなら、急きょオーストリアと和を結びフランスに対処するか、さもなくばオーストリア国内のマジャール人反乱を利用して徹底的にオーストリアを破り、それまではフランスに対し守勢にでるか、と考えるのだった。しかしけっきょくは、ウィーン側背攻撃というビスマルクの戦術が勝利することにより、フランスの介入をみないまま七月二二日に休戦条約を結んだ。ウィーン入城の件についてビスマルクは、プロイセン軍閥の反対をおしきってこれを阻止し、オーストリア国民の反プロイセン感情をおさえるのに努力した。ビスマルクは次なる戦争を準備していたからであった。そして七月二六日にはニコルスブルグ仮平和条約を結び、小ドイツ主義の方針を促進させた。

普墺戦争の勝利によって、以後ビスマルクの関心はもっぱら対フランス政策にうつり、またプロイセンが単独講和を結ぶのを恐れていたイタリアを再度ひきつけることによせられた。プロイセンの対墺講和に際しフランスは、ドイツ諸小邦のプロイセンへの併合を認めるかわりに、暗にライン左岸への侵出をほのめかした。しかしビスマルクは、次なる対フランス戦争を目標とするなかから反プロイセン派をおさえるのに努め、ドイツ内小邦を全部併合し国家的統一をはかろうとした。だがいずれにせよ対フランス戦争は避けられないものとしてあり、この時点では対墺講和の内容にしても親プロイセン派を獲得することに腐心した。そしてまたシュレスウィヒ・ホルシュタインへの対処にしても、形式的には両公国住民による投票を認め、結果によってはデンマークにつくもよしとしたが、実際にはビスマルクの策略が功を奏し、北シュレスウィヒに住むデンマーク人の大部分はそこから追い出されてしまい、ここに北シュレスウィヒはドイツに併合された。

一八六六年八月二三日ボヘミアのプラーグで普墺間の本条約が結ばれた。その内容は次のようなものである。一つにロンバルディア・ヴェネツィアのイタリアへの割譲、一つにドイツ連邦の解散と北ドイツ連邦（除オーストリア）の承認、一つにシュレスウィヒ・ホルシュタイン両公国の相続に関する住民による自由投票、一つに戦争賠償等だった。だが本来ビスマルクの望むところは、デンマークを打倒してプロイセンの海権を北方へのばし、ドイツ民族の小ドイツ主義的統合をねらうことだったので、シュレスウィヒ・ホルシュタインにおける住民投票の承認など形ばかりのものだった。

（三）まとめ

一八六四年にシュレスウィヒ・ホルシュタイン戦争が起こって普墺両大国が共に兵を連ねてデンマークを打ち、その結果両公国を両大国へ共通に割譲せしめたその時、オーストリアはなんら重要な方針を提起せず、常に微々たる感情に揺れ動いていた。すなわち、このような重大事にもオーストリアの方針が自国中心の大ドイツ統一という戦略に立脚していたなら、オーストリア政府はけっして両公国を独立国としてアウグステンブルク公に統治させるようなことはせずに、むしろプロイセンとの間で争奪戦をおこし両公国を奪取するか、さもなくば両公国をプロイセンに譲るかわりにプロイセン領シュレージェンを得るかの行為に出たかもしれない。オーストリアが何故アウグステンブルク公をもちだしたのかといえば、それはオーストリアの直接的利益を考えてのことというよりは、プロイセンの勢力拡大を阻止するためだったと思われる。

ウィーン会議（一八一五年）の際オーストリアはことさらライン方面における遠隔領土を手放し、もっぱら東南への勢力拡大に意をそそごうとした。これはドイツ統一の指導者としての地位を棄てたということになる。それに対しプロイセンは、ドイツ内にいっそう多くの領土を獲得した。またオーストリアが多民族で構成されていたのにたいしプロイセンはほぼドイツ民族から成り立っていた。ここに、小ドイツ主義に立つプロイセンにドイツ統一の可能性の増大する根拠があった。

シュレスウィヒ・ホルシュタイン戦争後の両公国統治に関しオーストリアは、両公国のプロイセン併合を恐れて、アウグステンブルク公による独立国化をはかりたかった。ビスマルクにしてみれば、オーストリアへの一時的な妥協は、プロイセン内の反対意見やナポレオン三世の態度などから判断しての政治的対応だった。そこから一八六五年八月一四日のガスタイン協定が成立した。しかしビスマルクはあくまでも小ドイツ主義的国家統一を考えに入れ、また両公国の併合をも考えていたところから、結局、対オーストリア戦争までを展望した計画を練ったのである。

一八六六年二月のアルトナ大会問題で機をつかんだビスマルクは、一挙に対オーストリア開戦まで政策を進めるのだが、その際国内の非戦論を退け、普墺戦争を兄弟戦とみて憂える国王を説き伏せ、またオーストリア内の対普好戦派をひき出すのに成功した。そして開戦―勝利。

＊本論文は、めずらしくも立正大学文学部史学科の演習に出席して共同研究に加わった際、その報告レポートとして執筆したもの。とはいえ、共同研究グループはみなノンセクト・ラディカルズの周辺に位置する活動家たち。一九七一年八月執筆。因みに、当時私の指導教授だった酒井三郎は、大学闘争への私のかかわりを知りながら、卒論口頭試問で大学院への進学をすすめ、卒論には優の評価を与えた。そのような酒井三郎に対し私は、研究室で、山谷越冬支援カンパのビラを手渡して、間接的にすすめを断った。詳しくは以下の拙著を参照。石塚正英「歴史知の知平あるいは【転倒の社会哲学】」、同『歴史知の百学連環―文明を支える原初性』社会評論社、二〇二二年、所収。

第三部　時系列の学問共同体

From Senior to Junior

第10章

フィールドワークとデスクワーク

第一節　頸城野の石仏探究記――一九九〇年代を中心に

(一)　一九九一年

年号が昭和から平成に切り替わった直後の一九九一年、一〇年ほど以前から武蔵野で教師生活をしていた私は、生まれ故郷の上越市、昔ながらの地名でいうと頸城野において、民俗学のフィールドワークを開始しました。その動機は、信仰において仏像も寺院もことごとく否定する親鸞思想への接近にあります。その頃私は、親鸞は遠流の地頸城野で初めて自身の思想を確立したのではないか、という思いが強くなっていたのでした。「出家人の法は、国王に向って礼拝せず」(化身土文類末)の親鸞は頸城野で「悪人正機」(嘆異抄)の根性を鍛えたのだ。そのような心境のうちに、赤松俊秀『親鸞』、笠原一男『親鸞』、野間宏『親鸞』、吉本隆明『最後の親鸞』と、怒濤のごとく親鸞関係読書を開始していったのでした。

ところが、読書の出立点で私は、親鸞のことはとりあえずどうでもいいような記述に出逢ってしまったのです。一九九一年四月二二日の日記にこう記されています。「平野団三著作読了(後半は乱読)。たいへんな記述にうれしくも、ぶつかる。法定寺の雨ごい地蔵の『奇習』だ。これぞパウサニアス、スエトニウスに通じる、縛る神だ!」この前後数日『教行信証』を乱読していたのですが、実はそれは『嘆異抄』ほどは面白くありませんでした。観点がフェティシズムにあったからなのです。それにひきかえ、平野著作はビックリものでした。五月には書簡で平野氏と交信することが叶い、氏は頸城野の雨降り地蔵調査について協力を快諾してくださった。五月二六日、新宿で民族学・神話学の恩師布村一夫氏に会った折、頸城野の旧習である雨降り地蔵の虐待儀礼について話すと、それはフェティシズムに間違いないので合わせて南方熊楠と柳田國男を読むようにアドヴァイスされました。こうして、私の石仏フィールドワークは一挙に開始するのでした。まさに、血わき肉おどる思いがしたものです。

その頃、ルターの思想に「人間の中の神」といった意味深長な一節を読み取ってはそちらの調べものをもこなしつつ、しかし主な関心は石仏へと、止め処なく注がれていくのでした。七月六日には南方熊楠から柳田國男への明治四四年の書簡中に「フェティシュ」への言及箇所を読むのですが、そのくだりをも利用して、七月二二日に覚書「法定寺雨降り地蔵信仰の宗教社会史的重要性」を執筆し、翌日それを平野団三氏に送りました。その折り、私の中学時代の担任である剣持利夫氏にも覚書を送りました。氏には三〇年近く会っていなかったのですが、氏がかつて信州大学の学生だった頃日本史を専攻していたことを記憶していたので、久々の挨拶がわりに覚書を送ったのでした。そうこうしつつ八月に入り、三日に平野氏へこう書き送っています。「故金原省吾博士と平野団三先生のお二人が築き上げて下さいました頸城の古代石仏研究を、私も未熟乍ら継がせていただきたく精いっぱいの努力を致す所存であります」。

八月五日、家族および高田の両親を連れて、妙高山麓の赤倉温泉に向かいました。ここは私の好きな岡倉天心終焉の地でしたが、そのときの目的は、妙高村の関山神社に行き石仏群を調査することでした。家族サービスはその序でだったのです。六日温泉街のサンホテルからタクシーに三〇分も乗ると関山神社に着きました。さっそく境内脇の妙高堂や近辺の道路脇に散在する石仏群を写真におさめました。一番大きい「石仏一号」の前では息子（小学二年生当時）をスケールがわりに横にしゃがませて写真を撮りました（写真参照）。その後、付近を通り掛かった村人から石仏について詳しい人を紹介してもらって、神社のすぐ左手にお住まいの古老を尋ねました。まったくの偶然でした。私はこうして関山神社の語り部だった笹川清信氏に初めてお会いすることになったのでした。わがフェティシズム研究はこうして、上越の平野氏に優るとも劣らない最大の協力者を関山に見いだしたのです。笹川氏から関山石仏群に関する諸々の解説をして戴いた内容は、その場ですべて録音しました。偶然だったのですが、何か事前にスケジュールに入っていたように、うまいタイミングで調査が進んだのでした（石塚正英「関山神社・法定寺両石仏群探訪記」、拙著『歴史知とフェティシズム―信仰・歴史・民俗』理想社、二〇〇〇年、所収）。

翌七日には高田に戻り、上越市立高田図書館で法定寺関係の文献をコピーして調査の予備知識を貯え、八日九日は

家族サービスに費やし、郷津の虫生海岸で海水浴をして楽しみました。そしていよいよ一〇日、平野氏の案内で法定寺石仏群を調査見学することとなりました。まず、中頸城郡三和村村長の大宮國廣氏、教育長の松縄勇氏に会いました。その後、教育委員会の大坪浩樹氏、文化財調査委員で父の小学校同級生の秋山正秀氏、同じく文化財調査委員の山本昭治氏、新潟日報記者の高橋直子氏の同行で、調査を開始しました。むろん平野先生の導きによってです。法定寺では住職の秦氏の説明を受けて、成果は上々でした。一四日の『新潟日報』には調査の記事が掲載されました。

一一日、浦和に戻ると、すぐさまテープおこしにかかります。そして一五日、調査レポートを仕上げ、平野氏、笹川氏、剣持氏ほか関係者に発送しました。さらに立正大学の高島正人教授に連絡し、研究誌『史正』にその調査報告文を掲載してもらうことにしました。この原稿は八月二四日に書きおえ、その日のうちに高島氏におくりました。論題は「頸城野のフェティシュ信仰―法定寺石仏群の比較宗教学的分析」。わが記念すべき画期的金字塔であります。一九九一年一二月上旬、『史正』第二〇号に掲載されました。この論文が重要な意味をもっているのは、それがそのすぐ後に始まるフェティシズム関連著作第二作の出発点をなしていたからです。すなわち、一〇月一六日に私は、のちに『フェティシズムの信仰圏』（世界書院、一九九三年）、という書名の著作にまとまる原稿の下書きに着手していたのです。その序章の位置におさまったのが、例の「頸城野のフェティシュ信仰」だったのです。

一九九一年フェティシュ儀礼調査に出向いた頸城地方は、既述の通り、私の郷里です。母方は関山の出身で、父方は美守村（現・上越市三和区）出身です。父・鉄男は、子どもの頃よく村内の道端などで地蔵を見かけたと言っておりました。上杉村（現・上越市三和区）で育った母・キミエは、関山神社の火祭りなど話に聞いていたということです。また私自身は、小学生の頃たまに三和村内の親戚に出かけ、例えば桑曽根川で泥んこになって水遊びなどしたのですが、その付近にも「桑曽根の石仏」がくずれ石仏となって現存しています。私のフェティシズム研究の核心に触れる素材がかくも身近かに存在することになろうとは、想像だにしませんでした。八月の石仏調査においては、種々配慮戴いた三和村村長の大宮國廣氏が、その桑曽根の親戚を介して父の遠縁にあたるとか、同村教育委員会教育長の松縄勇氏が、母方いとこの媒酌人であるとか、調査に同行してくださった同村文化財調査審議委員の秋山正秀氏が父の小学校時代の同級生であるとか、かようなことが初対面の席で一気に判明するなど、とにかくここまでくると世間の狭さにただ驚くばかりです。けれども逆に、わが郷里であればこそ予め中学校時代に教えをうけた剣持利夫先生に甘え、頼ることもできたわけです。

（二）一九九二〜一九九九年

一九九二年から九三年にかけて、私は頸城野で以下の調査を実施しています（地名は旧表記のまま）。法定寺・雨降り地蔵（東頸城郡浦川原村／安塚町／中頸城郡頸城村／吉川町、一九九二・七・三一）。滝寺不動（上越市滝寺、一九九二・八・二）。卯之花山薬師・菓成寺大日如来・長泉寺薬師仏（新井市、一九九三・四・三）、稲荷神社・猿石（中頸城郡中郷村、一九九三・四・三）。一九九三年七月一七日、笹川清信氏の案内で関山神社の火祭りを見学し、一八日には平野団三、秋山正秀、吉川繁、吉村博の各氏と金谷石仏群を調査しました。さらに一九日、息子を連れて親鸞上陸の地、直江津の居多ケ浜に行きました。そこで大正一四年建立の記念石

塔を確認しました（写真参照）。その後八月二〇日、妻と息子を連れて長野県須坂市郊外の奇妙山石仏群を調査しました。この時は須坂駅で予約しておいたタクシーに乗り、三時間ほど奇妙山中を勇んで歩きました。地元出身の運転手さんだったのですが、奇妙山の石仏を見るのは初めてと話していました。九三年後半、石仏探訪の足跡は以下の通りに連なります。金谷石仏群（上越市黒田・大貫・飯・中の俣諸地区、一九九三・七・一八）、奇妙山石仏群（長野県須坂市、一九九三・八・二〇）。

一九九四年は、心中複雑な思いで明けました。父が脳梗塞でベッドに横臥する日々となっていたからでした。父のことを思うと、とにかく節目などはない。これが幸せなかたちでおさまらないかぎり、新年はこない。けれども別の意味では、やはりこの時点を新年とするべきなのです。ときは、こだわりをもたない。過ぎ去り方は爽やかなのだ。心を切り替えなさいと命じてくれるのも、ときだけなのだ。父の病はたいへん重い。けれども今を精一杯生きることが第一なのだろう。三月には喉を切開する手術を受けました。もう二度と声を出せなくなるのだろうか。瀕死の患者にとって、治療とはいったい何なのか。

そんな辛い日々でも、以下のようなフィールド調査を実施しています。関山神社・岩屋弁財天（中頸城郡妙高村関山、一九九四・五・七）、吉川町石仏、尾神岳ほか（中頸城郡吉川町、一九九四・五・八）。その翌六月のことです。私の研究にとって生涯に一度という幸運なフィールド調査の機会が訪

れたのでした。三和村越柳の溜め池での雨降り地蔵虐待の儀礼挙行です。この年は例年になく全国的に雨不足でした。移動性高気圧などの動きに曝され、農作物は記録的な被害・災害を被りました。その傾向は新潟県上越地方でも顕著でした。そこで六月一二日、ヤラセでなく正真正銘の農耕儀礼として石仏を溜め池にぶんなげる雨乞いが、越柳近辺の村人総出で行われたのです。たいへんな民俗儀礼であり、ここ数年頸城で雨降り地蔵を調査してきた者としては、偶然でもありえないほどの幸運で浦和に戻りました。その夜遅くから上越地方に久々の降雨があって、直後の地元新聞はそのニュースで持ちきりでしたし、東京地方の朝日新聞夕刊（翌々日）にも越柳での雨乞いと降雨のニュースが報じられていました。その興奮が冷めやらぬうちに、私は「平成六年の神仏虐待儀礼」と題する報告文を書き、『日本の石仏』秋号（第七一号）に発表し、その後拙著『信仰・儀礼・神仏虐待』（世界書院、一九九五年）に収めました。これは第一級の仕事（ジョブでなくミッション）と今でも自負しております。その後九月二四日に、上越市金谷・和田・三郷・新道・春日地区で石龕祠群調査を実施しました。

一九九五年に入ると、五月二一日に中頸城郡柿崎町黒岩・黒川地区で新潟県石仏の会主催のフィールド見学会に同行しました（写真参照）。一〇月には、頸城野や浦和・大宮周辺での数年間にわたる石仏調査報告の集成『信仰・儀礼・神仏虐待――ものがみ信仰のフィールドワーク』（世界書院）を刊行しています。

一九九六年に入りますと、まずは五月二六日に上越市和田地区で北国街道沿い中世仏を調査しました。そのほかのフィールド調査としては、一九九六年八月二四～二七日の頸城野でのものが印象に残ります。まず二四日に高田の知命堂病院に父を見舞い、元気な顔に一安心する。翌日、帰命頂来薬師調査を兼ねて郊外の上正善寺の帰命頂礼・薬師堂まで登山する。いつもの調査仲間である吉川繁氏、吉村博氏、それに初めて一緒になる清水文雄氏とともに登りました。翌二六日には、尾神岳大神社・観音堂・山頂三祠調査を兼ねて尾神岳に登りました。いずれもすぐさま論文になるものではないが、いずれ参考にできるものばかりでした。その後の調査は以下のように続行されました。頸城地

方・道標町石調査（中頸城郡中郷村ほか、一九九八・五・二五）、糸魚川市大久保地区・羅漢（玉瑞和尚）墳墓ほか調査（糸魚川市、一九九九・五・一六）。

（三）二〇〇〇〜二〇〇八年

二〇〇〇年に入ると、私は平野団三氏の論文集を刊行する計画を立て、二月、氏に出版の許可を戴くため手紙で連絡をとることになります。この依頼に平野氏は快諾の返事をくださいました。先生は、或るとき私にこう話されました。「石塚さんがあとを継いで上越の石仏を守ってくれることになったので、私は安心しました」と。そのこともあって、論文集編集というかたちで平野氏へのご恩返しがついにかなうこととなったのです。以下に、拙編『頸城古仏の探究』（東京電機大学石塚研究室、二〇〇〇年）の「編者はしがき」を引用します。

＊　＊

新潟県頸城地方の地域史研究家で仏教美術史家の平野団三氏は、当年とって九五歳でいらっしゃる。一九〇五（明治三八）年、現在の上越市大字長岡（なおか）にお生まれになった平野先生は、一九二六（大正一五）年樺太にて教員生活に入り、戦後の一九四七（昭和二二）年地元にもどると、頸城地方で教員生活を再開された。それからほどなく先生は、頸城地方の埋蔵文化財や古代美術品の鑑定等で、がぜん、一頭地を抜いたご活躍をされることになる。当時『毎日新聞』直江津通信部に勤務していた石田保夫氏は、その頃を回想してこう述べている。

「昭和二五年夏、直江津市内でも歴史の地として知られている五智で、東大考古学教室駒井和愛博士を招いて行われた古墳北塚発掘のとき……ぶらりと姿を見せた平野先生を、ただの見学者と気にもかけずにいたが、さて出土した十数面の古鏡について、その製作年代や様式についてなんのためらいもなくその場で解説を与えてくれた、その識見にはおどろかされた」。（平野『上越古代石仏群の性格』巻頭掲載のあいさつ文）

一九五九（昭和三四）年に記された石田氏のこの言葉は、一九九〇（平成一桁）年代に平野先生のご案内で幾度となく頸城地方をフィールド調査した私にも、すんなり共感できる。

平野先生は学問の道を進まれたのであるが、いかなる分野であれ一つの道を究める人は、往々、その道すがら生涯の師および格好の研究対象との決定的な出会い、運命的な巡り逢いを経験することになる。平野先生の場合、それは一九五二（昭和二七）年前後に訪れた。その際、平野先生にとって生涯の師とは、古美術史の碩学で新潟大学教授の金原省吾博士であり、格好の研究対象とは、金原博士が平野先生に調査をすすめた上越古代石仏群であった。

平野先生の識見は、「古美術商」の目利きや「郷土史家」の蘊蓄ではない。先生のお仕事は、中央の学術機関が行う研究の補助的な役割を担うのとも違う。文献史学の欠を補う民俗学資料の蒐集とも違う。今どきの流行語で表現すれば、「地域（史）研究」というべきものである。一地域の中に日本のどこでも参考になる研究課題、いや世界各地と比較可能な普遍的研究課題を発見しているのである。

高田高校卒業後郷里の頸城野を離れ、一九六〇年代末から東京の諸大学でヨーロッパ思想史を研究してきた私は、一九九〇年代にさしかかって、とりわけ比較宗教民俗学の分野で日本の民間信仰、農耕儀礼に着目した。特に古代オリエント・地中海世界に観察される「神仏虐待儀礼」に関して、日本史中にその事例を探究していたのである。その道すがら、平野著作『越後と親鸞・恵信尼の足跡』（柿村書店、一九七一年）に出くわしたのだった。私にとり、この出会いは運命的であった。平野先生にとっての金原博士と上越古代石仏群は、私にとっての平野先生と上越古代石仏群なのである。

では、その上越古代石仏群を研究する平野先生が成し遂げられた業績とは、いったい何であるか。それは、頸城地方を直接の研究対象としつつも、地域の歴史と文化とを中央から独立させて探究し叙述した、ということに尽きる。

日本の神話や伝承が語っているように、わが国はおおむね日本武尊か坂上田村麻呂が開き、弘法大師が文物制度を広めたことになっている。また日本史の時代区分を瞥見すれば明瞭なように、七世紀の日本は西も東も飛鳥時代であり、八世紀は奈良時代、九世紀は平安時代とされる。また例えば仏教伝来は六世紀前半とされる。しかし、それは公伝と称して中央が認めた限りであって、事実としてはおかしいのである。日本海沿岸地方には、それよりも以前に仏教や道教が民間ルートで伝わっており、日常生活者がそれを土着信仰と好き勝手に習合させて受容していたのである。北陸や東北には、大和の支配文化はそうとう後になって遅れてやってきた。大和が律令制になっても、辺境地域はそうなっていない。そのギャップを知らずしては、地域の史的事実はいっこうに見えてこない。平野史学はそこにメスを入れるものだった。

その意味から言うと、平野史学はけっして石仏に限定されるわけでない。古代中世の交通路や荘園制に関しても、多大な業績を我々後進の研究者に残してくださっている。

しかし、平野先生のお仕事を一つ挙げよと問われれば、私はなによりもまず頸城の古代石仏研究を挙げる。以下に収録した諸論文はそのような考えのもとに編集されたものである。なお編集にあたっては、①旧字旧仮名遣いを新字新仮名遣いに改めた。②初出論考に挿入されていた写真の多くは割愛するか、または私の撮影したもので代用した。③文中「高田市」「直江津市」とあるのは双方とも現在の上越市に含まれる。④必要な箇所には小見出しを補った。

二〇〇〇年二月末、私は久しぶりに平野先生にお便りを差し上げた。「先生に一つお願いがございます。それは、私の研究室で農耕儀礼などに関するテキストや参考書を幾つかつくることになるのですが、それに平野先生のご論考を使用させて戴きたいのです」。このお願いに対し、先生は三月一日消印のおはがきで次のご返事をくださった。「御連絡いただきました件、快諾致します」。平野著作編集のお許しを先生ご自身から頂戴でき、これにすぐる幸せはない。いまもって矍鑠たる先生にはこれからも何かとご指導を賜ることができればと、心より祈念するものである。

二〇〇〇年五月一〇日　　日本石仏協会理事　石塚正英

＊　　＊

この論文集刊行を契機に、私は、法定寺石仏群の村指定文化財への昇格を求めて、三和村教育委員会に以下の願書「法定寺系石仏群保存対策（文化財指定）のお願い」を提出したのです。

＊　　＊

三和村教育委員会御中

三和村内の各地区に遺ります法定寺系石仏群、通称「雨降り地蔵」は、村の文化財に指定するに値する貴重な遺産であると考えられます。その理由は、例えば『三和村の石仏と仏塔』（三和村教育委員会編）、『村の文化財』（三和村文化財調査審議会編）に記されています。しかしながら、財政面を含めて、村の保護対策はいま一歩遅れているように思われます。つきましては上記の石仏群―最小限以下の三体―を村指定の文化財に昇格させ、手厚い保護の対象として戴きたく、お願い致す所存です。

越柳の雨降り地蔵、井ノ口の雨降り地蔵、北代の雨降り地蔵

三和村には合計で約七〇もの石仏が残存していますが、とりたてて上記三体に保護が必要となります理由―それらの歴史学的・民俗学的重要性―を以下に記します。

頸城地方の石仏研究者、仏教美術史の権威平野団三先生によりますと、法定寺系石仏群は日本史上でもっとも古い時代に属するもので、およそ平安・鎌倉期に造立されております。また、その像容は「いけ込み式」と称して、関山

石仏群に象徴されますように、平安末・鎌倉初の末法時代の弥勒信仰を今日に伝える形式ともなっています。さらには、室町から江戸時代にかけて新田開発が進みますと、これらの石仏―多くは阿弥陀仏―は山地から平地に移され、ため池の畔で雨乞いの儀礼を施されることになります。

上記三体は、いずれもそのような儀礼において村人の信仰をあつめてきた石仏の代表です。例えば井ノ口の石仏は、昭和三三年頃に発生した旱魃において、ため池に投げ込まれるという虐待儀礼を施されたと記録されております。また越柳の石仏は、平成六年当時に発生した旱魃で、やはりため池に投げ込まれ虐待儀礼を施されました。その時は朝日新聞、新潟日報、上越タイムス、新潟放送などのマスコミが取材に殺到し、この儀礼は全国的に報道されました。そのほか、北代の石仏は、かつて「街道祭り」と称する行事において、関山神社の妙高堂まで村送りで担がれ運ばれたと記録されております。

これらの石仏はいずれもひどく傷んでおります。とくに越柳のものなど、すでにパックリと割れ、番線で結わえられておりますのに、未だときおり池の中に投げ込まれるという扱いをうけております。今や三和村の雨降り地蔵は存亡の危機に立つと申してよいでしょう。ただちにレプリカ(代替)をつくり、本物の方については保存のための対策を講じなければなりません。

以上の理由によりまして、三和村内の「雨降り地蔵」中、少なくとも上記三体を村の文化財に指定されますよう、せつに御願い申し上げます。なお、参考までにさらに詳しい資料を添付いたしますので、ご検討のほど重ねてお願い申し上げます。

平成一二年五月吉日
日本石仏協会理事
東京電機大学助教授
石塚正英

賛同者氏名(連署)

＊　＊

この願書には地元関係者や私の研究仲間をはじめ、総数七〇名の関係者が署名してくれました。この願書に対して三和村はすぐには回答を寄せてくれませんでした。その間、二〇〇〇年六月一二日午前七時、平野団三氏は永眠されました。そして九月一〇日、私は直接三和村教育委員会に出向き、ようやくにして上記の石仏は、証明の曖昧さが残る北代のものを除いて村の有形文化財に指定されることが約束されたのでした。ついでに、当時に企画されていた新しい三和村史「通史編・民俗」の部に私が執筆を担当することになりました。むろん、法定寺系雨降り地蔵の民俗が中心です。原稿は、一一月二日、教育委員会の依頼により講

演「世界遺産としての三和村雨降り地蔵」を行うため三和村村民体育館に出掛けた折りに、村史編纂の代表である桑原 久氏に手渡しました。

それ以後のフィールド調査については以下の一覧で確認できます（写真は当時の録音テープ群）。三和村雨降り地蔵・大光寺石塔等（中頸城郡三和村、二〇〇〇・九・一〇）、春日山林泉寺・五智国分寺ほか石仏石塔（上越市、二〇〇一・四・三〇）、関山神社金銅菩薩立像調査、聖徳太子展（上野公園・東京都美術館、二〇〇一・一一・一八）、浦川原・吉川地区石仏石塔（東頸城郡浦川原村・中頸城郡吉川町、二〇〇二・四・二八）、名立谷地区石仏石塔（西頸城郡名立町、二〇〇三・四・二九）、大潟町地区石仏石塔（東頸城郡大潟町、二〇〇四・四・二九）、鞍馬寺系卍刻印石仏（東頸城郡浦川原村、二〇〇四・四・二九）、安塚地区石仏（上越市安塚区、二〇〇五・四・二九）、湯田中温泉・弥勒石仏（長野県下高井郡山ノ内町、二〇〇五・一〇・一〇）、三和地区石仏調査・講演（上越市三和区、二〇〇六・四・二九）、吉川地区石仏（上越市吉川区、二〇〇七・四・二九）。

二〇〇七年六月七日、上越市の関係者から封筒が届くことになります。上越市で新規に登録された文化財の一覧が入っていました。その中に、越柳と井ノ口の雨降り地蔵があるのです。頸城野の石仏調査・研究者でした故平野団三翁がつとにその意義を説いていらした雨乞い石仏二体です。ついに、二〇〇七年六月一日付で、井ノ口と越柳の雨乞い石仏二体がはれて上越市の指定文化財になったのでした。二〇〇〇年に、旧三和村教育委員会の依頼により指定に必要な文書（三和村文化財台帳記事）を書いた私としては、たいへんうれしい想いでした。その後二〇〇八年に至る私のフィールド調査の記録は以下の通りです。

☆上越市三和区井ノ口雨乞い儀礼、三和区、2007.07.15
☆佐渡小木磨崖仏、佐渡市小木地区宿根木、2007.10.07
☆柿崎地区石仏、上越市柿崎区、2008.04.29（写真：秦繁治氏・大坪晃氏とともに）
☆上越市浦川原区五十公神社木造狛犬、浦川原区、2008.05.03
☆上越市浦川原区石造物（同区悉皆調査第1回）、浦川原区、2008.06.07
☆上越市浦川原区石造物（同区悉皆調査第2回）、浦川原区、2008.07.31
☆糸魚川市宮平剣神社木造狛犬、同市宮平、2008.08.15

☆十日町市松苧神社木造狛犬調査、同市犬伏地区、2008.09.28
☆上越市浦川原区石造物（同区悉皆調査第３回）、浦川原区、2008.10.05
☆高田城瓦窯場跡調査、新潟県上越市灰塚、2008.10.18
☆春日神社木彫狛犬調査、上越市本町２丁目、2008.10.19
☆上路山姥の里民俗調査、糸魚川市青海地区、2008.10.25
☆上越市浦川原区石造物（同区悉皆調査第４回）、浦川原区、2008.11.06

（四）石造物に関連するフィールド調査一覧 1991-2020（一部重複）

（01）関山神社・石仏群調査、新潟県中頸城郡妙高村関山（笹川清信・関山明良・平野団三案内）、1991.8.6.
（02）法定寺・雨降り地蔵調査、新潟県東頸城郡浦川原村／中頸城郡三和村（平野団三案内）、1991.8.10.
（03）法定寺・雨降り地蔵調査、新潟県東頸城郡浦川原村／安塚町／中頸城郡頸城村／吉川町（平野団三案内）、1992.7.31.
（04）滝寺不動調査、新潟県上越市滝寺、1992.8.2.
（05）卯之花山薬師・菓成寺大日如来・長泉寺薬師仏調査、新潟県新井市（平野団三案内）、1993.4.3.
（06）稲荷神社・猿石調査、新潟県中頸城郡中郷村（高橋勉案内）、1993.4.3.
（07）関山神社・火祭り調査、新潟県中頸城郡妙高村関山、1993.7.17.
（08）金谷石仏群調査、新潟県上越市黒田・貫・飯・中の俣諸地区（平野団三案内）、1993.7.18.
（09）奇妙山石仏群調査、長野県須坂市、1993.8.20.
（10）関山神社・岩屋弁財天調査、新潟県中頸城郡妙高村関山（笹川清信・関山明良案内）、1994.5.7.
（11）吉川町石仏（尾神岳ほか）調査、新潟県中頸城郡吉川町（吉村博案内）、1994.5.8.
（12）越柳雨降り地蔵・雨乞儀礼調査、新潟県中頸城郡三和村大字越柳（吉村博案内）、1994.6.12.
（13）頸城野・石龕祠群調査、上越市金谷・和田・三郷・新道・春日地区（吉川繁案内）、1994.9.24.
（14）柿崎・石仏調査、新潟県中頸城郡柿崎町黒岩・黒川地区（永原永一案内）、1995.5.21.
（15）北国街道沿い中世仏調査、新潟県上越市和田地区（吉川繁案内）、1996.5.56.
（16）帰命頂来薬師調査、新潟県上越市上正善寺（吉川繁・吉村博案内）、1996.8.25.
（17）尾神岳大神社・観音堂・山頂三祠調査、新潟県中頸城郡吉川町（吉村博案内）、1996.8.26.
（18）頸城地方・道標町石調査、新潟県中頸城郡中郷村ほか（吉村博案内）、1998.5.25
（19）糸魚川市大久保地区・羅漢（玉瑞和尚）墳墓ほか調査、新潟県糸魚川市、1999.5.16.
（20）三和村雨降り地蔵・大光寺石塔等調査、新潟県中頸城郡三和村（大坪晃案内）、2000.09.10
（21）春日山林泉寺・五智国分寺ほか石仏石塔調査、新潟県上越市、

2001.4.30.

（22）関山神社金銅菩薩立像調査、聖徳太子展（上野公園・東京都美術館）、2001.11.18.

（23）浦川原・吉川地区石仏石塔調査、新潟県東頸城郡浦川原村・中頸城郡吉川町（吉村博案内）、2002.4.28.

（24）名立谷地区石仏石塔調査、新潟県西頸城郡名立町（吉村博案内）、2003.4.29.

（25）大潟町地区石仏石塔調査、新潟県東頸城郡大潟町（吉村博案内）、2004.4.29.

（26）鞍馬寺系卍刻印石仏調査、新潟県東頸城郡浦川原村（金子彰案内）、2004.4.29.

（28）湯田中温泉・弥勒石仏調査、長野県下高井郡山ノ内町（門田春雄案内）、2005.10.10.

（29）上越市三和地区石仏調査・講演、新潟県上越市三和区、2006.04.29.

（30）上越市吉川地区石仏調査、新潟県上越市吉川区（吉村博案内）、2007.04.29.

（31）上越市三和区井ノ口雨乞い儀礼調査、新潟県上越市三和区、2007.07.15.

（32）佐渡小木磨崖仏調査、新潟県佐渡市小木地区宿根木（門田春雄案内）、2007.10.07.

（33）上越市柿崎地区石仏調査、新潟県上越市柿崎区（吉村博案内）、2008.04.29.

（34）上越市浦川原区五十公神社木造狛犬調査、上越市浦川原区（高野恒男同行）、2008.05.03.

（35）上越市浦川原区石造物悉皆調査（第1回）、新潟県上越市浦川原区（金子彰案内）、2008.06.07.

（36）上越市浦川原区石造物悉皆調査（第2回）、新潟県上越市浦川原区（金子彰案内）、2008.07.31.

（37）糸魚川市宮平剣神社木造狛犬調査、糸魚川市宮平（高野恒男同行）、2008.08.15.

（38）十日町市松苧神社木造狛犬調査、新潟県十日町市犬伏地区（高野恒男同行）、2008.09.28.

（39）上越市浦川原区石造物悉皆調査（第3回）、新潟県上越市浦川原区（金子彰案内）、2008.10.05.

（40）高田城瓦窯場跡調査（第1回）、新潟県上越市灰塚（吉川繁案内）、2008.10.18.

（41）春日神社木彫狛犬調査、上越市本町2丁目（高野恒男同行）、2008.10.19.

（42）上路山姥の里民俗調査、糸魚川市青海地区（高野恒男同行）、2008.10.25.

（43）上越市浦川原区石造物悉皆調査（第4回）、新潟県上越市浦川原区（金子彰案内）、2008.11.06.

（44）くびきの古民家調査、上越市清里区赤池（高野恒男同行）、2009.04.05.

（45）大光寺石分布予備調査、上越市高田地区（高野恒男同行）、2009.06.14.

（46）上越市灰塚（吉川繁氏宅）近辺に散在する高田城瓦窯跡の調査（吉川繁案内）、2009.09.02.

（47）上越市板倉区上関田の六地蔵調査（高野恒男同行）、2009.09.20.

（48）稲田3丁目中山宅の大光寺石水盤調査（高野恒男同行）、

2009.09.20.
(49) 上越市今池の八幡神社境内の大光寺石石塔・水盤調査（高野恒男同行）、2009.09.20.
(50) 妙高市の観音平古墳見学（高野恒男同行）、2009.09.20.
(51) 上越市大和の釜蓋遺跡地見学（高野恒男同行）、2009.09.20.
(52) 上越市大字小瀧の薬師大神で西山寺石仏群の一体（首なし坐像）調査、2009.09.21.
(53) 妙高市関山神社の石造文化財（岩屋・仏足石・石仏ほか）調査、2009.09.21.
(54) 切越石（井戸側、水盤、敷石、階段など）第1回調査、上越市安塚区切越（高野恒男同行）、2009.10.10.
(55) 切越石（井戸側・水盤・敷石・階段など）第2回調査、上越市安塚区切越（高野恒男同行）、2009.11.21.
(56) 大光寺石採掘場調査、新潟県上越市三和区（高野恒男同行）、2010.06.06.
(57) 中山石採掘場調査、新潟県上越市三和区（高野恒男同行）、2010.06.20.
(58) 切越石採掘場付近調査、新潟県上越市安塚区小黒および切越（高野恒男同行）、2010.07.07.
(59) 米沢藩が使用した地元特産の石材「高畠石」石造物調査、米沢市、2010.11.02.
(60) 吉川区大乗寺址鹿島神社ラントウ調査（高野恒男同行）、2011.06.24.
(61) 聖徳太子像調査、上越市寺町2〜3丁目（常敬寺・浄興寺・真宗寺・光学寺）2011.10.10.
(62) 糸魚川市の勝山城址に調査登山（標高328メートル）かつて、豊臣秀吉と上杉景勝が会見したとされる名城（吉村雅夫同行）。2012.04.30.
(63) 上越市の桑取地区（西横山）でサイの神石祠および山の神石祠を調査（高野恒男同行）、2012.06.10.
(64) 上越市飯の十一面千手観音像（宝陀羅神社観音堂）調査。檜の寄木造り、他所から伝来したものと判断。2012.08.10.
(65) 上越市牧区の大塚敬美氏宅を訪問し、天然ガス仕様に関する調査（高野恒男同行）、2012.11.11.
(66) 上越市の八坂神社で宝珠を載せる神輿調査（高野恒男同行）、2013.05.10.
(67) 糸魚川市北口駅前雁木通り調査（高野恒男同行）。2014.09.02.
(68) 上越市の金谷山幕末明治史跡（官軍・高田藩・会津藩墓地）見学、2015.05.10.
(69) 上越市板倉区方面（普泉寺 大日如来像・中村十作記念館・飴地蔵尊・ゑしんの里）見学、2015.05.31.
(70) 上越市近郊の瞽女関連施設・地域見学、2015.06.14.
(71) 糸魚川市能生の備後尾道石（花崗岩石造物）調査（高野恒男同行）、2016.06.26.
(72) 上越市柿崎区平沢・光宗寺五輪塔群見学・調査（高野恒男同行）、2016.11.12.
(73) 機雷爆発事件供養塔（上越市名立区名立小泊）に彫られた盃状穴調査（高野恒男同行）、2017.11.26.
(74) 日前神社（上越市名立区名立小泊、祭神：天鏡尊）見学・調査（高野恒男同行）、2017.11.26.
(75) 婆相天資料・山岡神霊位（上越市寺町3、妙国寺）見学・

調査（高野恒男同行）、2018.04.13.

（76）乳母嶽神社・諏訪社（上越市茶屋ケ原）見学・調査（高野恒男同行）、2018.04.14.

（77）天崇寺境内の笏谷石調査（高野恒男同行）、上越市寺町2丁目、2019.07.14.

（78）上越市仲町六丁目稲荷神社「銀婚式」（大正天皇成婚二五年）鳥居調査、2020.08.08-09.

（79）上越市儀明川沿い土橋付近の河岸積石調査―舟運との関係―、2020.10.09-10.

（80）高安寺境内の松尾芭蕉追善石碑調査（上越市寺町三丁目）、2022.05.14-15.

★二〇一九年末以後、コロナウイルス感染が世界的に蔓延したため、二〇二一年から翌年五月まで野外フィールドワークを休止。

第二節　飛鳥美人画を救出した石工左野勝司の矜持

フォイエルバッハ研究の道すがら、私は過去三〇年以上にわたって、頸城野（新潟県上越地方）をフィールドとして石造文化の調査に携わってきた。さらには、北前船の交易で遠路尾道からやって来た花崗岩や福井から運ばれてきた笏谷石（凝灰岩）の宝篋印塔、灯籠、鳥居なども調査対象に加わっていった。当初は石地蔵や石祠など農耕儀礼や民間信仰に関連する素材が対象だったが、やがて石材そのものに関心が向くようになった。大光寺石、切越石、中山石である。それらはともに凝灰岩である点が共通しているので、私は合わせて「頸城野ストーン」と命名して調査を進めた。また二〇一一年には、一九四一年から上越地方で石積職人の道を歩んできた五十嵐博翁に講演を依頼した（くびき野カレッジ天地びと講座）。

石積といえば近世からの「穴太衆」が有名であるが、職人たちの石材への思いは格別である。たんなる無機質の石垣ではない。積まれ組まれる前から、石塊は生きて呼吸をしている。そのようなことは五十嵐翁も語っているが、ここに一つの顕著な事例を紹介する。二〇〇七年に国宝高松塚古墳の石室解体工事を成功させた左野勝司氏の発言である。NHKのテレビ番組「飛鳥美人　高松塚壁画発掘の真相」（BSプレミアム・アナザーストーリー、二〇二二年一〇月五日放送）で、石工左野勝司はこう言った。「ぼくにとって一番腹の立ついやなことがあったんです。絵だけが国宝で石は関係ないです、となったわけや、最初にね。そして頭がかーんときてしまって、誰に言うとんねん、ということになったんですよ」（写真はWikipedia「高松塚古墳」から）。

その怒りに満ちた声を、左野は著書『石ひとすじ―歴史の石を動かす』（学生社、二〇〇九年）にも記している。「壁画は国宝だ。しかし石室は国宝でない。どういうことなのだろう？ 壁画の漆喰を守ってきたのは石の石室なのだ。藤ノ木古墳でも、なかのすばらしい遺物を守ってきたのは石棺だ。石棺にたまたま水がたくさん入っていて、ずーと遺物を守り続けたのだ。／しかし、みなさんは石に興味もないし、石はただあるだけという存在かもしれないが、われわれにとっては、石があってこそものがある、という考え方だ。だから石についても同じように扱っていただきたい、ということを、この高松塚古墳の解体作業を通して、とくに強く思っている」（二〇九～二一〇頁）。

ところで、古代においては、文字がソフトであるのに対して、石板や粘土板はその文字情報を刻むハードだった。両者は密接で不可分離だった。たとえば古代オリエントの象形文字や楔形文字（ソフト）は、それを記録した岩盤や粘土板（ハード）と一体だった。楔形文字を刻む必要の生じたときに粘土板が焼かれた。ナポレオン軍が遠征先のエジプトで発見したロゼッタストーン（写真はWikipedia「ロゼッタストーン」から）もそうである。ハードなくしてソフトは成立せず、ソフトなきハードは意味をなさない、いわば一対一の関係にあった。どちらかがどちらかの手段だったとは思えない。石工左野勝司は、高松塚古墳の石室と壁面に描かれた飛鳥美人との関係において、ハードとソフトの混然一体を覚っていたのだった。私は、その関係を、各地の深山幽谷に刻まれた摩崖仏において実感してきた。

二〇〇六（平成一八）年一〇月九日午前、若き友人門田春雄氏と二人して大分県豊後高田市にある平安時代後期の磨崖仏、いわゆる熊野磨崖仏の前に佇むこと、ほぼ三時間。高さ約七メートルの大日如来像は、約八メートルの龕（がん）に刻印されていた。またその左に位置する岩壁に、高さ約八メートルの不動明王像が刻印されていた（写真は筆者による）。それを撮影したとき、ちょうど日光が直射し不動明王の剣が光った！ 大日・不動、ともに平

安中期の彫造と推定される。一二二八（安貞二）年の史料『六郷山諸勤行并諸堂役等目録』には次のように記録されている。「不動岩屋、本尊不動、五丈石身、深山真明如来自作」「大日岩屋、本尊大日、五丈石身、深山同尊種子岩切顕給也」。この磨崖仏の右奥に熊野神社が造営されているが、これは熊野修験と密接な関係をもつ。この摩崖仏（ソフト）は摩崖それ自体（ハード）からして聖なる存在であったことの証明である。

最後に、以上に記した人の石への信頼・親愛関係をまとめるのに役立つ考えを、わがフォイエルバッハ著作から引用してこの原稿を締め括ることにしたい。「聖者がもっぱら形像の中で尊敬され、神がもっぱら聖者の中で尊敬されるのは、人々が形像そのものや聖者そのものを尊敬するからである。ちょうどそれと同じように、神がもっぱら人間の肉の中で尊崇されるのは、人間の肉そのものが尊崇されるからである。神が肉になり人間になるのは、すでに根底において人間が神であるからである」（Ludwig Feuerbach, *Das Wesen des Christentums*, Reclam, Stuttgart, 1974, S.520.）。ここに引用した文章に飛鳥美人を落とし込むとこうなる。飛鳥美人がもっぱら石室の表面で文化的価値を表出するのは、石室、いやそれを形づくっている凝灰岩それ自体が文化的価値を表出しているからなのだ。絵だけが国宝で石は関係ないとは、「誰に言うとんねん！」—石工左野勝司の矜持。

〔参考〕国内外の石造り遺跡の修復や発掘に独学で技術を開発し、数多くの文化財の保存に尽力している左野勝司（一九四三年生）に関するデジタル版 日本人名大辞典+Plus「左野勝司」の引用：中学卒業後、国内外の石造文化財を通し独学で石工としての技術を習得。昭和四〇年左野石材店を創業。五三年飛鳥建設の社長。藤ノ木古墳石棺や高松塚古墳石室など、寺院・神社の石造文化財の調査や修理・復元にたずさわる。また、イースター島のモアイ像の修復にもあたった。国内外の石造り遺跡の修復や発掘において独学で技術を開発し、数多くの文化財の保存に尽力したとして、平成一九年吉川英治文化賞。和歌山県出身。
https://kotobank.jp/word/%E5%B7%A6%E9%87%8E%E5%8B%9D%E5%8F%B8-1109934

〔付記〕本稿は、二〇二一年一一月一三日に私が行ったNPO法人頸城野郷土資料室（上越市）の文化講座「ますやdeお話し会」第二九回の同名講座解説資料を参考に、あらためて執筆したものである。（二〇二一年一一月一五日記す）

第三節　専門家にはじつに頼りない人がいるものだ

（一）謙虚さは程度問題だ

頸城地方の古代文化を調べつつ、必要あって門脇禎二『古代出雲』（講談社学術文庫、二〇〇三年）を読み始めた。その序章「荒神谷以後」で、著者のいかにも謙虚というか自信なさげな態度に出くわした。著者は日本古代史の専門家（expert, specialist）である。その彼が考古学や考古家者に対して示す態度についてである。「文献史学と考古学と」（三三頁以降）から幾つか引用する（傍線は石塚）。

シンポジウムを終えたあと、半時間後にはもう列車に乗ったわたくしであったが、心はなかなか出雲を離れなかった。こうしたシンポを終えるといつもそうなのだが、反省や次への課題が次つぎと浮かんでくる。

まず第一は、文献史学と考古学それぞれの成果にたって、もっと果敢に討論を交わすべきではなかったか、と思った（三三頁）。…

第二には、とくに強い思いなのだが、弥生文化のはじまりから古墳文化まで、出雲の地に即した地域史的展開の特色をもっと聞きたかった。とくに考古学者の佐原真・近藤喬一・足立克己の三氏には、発言がわたくしども門外漢に対しては啓蒙的になるのは仕方ないとしても、全国的視野の青銅器論に加えて、もっとこの点を説いてもらうのを期待したのだが、残念であった（三四頁）。…

以後、翌年にかけて幾度か現地を訪れたが、銅矛・銅鐸も発見され、取り上げられたあとのそれらをみた一九八五年八月三一日のメモもある。…「銅鐸は思ったより小型。珍しいものだが、あまり上質にはみえない。素人ながら、畿内型だろうか。九州北部でも最近にあいついで鎔笵（ようはん）（鋳型）が発見されている小銅鐸につながるのだはなかろうか」（四一～四二頁）

軽々な発言は慎まねばと、あらためて思わされた。だが、とりあえずいってみたいのは次のことであった。（四三頁）。…

そのようなわたくしが、拝読して思わず膝を叩いたのが、…である。決して長文ではないが、深い学識を背景にして、まことに正確しかも簡要をえた文章で、実に味わい深い。…荒神谷青銅器群の意味を次のように述べられている。この点はとくに、下手な要約を恐れるので引用させていただく。（四四～四五頁）

門脇は、自らの専門分野では同じような論題を研究する相手に対しては果敢に論争する。例えば以下のようにしてたたかう。「具体的にいえば、日本古代の奴隷制の展開を論証しようとした唯一の体系的提言となっている石母田・藤間氏らの論証に疑問を感じるのである」（六五頁）。「わたくしは、直木氏の『族民』論に根本的に賛成できない」（九一頁、注一七二）。

けれども、隣接であれ異分野について門脇は何とも謙虚な人物だ。他人に見せるわけでもない日記メモの中ですら謙遜している。同書七四頁には「多くを学ばせていただいたが、考古学には門外漢なので、教えられたといっても、果たして理解が行き届いているか誤解はないかといつも自省もあるし、自分の力量からいっても、銅鐸論についてとくに発言する心算はない」と記している。一九二五年高知県生れで、この本のもとになった『検証古代の出雲―荒神谷以後の古代出雲論を総括する』（学習研究社、一九八七年）を刊行したとき、すでに還暦を過ぎていた。日本古代史に関する業績は質量ともに申し分なかった。にもかかわらず、学問の領域（discipline）が違うことを理由にして、自分は「門外漢」であるとか「素人ながら」、「軽々な発言は慎まねば」という態度を表明している。本音は「文献史学と考古学それぞれの成果にたって、もっと果敢に討論を交わすべきではなかったか」ということであるにもかかわらず、そのように慎み深い姿勢が出てくる原因や背景は、いったいどこにあるのだろうか。

学術研究を、昔は学問と称していた。学問をドイツ語“Wissenschaft”（知の軸）という。それが、あるときから人文科学・社会科学・自然科学というように、科学と言い換えるようになった。サイエンス（science）という英語の翻訳だが、二〇世紀に至ると、学界では、社会的有用性に富む理系の研究を「科学」と称し、文学・芸術・哲学など教養的価値を含む文系の研究は旧名称の「学問」で済ませていた感がある。

ところで、カントが『諸学部の争い（*Der Streit der Fakultaeten*）』（一七九八年）で主張したかったのは諸学の分断でなく、両者の間の徹底的な討論とその成果の共有である。その意味で学問は分科の学ではない。しかし、二〇世紀を経るにしたがい、学問のかような役割と使命は忘れ去られ、学問は実利的有用性の基準に照らして分科の枝道に入り込んでいった。専門（speciality）と称して、領域（discipline）の壁面が高くなり門扉が狭くなっていった。それとは別に、政治・社会と直接間接に結びついた学閥（academic clique）が、学問・科学の分野で幅を利かせ、他領域への口出しは禁物となっていった。学問世界における特権といっても差し支えない権威体制が、門脇のような謙虚さを生みだす遠因となっている。ここでは、私なりに見聞してきた後者の学閥について、もう少し説明したい。

(二) ○○のためにする研究

例えばイギリスのエジプト考古学には、長年にわたる学問的伝統がある。ギザのスフィンクス建造はクフ王のピラミッドよりも古いといった類の新説など、その伝統を前にして受容困難である。日本では、一九世紀から二〇世紀にかけての資本主義論争（講座派と労農派）や、戦後の経済学研究（マルクス経済学と近代経済学）にも、学閥の争いは歴然と存在している。

門脇が入り込んだ歴史学の場合は、歴史学内部というよりも、隣接する諸領域との接点が問題になった。哲学・社会学・人類学・考古学・地理学・海洋学・言語学・宗教学などである。研究方法でも隣接との接点は歴然としていた。地域社会調査（社会学・言語学など）・文献調査（哲学・歴史学など）・野外調査（考古学・地理学など）ほか。さらには、地理学における人文地理と自然地理、人類学における形質人類学と文化人類学、というように樹形図的に細分されている。

さて、京都大学文学部史学科出身の門脇が遺した著作に以下のものがある。『日本古代共同体の研究』、『「大化の改新」史論』、『日本古代政治史論』、『日本海域の古代史』など。それらを眺めると、門脇は共同体研究、政治史研究、地域間交流史研究に勤しんだ。時代としてはおおむね古代にかかわるが、研究領域としては歴史学のほか、政治学・考古学・民族学・地理学・海洋学などに関連している。そのことについて、門脇は多くの専門家と共同研究を行ったが、史学科卒業という観点から歴史学（日本古代史）以外のパートについてはそれぞれに該当する専門家の研究成果を尊重する態度に出ている。その態度は、先に引用した「軽々な発言は慎まねば」、「下手な要約を恐れる」によく表れている。あるテーマや史料について提出された考古学の見解は、それと異なった立場の古代史研究からすると肯んじない、とはなりにくいのである。一種の禁欲である。じつは、その態度こそ学問研究の多様化（diversity）を阻害する要因になっていることを、門脇は認識していたのであろうか。

ここで私の研究テーマに即して、同じ問題を深堀りしてみたい。それは「古代日韓文化交流史」にかかわるものである。以下に拙稿「木島平「三韓土器」の発見と科学研究の陥穽」（日本科学者会議埼玉支部『さいたまつうしん』第一九八号、二〇二一年二月）から関連部分を引用する。

政界財界と同様、往々にして学界も派閥で縛られている。考古学界も例外ではない。その権威筋では、古代日本文化、その基本はすべからく九州または畿内から発することと相場が決まっている。かつて考古学者の小林行雄は一九六一年刊の『古墳時代の研究』でこう主張していた。「地方における古墳の出現が、大和政権の勢力範囲外においても生じえたのではないかという推論は、実証的にはいちじるしく可能性を欠くものといいうるのである」（小林行雄『古墳時代の研究』青木書店、一九六一年、一五一頁）。小林にとっては大和政権が紀元であるようだ。古墳時代や弥生式時代は紀元前、飛鳥時代や奈良時代は紀元後だ。それはちょうどキリスト教徒にとってイエスの出現が紀元であるのと同類だ。地方における古墳の発生を大和政権の地方官である「県主」と結びつけ、政権の承認を前提にした、という小林行雄の理解は、古墳時代を大和時代と言っていた頃の名残りであろう。朝鮮半島南端の伽耶地域を「任那日本府」と称していたのと同類の歴史観に支えられている（三頁）。

私がここ一〇数年にわたって追いかけている〔古代朝鮮文化の信濃川遡上〕仮説は、小林のような歴史観・研究姿勢の人物にはとうてい承認できない。物的証拠が発見されても、それは否認されるか無視されてきた。再度上記拙稿から引用する。

その私の学問的営為にとり朗報となるニュースが、つい先ごろ飛び込んできた。「東日本初『三韓土器』、長野北部の根塚遺跡で出土　朝鮮半島と交流？」（朝日新聞デジタル、二〇一一年一一月一一日）である。対象の遺物が紀元前一世紀～紀元後三世紀に朝鮮半島南部で制作された土器であるから、北九州・畿内の勢力は未だ成立しておらず、したがってかかる地域からの運搬物ではない。信濃川・千曲川を経由して日本海からダイレクトにもたらされたと判断できる。（中略）

「三韓土器」出土という今回のビッグニュースは、じつは新たな発掘によるものでなく、すでに一九九六年～二〇〇〇年の発掘で出土していた遺物の再調査によってわかったことなのである。三韓土器が東日本、それも日本海側で発見されるなど、大半の考古学研究者には想定外だった。だから、二〇年以上のあいだ分類不明の括りでペンディング処理されてきたのである。長野市付近の千曲川流域で発見されている高句麗系ないし百済系の積石塚遺跡について、私は自身の調査研究をもとに、これを日本海経由と結論づけている。長野市教育委員会が二〇〇七年に編集した『大室古墳群調査報告書』には、「積石塚は高句麗の墓制と、特徴的な合掌形石室は百済の墓制との関係を指摘する意見もある」（九頁）とあるものの、そこに渡来のルートは記されていない（二～三頁）。

上記引用にある「大半の考古学研究者には想定外だった。だから、二〇年以上のあいだ分類不明の括りでペンディング処理されてきたのである」という事情には、「物的証拠が発見されても、それは否認されるか無視されてきた」という積年の慣例が伏線として潜んでいるのである。〇〇の利益のために、〇〇の手段としてする研究であるから、その意図に合致しない新説は敬遠されるのである。

とんでもない旧弊である。そのような権威に忖度する必要はまったくなかろう。門外漢か専門家かの基準は時と場合に依りけりであるが、権威への忖度としては、五十歩百歩の基準であろう。時代は、人文・社会・自然の枠を突き抜ける多様化へと向かっている。人類学における〔存在論的展開〕はその一例である。そこは、学際（inter-discipline）でなく学超（trans-discipline）の領野が広がっている。カントによせて述べるならば、諸学問の徹底的な討論とその成果の共有が求められているのである。簡単に喩えるならば、聞く耳をもて、ということである。

（三）日本学術会議の二重性

門脇のように他分野に対して謙虚な専門家は、場合によっては研究の機会と予算をめぐって外部とのたたかいを繰り広げる。そのような現場の頂点は日本学術会議である。

二〇二〇年一〇月一日、時の総理大臣菅義偉は、日本学術会議の会員候補の任命を拒否すると公表した。また、この問題で内閣府は、安倍政権時と菅政権発足直前の九月上旬の二度にわたり、内閣法制局に対し、日本学術会議法の解釈を問い合わせていたことも判明した。

さて、暴挙ともいえるこの出来事は憲法（二三条）違反であり、長年にわたって学術研究に注目してきた私にすれば、日本における学問の自由をめぐる重層的な対立の一部であるように思われた。一〇月一日付で菅義偉首相に任命された日本学術会議の新しい会員（同会議が推薦した候補者一〇二名）中、安全保障法関連法案などに反対する憲法学者、歴史学者ほか六人は除外された。その理由は開示されていなかった。時の官房長官加藤勝信は「首相が会員の人事等を通じて一定の監督権を行使するということは法律上可能」と述べた。

この出来事を議論するについて、私は、少なくとも以下の三つの対立構造を考慮する必要があると考える。

①政府（任命権＋監督権？）vs学術会議（推薦母体）

学術会議は政府から独立した組織（「法」三条）であり、学問を支える二大権力の一つである。この条文は、対政府および対研究者一般に関わる諸刃の剣となる。とくに、学術会議が「優れた研究又は業績がある科学者」（「法」一七条）についての候補選定にかかわる規定が問題であろう。

②学術会議（官許アカデミズム・公務員）vs基準外研究組織（アカデミズムの辺境・越境）

一〇〇人未満（「規程」1-3）で年報機関誌なし（「要件及び手続」2-4）の研究機関は、大規模な学協会をしたがえ国家公務員の資格をもった日本学術会議の連携基準外で、そもそも蚊帳の外である。

③専門研究者（学位、学閥、アカ・ポス）vs非常勤・在野研究者（自力の研究者）

専門機関に常勤職を得ていない、いわば未組織研究者（要件及び手続」注）は、これもまた蚊帳の外である。学術会議の情報など届かない、エンゲル係数の高い研究環境に置かれた研究者にとって、学問の自由とは、いったい何を意味するのか。

さて、この暴挙に対する私の直接的な対応は、菅内閣に任命拒否を撤回させることだった。その方向に全力を傾注することが肝要であった。ここにおいて私が日本学術会議にまつわる上記三点に言及するのは、任命拒否の撤回行動を鈍らせるためではない。そうではなく、日本学術会議をとりまく対立軸を一対一というように短絡的に評価してはならないからなのである。また、別の表現をするならば、「学問の自由」を多様な要素要因から捉えよ、ということなのである。科研費分配など研究上の利権・利便をめぐって、文科省（二〇一五年学校教育法改正etc）と学術会議（予算一〇・五億円）の意向に逆らえない、といった諦めや忖度が学界や研究機関に根付いてしまっては、元も子もない。その点をきちんと議論しておきたいのだった。私は、菅内閣によるこの暴挙を、学問の自由にかかわる様々な諸問題を相対的に考える契機に出来れば、と思った。その上で、この時は、上記の三対立構造のうち、なによりも①の対立を、②③の問題解決に向かって吟味することが優先されると結論付けたのである。

私が先年の学術会議問題をここに取り上げたのは、第一に学界や専門家集団の間における利権争いを糾弾するためである。門脇のように、普段は学問の世界で真摯に謙虚に研究に勤しんでいて、ときには実に頼りなくなってしまう人たちでさえ、時と場合によっては利権争いの旗を振るということである。

その事例というわけではないが、門脇は同書のある箇所で血相を変えて語気を荒げている。そこに言及して本稿を閉じる。以下にその一部を引用する。

> 前拙著（『出雲の古代史』NHKブックス、一九七六年—引用者）のうちの神話関係や一、二の部分だけをとり出して、前拙著の古代出雲論などは〝「記・紀」神話は「作り物」「造作」だとした津田左右吉の一亜流で〟〝逆立ちした皇国史観〟による古代出雲論にすぎず、「門脇氏をふくむ戦後史学の論者たちの発送も同様」ときめつかられた（古田武彦『古代史を疑う』その七　駸々堂出版　一九八五年一一月）。
>
> 感情を殺してこの程度に書いたが、実はB六判二〇ページにわたるこの文を読んで、わたくしは生まれてはじめてといえるほどの不快さと嫌悪を覚えた（九〇頁）。
>
> ……
>
> 要は、古田氏がどんな自説を主張されようとまったくご自由で自らのご見識によるところだが、その踏み台や小道具に虚報されたり曲論されるほうはたまったものではない（九三頁）。

そんなつもりで書いたわけではない、もっとしっかり読んでくれないと誤解が誤解を生む、と門脇は言いたいのだろうか。反論するにも言葉を選んで礼節をわきまえよ、と言いたいのだろうか。自説への反論には、往々、こうした憤りはつきものである。後日、その反論がけっこう当たっているとわかっても、一度崩れた人間関係はなかなか修復できない。研究姿勢や成果は評価できても、人間性についてはそうはいかないのである。さて、そこに潜む問題の一つに、専門家集団の間における利権争い、学閥抗争があったりするのである。門脇は堪忍袋の緒が切れただけである。普段の謙虚さは、ときに「たまったものではない」感情を呼び起こすのである。幸いにもそのような環境にない研究者は、学問における自由人でいられる。哲学者が歴史学を、人類学者が芸術論を、社会学者が脳科学論を、海洋学者が建築学をどんどん援用する、そういった自由人である。

（二〇一二年三月九日記す）

第四節　松尾芭蕉の越後高田宿泊先と追善碑〔はせを翁〕

（一）問題の所在

上越市の国文学者である故小林勉は、著作『頸城文学紀行』（耕文堂書店、一九八七年）の中で一六九八（元禄二）年七月上旬（新暦八月下旬）に高田来訪中の松尾芭蕉に関して、次のように記している。

『おくのほそ道』の旅で直江津今町で二泊した芭蕉主従は、七月八日（新暦の八月二十二日）、高田の細川春庵を訪ねた。『曽良随行日記』の記述を見てみよう。

――未ノ下尅、至高田ニ。細川春庵ヨリ人遣シテ迎、連テ来ル。春庵へ不寄シテ、先、池田六左衛門ヲ尋。客有、寺ヲカリ、休ム。マタ、春庵ヨリ状来ル。ヤガテ尋。発句有。俳初ル。宿六左衛門、子甚左衛門ヲ遣ス。謁ス――

午後二時半頃、高田に着いたのである。今町の佐藤元仙が通知しておいてくれたので、春庵から迎えの人が途中まで来ており、連れ立って高田に入ったのであった。まず、池田六左衛門を尋ねたのだが、来客中とて、近くの寺を借りて休んでいるうちに、春庵から手紙が来、それで訪ねたのである。

春庵は大工町（今の仲町四丁目あたり）に住む町医者で、棟雪と号して俳諧をたしなむ文化人でもあった。[☆01]

その小林は、本著作の続編として『頸城文学紀行 補遺』を一九九二年に同じ版元から刊行したが、その中で、芭蕉の宿泊先である春庵邸の住所を以下のように変更している。

「細川春庵（昌庵・升庵とも呼ぶ）は、寄大工町（今の仲町六丁目）に住む町医者で、棟雪と号して俳諧をたしなむ佳人であった」。[☆02]

小林著作の前編と後編との刊行間期に、何があったのだろうか。上越市公文書センターホームページ「松尾芭蕉が上越市域に残した足跡」には住所変更の経緯が次のように説明されている。

芭蕉が越後を訪れてから一一七年後の文化三年（一八〇六年）一〇月、大貫村の医王寺の住職は、同寺境内の薬師堂の北側に芭蕉塚を建立したいと奉行所に願い出ています。芭蕉塚とは、芭蕉の句碑のことですが、元禄二年（一六八九年）七月八日に高田の寄大工町の医師細川春庵方で開かれた俳諧での芭蕉の発句「薬欄にいづれの花をくさ枕」が刻まれました。[☆03]

上越市作成の本資料には、上越市高田地区での芭蕉の滞在地は「寄大工町の医師細川春庵方」とされている。その根拠について、上越市作成の別の資料、二〇一九年に開催された第二三回上越市公文書センター出前展示会資料には、以下のように記されている。

曽良が随行日記に「細川春庵」と記した人物について、大正三年（一九一四）発行の『（旧版）高田市史』では、高田大工町に住んでいた細川昌庵（升庵又は青庵とも、俳号は棟雪）だとしています。一方、町年寄を務めた森家が記した「高田火災記」には、延宝四年（一六七六）

三月二九日に発生した大火災にかかわり、「寄町細川升庵」という記載があります。当時、高田には「本大工町（仲町四）」と「寄大工町（仲町六）」の二つの大工町があり、寄大工町の通称が寄町でした。したがって、芭蕉が宿泊した春庵の邸宅は、寄大工町にあったと考えるのが妥当です（これまでは、春庵の邸宅が本大工町（仲町四）にあったと誤って解釈されることが多かった）。[☆04]

以上の考察によって、以下のことがらが確定したと思われる。①『曽良随行日記』に従えば、元禄二年七月八日に芭蕉一行は細川春庵宅に宿泊した。②森家の記録「高田火災記」に従えば、細川春庵宅は高田城下の寄大工町に存在した。

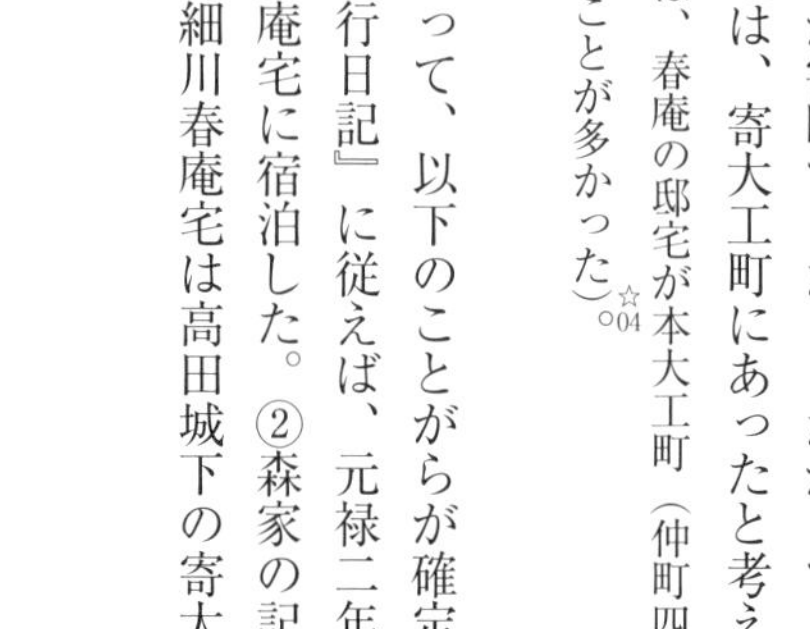

（二）新たな史料の分析

芭蕉の高田滞在について断続的に調査しているさなか、私は二〇二五年に迎える上越市市制二〇年記念の企画〔二一世紀の上越スタイル〕を有志三名（高野恒男・真野俊和・石塚正英）で発起した。その趣旨は次のようである。この区切りを記念して〔上越市生活文化誌二〇〇五－二〇二五〕という記念誌を編集する。それは従来のような時系列と地域合併に対応した市町村史誌ではない。行政割り地区を横断し越境して扱う領域は、政治・経済より文化、それも生活文化に重きを置く。政治・経済を扱わないというのでなく、生活文化を優先し、それを産み出し動かしてきた地域政治や地域経済をこれに連携させるという方針である。統合発展史よりも将来的多様化の糸口を紡ぎだす。

その企画の一つに各町内に眠る地域文化の掘り起こしがある。そのような視点・問題意識から、私は自身が生まれ育った地域に目を配り、芭蕉滞在の記録を探り出すことにしたのである。

また、芭蕉と一茶を比較するのに、糸魚川の文人である相馬御風の著作『一茶と良寛と芭蕉』を座右において、〔旅の人芭蕉〕と〔土の人一茶〕という対比研究を志している。[☆05]

その方向での調査において、私は、上越市寺町三丁目の高安寺に残る芭蕉石碑に行きあたった。[☆06] かつて『くびき野文化事典』（NPO法人頸城野郷土資料室、二〇一〇年）を編集した際に、巻末資料「石碑が語るくびき野紀行」に「松尾芭蕉追善碑」[☆07]とだけ記しておいたが、私自身は現場で調査していなかったのである。一〇年余りが過ぎ忘れかけていたところ、今回は確実に調査でき、大きな収穫となった。

芭蕉や奥の細道に関する学術研究書・文学解説書には概ね、高田の寺で休憩した、といった短文が書かれているだけである。追善石碑のことはだれも指摘していない。むろん地元には上記寺院関係者をはじめ、その存在を知る人々はいる。けれども、調査を怠った私の責任でもあるが、当該史料は学問研究の素材にまで高まらないまま今日に至った模様である。

そのような現状には史料不足が反映している。一九四三（昭和一八）年にはじめて翻刻出版された曾良の随行日記にあたると、「寺ヲかり、休ム」と『春庵ヨリ状来ル。頓而（やがて）尋」だけなのである。☆08 また、「薬欄にいづれの花を草枕」についてだけ特記すると、この句はそもそも『奥の細道』に載っていない。したがって、芭蕉愛好者の大半が愛読する文献つまり『奥の細道』で「薬欄に…」を楽しむことはない。文芸評論家山本健吉の著作『奥の細道』の「北陸路（越後）」を読むと、今町・高田では「文月や…」と「荒海や佐渡によこたふ天河」が紹介されているものの、「薬欄に…」は解説がない。参考に触れることもせず、その後は、市振りでの「一家（ひとつや）に遊女も寐たり萩と月」に進んでしまう。☆09

私は、二〇二二年五月一四日と一五日に、上越市高田地区の芭蕉滞在現場とされる同市寺町三丁目の高安寺で調査を行った。初日には文学に造詣のある元上越市職員の筑波文江様に案内を戴き、境内を見学した。翌日は百目鬼（どうめき）洋一高安寺住職に案内をうけ、境内右手の叢に佇む「はせを翁」石碑の前に立った。ひどく摩耗し欠損した状態であったし、背面は意図的にゲンノウとノミで刻印文字を削り取った跡が残る。先代から石碑の管理を引き継いだ現住職は、石碑

表面に手を当てながら「はせを翁」と読まれた。芭蕉は平仮名で「はせを」と表記するのであり、つまり「はせを」とは芭蕉のことである。また、「芭蕉（はせを）」には「翁」の敬称が添えられることも多い。高安寺の記録によると、当該の石碑は、芭蕉がこの地を訪れてから一三年後の一七〇二（元禄一五）年に建立された。ただ、私が実見して判読できた文字は、左下に太く深く刻まれた「翁」のみだった（写真参照）。

なお、芭蕉が腰かけてひと休みしたのは高安寺本堂ではなく、境内の右手に「はせを翁」碑と対面するように建つ「観音堂」とのことである。その跡地も確認した。そこ

には民間の住宅が建てられているが、そこへと連なる石畳は存在している（写真参照）。住職の説明では、石畳は観音堂への参道の遺構とのことである。また、石碑は、もとは境内の別のところにあったとのことだった。現在地への移設に際して石碑が損傷したのではないか、と住職は話された。

（三）今回調査のまとめ

論理的推論には帰納法と演繹法がある。いずれの方法を当てはめてみても、松尾芭蕉の休息寺院と「はせを翁」碑に関して何か実証的な考察ができたかというと、やや心もとない。第一、碑文の表面が剥落しており、「翁」以外の文字は確認できない。第二、芭蕉が腰を下ろして一休みしたとされる観音堂は現存しない。しかし、住職の説明では、一般公開はできないが高安寺の記録（過去帳など）には、以下の内容の記述が残っているとのことである。元禄二年七月八日に芭蕉翁を今町（直江津）よりお連れして、芭蕉は観音に参拝した。追善碑は元禄一五年八月に建立された。

長く私は、実証史学の文献調査とともに民俗学的フィールド調査を学術的に重んじてきた。前もって『曾良日記』や『奥の細道』、それらの研究解説書などの文献調査をすませ、しかるのち、二〇二二年五月一四日と翌日に現地調査を実施した。その限りで、結論として以下のようなまとめを行いたい。

上越市に現存する芭蕉碑・芭蕉塚は、上記の『くびき野文化事典』には一五カ所が記されている。[☆10] そのうちの最古の石碑は、今回の調査対象である高安寺の「はせを翁」で、一七〇二（元禄一五）年の建立である。その次は一七五四（正徳四）年の「景清も花見の座には七兵衛」句碑（南本町三丁目の正輪寺）である。上越地方でつくった句で見ると、五智国分寺の「薬欄に…」句碑が一七七〇（順和七）年の建立。金谷山（対米館）の「薬欄に…」句碑が一八〇六（文化三）年の建立となる。今町で詠んだとされ、琴平神社（上越市中央三丁目）に設置されている「文月や六日も常の夜には似ず」句碑は、文化年間（一八〇四‐一八）に建立され、のちの慶應年間（一八六五～六八）に再建されたものである。更には、『奥の細道』三〇〇周年を記念して、一九八八（昭和六三）年に北陸高速米山SAの下に「文月や…」句碑が建立されている。以上を参考にすると、高安寺の石碑は芭蕉碑としては上越で最古となる。高田で詠まれた句を刻んだ最古の碑としても、すこぶる重要なのではなかろうか。

次に石碑の形状について検討する。それは五智国分寺の「薬欄に…」碑（写真）と類似している（二〇一一年九月一一日調査、左は筆者、右は共同調査の高野恒男）。こちらには漢字で「芭蕉翁」と刻まれており、高安寺の「はせを翁」とは異なるが、内容は同じである。「翁」の書体は異なる。そしてなによりも建立時期に六八年の開きがある。よって、石材やその形状による比較ではさしたる成果は得られない。あえて記せば、芭蕉の句碑として、磨きをかけない自然石のままの両者とも風情があるという共通点はあろうか。

このように調査・考察してみることによって、確定的な事柄が幾つか浮かんできた。住職の説明による高安寺の記録をエビデンスとするならば、①芭蕉翁と随行の曾良は元禄二年七月八日に観音堂に参拝し休憩している。②それを記念してか芭蕉死歿（元禄七年一〇月一二日、新暦一一月二八日）を偲んでか、元禄一五年八月に追善碑が建立されている。③観音堂は現存しないが遺構の石畳は現存する。④表面が著しく剥離しているものの、追善碑は現存する。よって、私は、今町（直江津）から高田に移動してきた芭蕉一行は、少なくとも現寺町三丁目の観音堂で一服したのち、東に徒歩で一〇分ほどの寄大工町（現仲町六丁目）の細川春庵宅に向かったと結論付けてよかろうと推測する。☆11

（四）地域文化としての芭蕉文化の活用

二節に記したように、今回の芭蕉調査は、二〇二五年に迎える上越市市制二〇年記念の企画（二一世紀の上越スタイル）に関連している。そこで、本稿の最後に、その企画の一つである「芭蕉ハーブ園と芭蕉プランターで町家雁木を香しく演出しよう！」の呼びかけ文を以下に引用する。

俳人の松尾芭蕉は、一六八九（元禄二）年七月八日（新暦八月二三日）、上越市仲町六丁目に来ました。寄大工町の医師細川春庵（又は升庵、昌庵）亭に三泊し、俳諧を催し、「薬欄にいづれの花を草枕」を詠みました。そのころ、仲町六丁目は「大鋸町（おがまち）」と「寄大工町」から成っていましたが、芭蕉は寄大工町に来たわけです。一六七六（延宝四）年三月に発生した火災に関する「高田火災記」には、「寄町細川升庵」という記述が読まれるとのことです。それは「寄大工町」にあたります。芭蕉さん、その昔、我が町内「仲六」によくぞいらっしゃいましたね。

「薬欄に…」を刻んだ句碑は、五智国分寺と北城神明宮、そして金谷山（対米館）にありますが、なによりもまず、高田城下の雁木通りでつくられた俳句「薬欄にいづれの花を草枕」です。文化薫る仲六の誇りです。ぜひともわが町家雁木でも芭蕉の来訪を記念したいと思います。以下の提案を致します。

医師細川春庵宅の薬欄つまり薬草園にあやかって、雁木通りに「芭蕉ハーブ」と銘打った植木鉢かプランターを置き、行き交う人たちに自然色の香りをプレゼントしましょう。町家の裏手にハーブ花壇をつくるのも趣がありましょう。二〇二四年は芭蕉生誕三八〇年、没後三三〇年に当たります。二〇二五年には上越市市制二〇年の画期を迎えます。〔芭蕉ハーブ〕イベントを、その記念企画〔二一世紀の上越スタイル〕の一端にできれば幸いです。

具体的には市民有志の方々が銘々に好きなハーブを植えた鉢やプランターを個人負担で用意し雁木や玄関前に置き、「芭蕉ハーブ」と書いた銘板（雨にも大丈夫なもので自由に作る）を立てる。あとは枯れないように世話をする、それだけです。この企画の開始時期はおおよそ今夏を目途に（今すぐでも結構）、終了は市制二〇年の二〇二五年末と考えております。有志のみなさんには、本件にぜひともご賛同戴きたく存じます。〔二一世紀の上越スタイル〕企画への質問等も含めて、まずは以下の責任者に連絡をください。そのつど詳細の説明を致します。いかがでしょうか。

★企画責任者：NPO法人頸城野郷土資料室（理事長 石塚正英）
★連絡先：上越市仲町六丁目五番地一号☆12

山本健吉の説明によると、芭蕉の越後路は連日のように雨に降られ、ゆく先々で不快な思いをしたらしい。「鼠の関を越えると、越後の地に足を踏み入れ、越中の国市振の関に至った。このあいだ九日、暑さと雨との辛労に心を悩まし、病気が起って、出来事を記さなかった」☆13。

なお、本稿は、芭蕉が奥の細道に出発した五月一六日（旧暦元禄二年三月二七日）にちなむ「旅の日」に当たる二〇二二年五月一六日に脱稿している。昨日の調査についての記憶が新鮮なうちに、一気に執筆した。

注

01 小林勉『頸城文学紀行』耕文堂、一九八七年、一三〜一四頁。なお、小林勉は、上越市のNPO法人頸城野郷土資料室が運営する顕彰事業「頸城野大学士」二〇一一年度において、以下の業績のもとに表彰され上記称号を授与された。「くびき野の文学および方言に関する学術研究において高水準の成果を達成するとともに、郷土文化の普及において多大なる地域貢献をなした」。

02　小林勉『頸城文学紀行 補遺』耕文堂、一九九二年、四五頁。

03　上越市公文書センターホームページ「松尾芭蕉が上越市域に残した足跡」、二〇二二年五月一六日アクセス。なお、引用文中に「七月八日」とある箇所は、上記資料では「七月九日」となっている。「八日」が正しいので、ここでは「八日」としてある。
https://www.city.joetsu.niigata.jp/soshiki/koubunsho/tenji23.html

04　第二三回上越市公文書センター出前展示会（三月一日から四月二五日まで）、「松尾芭蕉が上越市域に残した足跡」。また、「高田火災記」については、以下の上越市公文書センターホームページ「江戸時代に発生した大化：高田城下編」を参照。
https://www.city.joetsu.niigata.jp/soshiki/koubunsho/tenji12.html

05　〔旅の人芭蕉〕と〔土の人一茶〕という対比研究の一環として、二〇二二年七月に以下の文化講座を担当した。「芭蕉と一茶と良寛と—相馬御風の評価を交えて—」

06　高安寺は曹洞宗、開基一四八〇年、長尾能景（よしかげ）から孫の上杉謙信の時代に最も重きをなした寺院で、一六一四年の高田開府とともに現在地に移転。

07　ＮＰＯ法人頸城野郷土資料室編『くびき野文化事典』（社会評論社、二〇一〇年）資料編、四七頁。

08　櫻井武次郎『奥の細道行脚—『曾良日記』を詠む』岩波書店、二〇〇六年、一四〇頁。

09　山本健吉『奥の細道 現代語訳・鑑賞』飯塚書店、二〇一八年、一三九〜一四四頁。

10　『くびき野文化事典』、四七頁。

11　高安寺のある寺町三丁目と細川春庵邸のある仲町六丁目の間に、明治一九年に信越線の鉄路が敷かれた。その結果、両地は線路を迂回するようになったので、今では一五分程度の時間を要する。

12　上越市市制二〇年記念の企画〔二一世紀の上越スタイル〕については、以下のホームページを参照。https://kamisabu54.wixsite.com/website-1　また、関連する文書資料としてほかに以下のものがある。真野俊和「プロジェクト〔二一世紀の上越スタイル〕の意味と意義」、『頸城野郷土資料室学術研究部研究紀要』Forum79 2021、二〇二一年一一月三〇日公開。https://www.jstage.jst.go.jp/article/kfa/2021/79/2021_1/_pdf/-char/ja

13　山本健吉、前掲書、一三九〜一四〇頁。

芭蕉と一茶と良寛と
—相馬御風の評価を交えて—
一　松尾芭蕉の俳句+相馬御風のコメント
二　小林一茶の俳句+相馬御風のコメント
三　相馬御風の良寛評論—シュティルナー「自我」との関係
四　上越市制20年(2025)を記念して—芭蕉旋風—
石塚正英
NPO法人頸城野郷土資料室
くびき野カレッジ天地びと
2022年7月9日15:10-　高田小町（上越市本町6）

第11章

歴史学の酒井三郎（一九〇一～一九八二）

第一節　文検西洋史研究法――酒井三郎

本節は、『世界史研究論叢』第七号（二〇一七年一〇月）に、川島祐一の編集により復刻掲載された酒井三郎著『《中等教員・高等教員》文検 西洋史〈系統的〉研究法』（東京神田 大同館蔵版、一九三二年）の、さらなる転載である。また、末尾に「総説」部分の口語文体を「向上心に燃える教育者よ起て！」と題して新たに付している。

自　序

文検は私にとつては思ひ出多い經驗であつた。

然し思ひ出は往々にして人を過去に生きしめる。この事は今も尚私を抑へつける重荷である。人は過去によつて規制せられる。とりわけ私にとつては、過去は大きな力をもつてつきまとつて來るような氣がする。私は幾度か過去の思ひ出を棄てたいと、願つたことであろう。否、今もこれを望んでゐる。この思ひ出は、發展を阻止する最も好ましからぬ舊衣であることを、この頃痛感する。今や私は思い切つてこの衣舊を脱ごうと思ふ。過去の思ひ出を清算する時が來た。この時生まれたのが本書である。云はば私の舊衣である。

文検は私にとっては苦い經驗であった。

可惜、貴重の時間を私はこのために浪費した。これは今も尚私を苦しめつつあるものである。人は恐らく自分の歩んだ迂路を他人にすすめないであろう。私は少なくとも同じ道を後から來る人々のために、より安らかに、より上手に歩むことをすすめたい。嘗て自らその手引きが乏しくて苦しんだ私は、若い向上の意氣に燃える同志のために、より手近き手引草として、私の舊衣を頒つ氣になつた。それは恥さらしではあるが、それを望む人の少なからぬままに。

ひとは學問に從事するものの街頭進出を目して堕落であるといふ。そうであるかも知れぬ、ないかも知れない。よしや堕落であるとしても、その堕落であることを知つてなしてゐる間は、未だ眞の堕落でないともいへやう。敢て私はそう考へる。寧ろ、私はそれが何であるかに考慮を拂ふよりも、より以上に受驗の曠野にさまよふ友を想ふことが切である。

本書は多少の偏見や、誤謬を含まないとも限らないし、又云ふべくして言い及ばなかつた點がないでもない。それ等は、讀者諸君によって訂正され、補はれることを希望する。ともかく本書が、同じ流れに棹さして進まる人々のために、何等かの助となるなれば、私の喜これに過ぎるものはない。

昭和七年三月　著者しるす

目次

二七七〜二八二（終）

中等教員・高等教員文検西洋史（系統的）研究法

酒井三郎著

総　説

〔一〕若人よ起て

――向上は理想を必要とする。大いなる理想は彼岸に望み得て容易に到達し難い。凡庸なる吾々には最近目的を有ぜねばならぬ。――

起てよ。若人！

向上の意氣に燃える教育者よ！　御身達が立つて泣くべき岐路は他であるべき筈はない。向上か停滞かのそれである。

若人は活動を要求する。一所に停滞することを欲しない。停滞する所に汚濁と腐敗とが横はる。見よ、停滞毫も動くなき水の面を、孑孑と蛆が浮き沈みしつつあるではないか。

若人とは年齢の高下ではない。二十にして既に意氣衰へた若年寄もあり、頭髪すでに白くして尚矍鑠（かくしゃく）壮者を凌ぐ若人もある前者は共に相談ずるに足らない。

一所に停滞するとは必ずしも場所の意味ではない。六尺の茅屋に蟄居するも、思を古今に走せ、眼を四海に放つことも可能である。

人を教育することと、自ら修養をつむことは根本的に相反することであろうか。否、自ら進みつつある人のみ他人を教育することが出来る。教育するとは被教育者と共に教育者自らも亦進むことである。自ら進むことが教育を妨げ、教育が自己の向上を阻止するものとせば、そは教育そのものの必然的なるものに非ずして制度より来る缺陥である。教育は制度のための教育ではない。國家が時勢に應じて教育制度を改變することなければ、教育の精神は日々に堕落する外はない。制度と傳統とが教育の本質を害ひつつありとすれば、かかる制度と傳統の打破されない限り教育者は大いなる眞畫を喜びあふことは出来ない。

かるが故に、向上の途をたどるものは、教育界の異端者であることも起り得るのである。

若き小學の先生達よ、中等教員の試験を望め。

意気ある中等學校の先生達よ、高等教員の資格を目指して進め。

然しながら、教育の資格を得ることは直ちにその地位の伴ふことを望むものではない。教育者は被教育者に對して偏知的な教育を施してはならないと同様に、叉功利的な教育観に立つてはならぬ。それは同時に自己を律する格律でなければならぬ。知識階級に失業者の續出する今日、吾等の資格が同時に地位を伴ふことも望むべきでない。かくの如き考にて試験を受け、資格をとることは、學校卒業と同時に食にありつけるものと考へる現代の通弊と一つである。

中等教員の試験も、高等教員のそれも、要は知識の試験である。従って眞の向上を願ふものにはそれだけでは足りない。知識の向上と共に人間全體の向上でなければならぬ。検定出が往々學殖は深いが偏狭であるとの評を受けるのは、以て他山の石となすべきであろう[1]。我々は崎嶇嶮難曲折迂回の自己受験生活の中に、大らかに、和やかにあることを努めねばならぬ。それは「理想」に過ぎないと人は云はう。しかし、それは理想なるが故によい。現實が常に理想を追求する所に向上がある。理想と光りなき生活は少くとも衛生的ではない。到達し得ざる理想、それに近づく手段の一つとしてこそ検定試験も大いなる意義があると思ふ。

抑も小學教員、中等教員乃至高等教員は地位の高下の差であろうか。否、斷じて否、我々は教育の本質より見て、かくいふことに躊躇しない。これ等は教育者の道、いはば職業に於ける方面の差異であり、横の関係である。従って中等教員の職に止まるになんら差支へはない。寧ろ、それこそ理想である。かくてこそ小学校教員の地位は最も輝かしく、又重きをなすものであると思ふ。

もつと極言すれば、かくの如くして次の如くいふことが出来る。卽ち、小學教員も高等教員も同じレベルの俸給と時間とが與へられねばならぬ。そして勤労時間に正比例して多くの俸給が與へられねばならぬと。

然るに現状を見よ。小學教員の如何に瑣々たる時勢に忙殺されねばならぬか。ああ徒らに事繁き小學教員生活は吾等の精神と肉體とを消耗しつつあることよ! 従つて修養の時間は永久に消えてゆく。かかる事務はどこまでも初等教育と本質的に関係することであろうか。

學制改革が提唱されて、教員検定規定も亦多少の變更を見ねばなるまいと思はれる。然しそれが教育の本質に卽したものでない以上、豫算関係によつて左右せらるべきものでないと思ふ。若しそうした関係に成立した案であるとすれば斷じて排せられねばならぬと思ふ。ここに吾々は歩みをすすめて師範大學の如きは寧ろこれを廃して、文検を國家試験として齊しく教員たらんとするものに課することを要求する。それは經費節約の上からも、學校出の特權廢止の點よりするも、將又國家の教員思想對策の上からも至極適當のことと思ふ。

脱線はそれとして、ともあれ小學教育に使命と趣味とを感ずる者はそこに安住するがよい。又常識の發達せる教員を要求する中等學校に於て文檢諸科を渉獵さるるも又よい。只小學校教育に従事しつつも、自ら興味を有する科目の稍専門的研究を望まる方のために、又中等教員として自らたづさわる學科のより深き研究に進まんとする同志のために、私は共に語り度い。止め難き學的欲求とそれに伴ふて人格の向上を内心の要求とせらるる友と相談ずることは、私にとつてこの上もない喜びである。

四　自ら拓く道

――模倣は創造への豫備段階でなければならぬ――

歴史は一つの創造である。人類が自然を征服しつつくり得た文化發達の過程である。書かれたる歴史も亦創造でなければならぬ。吾々は他人の叙述を通してこれを歴史事實に還元し、然る上に吾が叙述を再構成するのである。

歴史をつくる要素である人類は創造するものである。人類の一員たる個人の歩まんとする道も亦一つの創造である。彼は獨自の存在であり、何物を以ても代へ得ない價値の所有者である。彼の生涯の足跡はそのままには他の追随を許さないものがある。ここに彼の歴史がある。

吾々は徒らに他人の糟粕をなめ、その模倣を事とすべきでない。自らの道を有せねばならぬ。受験生活も亦その一歩である。

吾々は先輩の残したものを見ねばならぬ。受験○も解答案も將又準備法も。然し是等は結局他人のものである。他人のものは終に他人のものであつて、吾のものではない。その面の如く、吾が他と異なる以上、どこまでも他人と同様にすすむことは出来ぬ。要は自己のプランを有すべきである。他人によつて生くべきでなく、自ら生くべきである。こは、うち寄せる波に洗はれた海濱を歩んで、未だ何人も踏まない眞砂の上に吾が足跡を印するに似てゐる。

見よ、朝の海濱を歩む彼の姿を。太陽は水平線上に昇つて、金波、銀波が躍つてゐる。而して彼が足跡は新たなる眞砂の上に一歩一歩を印しつつ、遠く彼方に續く。ここ自ら拓くものの喜と意氣と而して又彼の歴史とが見られないであろうか。

【附録】口語文体「向上心に燃える教育者よ起て！」

〔若人よ起て〕

向上するには理想をもつ必要がある。大いなる理想は彼方の世界に望まれて容易には到達しがたい。平凡な我々には身近な目的がなければならない。――

向上心に燃える教育者よ！　諸君が立ち、泣いて決断すべき岐路は他でもない、向上か停滞かのそれである。

若人は活動を要求する。一箇所に停滞することを望まない。停滞する所には汚濁と腐敗とが横たわる。見よ、停滞しまったく動かない水の面を。ボウフラとウジが浮き沈みしつつあるではないか。

若人とは年齢の差ではない。二十歳にしてすでに意気衰えた若年寄もあり、頭髪すでに白くしてなお元気よく壮年を凌ぐ老人もいる。前者は共に語らうにおよばない。

一箇所に停滞するということは必ずしも場所の意味ではない。かやぶきの小屋に引きこもって生きようとも、古今の歴史に思いを馳せ、世界に眼をひらくことも可能である。

人を教育することと、自ら修養をつむことは根本的に相反することであろうか。否、自ら進みつつある人のみが、他人を教育することもできる。教育するとは、教育を受ける者と共に教育者自らもまた進むことである。自ら進むことが教育を妨げ、教育が自己の向上を阻止するものだとするならば、それは教育そのものに必然的なのでなくて、制度よりくる欠陥である。教育は制度のための教育ではない。国家が時勢に応じて教育制度を改変しなければ、教育の精神は日々に堕落する外はない。制度と伝統とが教育の本質を害しつつあるとすれば、そのような制度と伝統が打破されない限り、教育者は大いなる計画達成を真に喜びあうことはできない。

それ故に、向上の途をたどるものは、教育界の異端者であることも起こり得るのである。

若き小学の先生たちよ、中等教員の試験を望め。意気ある中等学校の先生たちよ、高等教員の資格を目指して進め。

しかしながら、教育の資格を得ることは、直ちにその地位の伴うことを望むものではない。教育を授ける者は教育を受ける者に対して知識偏重の教育を施してはならないと同様に、また功利的な教育観に立ってはならない。それは同時に自己を律する格律でなければならない。知識人層に失業者の続出する今日、我々の資格が同時に地位を伴ふことも望むべきでない。そのような考えでもって試験を受け、資格をとることは、学校卒業と同時に食にありつけるものと考える現代の通弊と同じである。

中等教員の試験も、高等教員のそれも、要は知識の試験である。したがって、真の向上を願うものにはそれだけでは足りない。知識の向上と共に人間全体の向上でなければならない。検定（文部省師範学校中等学校高等女学校教員検定試験）出が往々学殖は深いが偏狭であるとの評を受けるのは、以て他山の石となすべきであろう。我々は、道険しく紆余曲折ばかりの受験生活の中にあっても、大らかに、和やかにあるよう努めねばならない。それは「理想」に過ぎない、と人は言おう。しかし、それは理想なるが故によい。現実が常に理想を追求するところにこそ、向上がある。理想と光りなき生活は、少くとも衛生的ではない。到達し得ざる理想、それに近づく手段の一つとしてこそ検定試験も大いなる意義があると思う。

　そもそも小学教員、中等教員ないし高等教員は、地位の高下の差であろうか。ちがう、断じてちがう。我々は教育の本質より見て、こういうことに躊躇しない。これらは教育者の道、いわば職業における方面の差異であり、横の関係である。したがって、中等教員の職に止まってもなんら差支えはない。むしろ、それこそ理想である。そうだからこそ、小学校教員の地位は最も輝かしく、また重きをなすものであると思う。

　もっと極言すれば、このようにして次のように言うことができる。すなわち、小学教員も高等教員も同じレベルの報酬と時間とが与えられねばならない。そして、勤労時間に正比例して多くの報酬が与えられねばならない、と。

　それにもかかわらず現状を見よ。小学教員の、いかに煩わしい時勢に忙殺されねばならないか。ああ、いたずらにせわしい小学教員生活は、我々の精神と肉体とを消耗しつつあることよ！　したがって、修養の時間は永久に消えてゆく。かかる事務は、どこまでも初等教育と本質的に関係することであろうか。

　学制改革が提唱されて、教員検定規定もまた多少の変更を見ねばならないと思われる。しかし、それが教育の本質に即したものでない以上、予算関係によって左右されるべきものでないと思う。もしそうした関係に成立した案であるとすれば、断じて廃棄されねばならないと思う。ここに我々は歩みをすすめて、師範大学（教育大学）などはむしろこれを廃して文検を国家試験として、教員を志望するものに等しく課することを要求する。それは経費節約の上からも、学校出の特権廃止の点よりするも、はたまた国家の教員思想対策の上からも至極適当のことと思う。

　脱線はそれとして、ともあれ小学教育に使命と趣味とを感ずる者はそこに安住するがよい。また常識の発達した教員を要求する中等学校において、文検諸科を探索するもまたよい。ただ、小学校教育に従事しつつも、自ら興味を有する科目について少しでも専門的研究を望む方のために、また中等教員として自ら携わる学科についてより深い研究に進もうとする同志のために、私はともに語りたい。止めがたき学的欲求とそれに伴って人格の向上を内心の要求とする友と相談ずることは、私にとってこの上もない喜びである。

〔自ら拓く道〕
模倣は創造への予備段階でなければならない。――
歴史は一つの創造である。人類が自然を征服しつつくり得た文化発達の過程である。書かれた歴史もまた創造でなければならない。我々は他人の叙述を通してこれを歴史事実に還元し、その上に自らの叙述を再構成するのである。

歴史をつくる要素である人類は創造するものである。人類の一員たる個人の歩もうとする道もまた一つの創造である。彼は独自の存在であり、何物を以ても代へ得ない価値の所有者である。彼の生涯の足跡は、そのままには他の追随を許さないものがある。ここに彼の歴史がある。

我々はいたずらに他人の道をなぞるだけで、その模倣をもっぱらとすべきでない。自らの道を有せねばならない。受験生活もまたその一歩である。我々は先輩の残したものを見なければならない。受験記も解答案も、はたまた準備法も。しかしそれらは結局他人のものである。他人のものはいつまでもそうであって、自らのものではない。顔立ちと同様、自らが他人と異なる以上、どこまでも他人と同様にすすむことはできない。要は自己のプランを有すべきである。他人によって生きるべきでなく、自ら生きるべきである。それは、うち寄せる波に洗われた浜辺を歩いて、未だ誰も踏まない真砂の上にわが足跡を記すのに似ている。見よ、朝の浜辺を歩む彼の姿を。太陽は水平線上に昇って、金波、銀波が躍っている。そうして、彼の足跡は新たな真砂の上に一歩一歩を記しつつ、遠く彼方に続く。ここに、自ら拓くものの喜と意気と、そのようにしてまた彼の歴史とが見られないであろうか。

第二節　ウィラー＝ベネット著・酒井三郎訳『悲劇の序幕――ミュンヘン協定と宥和政策』

オックスフォード大学名誉教授ジョン・ウィラー＝ベネット（Sir John W.Wheeler=Bennett, 1901-1974）は、専攻からいえば、歴史学者ではない。しかし、彼には幾冊かの歴史書がある。たとえば、"*Hindenburg : The Wooden Titan*"（London 1936）、"*Brest-Litovsk : The Forgotten Peace, March 1918*"（London 1938）、"*The Nemesis of Power : The German Army in Politics, 1918-1945*"（London 1953）などである。これらは、主にドイツを中心とする現代ヨーロッパ外交史を主題としたものであるが、ここに紹介する『悲劇の序幕――ミュンヘン協定と宥和政策（原題 *Munich : Prologue to Tragedy*）』も、同様に国際外交史を論じたもので、一九四八年ロンドンで出版された。

本書でベネットは、ヒトラーのドイツ政府が、Lebensraum（自給自足を目指した生存圏・生活圏）の拡大を旗印に対外侵略を準備していった一九三〇年代中・後半の歴史を論ずる。なかでも、ヒトラー政府の野望に対し英・仏が示した外交政策、すなわち宥和政策（Appeasement Policy）を、核心として詳述する。この政策は、結果として、小国チェコスロヴァキアを犠牲にした大国間の一時的平穏を可能ならしめたにすぎなかったが、著者ベネットは、むろんこの点を然るべく認めている。けれども、同時に彼は、この政策に、人類の悲劇＝殺戮戦争を極力回避しようとする英・仏、ことに英国首相チェンバレンの協力をみとおしている。ベネットによれば、チェンバレンは平和主義者、平和を至上のものとして熱望するヒューマニストである。またチェンバレンのイギリスは、万難を排して国際平和を望んだ。これに対しヒトラーのドイツでは、ナチズムが支配的であるかぎり、戦争を選び、これを政策の道具にみたてるという老フリッツ的、クラウゼヴィッツ的外交政策か貫かれていた。一九三八年九月末のミュンヘン会談に臨む英・仏両国首脳の思惑を、ベネットはそのようなモチーフに則って推し測っているように思われる。

では、国際平和を維持しようとするチェンバレンが、なにゆえヒトラーと「宥和」したのであるか。それは、ヴェルサイユ条約の対独条項をゆるめれば、ドイツが平和外交に傾くだろうという期待と、イギリスの軍備拡充のための財源欠如が、動因として作用したためである。チェンバレンは、ヨーロッパがふたたび戦場と化す事態を是とせず、あくまでも非戦・戦争回避を目的にかかげて、ミュンヘン協定を締結した。ことにチェンバレンの「寛容」の精神が、そこに色濃く投影されていた。それゆえベネットは、チェンバレンの対独宥和を、罪ではあるが不可避の政策であったと結論（承認）する。

しかしその判断に、はたして一点の曇りも存しないといえるだろうか。遠くはインドに進出し、あるいは、海峡植民地を獲得したイギリス、近くはアフリカ分割に加担し、あるいはオタワ協定（一九三二年）以後スターリング・ブロックを形成したイギリス、こうして帝国主義への道を歩んできたイギリスに、真の世界平和を希求する政策が、はたして期待できたであろうか。ベネットは、ドイツ＝独裁国家、イギリス＝民主主義国家、ヒトラー＝戦争讃美者、チェンバレン＝平和擁護者、という図式を前提にしている。これでは、ベネット個人の真意はともかく、帝国主義間外交としてのミュンヘン協定の本質が、根底において看過されかねない。宥和外交の歴史的意義は、前世紀からの資本主義の発展と矛盾の諸過程から、その継承発展としてとらえられ、それが個人の果たす役割との関連で説明されねばならない。

とはいえ、本書は、古典的ではあれ、宥和外交史の経過を史料をふまえて克明に綴ったものとして白眉のものである。ことにその叙述スタイルは、日撃的叙法というべきか劇作的叙述というべきか、まさに悲劇への序幕としての事実経過を、生々しく表現するスタイルをとっている。また本書には、著者が信条とするヒューマニズムが、ここかしこに満ちている。世に戦争ほどいまわしいものはないという著者の信条は、本書をひもとく者すべてに、必ずや共有されることであろう。そのようなベネットの著作を、いま我々は酒井三郎博士の達意の名訳を通じて、身近かなものにしえたのである。（昭和五十二年刊、日本出版サービス、A5判、五二二頁、五〇〇〇円）

第三節　立正西洋史の井戸掘り教授・酒井三郎博士

一九六七年三月に熊本大学法文学部を定年退官された酒井三郎先生は、翌年四月に立正大学文学部に着任されました。岡本峻先生ほかそれまで立正大学に西洋史を講じる教員がいらしたことは事実ですが、史学科内に専攻を設置して本格的に西洋史の研究と教育に着手された教員としては、酒井先生が初代でした。一九六九年四月、熊谷キャンパスの体育館にヴィヴァルディの「四季」が流れる中、入学式に臨んだ新入生の私は、数日後、史学科のガイダンスで酒井三郎先生の解説講義を拝聴し、その後「史学概論」ほかを本格的に受講することとなりました。それから二年後、同級の松井（現・野中）徳子さんらとともに酒井先生の西洋史演習Iに臨んだ私は、「ビスマルクの外交」について研究するグループに所属し、八月に報告書を執筆しました。

その頃先生は、時野谷常三郎『ビスマルクの外交』をはじめとする様々な学術研究書・参考文献をご教示下さるとともに、各自の卒論テーマに関しては当該地域に関連する言語で洋書を読むようゼミ生に奨めました。私自身は、一八四八年三月革命前夜ドイツの社会思想史・社会運動史に注目しドイツ語の文献を読んでいきました。すでに一九六八年頃、先生は、熊本大学時代の教え子でいらっしゃるフランス労働運動史の研究者井手伸雄先生を、非常勤でしたが立正に招かれましたので、私は大助かりでしたし、後に妻となる慶野隆子は、井手先生のご指導で一八四八年二月革命を卒論テーマにしました。私自身は、一九七二年秋に卒論「プロレタリアの党形成史――ドイツ手工業職人の役割」を書き上げました。卒論口頭試問において、酒井先生は私に大学院への進学を薦めてくださいました。当時、学費や生活費を自らまかなっておりました私に進学の意志はなく、先生のお勧めを辞退しました。けれども私は、三年後、先生が退職される年の最後に駆け込むようにして大学院受験を果たしました。英語よりも拙いドイツ語で受験したのですが、合格しました。

大学院入学直後、先生は私にあることを託されました。それは、かつて熊本大学時代にご自身が理事長となり手塩にかけて育まれた世界史研究会と同様の研究組織を立正にも創設したいが、そのプロモーターになってほしい、という趣旨でした。酒井先生の場合は、ルソーなど啓蒙期の史学（世界史・文化史）を研究されるご自身にふさわしく、研究会の枠組みについて史学内を横断的に配慮されましたが、私には経済学や哲学など史学外との学際的な連携も加えてみたらどうか、とのアドバイスを下さったのでした。当時の私の専攻を考慮して先生がそのようにお話になられたのは阿吽の呼吸で分かりました。ただし、そのご意向はそっと私の胸だけにとどめたまま、一九七七年四月、立正大学西洋史研究会は誕生したのです。前年四月に鹿児島大学から赴任された木崎良平先生、研究会設立と同時に成蹊大学から赴任された村瀬興雄先生は酒井先生のご尽力に賛同され、酒井・井手両先生と並んで、ただちに研究会顧問に就任されました。その際酒井先生は、この研究会は立正を卒業した若い研究者が代表をつとめるべきであるとし、私を初代代表に勧めて下さいました。私は、若輩で僭越ながら心より先生のご意向にしたがいました。こうして立正大学西洋史研究会は発足したのです。

ちなみに、一九七二年に提出した卒論のバックアップはいまでも手元に保存してありますが、このテーマに関して私はその後さらに村瀬先生のご指導をも戴き、酒井・村瀬両先生のお薦めもあって、博士号請求論文「三月前期の急進主義――青年ヘーゲル派と義人同盟に関する社会思想史的研究」に盛り込みました。残念なことに酒井先生は一九八二年一〇月に亡くなられましたし、この時点では諸般の事情から博士論文を提出しませんでしたが、論文自体は完成しており、わが研究は間違いなく立正西洋史の井戸掘り教授の指導を受けたのでした。また、他大学・他領域の研究者ともおおいに交流せよ、との酒井・村瀬両先生の研究精神・指導理念は現在に至るまでわが立正大学西洋史研究会の土台であり、今後もそうあり続けていくものです。

二〇〇四年七月 東京電機大学理工学部の研究室にて

〔追補〕拙稿「立正西洋史で私が学んだ諸先生」『立正西洋史』第一七号（二〇〇一・六）から、酒井三郎先生追悼に関する一文を以下に転載する。

ここでついでに、『立正西洋史』第五号（一九八二・一二）に載せた「酒井三郎先生追悼の記」を引用しておきたい。「私が最後に先生にお会いしたのは、初秋の九月四日であった。それより一〇日ほど前、先生から、水戸へ遊びに来るように、とのお電話をいただいてあった。いつものように遠慮なく奥座敷まで上がりこんだ私は、座卓の上に、先生がご執筆中の原稿用紙数枚を見た。さっそく先生にその内容をお聞きしたら、例の教科書問題に対する教師の立場からの見解を認めていらっしゃるとのことだった。それから、ひとしきり明治生まれの先生と戦後生まれの私との間で〈侵略〉をめぐって腹蔵ない議論がかわされた。また、十数年前、私が学生だったころ先生と衝突した時の話がまた繰り返され、現在その私がすっかり立場が変わって、教壇に立って学生達と向かいあっているその心境をお話したなら、先生は大きくうなずかれ、例の〈野人・三郎〉の大笑いをされた。そして最後に、先生が今後執筆を計画中の『日本西洋史学発達史・現代編』（仮）の件でご協力をお約束して、私は先生とお別れしたのだった。その夜、私は次の言葉を日記に残した――『一年ぶりに水戸の酒井先生宅を訪問、二時間ほど先生と歓談した。恩師の名に値する先生、という実感を、また味わった』」。

第12章 民族学の布村一夫（一九一二〜一九九三）

第一節　神話と共同体の人類史像
――布村一夫著作との出会い

はじめに

かつて経済学者の宇野弘蔵氏は、学問＝社会科学はイデオロギーや政治的実践から区別されて自律的なものとなるべき、という立場を表明していた。私がはじめて宇野著作に接したのは一九六〇年代末だったが、当時そのような宇野氏の立場はとても理解できなかった。しかし、いまは政治の時代だ、学問なんてやっている場合じゃない、として生活や文化の諸領域すべてを政治に従属させようとする全共闘系諸セクトの政治主義にはもっと賛成できなかった。六九年からの大学生活において、私は、自己の学問研究を生活それ自体とみなし、これを実現するために必要とあらば学生集会にも街頭デモにも参加していった。

そのようにして開始した研究生活において、私がまずもってテーマに設定したものの一つに、共同体とその解体に関連するものがある。一九七〇年、マルクスの『ドイツ・イデオロギー』『資本主義的生産に先行する諸形態』、エンゲルスの『家族・私有財産・国家の起原』を読みノートを執ったおり、私ははじめてルイス・ヘンリー・モーガンの名を知った。当時は一様に「モルガン」とドイツ語（マルクス・エンゲルス）経由の名称で記されていたあのモーガンを、私はそれなりに細かく調べてみた。家族の第一形態「血縁家族」、第二形態「プナルア家族」、第三形態「対偶家族」、そして第四形態「単婚家族」といったメモ、最初の社会的分業＝牧畜種族の分離、第二の分業＝農業からの手工業の分離といったメモはいまも読書ノートに残っている。

共同体にかんする研究は、その後、唯物史観の再検討を課題にしていくことで副次的に継続していくのだが、一九八〇年代に入るや、そのテーマは一挙に主題にまで上昇することになる。その契機は、一九八一年一〇月東京の明治大学駿河台校舎で行われた「第一回女性史のつどい」である。これが開かれたとき、会場で知人の井上五郎氏から、モーガン学者布村一夫先生と熊本家族史研究会会員の方々を紹介された。このとき以来、私は布村民族学・布村神話学に確実に感化を受けることとなった。フェティシズムを研究テーマとして設定することになるのもこの感化の引力圏内においてのことであった。そのことで私は心から先生に感謝している。

そのようないきさつを経て、私は一九八〇年代になると折りをみては布村著作を読み継ぐことになる。その一連の布村読書においてあれこれ感じた印象ならびに関連するエピソードを以下に綴ってみたく思う。ちなみに、本稿は布村著作の内容紹介を直接の目的にしたものではない。また、私が読んだものは必ずしも出版年度順ではなかったのだが、ここではあえて出版年度順に配列することにする。

（一）『古代社会ノート』合同出版、一九六二

モーガン著作『古代社会』に関するマルクスの読書ノートの翻訳である合同出版刊の本書を、私は一九八〇年代中頃、当時歴史学を講義していた立正大学の図書館から借りて読んだ。そもそもは昭和三七年に国立国会図書館が購入したもので、図書館協力図書として立正大学に移されたものだった。しかし私が読んだ時点で、布村先生はすでにこの翻訳書を絶版にしておられた。そのわけは、一九六二年刊のものはロシア語からの重訳であったこと、また一九七二年に新たにクレーダーが *Ethnological Notebooks of Karl Marx* を出版したのを受けて、先生は一九七六年に未来社からそのクレーダー版の翻訳を出版したためである。

しかし私は、なぜか一九六二年版が気に入っている。むろん、史料としての価値や翻訳の水準では一九七六年版が上であろう。けれども、研究者布村の出版活動における第一作にあたる一九六二年版には、それまでの先生の研究歴が確実に刻印されているからである。その第一がロシア語文献の翻訳である。先生は小学一年のとき、家族とともに出生地富山市から満州に渡った。先生の「前の連れ合いと従兄弟の関係」である坂口孝明氏は、満州で生活する先生について、こう回想している。

「思えば昭和一七年の春、父母を亡くした私を大連に引取り、一年間、養育してもらいました。その後私は熊本の叔父に育てられましたが、戦後、引揚げて故人（布村先生）と再開して以来、四十六年余り、つかず離れずの交信を保ちながら、私は関西で暮らしていました。還暦を機に帰熊してからは、週に一度は顔を出し植物談義などに時を過ごしてきました。／故人についていくつかの思い出を話したいと思います。大連でのことです。当時、小学校四年生であった私が、近所の子供達となじめなかった頃でした。夢

中でビー玉遊びをしている連中を少し離れた所から見ていた私に、故人は一握りのビー玉を言葉もなく渡して去り行くのでした。その背中を見送りながら、この人は言葉を使わずに愛情を伝へる人だと感じました。その時のビー玉の温もりが今も鮮明に残っております」（「兄、師、布村一男を偲ぶ」、『女性史研究』第二八集、一九九四、二〇頁）。

満州で布村先生は一夫でなく一男の名で成人し、身につけたロシア語を活用して満鉄調査部に就職し、ロシア語文献の調査研究を行う。そして調査部資料室での、ロシア語版マルクス『フォルメン（資本主義的生産に先行する諸形態）』との運命の出会いがあったのだった。またその間に満州で先生は、モーガン『古代社会』（荒畑寒村訳）、エンゲルス『家族・私有財産・国家の起原』（田中九一訳）を読む。その事実に接してマルクス『古代社会ノート』の翻訳に思いを寄せるならば、クレーダー編イギリス語版の翻訳とは別個の意味で、私はロシア語からの重訳版の方に愛着を感じるのである。その巻末の「解説」には、こう記されている。「モルガンや原始・古代史についての私の勉強を、二二年にわたって見まもってきていまは一年忌をむかえたばかりの亡妻富美の冥福のために、この訳書の一冊をそなえたい」（三〇五頁）。

（二）『日本神話学』むぎ書房、一九七三

これは一九八〇年代の末に先生から直接贈られた。奥付を見て、おやっと思った。著者の名に布村一夫とあるほか、発行者の名に布村哲夫と印刷されていたからである。偶然といえばそれまでだが、布村という姓が一致していたのに目がとまったのである。出版社のむぎ書房は、じつはご子息の経営になるのであった。このむぎ書房（麦書房とも表記している）は教育科学研究会・国語部会編『教育国語』という月刊誌を発行していたが、先生はそれにもときおり寄稿していくのであった。私が先生から頂戴した抜刷のうち、以下はこの雑誌に掲載されたものである。「フェティシュ（呪物）をなげすてる—共同体の復活」（一九八二・一二）「原始。母性は月であった」（八三・六）「日本語の親族名称の研究—日本語のための民族学」（八四・一〇）「平安字書・上代籍帳のオジ名称—国語学、ラテン語学と民族学との接点で」（八六・一二）。

それはそれとして、教養文庫4として出版されたこの『日本神話学—神がみの結婚』は、民族学者モーガンおよび神話学者バッハオーフェンの学説に依拠する布村先生が戦後の日本神話学界において遅れ馳せながらに発した、学問上の挑戦であった。その核心は、例えばトヨタマヒメのワニ変身に関する説明に示される。

「トヨタマヒメはワニをトーテム（族霊）とする血族集団にぞくする女人である。このワタツミノカミの血族集団は、そのなかでは婚姻しないという族外婚規律をもっているので、氏族（ゲンス）とみられる。この説話のときに、トーテム氏族が存在したと、はっきりとはいえないが、トーテム儀礼はあとあとまでのこることがある。このこっているトーテム儀礼と、神話のなかにたびたびあらわれるアマツカミ・男とクニツカミ・女との婚姻とによって、氏族という血族集団がかつて存在したと復元できるはずである。

／彼女は出産にちかずくために、ワニをシンボライズするなにものかを、身につけるなりして、祖先としての、族霊としての、トーテムとしてのワニの行動をまねた。これがワニ変身である」（一九頁）。

布村学説はモーガン民族学に依拠したものなので、記紀神話を先史の社会組織すなわち氏族制度やそれに見合う婚姻形態、および先史の信仰すなわちトーテミズムで解説する。記紀神話に含まれる雑多な神話群は、東北アジアや東南アジアの各地から日本列島に渡ってきた人々によって伝えられたものを基礎にしている。したがって、日本には棲息していなかったワニが神話に登場するのである。それと同じように、日本に自生的に成立したわけでないにせよ、先史に起因する信仰のトーテミズムの残存形態が記紀神話に記録されたのである。そのあたりの事情を考慮すれば、布村神話学は、なるほど古文書学や古代文学の立場での日本神話の解釈には馴染まないかもしれないが、比較宗教学・比較神話学の見地から見ての日本神話の解明にはきわめて有効ということになる。

私の著作『フェティシズムの信仰圏―神仏虐待のフォークロア』（世界書院、一九九三）は、その布村学説に依拠して執筆されたものにして、そうであるがゆえに一部で布村学説批判を敢行したものだった。先生はトーテミズムの派生としてのフェティシズムを論じるのであったが、私はその逆に、フェティシズムの派生としてのトーテミズムを論じてみたのである。その立場の相違は布村学説に立てばこそ生じるものである。そこのところを先生はどのように評価されるかと、私はやきもきしながら、出版時に一冊献呈した。ところが、私の新作が先生宅に配達されたと思われる日―一九九三年五月一七日―に、先生は脳梗塞で倒れられたのだった。家族史研究会のみなさまによれば、先生はベッドで私の新刊を読んでいらしたとのこと。けれども、その感想はついに聞かれることはなかった。

（三）『モルガン　古代社会資料』共同体社、一九七七

これは一九八〇年代末に先生から贈られた。奥付に発

行元として「共同体社」の名が読まれた。それを見たとき、なにかしら疑問の湧いたことを覚えている。この「共同体社」という名を、私はほかにも先生関連の図書に発見していたからである。その代表は『女性史研究』である。これは創刊号からずっと家族史研究会が編集し、共同体社が発行してきた。また、卯野木盈二編『高木敏雄初期論文集』（一九七六）奥付にも共同体社の名が読まれる。しかし、共同体社の住所はさだかでない。『古代社会資料』には東京都府中市日鋼町・日鋼団地一二-四〇七と記され、『女性史研究』には家族史研究会の住所があるのみ、そして『高木敏雄初期論文集』の場合は編者の自宅住所が記されているのみである。その不思議さを、あるとき私は布村先生に直接ただしたことがある。「先生、共同体社って、いったい何なの？」先生はにこにこしながら、「そうじゃろう、そうじゃろう、不思議に思うのももっともなことじゃ」と言われるのみであった。それで察しがついたのだった。先生はたまにものごとを直接に語られないことがある。けれども、言外にそれとすぐわかるまでのお付き合いをしている者には語らずして語ってくださるのである。

　モーガン著『古代社会』刊行百年を記念してのこの『古代社会資料』は、私のフェティシズム研究にとって、きわめて重要な文献である。それは、モーガンもまた、トーテミズムの他にフェティシズムを認知しており、しかも人類社会のもっとも初期の段階において「うまれつつある宗教的諸観念」にフェティシズムをあげている点である。本書に翻訳されている「時代区分の表」（四七頁以下）には、最初に出現する宗教形態としてまずフェティシズムがあげられ、次に自然力崇拝が、そしてその「自然力崇拝が〔萌芽し〕宗教体系に展開する」（四九頁）。その後「自然力崇拝がより一層〔体系にまで〕発展し、人格神が漠然と観念される」（五一頁）。さらには「二元的形態における一神教」（五一頁）が発生し、「多神教が　自然力崇拝から　発達する。司祭階級の形成をもつ」「人格神の素朴な偶像をもっている粗末な社寺」「人身御供」が出現し、ついに「ヘブライ諸部族における一神教」が成立するのである（五二〜五五頁）。

　先生は、一八七五年頃に作成されたと考証しうるこの「時代区分の表」を一九五二年に『歴史学研究』第一五五号に発表した。それを改訳したものが一九七七年刊の本書に収録されたのである。ということは布村先生は、老モーガンはトーテミズムの前にフェティシズムをおいていたらしくあることをご存じだった訳である。なるほど、この時代区分表にはトーテミズムの語が記されていないので、モーガンがたしかにフェティシズムをトーテミズムに先行させたという確証はない。それどころか、晩年のモーガンがトーテミズムをこの表に記入しなかったことは一つの疑問でもある。しかし、この表でモーガンがフェティシズムを宗教の発端ないしその前段階の先頭においたことは動かしようのない事実なのである。

この『古代社会資料』にまつわるエピソードを一つ記しておこう。それは一九八三年秋だったかに、先生が私をともなってマルクス没百年展に出かけたときのことである。早稲田大学の会場で、先生は一人の教授に話しかけられた。私にはその方が早稲田大学の北村実氏であることはすぐにわかった。北村氏は先生にこんなふうに話しかけた。「おじいさん、何か研究していらっしゃるんですか？」その言葉に接した布村翁は、しばし沈黙したのち、こう言い放った。「研究じゃと？ わっ、わっ、わっしゃ大家じゃぁ〜」。そばで聞いていた私はもう目のやり場、身の置場がなくて、ビックリ仰天してしまった。自分のことを自分から「大家」と大声で叫ぶ御仁がどこにあろうか、と恥ずかしくてほとほとまいってしまった。とんでもない返事にでくわした北村氏は、「しっ、しっ、失礼しましたぁ〜」。と言うのが精一杯であった。うろたえる北村氏の声をきいて、私はこんどは吹き出してしまった。

そのやりとりがあってのち先生は、すかさず、肩からさげていたカバンから『古代社会資料』を取り出して、北村氏に手渡した。「こういったものを研究しています」。「あっ、そうでしたか。『古代社会』についての研究は私も関心があっていろいろ読んでおります」。そのあとに続く二人の会話は、すこぶる快調にすすんだのだった。やれやれ。

（四）『原始共同体研究』未来社、一九八〇

この大著は、私が布村先生に初めてお会いする直前の一九八一年夏頃に読んだものである。注目の人物が出版したばかりの著書であるから、一度読んでおこうと思ったのだった。その結果、私は自己の研究活動においてとんでもない拾い物をすることになる。これに接するまで、私は初期マルクスを中心に唯物史観を研究してきたのだったが、これに接して以後、唯物史観の研究対象は一挙に老マルクスに拡大することになったのである。

原始共同体に関しては、まずは一九七〇年の『諸形態』読書とそのメモにおいて私の印象に残り、ついで一九七八年発表の「唯物論的歴史観再考察」（『立正西洋史』創刊号）で少々触れた。先史共同体はその後に出現する文明時代の諸共同体とちがって、未だ政治＝国家のない社会であること、また未だ疎外の発生していない社会であることをすでに学んでいた私は、この布村著作を読んで、従来の私の理論的学習に実証的な裏付けを得たかたちとなった。「マラ

イ式親族名称体系にたいする批判」「プナルア婚・プナルア家族批判」の節を含む第一部は周到な分析を踏まえており読み応えがある。また「共同体的人間関係としての母権」「母権の復権のために」を含む第二部は先史時代の婚姻＝社会組織の解明に肉薄しており、圧巻である。

例えば、かつて「乱婚」と称されていた先史の婚姻形態に関しては、そのような名称ではとても事実の解明に耐えられない点がはっきりと示されている。「乱婚」とは乱れた婚姻＝性関係を意味するが、そのような概念が成立するためには、乱れる前の正規の婚姻＝性関係が存在しなければならない。ところで、そのような正規のものとは文明時代に成立した単婚＝一夫一妻婚である。よって、この単婚＝一夫一妻婚が存在する社会でなら乱婚の概念はありうるが、それ以前の先史社会には乱婚はありえないのである。モーガンがプロミスキティと称して概念規定した婚姻形態はけっして乱婚ではないのである。氏族民主主義という言葉が適切かどうかは意見の別れるところだろうが、ようするに先史においては単婚＝一夫一妻婚とまったく異質な開かれた婚姻＝社会組織が存在していたということである。

本書あとがきの最後のところに、「ようするにモルガン研究に一応の決着をつけたとはいいながらも、のこされている仕事は大きいのである。／やはり学問の道は遠い」と記されている。先生は大学人というよりは在野の研究者のイメージが強い。その先生がこのように述べる「学問の道」とは、したがって、職業としての研究ではない。いわんや金銭と引き替えの学問ではない。植民地という矛盾に包まれた満州の地で育まれた共同体研究という研究課題は、戦後の復興期日本の経済発展とは直結しない。産学協同路線上にもありはしない。人類社会がかかえる諸問題を共同体と家族の歴史に見いだして、その根本的解明に尽くすこと、それが布村民族学・家族史学の道なのであった。

（五）『共同体の人類史像』長崎出版、一九八三

マルクス没百年を機に研究仲間と一緒に記念論文集の編集・刊行を計画したときに、私はぜひ布村先生にご寄稿いただこうと思った。その願いはかなえられ、布村一夫「マルクスのなかの私—『諸形態』と『古代社会ノート』をむすびつけて」を収録した論集『マルクス思想の学際的研究』が、一九八三年一二月に長崎出版から刊行された。そのなかで先生はこう記している。「修正モルガン学説にたっているわたしは、やはりマルクスの学究心、学問的な良心のなかにある。モルガンのゲンス（氏族）によってすくわれた老マルクスを、わたしのなかにだきこむというよりは、マルクスが生きておればかならずやそうなるであろうマル

クスの掌のうえに、いぜんとしてとどまっているわたしであるといえる」（三二頁）。

このようにマルクスとモーガンとをセットにして学問の方法と対象を確定していた布村先生は、この原稿の最後のところで新著の予告をしている。題して『共同体の人類史像』。そして、それは予告どおり出版された。それもこのマルクス没百年記念出版と同じ出版社からである。

布村先生は、上記新著のために私に解説を書くよう求めてきた。そのお誘いに、私はしばらく躊躇した。先生の旧満州時代から続く学問・学説に戦後生まれの私ごときが解説をするなどということが、はたしてできるものであろうか。だが、そうしたためらいが無用であると悟るのに、たいして時間はかからなかった。なぜなら、この新刊に収録された論文の大半を私は前以て読んであったし、なかでもとくに「フェティシュ（呪物）をなげすてる」は私に特別の関心を抱かせていたからである。それからまた、この著作のため私が出版社の紹介を行ったということもある。先生は、私の仲立ちで長崎出版の河野進社主に会うと、表紙は白一色でいい、文字は赤がいい、全体にシンプルにしてほしい、といった注文をした。そのように造本にまで先生の意向が反映した著作となると、私の心中にはにわかに解説執筆の意欲が沸き起こってきたのだった。

一九八三年一二月、『共同体の人類史像』が刊行されるや、先生はすぐさま誤植を発見し、私に「拙著には誤植がめにつきます」という手紙を送ってきた。ちょっぴり淋しそうであった。でも、私にはこの本は特別に感慨深い。自分で出版した本のように、あるいはそれ以上に大切に思っている。その頃担当していた立正大学の歴史学講義で、二年にわたり参考図書（読書感想文）に指定し活用した。学生の反応は「むずかしい」の一語であった。だが、これを事前か事後かに読ませて行う先史共同体の講義はきわめて好調にすすんだ。カミラロイ人の集団婚的社会組織の説明に多くの学生がメモを執りつつ傾聴していた。あれから一五年が過ぎたが、私はいま（一九九九年）でもことあるたびに諸大学で先史共同体に関する講義を行っている。毎年講義のなかで学生に語りかけるとき口にする恩師は四人いる。ルソー研究の酒井三郎、ナチズム研究の村瀬興雄、ヘーゲル左派研究の大井正、そして共同体研究の布村一夫である。

（六）『原始、母性は月であった』家族史研究会、一九八六

これはちょっと変な格好の本だなぁ、と思いつつ手にした覚えがある。刊行時に家族史研究会から贈られた『原始、母性は月であった』（家族史研究会刊）はいわゆるフランス装丁なのだった。ペーパーナイフで一枚ずつカットしてみ

なければ本文が読めない。表紙に和紙を使っているので贅沢はぜいたくであったが、カットした部分が不揃いになる。私のようになにごともスッキリが好きな人間にはちょっと気になる装丁ではあった。以前に家族史研究会からなかがなにも印刷されていない白紙本を二冊贈られたことがある。深緑の布張りで、それはそれはたいへん立派なものだった。二冊とも私の日記になった。大井、布村両先生の死、そして父親の死など、この日記にしっかりと綴られ、いまではすべての頁が思い出で埋め尽くされて書架に佇んでいる。深緑本は永久保存に相応しい装丁である。それに比べると、こちらのフランス装丁は何か頼りなさげである。

　けれども、内容はすばらしい。『古代社会』著者モーガン、『母権論』著者バッハオーフェンをはじめ、民族学、神話学の成果を縦横無尽に使いこなした珠玉の論考がコンパクトに収録されている。「ギリシアの女神たち」「母権を正しく理解するために」「露出　ベレロポーンとサルタヒコ」。以下にほんの一例を示そう。

　「ギリシアと日本とをくらべる」という副題のついた第一論文では、例えばゼウスとヘラの婚姻関係が縷々述べられる。ゼウスが敢行する「正妻にかくれての婚姻外の性関係は、古典ギリシアでのヘテリスムス、イギリス語でのヒティーリズムといわれるものである」。ゼウスはヘラとのあいだで一夫一妻婚にあればこそ一種の契約違反をおかす。それに対してオホクニヌシ（大国主）は「妻をたくさんもっていたのである。嫡妻はスセリヒメであるが、この嫡妻は、ヘーラーのように、ただ一人の正式の妻という意味ではなく、妻たちのうちの第一妻、ないしは主妻である。……ようするに妻ヘーラーは夫ゼウスのヘテリスムスにたいして憤怒し、嫡妻スセリヒメはオホクニヌシの一夫多妻婚にたいして嫉妬するのであるが、これらの説話に、古典ギリシアの、そして記紀万葉の日本の、性関係のちがいがうつしだされているのである」（一七〜二〇頁）。

　現代の若い女性はスセリヒメでなくヘラのような結婚を強いられている。ジューン・ブライド（六月の花嫁）がその象徴である。ジューンとはローマ神話の女神ユノに由来し、そのユノはギリシア神話のヘラに由来する。ヘラは一夫一妻婚をやぶって浮気にうつつをぬかすゼウス（ローマ神話ではユピテル）に憤怒しつつも、しかし自らはけっして浮気をしなかった。夫に対して貞操をまもるのである。ジューン・ブライドにはヘラ＝ユノのように従順な妻であれ、という意味が込められている。六月に結婚するのは、夫に対して妻が無条件の服従を誓うようなものである。でも、ジュンパクのウェディング・ドレスを身にまとって六月の花嫁になる女性はあとを断たない。ちなみに、ジュンパクのウェディング・ドレスは新郎に対する新婦の純潔の象徴であって、ヨーロッパの農村社会では一九世紀末までは一般的でなかった。

（七）『マルクスと共同体』世界書院、一九八六

毎年のように研究成果を出版していく布村先生に対しては、当然にも出版界からの注目が集まることになる。例えば哲学・思想関連出版社の中堅である世界書院（一九四八年創業）は、布村学説に引き付けられたひとつだった。社主の梅田詔一氏は、マルクスとの関連で先生に出版依頼をした。布村民族学は『フォルメン』に始まるのだから、マルクスで共同体を論じるというのは先生にも申し分ない仕事となったのである。

日本のマルクス研究において、布村先生ほどに老マルクスを重視した人物を、私は知らない。経済学の分野ではおおむね『資本論』をもってマルクスの学的上昇は極まったとみる。それ以後のマルクスは老いさらばえるのみである。マルクスの主著は『資本論』につきるとして、その後のマルクスの飛躍を見ようとしないマルクス主義者や研究者は実に多い。一九六〇～七〇年代に流行した初期マルクス研究は、『資本論』の壮マルクスとは違うマルクス、疎外論のマルクスを際立たせた。しかし、『資本論』以後の老マルクスに関する研究は、七〇年代を通じて、なかなか進展しなかった。

その七〇年代に、布村先生は一挙に出版活動を開始したのだった。先生はつとにロシア語でマルクスの『古代社会ノート』を読んでいた。また、同じくロシア語でコヴァレフスキーの共同体論関連の著作を読んでいた。その過程で早くから老マルクスに関心を抱いていたのである。そのほか、ドイツでノイエ・メガが編集されマルクスの様々な草稿を利用できるようになる前から、その幾つかはロシア語文献を通じて読み知っていたのである。経済学や哲学でなく民族学からマルクスに接近したということが、老マルクス熟知の前提になったと言いうる。

布村先生によれば、マルクスはモーガン著作に接して初めてマルクスになった。壮マルクスはモーガンに救われて老マルクスとなるのである。そのことは、マルクス経済学者にはなかなか理解できない。唯物史観と剰余価値学説を確立したあとにいったい何をマルクスは築き上げたというのだ？　彼らにはそんな不可思議な疑念がわくのである。さもありなん。一八八〇年代に入って、マルクスは古典民族学の領域において一つの壮大な研究テーマを設定したと推測できる。モーガン読書やラボック読書はその推測の真実さを傍証するものである。

本書『マルクスと共同体』は第一章「若いマルクス」、第二章「壮マルクス」、第三章「老マルクス」、そして第四章「老エンゲルス」という構成になっている。その上で、以下の議論がつまびらかにされる。「若いマルクスにあっては、共同体を措定して、生きている現実を批判する人間論であったが、いまや過去の共同体を否定することによって、現在を規定するものとなり、さらには現在を否定することによって未来の共同体が規定されるのである」（一五六頁）。

（八）『日本上代の女たち』家族史研究会、一九八八

一九九二年五月に東京で布村先生とお会いしたときに、熊本の家族史研究会では「縄文の女たち」と題する共同研究の企画があるので私にも参加しないか、とお誘いくださった。その時の印象はずっと心の片隅にあって、私はいまでもこの企画を一人で実現しようと考えている。ときおり発掘される破壊された土偶や、日本神話に登場するイザナミほかの女神たちに何かを語らせてみたい。元始、女性は太陽であった。太陽とは、自身を燃やすことで他者を成長させる存在である。自身のエネルギーを他者に移転して自らをむなしくしていく存在である。その太陽にも相当する女性、先史の女性を縄文社会に探究してみたい。それが私の学問的関心の一つなのである。そのような意欲をもつきっかけを成したのが、布村先生による「縄文の女たち」へのお誘いであった。

その誘いを受ける前に、先生は自身ですでに『日本上代の女たち』と題する著作を出版していた。家族史研究会の双書第二である。第一は例のフランス装丁本である。それに比べるとこちらの装丁はオーソドックスに戻り、たいへんよい。布張りの見事な出来栄えである。内容は、やがてライフワークとして完成する古代日本社会の戸籍に関する研究である。もくじは以下のようになっている。「日本上代の女たち―正倉院籍帳研究史」、「御野国戸籍における郷戸関係」、「築豊戸籍における受田額の分析」。

布村先生は、本書でモーガンを説明原理にする。「御野国戸籍での親族名称『同党』は、モルガンのいう記述制親族名称体系にみられるものであり、トゥラン・ガノワン式類別制親族名称体系にみられるつかいかたではない」（一九頁）とし、古代日本の家族史研究に比較という方法を大胆に導入するのだった。その上で先生はこう主張する。「いまでも謎をひめている正倉院の品物を、宝物とか御物とかとして、研究者の自由な研究を拒絶すべきでない。『籍帳』から解読できる人間関係をかくしたり、ゆがめたりするのはアカデミズムに反する」（三七頁）。

東大を頂点とする日本のアカデミズムに批判的な先生らしくもない注記だ。公立私立を問わずおよそアカデミズムに何の期待がもてようか、というのが私の基本的な立場である。個々の研究者を批判しているのではない。彼ら一人一人の問題意識や研究姿勢には共感するところが多々あるし、彼らと私は協同して研究している。いや、私自身がすでにしてアカデミズムの中で講義を行ってもいる。いま問題にしているのはそのようなことではない。そうではなくて、個々の意識を越えた、その総体としてのアカデミズムには何の期待もしていないと言っているのである。じつは、本当のところ布村先生も私と同じく、激しいアカデミズム批判の先鋒なのだ。

籍帳研究に集中して見られる布村先生の反骨的な姿勢は、私のもっとも学ぶところの一つなのだ。

（九）『神話とマルクス』世界書院、一九八九

マルクス関連の文献に芸術論はあるが神話論はない、と言っていた先生は、自ら神話論を編集した。それを第一部に収録して出版された『神話とマルクス』を、当時私は大歓迎して受けいれた。いや、出版直前から先生にインタヴューするなどして、何かと記事にしたものだった。そのインタヴューは私の編集する月刊誌『社会思想史の窓』第五七号（一九八九年二月）に掲載したのち、最近の著作『フェティシズム論のブティック』（論創社、一九九八）に再録した。

それはそれで、たしかに貴重な試みなのだが、ただ私は、そのなかに収められている論考のうち日本神話関連のものについては、とりあえずマルクスの神話論と別個に編集するべきだったと思う。なぜかと言うと、『マルクスと神話』という書名では、そのなかに日本神話や浦島太郎などの説話が含まれていることが一般にはわからないからである。あとがきには羽仁五郎論も読まれるのだが、この書名では、そんな文章が入っているなどと、だれ一人として想像できはしない。そのような不満を布村先生に話すと、先生はただ「そうか、そうか」と首肯くだけである。マルクスの神話論が編集されていないのであれば看板に偽りありとなるが、それがちゃんと入っているのだから読者に不都合はなかろう、と言いたいようなのだ。

この本は次の二点を強調したものとして希有のものである。一つはモーガン、バッハオーフェンと老マルクスとを関連づけて「人類学的神話学」を唱えたことである。そしていま一つは、マルクスにとって神話は論述上ないし修辞上でたんに比喩として意味があるのでなく、人類の古代社会ないし先史社会を唯物論的に究明するためになくてはならない素材となったということである。こうして布村先生

は、晩年において神話研究の積極性を見出すようになったマルクスにスポットを当てたのだった。以下では上記二点についていま少し述べておく。

　マルクスはけっして古代賛美の反文明論者ではない。したがってホメロスの叙事詩に登場するような人類の黄金時代に回帰しようなどと人々に訴えることはしない。けれども、彼は古代に成立した神話に対しては、およそ二つの理由でもって注目し、重要視する。一つは、これを比喩として用いるという修辞上の理由である。例えば『資本論』第一巻に次のくだりがある。「最後に、相対的過剰人口または産業予備軍をいつでも蓄積の規模およびエネルギーと均衡をもたせておくという法則は、ヘーパイストスの楔がプロメテウスを岩に釘づけにしたよりももっと固く、労働者を資本は釘づけにする」。

　そして、マルクスが神話に注目するいま一つの理由は、神話の中に先史の社会とそれについての古代人の記憶が存在するからである。そのことは例えば次の引用に関連する。

「知られているように、ギリシア神話は、ギリシア芸術の武器庫であるばかりではなく、その地盤でもある。ギリシア人の空想の、したがってまたギリシア［神話］の根底にある自然と社会的諸関係との見解は、自動紡績機や鉄道や機関車や電信とともにあることが可能であろうか？…だが困難は、ギリシアの芸術や叙事詩が、ある種の社会的な発展形態にむすびついていることを理解することにあるのではない。困難は、それらがいまもなお我々に対して芸術的な享楽をあたえ、ある点では規範として、また到達できない模範として、通用するということにあるのである。／大人はふたたび子どもにはなれない。なるとすると、子どもじみるのである。だが、子どもの無邪気さは、大人を喜ばさないだろうか。そして大人はふたたびより高い段階で子どもの真実さを再生産することに、自らつとめるべきではないだろうか？」（『経済学批判要綱序説』から）

　ここには古代人の社会と意識について二つのことが述べられている。一つは、唯物史観の公式における上部構造と下部構造（土台）に関係する。ギリシア人の空想ないし神話つまり上部構造の一部は、ギリシア人のもとに展開した「ある種の社会的な発展形態」つまり下部構造に結びついているということである。そしていま一つは人類の、二度と再現することのない子ども時代＝神話的古代社会には、現代人にも悦びとなる、模範とすべき要因、いわば「子どもの無邪気さ」が含まれており、大人すなわち現代人は「ふたたびより高い段階での子どもの真実さを再生産することに、自らつとめるべき」ということである。

　この二点のうち、第一点めは、むろん経済学に注目するマルクス、『資本論』を起草するマルクスにとって最大重要な視座であった。それに対し第二点めは、『資本論』第一巻刊行を済ませたマルクスの、一八六八年三月一四日付エンゲルス宛書簡でG・マウラーの古代ゲルマン共同体研究に言及するマルクスの、最大重要な、根本的な視座となるものだった。

マルクスは、最晩年の一八八〇年末から一八八一年三月初までにモーガンの著作『古代社会』を読み摘要を執ったが、その中で引用されているG・グロートの『ギリシア史』に関連して次の指摘を施している。

「さらにグロート氏に注意してやれば、ギリシア人は彼らの諸氏族（ゲンス）を神話から引き出しているとはいえ、これらの諸氏族は、それら自らがつくりだした神がみや半神たちのいる神話よりも、もっと古いのである」（「モーガン『古代社会』摘要」から）。この中でマルクスは、ギリシア神話には先ギリシア諸民族が先行し、後者の存在が前者の展開の基盤になっていることを強調する。その際彼は、ギリシア神話に出てくる神がみの結婚、母殺し、父殺しなどの物語を、〔氏族（クラン）―部族（トライブ）〕理論で特徴づけられるモーガン『古代社会』と、先ギリシアを母権制・母権的宗教社会とみるバーゼルの神話学者バッハオーフェンの著作『母権論』で再解釈する。そうしておいて、ギリシア神話をつくりだした先ギリシア諸民族は、ホメロスの時代ないしトロヤ戦争（前一三ないし前一二世紀）の時代以前には母権制的な氏族社会に生きていたというように認識したのである。その意味でマルクスにとって神話は、人類の古代社会ないし先史社会を唯物論的に究明するため、なくてはならない素材なのであった。

以上の説明により、布村先生の『神話とマルクス』がいかに重要なものであるかがわかるのである。

（一〇）『正倉院籍帳の研究』刀水書房、一九九三

ここでいよいよ、先生の遺著にさしかかった。この本は、内容についての前に出版契約が成立するまでの経緯という点で、私と先生の交流の結晶である。先生は、他の著作はいざ知らず、この正倉院籍帳に関する集成本については是非とも歴史関連の出版社から刊行したいと、時おり私にお話しになった。そこで私は布村著作刊行の件で刀水書房に連絡をとることにした。ちょうど、立正大学文学部のロシア史研究者木崎良平教授のラクスマン来航二百年記念著作刊行をお世話する件もあったので、その二点で刀水書房に出版の依頼をすることにしたのだった。この出版社はもと山川出版社に勤務していた桑原迪也氏が設立したもので、歴史学関係の堅実な図書を数多くてがけていた。以下、

家族史研究会から戴いた白紙本の日記をめくりながら、『正倉院籍帳の研究』出版までの経過を記すことにしよう。

一九九〇年四月一〇日、刀水書房で初めて桑原社主に会った。しばらく雑談したあと布村・木崎両著作の話を切り出した。事前に書簡で用件を通知してあったので、交渉は順調にいった。その後、秋もたけなわの一一月一四日、今度は布村先生をともなって刀水書房に行く。その折り、先生は正倉院籍帳研究の原稿を桑原氏に手渡した。その日、神田神保町の角で待ち合わせた私は、重そうな風呂敷包みを抱えた先生を発見するや、すぐさまその包みをあずかって刀水書房までお運びしたのだった。

布村先生は、上に記したようにアカデミズムには批判的ではあったが、しかしこれを利用することはちっともためらわなかった。例えばどこかの大学や研究期間でこの正倉院籍帳研究に資金的援助をしてくれるところがあればおおいにけっこう、感謝感謝、といったところであった。この論文で博士号を得れば出版助成金がでるじゃろか、などと平気でお話になった。そのようなことを無造作に私に尋ねるところをみれば、先生がアカデミズムや学閥の権威にいかに関心がないかがわかるというものだ。

九一年五月二六日、いつものように新宿で先生と待ち合わせた私は、その頃関心を深めだしていた上越地方での石仏＝農耕儀礼の調査について先生に話をした。そしたら先生は南方熊楠と柳田國男についてしばし講義をしてくださり、この二人の書いたものを研究するよう強くすすめられた。でも肝心の正倉院籍帳研究の話はそのあと少しだけ経過を確認しあっただけで、その日はお別れした。そのときすでに私にははっきりしていたのだが、出版社では作業がまだほとんど進展していないのだった。そのことを先生に正直に話すのをためらった私は、新たに仕込んだ自分の研究テーマ「頸城の雨降り地蔵」のフェティシュ的性格について先生に助言を求めたのだった。その返答が南方・柳田への接近示唆なのだった。

六月二九日に刀水書房に電話して、初校の件はいったいどうなっているのか、確認してみた。まったく停滞しているのではないが、あまり芳しくない返事だったと記憶している。その件で布村先生に手紙を書いた。石原通子さま、光永洋子さまにもはがきを書いた。布村先生からすぐさま返事があり、とにかく刀水書房は先生に見積書を送るということになった。その後一一月二〇日、先生から手紙がとどく。この秋は上京が困難とのこと。それでも、少し以前にお尋ねしておいた私の質問には返答をくださった。「フェティシズムはトーテミズムの一つ」との返答である。この見解は、その頃私が必死になって執筆していた著作『フェティシズムの信仰圏』の立場とちょうど正反対のものだった。

翌一九九二年四月一六日、世界書院から布村一夫・石原通子・犬童美子・光永洋子の四氏との共著『母権論解読―フェミニズムの根拠』が届いた。さっそく出版を祝して先生にはがきかなにかで連絡したが、正倉院籍帳研究のことは書かなかったように記憶している。かなりまずい状態になっていたのだ。五月一日と七日に先生から二通の手紙が届き、後者で刀水書房は先生の本を刊行しないことにした、との文面に接する。がっかりであった。八日には刀水からわたしの家に電話があったが、とても直接電話にでる気がしなかった。

五月二五日、上京した先生と新宿で会う。この時に例の協同企画「縄文の女たち」の話を聞いたのだった。けれども、刀水の件では内容のあることは何も話さなかった。二人ともがっかりの日々だった。ただ、その前後から先生のご子息哲夫氏が直接刀水書房と交渉をすることになったことを、しばらくして先生から聞かされた。この年の秋、前年に続いて先生は上京の機械をつくれなかった。そして、あの一九九三年に入るのだった。

一月松の内、先生から雑誌『史学史の窓』第一八集と手紙が届き、自身でバッハオーフェン『母権論』の翻訳に取り組んでたいへんだったとの報せを受ける。八〇歳にしてすばらしいことだと、私は六日の日記に記している。『正倉院籍帳研究』出版の件は、むぎ書房を経営しているご子息が事態をうまく再建してくださったと、何かの折りに先生からお聞きした。六日に届いた手紙には校正で忙しい旨、記されている。先生にもはや公表の許可を戴けないのだが、年賀状を兼ねたその手紙をここに引用する。

「よい　お年を　心から　いのります　／一九九三年春／布村／石塚さま」

「年末の貴翰抜刷三をありがたく頂戴しました／それに『フェティシズムの信仰圏』の刊行をおまちします／一二月初め、拙著の再校がでて、忙しく仕事をしました。このためご無沙汰しました。そして疲れました。／八十一歳になることをやめねばなりません。夏休みすぎでないと校了しないようです／『女性史研究』への貴稿二つ、あらためて私からもお礼申します。／『論集成』論評でしめくくりたいと感じています。だが、二月か三月にはできるでしょう。／とにかく九二年は『母権論』ですごしました／みすず版『母権論』Ⅱは二月ころの刊のよしです。／『民族学の父モルガン』の一冊をまとめねばならないのですが、久米邦武の『祭典の古俗』も論評したく思いますが、筆がすすみません。／なにかとかきました。あとはまた。／末筆ながら御健勝をいのる。／そして／ご家族のみなさまによろしく／五日／布村／石塚さま」

一安心だった。そうとう体力を失っていらっしゃると、文面から推察したが、精神的にはまだまだへこたれてはいられない、という気概で新年を迎えていらしたのだ。

それからしばらくして、五月一四日、私は先生あてに新著『フェティシズムの信仰圏』を発送したのだった。その三日後、おそらくその本が先生宅に届いた日、先生は脳梗塞で倒れるのだ。

ところで、一九八五年に『大宝令』のロシア語訳がソ連で出版されることになったとき、布村先生はその情報に接して以下の短文をものした。「くわしいことをはぶくが、ようするに日本の三〜八世紀は封建制の発生と発達のときであり、八〜一二世紀に封建制の発達があるとするのである。ヤマタイ国は三世紀中ころのことであるが、この頃に封建制がうまれでるとされているのであり、したがって『大宝律令』は中世の法律であり、封建法なのである」（「ニコライ・コンラドと早川二郎と―『大宝令』ロシア語訳によせて」ナウカ社『窓』一九八五年六月号）。

硬直して久しい日本史学界に対するこの挑戦的な発言は、布村先生のライフワーク『正倉院籍帳の研究』すなわち「親族名称の研究」（同書、三三頁）に通じる精神である。そして先生がその精神を鍛え上げるのにもっとも恩恵をえた恩師への賛辞で、先生はライフワークを締め括っている。「親族名称研究のありかたを教え、そして一九世紀のアメリカ合州国の歴史を哲学したわが幻の恩師L・H・モルガンに、ふかくお礼申しあげる。（一九九三・三・二五）」（同書、五五八頁）。なお、この大著についての概説は『新女性史研究』第一〜第三号に詳しいので、ついては参照をねがう。

最後に一言。先生が亡くなられて四日後、雑誌『情況』一九九三年七月号が届いた。その中に榎原均という人物の短文があって、布村先生に触れていた。「布村一夫は、長年研究してきた共同体論にフェティシズム（物神性）論を加味して新たな境地に到達している」（一五三頁）。その後の文章で「布村説を受け継ぎ、それを『フェティシズム史学』へとまとめようとしている石塚正英の提起を検討する」とし、さらに「石塚は、原始信仰としてのフェティシズムについてのみならず、『資本論』のフェティシズム論についても、布村説を土台にして独自の解釈を試みている」（一五五頁）としている。

布村の直弟子石塚といった論調の論説が載ったこの短文に接して、私は心がおどった。全体としては私の学説への批判に終始している文章なのだが、そんなことはどうでもよかった。ようやくにして私を布村先生の弟子とみる論者があらわれたことに感動したのである。先生存命のあいだに公表されなかったことが実に惜しまれてならない。

第二節　日本古代の家族史を解明する
——モーガン学者布村一夫の仕事

　一九八八年の夏、「貴『社会思想史の窓』にならって、私の個人誌をつくりました」との添え書入りで、布村一夫から『史学史の窓』創刊号（一九八八・八）がおくられてきた。その誌面の内容は次のようだった。布村一夫「『日本上代の女たち』のために」、犬童美子「高群逸枝評価の試金石—遺書『平安鎌倉室町家族の研究をめぐって』」、石原通子「自己犠牲賛美を批判—山下悦子著『高群逸枝論』」。個人誌とはいえ家族史研究会の女性たちに支えられての不定期刊であったこのミニコミ第二号（一九八八・一二）には、布村「『部曲』はSerf（農奴）である—アストン英訳『日本書紀』によせて」が、また第三号（八九・三）には同ライプアイゲネ（農奴）とへーリゲ（隷農）—滝川政次郎の農奴説」、第四号（八九・六）には同「領地・領民をもつ領主としての豪族—津田左右吉の部民＝領民＝農奴説」、第七号（九〇・三）と第八号（九〇・六）には同「班田農民は隷民（へーリゲ）である—ジョーンズ小農民（ライオット）地代の誤解によせて」が掲載された。

　布村は、私によく、律令制を時代区分の指標にするのはおかしい、と話していた。また同時に、総体的奴隷制が日本古代に存在したとする説もおかしい、と話していた。前者の時代区分は古代の階級関係あるいは支配関係の本質を隠蔽することになり、後者の学説はそれらをはぐらかすか誤解させることになる、というのである。布村によれば、「『大宝律令』は中世の法律であり、封建法なのである。『律令国家』といい、『律令時代』とするものたち、あるいは大化前代を『ウジ・カバネ（氏姓）時代』として、日本上代を把握できかねているものたちは、どうしても『大宝令』ロシア語訳を心してよまねばならない」（ニコライ・コンラドと早川二郎と—『大宝令』ロシア語訳によせて」ナウカ社『窓』八五・六）。

　布村の主張を私なりに整理すれば、大化改新で出現した班田農民は、奴隷でなく農奴あるいは隷農である。田租は生産物地代であり、班田農民は生産物地代を支払う公民である。また輸租田（租を納める義務のある田）である口分田（公地）の班給を受ける班田農民は賤（私奴婢）をかかえる良民である。さらには、雑徭を課された班田農民は自らの労働用具を持ち、国司（政府）は農民らに食糧を与えない。つまり、班田農民は労働地代を支払う農奴ということになる。

ところで、労働地代（賦役）の段階に対応する農民は農奴（サーフ、ヴィレン、ライプアイゲネ）であるが、労働地代でなく生産物地代の段階に対応する農民は隷農（ヘーリゲ）である。そうであるなら、労働地代を課されるもののそれ以上に生産物地代（田租）を課された班田農民は、隷農である。それに対し、大化改新前に豪族の私有地（田荘）を耕作していた部民は農奴である。布村説によれば七〜一二世紀日本はプロト封建制だったのである。

日本古代史とりわけ正倉院籍帳の研究をライフワークとした布村は、この研究を深めるのにアメリカの民族学者モーガン（布村は終生「モルガン」と呼び、記した）に着目した。周知のように、モーガンは人類の先史社会をクランとトライブで説明した。二つないし複数のクランが一つのトライブに統合される、トライブの中では族内婚が行われるが同一クランでの族内婚は禁止されている。イロクォイ人の性生活＝社会生活を観察するモーガンに布村はあついまなざしを向ける。（ラボックのモーガン理解は）「立派なものである。わたしもモルガンの類別制を理解することにひどく苦労したが、そのうえで、上代にほんの『正倉院籍帳』における親族名称を解明できたことがある」（「民俗学の父ルイス・H・モルガン―民族誌から民族学へ（その一一〇年忌記念）」『史学史の窓』第一三号、九一・九）。

日本古代の家族史を解明しようとモーガンに着目した布村は、なかば必然的に以下の古代研究者をも調べ尽くすことになる。モーガンの文通相手ヨーハン・ヤーコプ・バッハオーフェン。そのバッハオーフェンとモーガンとを称えたフリードリヒ・エンゲルス。そのエンゲルスに一歩先んじてモーガン読書を行いノートを執ったカール・マルクス。そのマルクスの「商品論」で使われるフェティシズムの概念確定者シャルル・ド＝ブロス。一九四九年に「アジア的生産様式の清算」（『歴史学研究』第一四一号）を発表して以来一九九三年に「著書『名称諸体系』によせて―モルガン『一八五九・一〇・一九日誌』（おわり）」に至るまで、布村は右の古代研究者に関するモノグラフィーを発表し続けてきた。そのいちいちをここで挙げる余裕はないが、大きくまとまった業績として以下のものがある。（一）『日本神話学・神がみの結婚』（むぎ書房、一九七三）。（二）『原始共同体研究―マルクス・エンゲルスとL・H・モルガン』（未来社、一九八〇）。（三）『共同体の人類史像』（長崎出版、一九八三）。（四）『原始、母性は月であった―『母権論』著者バッハオーフェン百周年忌記念』（家族史研究会、一九八六）。（五）『マルクスと共同体―原始共同体・村落共同体・家族協同体』（世界書院、一九八六）。（六）『日本上代の女たち』（家族史研究会、一九八八）。（七）『神話とマルクス―日本神話の謎を解く』

（世界書院、一九八九）。

（一）は、布村が、「わたしのモルガン研究は、昭和十年代のおわりころにはじめられたのであるが」とその「あとがき」で記していることからも察せられるように、モルガンの族外婚（トーテミズム）理論を土台に日本神話を解明したものである。（二）は副題に記された協同体研究者の分析であり、いままでのところ、布村の主著といってよい作品である。私は、この著作刊行によって布村学説をはじめて知るに至った。（三）はド゠ブロスのフェティシズムをマルクスがどのように受容したか、マルクスの『諸形態』はいかなる状況下で書かれたか、ラボックの民族学研究を老マルクスはどのように受容したか、といった諸問題を扱っている。（四）は副題どおりの内容で、ギリシア神話を題材に母権を探究するバッハオーフェンを論じている。（五）は老マルクスと老エンゲルスの各々の共同体研究について、つっこんだ議論を展開している。若いマルクスの、壮マルクスの共同体論も分析されている。（六）は「御野国戸籍」における郷土関係、筑豊戸籍における受田額の分析などを内容とするもので、布村のライフワークの序曲の位置にある著作といえる。（七）は、第一部に「マルクス・エンゲルス神話論」と題するものを含み、「ここにおさめられているマルクス・エンゲルスからの抜粋は、わたしによって選択されたものである。彼らの文学論や宗教論はあるが、神話論はおそらく初めてのこころみである」としている（例言から）。そして第二部「人類学的神話学にむけて」では、マルクス・バッハオーフェン、それにモーガンを用いて布村的神話学理論が、天衣無縫の文体で縷々述べられる。そして最終の第三部「日本神話のために」では、日本神話学の確立に貢献した高木敏雄と松村武雄について分析され、それを通じて布村の長年に亘る神話学研究に一つの区切りをつけている。

一九八一年に初めて会って以来、私は布村一夫にモーガン、バッハオーフェン、それにド゠ブロスを教わった。モーガンについてだけは自前で研究してはいたが、それはエンゲルスを通してというおそまつなものだった。以来、私は布村に決定的な影響を受けることになる。熊本女子大学を定年退職してそのまま熊本に住み続ける布村は、年に二回、春と秋に学会出席や資料収集やの目的で東京に通った。そのたびごとに布村は私に電話を入れ、必ず新宿で会い、講義を私にした。心筋梗塞の持病があったので、私はときに不安に思ったが、座してしゃべり出し一時間くらいすると、机、テーブルをたた叩き出す。コーヒーカップはときに女神の、ときにトーテムの、ときにフェティシュや貨幣の代用にされ、私は布村民族学を一〇年に亘って学び続けた。

一九九〇年五月、私は布村翁を刀水書房にお連れした。ライフワーク刊行の打ち合わせのためである。同年一一月、『正倉院籍帳の研究』原稿を、二人して刀水書房に渡した。その最後の校正をまつかまたないかの時点、一九九三年六月一五日、布村は脳梗塞がもとで亡くなった。重態の布村に、私は六月九日、面会した。「モルガン、正倉院籍帳！」と叫び続ける私に、かすかに意識を回復した布村は目で合図し、声にならない発声でひと言「あっ」と返事した。それが生前最後の応答となった。一九九四年春はやく、布村一夫のライフワーク『正倉院籍帳の研究』が刀水書房から刊行される。これは並みの日本史研究ではない。モーガン、バッハオーフェン、マルクス、エンゲルス、それにド＝ブロスをおさめた、一九一二年生まれの布村が、全精力をかたむけて完成させた、世界的業績であり、これこそが日本の国際化に最大寄与する本当の仕事なのである。唯物論者布村一夫、ここに完成する。完成はすなわち消滅である。それですばらしい。（一九九三年一二月二四日記す、『季報・唯物論研究』四八号、一九九四、から転載）

第三節　学問の道はどう歩むべきか——布村一夫先生追悼

熊本と私の結びつきは、不思議と強い。訪問回数は三回でしかないのだが、三回とも強烈な思いがいまにのこる。初めて私が熊本の地を踏んだのは、一九七六年八月である。当時、立正大学大学院で教えを受けていた元熊本大学教授、酒井三郎先生の喜寿記念祝賀準備のため、先生と一緒に熊本に滞在したのだった。その時は阿蘇山まで車を走らせたり、熊本城を見学したり、熊本大学を訪問したりして楽しいひとときを過ごすとともに、恩師との深い心の交流をもったのである。これは忘れ難い。あれから一七年して、私は再び熊本を訪れることになる。一九九三年六月のことである。

一九八一年一〇月、東京の明治大学駿河台校舎で「第一回女性史のつどい」が開かれた折、会場で私は神戸の知人、井上五郎氏から、熊本家族史研究会の顧問、布村一夫先生を紹介された。その時の私の記憶では、そこには石原通子さま、緒方和子さま、中山そみさまほかの家族史研究会メンバーも同席されていた。これを縁として、布村先生は私に、ハインリッヒ・クーノーの論文「母権支配の経済的基礎」を訳出し、家族史研究会の会誌『女性史研究』に載せるように、と依頼してこられた。このおさそいを受けて私は、布村先生がもと熊本女子大学の教授でいらしたことに気づき、同じ女子大で非常勤講師をしていらした酒井三郎先生に、さっそく電話した。「先生、もと熊本女子大学の教授だった布村一夫先生からこんなおさそいを戴いたんですが、先生は布村先生のことご存知なんでしょ？」

酒井先生は、一九五五年一二月刊行の『世界史研究』第一一号に「原始社会を一八世紀にはどのようにみたか」を発表しているが、その注一七に次の一文を記している。「本稿を脱稿の後、『政治学講座』一「政治原理」（上）を手にする機械を得て、布村一夫の「原始社会」（同書七一～八七頁）を披見することができた。そして、ファーガソンおよびモルガンについての優れた見解から教示を受けることが少なくなかった。とりわけ氏がアダム・スミスを問題にしていることはリッターと違った意味で多くの示唆を受けたことを付記する」。かような酒井先生であるから、私の電話に対しては、「布村さんはモルガン研究の大家だ、訳はがんばりなさい」という内容の返事を下さった。その拙訳は、『女性史研究』第一五集（一九八二・一二）に載った。なお、この拙訳が発表される直前の八二年一〇月、酒井先生は亡くなられた（一九〇一～一九八二）。

その後、私は毎年、春と秋の一回、新宿の紀伊国屋書店前で、正午に布村先生を待ちうけた。お会いすると、まずは斜めむかいの中村屋で昼食をとる。先生は軽いスナック風か中華スープ程度の食事をされ、とめられているタバコを一本手に持って、赤い毛糸の帽子をかぶって私の方をよく見ていらした。私にはいつも、ものすごいボリュームの中華定食をごちそうして下さった。その量がたくさんあればそれだけ先生はニコニコしていらしたし、私は米一粒とて残さずにたいらげたものだった。それから、新宿駅近くの談話室滝沢という喫茶店に行き、日本茶かアメリカン・コーヒーかで二時間はたっぷりと腰をおろした。そこで何をしたかというと、先生は私にモーガン、バッハオーフェン、ド゠ブロスの講義をされた。ときには私も乏しい知識の中から先生にお伝えした方がいいと思って、やや反論めいたことを話はしたが、大半は先生がお話しになられた。お茶のおかわりもされた。そして、「君は思想史はいいんだが、経済学の勉強が足りんからダメなんじゃ」と言われる。その通りなんだが、どういうわけか先生は、経済学の講義は全然して下さらなかった。アダム・スミスとリカードゥのことはうかがったが……。それよりも上記三名の民族学者・神話学者・比較宗教学者のことと、それから女性史、民法、戸籍、夏目漱石のことなど、次々と講義して下さった。腰にぶらさげた腕時計が三時をまわるのを確認されると、急に聞き役にまわられる。ほどなくして、先生は「だいぶ、疲れた」とおっしゃり、中野のご子息宅にお帰りになるのだった。「先生、お元気で。また明日でもお話できますけれどね……」と言って、わたしは先生とわかれる。一回の状況で二度会うことは滅多になかった。

さて、私はいったい、布村一夫先生に何を学んだのだろうか。どうも、学問そのものでなく、学問の道はどう歩むべきかを学んだふうに思える。先生は、私が生まれた年、つまり一九四九年、『歴史学研究』第一四一号に「アジア的生産様式の清算」を載せてから、一九九三年『女性史研究』第二七集に、「一九世紀後半のロマン主義と進化主義―『母権論』と『古代社会』と」を載せるまでに、ものすごいまわり道をしながらライフワーク『正倉院籍帳の研究』（一九九四年春、刀水書房より刊行）に辿りついた。その歩みを、どうやら私も歩み出しているようなのである。先日、ある大学教授が私の知人に私のことを、あらまし次のように評した。石塚はあふれんばかりの研究意欲があってすばらしいのだが、あちこちに手を出さず禁欲して、一つのことにその意欲を注ぎ込めばもっとすばらしくなる、と。このような言葉を頂戴して、私は本当にうれしく思い、その先生に感謝と御礼の気持ちを表したいくらいなのだが、残念なことに、私の研究意欲は、このようにあちこちに分散してはじめて湧き出す類のものなのである。とはいえ、「あちこち」というのはてんでばらばらというのでなく、私の心中ではしっかりと因果関係を保っており、連続したり連関したりしていて、大きなまとまりとしては常に一つのことを追いかけているのである。ほかの人には、あたかも各々別個のテーマを追いかけているように思えるのだ。しかし、この方途は、まずもって布村一夫先生が五〇年の歳月をかけて歩んでこられたものといえる。日本上代史、ロシア語、女性史、モーガン、バッハオーフェン等の研究は、布村先生においては各々が密接不可分離のものとして相互に関係し合っている。それと同じように、私の一九世紀ドイツ社会思想史と先史社会・自然信仰研究、二〇世紀アフリカ独立運動史、日本の石仏フィールドワークは、密接不可分離のものなのである。

その布村一夫先生は、一九九三年五月一七日、脳梗塞で倒れた。たしかそれと同じ日、私の新刊『フェティシズムの信仰圏』が先生宅に届いたはずだった。家族史研究会のみなさまによれば、先生はベッドで、その新刊を読んでいらしたとのこと。この新刊は、布村学説に反論を試みたものだった。最大の反論は、トーテミズムとフェティシズムの関係についての私の逆転である。けれども先生の病状はどんどん悪化してしまった。私は、六月八日になってはじめて先生が倒れたとの知らせを石原通子さまから受けた。翌九日、飛行機で熊本へ行き、済生会病院に、重体の先生を見舞った。「モルガン！　バッハオーフェン！　正倉院籍帳！」としきりによびかける私の声に、先生はちょっとだけ意識を回復され、「あゝ!」と発声された。先生は、それ以上の応答はされなかったが、私をじっと見つめていらした。私は、感覚を失って久しい先生の右手五本指を、しばしさすり続けた。あの著作群をうみ出したこの右手だ。

私は思う。「教える」とは何か? それは「生きる」ことだ。「学ぶ」とは何か? それも「生きる」ことだ。私は、かぎりなく、布村一夫先生のように生きたい。偏屈と思われてもいい、かたぶつと勘違いされてもいい。たった一人の弟子の前で、たった一人の弟子のために全力を尽くして講義を通し、そして疲れはてて家路につく、そんな布村一夫先生のようにして生きられたら、これ以上の生き方はほかにのぞめない。先生、心より深謝いたします。おやすみ下さい。

(熊本家族史研究会編『女性史研究』第二八集、一九九四、から転載)

第四節　フェティシュを投げ棄てる布村一夫
――生誕一〇〇年を記念して

一九六〇年代末からの大学生活において、私がまずもってテーマに設定したものの一つに、共同体とその解体に関連するものがある。一九七〇年、マルクスの『ドイツ・イデオロギー』『資本主義的生産に先行する諸形態』、エンゲルスの『家族・私有財産・国家の起原』を読みノートを執ったおり、私ははじめてルイス・ヘンリー・モーガンの名を知った。当時は一様に「モルガン」とドイツ語(マルクス・エンゲルス)経由の名称で記されていたあのモーガンを、私はそれなりに細かく調べてみた。家族の第一形態「血縁家族」、第二形態「プナルア家族」、第三形態「対偶家族」、そして第四形態「単婚家族」といったメモ、最初の社会的分業=牧畜種族の分離、第二の分業=農業からの手工業の分離といったメモはいまも読書ノートに残っている。

共同体にかんする研究は、その後、唯物史観の再検討を課題にしていくことで副次的に継続していくのだが、一九八〇年代に入るや、そのテーマは一挙に主題にまで上昇することになる。その契機は、一九八一年一〇月東京の明治大学駿河台校舎で行なわれた「第一回女性史のつどい」である。これが開かれたとき、会場でモーガン学者布村一夫先生(一九一二～一九九三)と出会った。このとき以来、私は布村民族学・布村神話学に確実に感化を受けることとなった。フェティシズムを研究テーマとして設定することになるのもこの感化の引力圏内においてのことであった。

先史社会は以下の三つの要素から成り立っている。原始労働(物質的生産)・自然信仰(儀礼的行為)・氏族制度(人間組織)。先史の生活者たちは儀礼を生産に先行させる。先史人や野生人は、あらゆる事柄・行為を儀礼でもって開始するのである。

そのほか、儀礼とは、人間（自然的存在＝動物）が人間的存在になるための必須条件である。自然的存在（モノ）を神的存在にすることにより、人間（モノないし動物）は人間（神的存在をつくりだす存在）となった。これをさしてフェティシズムという。これまで宗教学や哲学、経済学や心理学などで通説だった解釈、物神崇拝は人間が人間以下のモノにひれ伏す幼稚な観念、という解釈は間違っている。事態はむしろ逆である。物神崇拝は、人間が人間になるために必須の条件なのである。フェティシュを投げ棄てるところから始まるのである。

布村生誕年を記念して、以下に布村著作を書き記す。

Ⅰ　古代社会ノート、一九六二年
Ⅱ　日本神話学、一九七三年
Ⅲ　モルガン　古代社会資料、一九七七年
Ⅳ　原始共同体研究、一九八〇年
Ⅴ　共同体の人類史像、一九八三年
Ⅵ　原始、母性は月であった、一九八六年
Ⅶ　マルクスと共同体、一九八六年
Ⅷ　日本上代の女たち、一九八八年
Ⅸ　神話とマルクス、一九八九年
Ⅹ　正倉院籍帳の研究、一九九四年

最後に一言。布村が亡くなって四日後、雑誌『情況』一九九三年七月号が届いた。その中に榎原均氏による短文があって、布村学説に触れていた。「布村一夫は、長年研究してきた共同体論にフェティシズム（物神性）論を加味して新たな境地に到達している」（一五三頁）。その後の文章で「布村説を受け継ぎ、それを『フェティシズム史学』へとまとめようとしている石塚正英の提起を検討する」とし、さらに「石塚は、原始信仰としてのフェティシズムについてのみならず、『資本論』のフェティシズム論についても、布村説を土台にして独自の解釈を試みている」（一五五頁）としている。幾度も記すが、今年（二〇一二年）は布村一誕百年にあたる。いつになっても、生ある限り、私は心から先生に感謝している。

〈〈記事出典コード〉サイトちきゅう座 http://www.chikyuza.net/〔study489:120506〕から転載〉

第13章 哲学の大井正（一九一二～一九九一）

第一節 〔人間のなかの神〕を考える――出隆と大井正と

（一）わが学問研究上の先達

「ギリシャ人の霊魂観と人間学」と題する学位論文を一九三五年に仕上げた哲学者である元東京大学教授出隆（いでたかし）（一八九二～一九八〇）は、ヘーゲル左派研究における私の恩師である哲学者、元明治大学教授大井正（おおいただし）（一九一二～一九九一）の、そのまた恩師である。私は出隆と直接の面識はない。だが、『出隆著作集』（全七巻＋別巻一、勁草書房、一九六三年、別巻一九六七年、のち一九七三年全八巻別巻一）を所蔵している（埼玉県立図書館のリサイクル本）。とくに、大井が解説を担当した第一巻『哲学以前』（初版一九二二年）に、私は注目している。私のフェティシズム史学、歴史知学の討究になくてはならない文献なのである。

出隆の死去に際しデスマスクが三面遺され、その一つを大井が受け取り自宅の一室に掛けた。大井正死去から二二年後、そのデスマスクを私は大井ご遺族から譲り受け（二〇一三年二月）、石塚研究室のデスクに掲げている（写真参照）。脇にはクレタ島のラビュリントスで求めた先史地中海の母神像レプリカを配置してある。学問の道は、過去・現在・未来のここかしこでかように交叉し継承されているのだ。

さて、社会運動を歴史知の視座から、宗教観念をフェティシズムの精神構造から研究してきたわが経歴からして、私は、『哲学以前』（一九二二年）における出隆の議論・主張の

中でも、とりわけ以下の引用文に注目している。

「『信ずる』ということを会得しないで知的理解をのみ信ずる者にこそ迷信者がある。知を唯一最高の知と信ずるは一つの迷信である。真の宗教的体験においてわれわれの『信ずる』というは、目や耳などの知覚とは全く異なる感覚すなわち宗教的心情で知ることであり、とらえることである。主客分裂した主客相制約する理知よりも一層深きに徹するの知すなわち愛をもってただちに超理知的なる実在の真相と合致することである。主客未剖・自他融合の神において神の聖なる業を見るのであり、知るのであり、感じるのであり、ともに行うのである。『私が、この通りの私が、これらのことを知っているわけではない、神様が私のうちにいて知っているのである』とベーメも叫んだように、実に信仰は神における仕事である」☆01。

ベーメの引用において示した「神様が私のうちにいて」が、私にとって核心的なフレーズである。それを出隆は、本書の付録として置かれている『世は彼を知らざりき』でみずからこう表現する。「彼は私たちすべての内に宿る。彼は私たちの内なる理想の神である。いわゆる『理想の神』に私たちが近づこうと努力するのは、内なるこの理想力によってである。彼がなくては価値も理想もない。彼が私たちを善に導き悪より救うのである。悪を教えることによって、すなわち悪の意識を給うことによって、神は私たちを悪より救い給う」☆02。

『哲学以前』における出隆に特徴的な議論・主張として、同じく付録として置かれている『悪魔を創造する神』にある以下の引用文にも、私の注目は集まる。「神は自らの反映なる原人（アダム）において悪魔を創造するのである。絶対自由なる神は、悪魔に対立する神ではなくて、悪魔をも創造する神なのである。／私はそう思う。そう信ずる。そしてかかる神に、悪魔をも創造し給う神に、感謝する」☆03。

以上の論点すなわち、①我らの内なる神、②悪魔を創造する神、これらは、私の研究歴において重要な課題である。詳しいことは関連拙著を参照願うとして☆04、ここに簡単な説明を行ってみる。

（二）我らの内なる神

まずは①我らの内なる神について。拙文「〝人間のなかの神〟を考える―大井学匠に何を学んできたか」（大井正追悼文、一九九一年）からの引用である。「或る晩―日記にあたれば一九八八年一月一五日のこと―私は大井先生から、電話で、たいへん興味深い教示を受けた（写真は大井宅訪問時のスナップ 一九八八年二月一日）。それは、〝神を人間の心のなかへ入れる〟というのは、〝ルター以来のドイツ思想界の伝統みたいなものだ〟ということである。（中略）あくまでも私の解釈にすぎないのだが（中略）、ルターにおいては、神とは超越的であった。しかし、この超越神はカトリックのそれとはまったく異なるものとなっている。ルターにすれば、神の信仰は一切の偶像崇拝を排して、人間の内面においてこそ可能なのである。神の信仰は心のなかで直接行われる。人の心と神との間には、いかなる経路も媒介も介在しない。その際、ルターにおいては未だ超越神だったものが、フォイエルバッハにおいては人間の本質、類的存在となったのであろう。別言すれば、ルターにおいては、神はけっして人の心のなかでつくられるものではなかったのだが、フォイエルバッハに至ってはそのようにしてつくられるものとなったのである」[☆05]。

ここに記されたフォイエルバッハは、一九世紀前半にいわゆる〝ヘーゲル左派〟と総称されるようになった哲学者集団の一人だが、私の研究テーマの上では、一八世紀フランスの比較宗教思想家シャルル・ド゠ブロスが討究した「フェティシズム」と同類の課題を一九世紀になって「ゲッツェンディーンスト」という術語で別個に討究した人物である。彼は、『キリスト教の本質』（一八四〇年）で、こう述べる。「神がもっぱら人間の肉の中で尊崇されるのは、人間の肉そのものが尊崇されるからである。神が肉になり人間になるのは、すでに根底において人間が神であるからである」[☆06]。

私の学問的関心は、フォイエルバッハが「神がもっぱら人間の肉の中で尊崇される」観念である。私は、宗教思想がルターからフォイエルバッハへ移行するのに、越えるに越えられない懸隔があるとは思わない。現に、フォイエルバッハは越えたのだ。この跳び越えを確認するにはド゠ブロスに始まる諸大陸における比較宗教学的、比較民俗学的研究の領域に踏み込むことが必要である。例えば新約聖書に記されている[☆07]「最後の晩餐」をヘロドトス『歴史』と比較するなど、宗教民俗学的な観点からその踏み込みを為した私にすれば、出隆と大井正の研究は、ルターからフォイエルバッハへの系譜を捉えるのに重要な参考となるのである。

（三）悪魔を創造する神

次に、②悪魔を創造する神について。出隆は『哲学以前』において「主客未剖・自他融合の神」と記しているが、その主客には神と悪魔も含まれるようである。また、「悪魔をも創造し給う神に、感謝する」とも記している。神と悪魔の対立や抗争は、いわば釈迦と孫悟空のような関係なのだろう。悪魔は神の掌で動くのみである。しかし、神ならぬ人間にとって悪魔は悪魔であって、神ではない。人間のなかに入った神は悪魔を引き連れている。そこで、神ならぬ人間は、感謝どころか、心中で悪魔と、いや、神それ自体と対立し戦うことを余儀なくされる。その現象を如実に―実体験として―語っているのが、わが恩師大井正である。

最晩年の著述「罪について―ときには思想史的に」（一九九〇年）において、大井は次のように記している。「タブーを呪術とみて、これを宗教とは区別する見方がある。しかし、わたしはこの見方をとらない。宗教を儀礼主義からとらえるならば、儀礼はすべて呪術である。儀礼は、神に対する人間からの要求のために行われる行為である。共同体の反映、農耕の豊饒、船舶の安全などがその主要な側面をなしているが、この儀礼全体の入口にタブー行為がある。タブーがどんなに頻繁に行われようとも、儀礼としてみれば、その主要な側面ではない。しかし、このタブーを除いては、すなわち呪術を除いては宗教は成り立たない」[☆08]。

この引用箇所は、大井晩年の存命中に、私が次のような内容（大井宛私信）で批評した個所である。大井がここで論じる「神」は先史社会や野生社会の神であるから、すくなくともGodではない。spiritsである。タブーはGodに関係ないところで形成された。先史社会や野生社会ではspiritsに関係してタブーが形成された。先史人や野生人は宗教を知らない。そこからやがて宗教が発生してくる土台の精神運動を知っていただけである。「神への要求」はフェティシズムに起因する。儀礼は神を前提にするのでなく、神を産み出す行為である。これをフェティシズムという[☆09]。

ところで、大井は上述論文の最後のところでこう記している。「わたし自身のテーマ概念は、悪ではなく罪である。悪と罪とは厳しく区別される必要があるのかどうか。実は、わたしはこの研究を志して以来つねにこの厳しい区別を意識しているのである。わたしはまず、神と対決することを必要とするのである。神が観念にすぎないとしても、その観念を戦いの相手に、わたしは選んでいる。このさい自分も傷つく可能性があることを覚悟している。観念を相手にして。このテーマ概念がどれだけ現実的であるかは、自分の判断ではなくなっており、ネクラの戦いかもしれない。しかし、死の直前、老化のはてにやっとこの仕事にはいった。多忙だった。健康上の不意な事故にもあった。いや、相手を軽視した」[☆10]。

大井は幼少のころキリスト教の書物を多読した。それで観念的＝静的にはキリスト教に深く入って理解した。けれども、身体的＝動的には唯物論を受け入れた。そして、最晩年、神と戦うことを決意する人間となった。そうであるならば、大井正にとって神とは一体何なのか？——大井死後、この質問に答えられる者はだれもいない。私なりに大井の立場を論じるならば、こうなる。己が神を己が好みで選び取り、これを拝み、打ち叩きもするフェティシストが唯物論者であったと同様、神は観念（模写）にすぎないと前おきしてこれと戦おうとする大井正もまた、どこまでも唯物論者たらんとしているのである。そして、大井の恩師出隆にすれば、大井にとって戦いの相手である神は悪魔を携えて人々の心中に存在するのである。出が準備したアリーナに大井が出陣したかのようである。そのようなアリーナは、私の歴史知研究において日常的に探し求めている資史料なのである。

注

01 『出隆著作集』第一巻「哲学以前」、勁草書房、一九六三年、一九一～一九二頁。
02 同上、三一五頁。
03 同上、三一九頁。
04 石塚正英『フェティシズム—通奏低音』社会評論社、二〇一四年、『歴史知と多様化史観—関係論的』同上、参照。
05 石塚正英「〝人間のなかの神〟を考える—大井学匠に何を学んできたか」、『季報・唯物論研究』三八・三九合併号、一九九一年、七一頁。
06 フォイエルバッハ、船山信一訳『キリスト教の本質』岩波文庫、第二分冊、三二三頁。
07 「最後の晩餐」でイエスは、パンと葡萄酒の比喩でもって自らの肉体を食べ物として会食者に提供しようと言う。この使徒たちに食べられるイエス（神）という構えは、比較民俗学の観点では、先史世界のカニバリズム（食人習）に起因する。紀元前のはるか昔にオリエント各地で流行していた神殺し、信徒による神の共食という風習の遺制なのである。文字通り、神は人間の中に入る。ヘロドトスは『歴史』の中で、高齢に達した長老を親族が殺し、動物の肉と併せて煮て食べる尊い風習を記している。「マッサゲダイの国では、生存年限が格別あるわけではないが、非常な高齢に達すると、親族が皆集まってきてその者を殺し、それと一緒に家畜をも屠って、肉を煮て一同で食べてしまう。こうなるのがこの国では最も幸せな死にかたとされており、病死した者は食べずに地中に埋め、殺されるまで生きのびられなかったのは不幸であったと、気の毒がるのである」。ヘロドトス、松平千秋訳『歴史』岩波文庫、上巻、一五八～一五九頁。
08 大井正「罪について—ときには思想史的に—」、明治大学『政経論叢』五九—一・二、一九九〇年、一五九～一六〇頁。
09 一九九一年一月三日付大井宛書簡。本書状が先生宅に届いた時点で、先生は入院されていて、同月二七日に逝去された。したがって、私は投函の目的を達したか、さだかではない。

10　大井正「罪について―ときには思想史的に」、前掲雑誌、一八二頁。

第二節　〈人間のなかの神〉を考える
―大井正学匠に何を学んできたか

一九八七年四月、肺のご病気でたしか二度目の入院をされた際、大井正先生は、その当日か翌日くらいの頃、病院から私に電話をかけられた。「すぐに来てほしい」といわれるのである。見舞いの催促なんてのはあったっけ、などと冗談に思いながらその翌日、すなわち四月二二日、飯田橋の厚生年金病院へ赴くと、先生は外見上ではどこも具合の悪い様子もなく、たいくつそうにしながら、病室で私を迎えて下さった。あれこれ研究上のことを、ひとしきり話し合ったあと、先生は一枚の書付けを取り出して見せた。そこには三冊の先生の旧著の書名が直筆で記されてあった。一九五〇年代に出版し、いまではもう絶版になった風の三冊を、先生は復刻したいとおっしゃるのである。ついては石塚クン、ボクはあまり動けそうにないから頼む、といった具合だった。先生には、石塚の生業はブックメーカーが似合うと早くから見抜かれていたのだ。そのうちの一冊―第一作『現代哲学』一九五三年―が新装版で世界書院から刊行されたのは、一九八九年一二月のことである。残りの二冊は、私の非力のせいで未だ復刻できずにいる。改定の為の作業を、先生はとうに完了されているのだが。その代わり、先生満三一歳時（一九四四年）に執筆された未発表著作『東印度の農耕儀礼』の方が先に、先生の遺志に基づいて、同じく世界書院から『フォークロアとエスノロジー―インドネシアのの農耕儀礼』と題して、いま刊行されんとしている。

さて、話は元に戻るが、先生は一九八六年夏に肺を煩って（たしか）最初の入院生活をおくられるまで、当時明治大学で開かれていた社会思想史研究会の例会にレギュラー出席されていたのだが、入院後は、もう大学まで出て来られることはなくなった。よって、私はもはや先生に直接の教えを受ける機会がなくなってしまったのである。そこで一計を案じた。一九八七年より毎年、正月の一〇日前後に、先生あてで葉書におさまる程の挑発文を送ることにしたのである。最初は大井正『未開思惟と原始宗教』（一九四〇年代前半）に書かれた文章に対し、三七歳当時の私が文句をつけたのである。その一つとして私は、先生のきらいな社会学者の一人デュルケムを弁護したのだった。そうしたら先生は、反批判の長文を、ワープロの練習だといって送ってよこされた。それは次の一文で始まっている。「お葉書を読んだ時、わたしの説が正しいとしても、それをご理解いただくのは、五年は懸かるのではと思った」。これに対し、私も負けずに反批判の批判をものして投函した。

そのような議論を交わしていく過程で、或る晩――日記にあたれば一九八八年一月一五日のこと――私は大井先生から、電話で、たいへん興味深い教示を受けた。それは、〝神を人間の心のなかへ入れる〟というのは〝ルター以来のドイツ思想界の伝統みたいなものだ〟ということである。先生とこのような会話を交わしたのは、私が同年一月一三日付先生あて書簡で、若いマルクスの〝聖なる人間〟発言とフォイエルバッハの神観念――特に偶像崇拝のポジティヴな面、真とか善とかの面――に関して質問した時のことである。ところで、この発想〝人間のなかの神〟ということを、大井先生はどこかで文章に記されなかったかと、ついこのあいだ少々調べてみた。しかしルターがそのような発想に立っていたとの記述は、いまのところ先生の著作に見いだすことはできないでいる。ルターにとって神は超越的なものであるから、人間の心中に入るというのはおかしいと、反論したくなる人は多いだろう。ルターの二王国論からみておかしいと言いたくもなるだろう。しかし、電話での先生のご教示は私にはたいへんよく納得できた。だから、昨（一九九〇）年に発表された先生の「罪について――ときには思想史的に」中にみられる次の一節を、私にはルターからの伝統に思えてならない。「『神学の秘密は人間学である』というフォイエルバッハの思想には、このように、神学から罪の問題が漏れる可能性が生まれる。これは、フォイエルバッハのキリスト教に対する誤解というよりも、人間学に土台をすえてそこからキリスト教を解釈するという、もうひとつのキリスト教観であろう。この傾向は、ドイツ古典哲学には脈々と流れてきた新しい傾向である」。

先生は、フォイエルバッハに関連させてなら、『唯物史観の形成過程』（一九六八）中で次のように述べている。「ヘーゲルの『人間』（自己意識）は、『神』の変容であった。これにたいして、フォイエルバッハは、『人間』そのものから出発した。そして、かれは、この『人間』には『自然』がふくまれているとも考えた」。大井先生ご自身は、この文脈で特にことわってはいないけれども、フォイエルバッハは、原始信仰では自然は神であるとしている。そう解釈すれば、ここで大井先生が述べている「『人間』には『自然』がふくまれている」との一文は、人間のなかの自然＝神とも読みかえていけるのである。

あくまでも私の解釈にすぎないのだが、原始信仰観に発するフォイエルバッハのこの発想は、未だルターの段階でははっきり特徴あるものとして現出していなかった。ルターにおいては、神とは超越的であった。しかし、この超越神はカトリックのそれとはまったく異なるものとなっている。ルターにすれば、神の信仰は、一切の偶像崇拝を排して、人間の内面においてこそ可能なのである。神の信仰は心のなかで直接行われる。人の心と神との間には、いかなる経路も媒介も介在しない。その際ルターにあっては未だ超越神だったものが、フォイエルバッハにおいては人間の本質、類的存在となったのであろう。別言すれば、ルターにおいては、神はけっして人の心のなかでつくられるものではなかったのだが、フォイエルバッハに至ってはそのようにしてつくられるものとなったのである。話題が大井正から離れすぎたようだから、軌道を修正しよう。

さきほど私は、一九八七年以来毎年正月に大井先生に論戦を挑むことにしたと述べた。本（一九九二）年はどうであったか。本年も、これを試みた。本年一月の先生は、とても私の駄弁にかかわっていられる状態ではなかった。けれども私は、先生にはいかなる困難のご様子でいらっしゃろうとも、いつものように接していたかったのである。むろん、一月三日に先生にあてて投函した書簡は、そのまま開かれなかったのであろう。しかし、私は、この書簡のなかにおいても、神のことで先生に文句をつけている。先生が昨（一九九〇）年に発表された「罪について」の最後の数行に、次の一説が読まれる。「わたしはまず、神と対決することを必要とするのである。神が観念にすぎないとしても、その観念を戦いの相手に、わたしは選んでいる。このさい自分も傷つく可能性があることを覚悟している。観念を相手にして」。

これに対して私は、次のような主旨の意見を述べた。「聖書（新共同訳）の巻末にある用語解説をみますと、罪人（つみびと）の項にはこのように書き出されています——神に背き、その律法を犯す者。「神に逆らう者」。このような規定は既にGodとしての神を前提にしたものにすぎません。ところが、罪は、むろんGodの以前、Godが生まれる以前のSpiritsの時代に成立した概念です。そして、これはSpiritsの生きるところ、中世にも近世にも、現代にも存続しているものではないでしょうか。ところで、タブーはGodには関係ないところで形成されました。野生社会や先史社会ではSpiritsに関係してタブーが形成されました。野生人や先史人は宗教を知らない。そこからやがて宗教が発生してくる土台の精神運動を知っていただけです。それから、タブーとは、基本的には、禁止ではなく開放を意味しており、例えば近親婚タブーは、性的結合の限りなき開放の為の社会的合意だったのでしょう」。

この意見陳述は、実は私の内面に向かっての決意表明でもあったのだ。ひょっとしたら先生によって読まれないかもしれないと知りつつ書き綴ったこの書簡は、先生に対する私の宣言なのだ。これまで長いこと先生に賜った学恩に報いるべく、私もまた、私なりに相手に選んだ神と戦うのだ、との宣言なのだ。ところで、大井正にとって神とは一体何なのか？　――この質問に答えられる者はだれもいない。しかし先生は、神でなく「聖」ということについてなら、次のようにそのヴァリエーションを述べておられる。「教師をたとえば『聖職』だとしましょう。しかし、その『聖』の意味は、神ではなく、親であるから、育てることにあります。自分の先生の死が殉死したいぐらい、悲しく、慕わしいばあいがあると思います」（大井正から野村みどりへの手紙、一九八一・九・一六、『人権と教育』第二〇七号、一九九一・三・二〇、「追悼・大井正先生」から）。

この言葉に、私は安堵感を覚える。というのも、大井正にとって聖とは神ならぬものであるように、私にとって神とは、神ならぬものだからだ。太古のフェティストにとって神とは、不可視の霊的なものでなく、可視の物自体だった。またデュルケムにとって神とは、それを信仰する人々が形成する社会のことだった。いずれも神ならぬものである。超自然とは縁もゆかりもない。ならば、私のばあいはどうか。私にとって神ならぬものは、あえてたとえれば、鎌倉時代に親鸞が発した浄土観、超自然や死後の世界でなく歴史的世界と原理的な関係を有し、往ってもまた還ってくることを必然のものとする浄土のごときものにたとえられようか。いや、もっと厳密に言うとこうなる。ちょうどルターを批判的に継承したフォイエルバッハのようにして親鸞を批判的に継承する思想家が現代までに出現しておれば、きっとその人物の発するであろう神ならぬものに、私は同調することだろう。しかし、ここで私のことは、どうでもよろしい。

私なりに大井先生の立場を論じさせていただくなら、こうなる。己が神を己が好みで選び取り、これを拝み、打ち叩きもするフェティシストが唯物論者であったのと同様、神は観念（模写）にすぎないと前おきしてこれと戦おうとする大井正もまた、どこまでも唯物論者たらんとしているのである。（一九九一・三・二八）

（『季報・唯物論研究』三八・三九合併号、一九九一・七・一〇、から転載。）

〔追補〕。一九九一年一月二七日、恩師大井正先生は亡く

なられた。そのことに関連する思い出を以下に記しておく。それは、大井正著・石塚正英編『フォークローアとエスノロジー』（世界書院、一九九一）に寄せたあとがきの「四、本書出版の経緯」部分の転載であり、日付等はすべて刊行時のままとし変更しないでおく。「若き大井正の『インドネシアの農耕儀礼』」という題で私が書いたものである。

＊　＊

いまをすぐること一年有半、大井正は、出版社世界書院の求めに応ずるかたちで、私に一篇の古い論稿をあずけた。その折、これはインドネシアの農耕儀礼を調査した報告書の一種だ、事実の記録・保存という程のことだが、いまとなっては貴重なものに違いない、との言葉を私に伝えた。とはいえ、一九四四年一月（著者満三二歳）に完成したその稿に対し、著者は当然ながらなにがしの解説を施す予定であった。しかしその頃ローレンツ・シュタインに関する論文をものしたり、例の「罪について」の研究に着手するなどの事情により、こちらの解説は、すぐに起草されそうにはなかった。この稿はそれからしばらく、出版社の棚におさまることになったのである。ところが、昨年の夏以降、それまで数年煩っていた著者の病気が急変した。秋も深まった頃、その旨を版元に伝えると、社主は、本年一月二三日付けの拙宅あて書簡で、著者に、一九四四年手稿をそのままのかたちで出版してよいか、再度の諾意を確認してほしいと書いてよこしたのであった。ここから事態は一挙に進展する。同三日中に、私は大井宅あてで、上の件はＹＥＳかＮＯか？　の文字を大きく書いた葉書を投函する。翌々二五日夕刻、著者は、入院先から、淑子夫人を通じてＹＥＳの意志を表明する。夫人から妻を介してそのことを知らされた私は、翌二六日午後、直接出版社へ出向き、万事ＯＫの旨を社主に伝える。社主はその場で、著者のかねてよりの意向に沿って、かの手稿から原題の「東印度」を削除し、これに代えて「インドネシア」と訂正の朱を入れる。こうして一九四四年手稿は編集作業のベルトに載ったのである。ところが、その翌二七日の昼下がり、大井門下の生方卓からの電話によって、そのすこし以前、午後一時頃、著者が亡くなられたとの知らせを受けとったのである。

七八歳で亡くなられた著者に、謹んで哀悼の意を表するものである。

著者と私がともに尊敬する或る思想家の没一〇八年記念日に

一九九一年三月一四日　　石塚正英

第三節　神と戦う哲学者
――大井正生誕一〇〇年を記念して

久しぶりに、恩師大井正（一九一二～一九九一）の「罪について―ときには思想史的に」（明治大学『政経論叢』五九-一・二）を読み返した。大井は言う。「タブーを呪術とみて、これを宗教とは区別する見方がある。しかし、わたしはこの見方をとらない。宗教を儀礼主義からとらえるならば、儀礼はすべて呪術である。儀礼は、神に対する人間からの要求のために行われる行為である。共同体の反映、農耕の豊饒、船舶の安全などがその主要な側面をなしているが、この儀礼全体の入口にタブー行為がある。タブーがどんなに頻繁に行われようとも、儀礼と見れば、その主要な側面ではない。しかし、このタブーを除いては、すなわち呪術を除いては宗教は成り立たない」（一五九～一六〇頁）。

この引用箇所は、いまだ大井晩年の存命時に、私が次のような内容で批評した個所である。「大井がここで論じる『神』は先史社会や野生社会の神であるから、すくなくともGodではない。spiritsである。タブーはGodに関係ないところで形成された。先史社会や野生社会ではspiritsに関係してタブーが形成された。先史人や野生人は宗教を知らない。そこからやがて宗教が発生してくる土台の精神運動を知っていただけである。『神への要求』はフェティシズムに起因する。儀礼は神を前提にするのでなく、神を産み出す行為である。これをフェティシズムという。」

ところで、大井は論文の最後のところでこう記している。「わたし自身のテーマ概念は、悪ではなく罪である。悪と罪とは厳しく区別される必要があるのかどうか。実は、わたしはこの研究を志して以来つねにこの厳しい区別を意識しているのである。わたしはまず、神と対決することを必要とするのである。神が観念にすぎないとしても、その観念を戦いの相手に、わたしは選んでいる。このさい自分も傷つく可能性があることを覚悟している。観念を相手にして。このテーマ概念がどれだけ現実的であるかは、自分の判断ではなくなっており、ネクラの戦いかもしれない。

しかし、死の直前、老化のはてにやっとこの仕事にはいった。多忙だった。健康上の不意な事故にもあった。いや、相手を軽視した」（一八二頁）。

大井は幼少のころキリスト教の書物を多読した。それで観念的＝静的にはキリスト教に深く入って理解した。けれども、身体的＝動的には唯物論を受け入れた。そして、最晩年、神と戦うことを決意する人間となった。そのような思想家に教えを受けることのできた私は、研究者として、もはや何も惜しむことはない。

なお、大井死去に際して、私は『季報・唯物論研究』から追悼文寄稿の依頼を受けた。そこで同誌の三八・三九合併号（一九九二）に以下の文章を載せた。ほんの一部を抄録する。「先生が昨年発表された『罪について』の最後の数行に、次の一節が読まれる。『わたしはまず、神と対決することを必要とするのである。神が観念にすぎないとしても、その観念を戦いの相手に、私は選んでいる。このさい自分も傷つく可能性があることを覚悟している。観念を相手にして』。（中略）ところで、大井正にとって神とは一体何なのか？　――この質問に答えられる者はだれもいない。（中略）わたしなりに大井先生の立場を論じさせていただくなら、こうなる。己が神を己が好みで選び取り、これを拝み、打ち叩きもするフェティシストが唯物論者であったと同様、神は観念（模写）にすぎないと前おきしてこれと戦おうとする大井正もまた、どこまでも唯物論者たらんとしているのである」。

（サイトちきゅう座 http://www.chikyuza.net/〔study487:120505〕から転載）

第14章

社会思想の柴田隆行

第一節　自然法爾と横超についての石塚＝柴田往復書簡

（二〇〇六年八月）

【隆行】 ---- Original Message ----
From: "SHIBATA, Takayuki" <tamast@wine.plala.or.jp>
To: "石塚正英" <zucker@i.dendai.ac.jp>
Sent: Saturday, August 19, 2006 10:41 AM
Subject: 自然法爾

石塚さんへ

一九九一年に『信太正三研究』第一〇号に掲載した信太先生の論文「自然法爾と横超」の電子データが残っていたので、様式を変換して、ご参考のためにお送りします。「横超」の概念が、親鸞からどのようにして信太先生に受け継がれたかがわかります。

これをさらに倫理一般に押し広げたのは、小松摂郎編『倫理学』（福村出版、一九六八年）所収の信太先生の担当箇所であり、そこで「実存を守る倫理的たたかい」に触れ、「実存主義はこの人間における自己の超越あるいは超克というものを重視する。ただし、この自己超越は、ただに個人的な内面の深まりや高まりの事柄にすぎなくなってはならず、同時にそれは孤立的に閉じた自己を社会のなかへ、世界のひとびとへと開いてゆくものでなくてはならない。すなわち、たんに垂直の超越、縦の超越にとどまるのではなく、同時に水平の超越、横の超越でなくてはならない。そこにはじめて、広く実存の連帯の世界をつくるために民衆のなかへと歩み入る道がひらける」（一五五ページ）と書かれています。

「横超」という概念はここにはありませんが、信太先生が親鸞から学んでみずからの実存哲学に生かした思想はまさに「横超の倫理」にほかならないと思います。

柴田隆行

【正英】 ---- Original Message ----
From: "Ishizuka" <masuya3@u01.gate01.com>
To: "SHIBATA, Takayuki" <tamast@wine.plala.or.jp>
Sent: Saturday, August 19, 2006 11:33 AM

Subject: Re: 自然法爾

柴田隆行さん

「横超」に関する資料、信太正三「自然法爾と横超」データ、および柴田さんの解説文を戴きました。とてもうれしいです。心より感謝します。

今夏、私はピラミッドのキャップストーンにあたる論文を構想しています。それは、これまでの私の諸研究分野（以下）を統合するものであり、相対的に独立した様々なテーマをも統合するものです。その構想練成に、なかば必然のようにして信太正三の「横超」が意味をもってきました。

ファナティシズム論（ミュンツァー、ヴァイトリング、ブロッホ、二〇～三〇歳代）、

フェティシズム論（ド＝ブロス、フォイエルバッハ、親鸞、四〇歳代）、

歴史知論・多様化史観（カブラル、ヤスパース、フレイザー、四〇～五〇歳代）

アソシアシオン論（マルクス、バッハオーフェン、モーガン、三〇～五〇歳代）、

そのような研究生活の総合です。恩師でいくと、酒井三郎、布村一夫、村瀬興雄、大井正、の総合です。そのキャップ、扇のかなめに、信太正三の「横超」がのっかります。いま、八〇枚ほど下書きしました。その最後のところに「横超」ができます。公刊するのは二、三年後でしょう。まずはお礼まで。

石塚正英
職場　zucker@i.dendai.ac.jp
自宅　masuya3@u01.gate01.com

〔追記二〇二二・四・一四〕

わが日記「たゆまぬ学習（まなび）」（二〇〇六年八月）に以下の記述がある。

- 八月一一日〈近代の超克〉論文の整理。柴田隆行氏から『シュタインの社会と国家』を贈られる。五〇〇頁超の大作。
- 八月一六日〈近代の超克〉関連の資料や論文の整理。とくにキャップストーンにあたる論文をまとめることができたのは収穫中の収穫だ。「〈近代の超克〉から〈近代の横超〉へ」。
- 八月一八日〈近代の超克〉論文執筆継続。いちおう第一論文（現場検証）、第二論文（事例による検討）、第三論文（今後の展望）を通して書きあげた。八〇枚。題して「〈近代の超克〉から〈近代の横超〉へ」。満足！　今夏最大の収穫！

第二節　母主義としてのマテリアリズム

――『石塚正英著作選　第四巻：母権・神話・儀礼』月報（柴田隆行）

石塚氏の最初の研究対象はドイツの革命家ヴァイトリングであるが、ヴァイトリングの主著は『人類、そのあるがままの姿とあるべき姿』『調和と自由の保証』『貧しき罪人の福音』である。今回の著作集に貫かれている石塚氏の基調はまさにこの「人類、そのあるがままの姿」であり「調和と自由」であり「貧しき人びとの福音」である。

人類は泥から造られた。人も他の生きものもすべて大地から生まれた。大地は母であり、大地の母は神であった。では大地母神は誰が産んだか。D・シュトラウスやフォイエルバッハが指摘するように、「そのような存在の出現を待ち望む人びと」がいて初めて神は産み出される。それゆえ、ときには大地母神が、その存在を待ち望み産んだ人びとによって殺され新たに産み直されるということもありうる。こう石塚氏は指摘する（『儀礼と神観念の起原』）。そうした人びとにとって神は善悪を超越した絶対者ではない。もちろん、神を産む人びともまた善悪を超越した絶対者ではない。神も人間も、そのあるがままの姿においては、善悪を超越した絶対者ではなく、むしろ、善でも悪でもありうる存在である。そこに、神にとっても人間にとっても「調和と自由」がある。その具体例を石塚氏は白雪姫物語に見ている。こうした考えを、石塚氏はおそらく母権論研究者の布村一夫氏と、社会思想史研究者の大井正氏から学んだのではないだろうか。とくに大井氏は、マルクス研究に関しては切っ先鋭い侍的理論家であったが、「あるがままの姿」では善悪を兼ね備えて調和させているような自由人であった。

話を元に戻そう。母も大地も、ラテン語では mater といいギリシア語では meter という。したがって、石塚氏によれば materialism とは、多義的で意味不明の「唯物論」であるよりも、「母主義」（『哲学・思想翻訳語事典』）である。ただし、筆者に言わせれば、mater と materia とのあいだには若干のズレがある。materia はギリシア語の hyle に由来し、何かを作り出す素材を意味する。もちろん素材や木材は女性や母の象徴と見なされるから、フロイトは『精神分析学入門』で大西洋に浮かぶ森林で覆われたマデイラ島に言及し、マデイラとはポルトガル語で木材ないし materia を意味すると述べ、Madeira ＝ Holza ＝ materia という派生関係を認めている。石塚氏はフロイトに言及していないが、materialism を「母主義」とする解釈は石塚氏のフェティシズム論からしても必然の結論である。だが石塚氏の考察のおもしろさはその先にある。石塚氏は、「母主義」のルーツを観念論的ギリシアではなく、エーゲ海人としてのタレスに発展的に継承されたフェニキア的世界観に求める。そして、「唯物論は神々の根拠および根源である」というフォイエルバッハの言葉はこのフェニキア的母主義をもとにして初めて理解できるという（『歴史知とフェティシズム』）。そうして石塚氏の考察はさらに日本の縄文土偶や記紀神話にまで及ぶかと思えば、そこから逆に現代へと還流し、二〇世紀のナチス神話の分析を踏まえてフーコーの権力論の批判に至るという壮大なものになる。

筆者はかつて石塚氏の『フェティシズムの信仰圏』をドイツ語に翻訳して出版したことがある（*Fetischismus. Begriff und Vorkommen in Japan und anderen Nationen*, Hannover 1995）。西洋・日本の古典文献から新潟県妙高村の石仏調査に至る氏の壮大な知的領域を把握しドイツ語に翻訳することは、いまだにそれがどうして可能だったか思い出せないほどに困難をきわめたが、とても勉強になり、かつ、この翻訳が業績と認められ筆者は現在の勤務先でドイツ語担当専任教員に採用された。いまさらながら、この場を借りて一言御礼申し上げる。（『石塚正英著作選　第四巻―母権・神話・儀礼』月報、二〇一五年、からの転載）

第三節　井上円了シンポジウム（二〇一五年三月一五日開催）に先立っての柴田隆行からの事前メール

二〇一五年三月二一日に東洋大学で開催された井上円了研究センター新設記念シンポジウム「井上円了の妖怪学と現代」で、柴田隆行センター長に講演を依頼された。フェティシズム研究と妖怪との絡みで講演テーマを決め、三月上旬、彼に連絡した。その返信として、彼から以下のメールを受け取った。

＊　＊

私のシナリオでは、高橋郁丸さんと島田茂樹さんの話を聞いてみないことには詳細がつかめませんが、お二人の話題提供が終わったところで、石塚さんと司会がシンポの席に着きます。最初に特別講演者の石塚さんにお二人の話題提供に対するコメントをもらいます。その際、以下の二点についてシンポの論点にしたいと思っています。

（1）石塚さんの講演で言及されるダーフィット・シュトラウスの『イエスの生涯』で、シュトラウスは、聖書の超自然的解釈、自然的・合理的解釈、神話的解釈を歴史的に追って論述するのですが、妖怪の自然的・合理的解釈は、井上円了がまずは行った「妖怪退治」でしょう。妖怪の神話的解釈は、集団表象に絡む話なので、柳田国男が試みた、妖怪の精神構造の解明にあたると思われます。のちに宮田登氏は『妖怪の民俗学』で円了と柳田双方の研究の価値を認めつつ、その本質的な隔たりを指摘し、その隔たりを埋める試みとして、宮田氏は一例として「お菊と皿屋敷」を採り上げ、この怨霊話にはサラ地（更地）が関係していると分析しています。つまり、宮田氏の理解では、妖怪は合理的解釈でも精神構造解明という神話的解釈でも尽きず、人間と自然との関係から生まれる。これを大胆に解釈するならば、シュトラウス言うところの、妖怪の自然的解釈ではなく、むしろ超自然的解釈ではないかと思われます。「超自然主義」というと自然を超えることに言葉上はなりますが、シュトラウスの場合、聖書を、書かれている通りに受け取る解釈を意味します。石塚理論によれば、イドラトリ（物の背後に霊を見る）のではなくフェティシズム（物そのものの崇拝）にこれは繋がるのではないか。（自然的解釈は合理的解釈と同じで、モーセがエジプトから信者を引き連れてシナイ半島に向かうと海が裂けて陸地が現れたのはたんに大潮だったからにすぎないという解釈）宮田氏が強調するように、人間と自然との関係から妖怪を読み取る試みは、井上円了が行った妖怪に関する詳細な記録が不可欠なのです。

（2）妖怪ウォッチやゆるキャラが典型だが、妖怪は恐くないし、われわれ人間にとって大事なものだと受け取る風潮が現在、濃厚にある。話は逸れるが、絵本の世界にも「もし私が魔女だったら」という少女の楽しい夢物語がたくさんある。しかし、かつて魔女（Hexe）と指摘されただけで殺された歴史的事実がある。妖怪もかつて真剣に怖れられ、妖怪で人生を断ったり狂わせたりした人たちが大勢いる。こうした恐怖の対象である妖怪の歴史を忘れてはいけないのではないか。妖怪がいかに恐ろしい存在であったかという研究はあるのだろうか。

この二点をどのタイミングで出すか、あるいは、出さないか、は当日の話の流れによります。以上、ご検討下さい。

第四節　エゴ（利己主義）とはちがう、他の自我（もう一つの私）を通して初めて自らを実現しうるエゴ（私）

【論評対象】

柴田隆行『連帯するエゴイズム——いまなおフォイエルバッハ』こぶし書房、二〇二〇年

あなたに出会うことで、
はじめて私は、私となる
他の自我を通して初めて私の自我は自らを実現しうる。
他者は他のエゴであり、もう一つの「私」なのだ——

肥大化したエゴが衝突する時代に
フォイエルバッハ哲学の核心を、いまなお問い直す。

【対象目次】

【対象紹介】

なんだと、エゴイズムだと？　そんなもので、いったいだれがだれと連帯するというのか！　そういった非難が聞こえてきそうな書名である。一九世紀ドイツの哲学者フォイエルバッハは人間と人間、人間と社会、人間と自然、それらを〔私とあなた〕という括りで共生しあう関係と見た。互いに愛し合い依存しあうことはあっても、排他的に利用しあう関係ではないのである。それがまたなぜ、いまなおエゴイズムを看板に掲げるのだろうか。

本書のはしがきにあたる「いまなおフォイエルバッハ」を読むと、エゴ（自我）について、こう書かれている。「他の自我なしに私の自我はない。他者は私の延長としての存在ではない。真に他者としての他者に出会うことができるときに初めて、私は私自身である。そのような出会いは、自らの幸福衝動すなわちエゴイズムを欠いては起こりえない」（一四頁）。

なるほど、エゴイズムとは幸福衝動のことか。それでは、幸福衝動とはなにか。その点については、本書にはこう書かれている。「意志とは幸福意志であり、幸福衝動こそが、生きかつ愛するもの、存在し存在することを意志するすべてのものの根本衝動である」（一五二頁）。ようするに、我々が一般的に了解しているエゴ（利己主義）とはちがう、他の自我（もう一つの私）を通して初めて自らを実現しうるエゴ（私）なのである。本書でキーワードとなっているのはMitleid（共苦）であり、フォイエルバッハの言葉で説明するならば、それは「あらゆる自由な公正とあらゆる真の人間愛の現実的な基礎である」（一四八頁）。それは「『あなた』と向かい合う『私』と、『私』と向かい合う『あなた』とのあいだで成り立つものである」となる（一四九頁）。それは「愛」であり「愛は、自分のうちに留まり自分だけで存在することではなく、一つであることEinsseinであり、共同存在である」（一五九頁）。

ここで指摘されている「愛」を、著者はフォイエルバッハ初期著作に述べられている、とし、連続を認めている。ところが、幸福衝動について、著者は「前期フォイエルバッハには見られない」としている。むろん、エゴイズムの概念・用語についても同様の指摘がなされよう。この前期・後期の関連について、同じくフォイエルバッハを研究している評者は、本書出版の一か月前に刊行した拙著『フォイエルバッハの社会哲学—他我論を基軸に』（社会評論社）で、マックス・シュティルナーからの影響の結果として分析している。「いやいや、神への愛だろうが他者への愛だろうが、およそ聖なる概念にすぎない『愛』それ自体が唯一者にとって拒絶の対象」だ、という場の設定で議論が構築されている（拙著、五九頁）。

さて、本書の議論で気になっている問題がある。それはフォイエルバッハの「自殺」観である。フォイエルバッハによれば、自殺は自己保存衝動ないし幸福衝動と矛盾しない。困窮や悲痛、嫌悪に反する意志は人間の最初の意志である。「自殺者が死を意志するのは、死が悪だからではなく、死が悪や不幸の終わりだからである」（一五二頁）。さて、どうであろうか。自死は自然な行いではない。死の意志は、幸福衝動が止んだところに出現するような気がしてならない。死ぬことで自己保存や幸福衝動が再開するはずもない。むしろ、そうした衝動が途絶えたときの行為である気がする。それから、他の自我（もう一つの私）を通して初めて自らを実現しうるエゴ（私）が、独りで勝手に死を選んだのでは、他の自我との関係を一方的に遮断し、Mitleid（共苦）をすすんで解体してしまうことになる。それに、Mitleid（共苦）には、人の精神や人格だけでなく、人の感情や肉＝肉体にもしっかりと権利を認める立場が備わっていないのだろうか。

突然死でないかぎり、自殺者が死を意志するのは、自ら〔生の完成〕を実現したいからなのではないか。死は悪や不幸の終わりなのではなく、死によって幸福を完成するのだ。自然界では、完成はすなわち消滅を意味している。完成する刹那、他の自我との関係は自然に消滅を迎える。とにかく、フォイエルバッハに議論を持ち掛けたいテーマである。

ところで、著者と評者が事務局をつとめているフォイエルバッハの会は、一九八九年の創立で、昨年に三〇周年を迎えた。船山信一を会長に、大井正、河上睦子、桑山政道、澤野徹、城塚登、暉峻凌三、藤巻和夫、尼寺義弘、山之内靖ほかのメンバーをよびかけ人とし、埼玉大学教養学部の寺田光男研究室を事務局として発足した本会は、たんにわが国におけるフォイエルバッハ研究の最高水準を象徴する組織というだけでなく、スイスのチューリヒに本部を置く国際フォイエルバッハ協会と連携する組織としても意義あるものといえる。その会の創立三〇周年を記念して、評者は『フォイエルバッハの社会哲学』を刊行した。その一月後に柴田による本書が刊行された。一つの区切りにあたる。

かつて、フォイエルバッハをマルクスの挫折せる先行者とみなしていた時代があった。挫折の意味は、ヘーゲル哲学批判において、哲学・宗教批判にとどまったフォイエルバッハに対して、マルクスはさらに政治・経済学批判に進んだことを指す。だが、当時の論客たちの多くは、宗教とキリスト教を等値にしていた。キリスト教批判で宗教問題は片付いたとする彼らは、フォイエルバッハを誤解していた。哲学・宗教批判から政治・経済学批判に進む進まないは、一九世紀思想家たちが求めた真理探究のバリエーション、グラデーションにすぎない。『キリスト教の本質』以降のフォイエルバッハにとって、宗教問題は片付いたどころの話ではなかったのである。一つの区切りは、本書の出版を契機としてあらたなスタートとなれば、と祈りたい。

最後に、本書の目次を記しておく。第一章「宗教批判と政治批判」、第二章「革命の批判的傍観者」、第三章「不死信仰の秘密」、第四章「啓蒙と自然の光」、第五章「自然科学と革命」、第六章「カール・グリュンの理論と実践」、第七章「エゴイズムの倫理」、第八章「幸福を求めて」、終章「愛の共同態」、補章一「『聖家族』―批判的批判の批判における「批判」の意味」、補章二「フォイエルバッハと自然」。各章にはそれぞれ初出媒体があり、たいがいは二〇一〇年代中葉に『季報唯物論研究』（同刊行会、田畑稔編集長）で発表されている。

（「柴田隆行著『連帯するエゴイジム―いまなおフォイエルバッハ』」、『図書新聞』三四五三号、二〇二〇年六月二七日、から転載）

第五節　シュタインとフォイエルバッハの学徒
——柴田隆行に思いを馳せる

歴史学に加え、哲学・思想分野の専門研究者を目指して立正大学大学院博士課程に在籍していた一九七八年からの三年間、私は指導教授村瀬興雄氏から明治大学の社会思想史担当教授である大井正氏を紹介されました。村瀬氏と大井氏は旧制高校時代の同級生であり、ともに東京帝国大学に学んだ仲だったのです。前者は史学で、後者は哲学でした。これを機に、私は繁く大井ゼミに足をはこび、ヘーゲル学派および初期マルクスの講義・演習を聴講したのでした。その間、大井氏は私を「盗聴生」と呼んで、とても可愛がってくれました。文献・資料は惜しげもなく貸し与えてくれました。

そんな環境において、私は柴田隆行さんと出逢います。一九四九年東京生まれの柴田さんは、一九七二年に神奈川大学外国語学部英語英文学科を卒業後、東洋大学大学院に進み、一九七七年に同大学院文学研究科哲学専攻博士課程を満期退学しました。ヘーゲル哲学を収め、やがて『ヘーゲルにおける自由と共同』（北樹出版、一九八六年）を刊行することとなりました。また、恩師信太正三関連の『横超の倫理と遊戯の哲学 信太哲学研究』（哲書房、一九九二年）、自身のもう一つの研究分野に関して『哲学史成立の現場』（弘文堂、一九九七年）を約五年間隔で出版していきました。

その彼は、大学院後、大井ゼミには参加しませんでしたが、同ゼミ生が運営していた「社会思想史研究会」に参加してきたのです。その後、柴田氏も加わりゼミ生と大井氏とで、マルクス歿一〇〇年を記念して一九八三年一二月に『マルクス思想の学際的研究』（長崎出版、石川三義、生方卓、柴田各氏と私との四人共編）を刊行しました。大井氏の定年退職後しばらくして研究会は休会となったので、その活動を引き継ぐかたちで、私は一九八四年五月にミニコミ月刊誌『社会思想史の窓』を創刊しました。これには、柴田さんに加え、石川三義、生方卓、小林昌人、滝口清栄、村上俊介ほかの各氏が積極的に協力してくれました。さらに彼らとともに、一九八七年三月に「十九世紀古典読書会」を結成しました。柴田さんが事務局を引き受け、彼の所属する東洋大学で第一回報告会を開きました。例会の報告や関連記事を『社会思想史の窓』で頻繁に掲載していきました。一九九七年から二〇〇〇年にかけて社会評論社から拡大版（マガジンとブックの折衷ムック mook 形式）『社会思想史の窓』を刊行したのですが、そのうち第一二一号特集「海越えの思想家たち」（一九九九・四）、第一二二号特集「子どもの世界へ」（一九九九・一二）は事実上柴田さんと私の共編でした。『社会思想史の窓』との関連では、フォイエルバッハの会にも言及する必要があります。一九八七年秋にドイツで、H・J・ブラウン氏らによって国際フォイエルバッハ研究協会（のちに国際フォイエルバッハ学会と改称、現本部ミュンスター）が設立され、一九八九年一〇月にビーレフェルトでその最初の研究集会が開かれました。この動きに呼応して、同年三月、フォイエルバッハの会が結成されました。哲学者の暉峻凌三氏が日本の研究者に呼びかけて発足しました。賛同人には舩山信一、大井正、桑山政道、城塚登、山中隆次、ほかの先学が名を連ね、私もその末席におりました。事務局は埼玉大学の寺田光雄、相模女子大学の河上睦子、そして暉峻氏の弟子だった柴田さんの各氏が入りました。この会もまた、例会報告文を『社会思想史の窓』に掲載していきましたし、一九九五年二月には『神の再読・自然の再読—いまなぜフォイエルバッハか』（河上、石塚との共編、理想社）を、二〇〇七年には『フォイエルバッハ—自然・他者・歴史』（フォイエルバッハの会編として）を刊行しています。その間彼は国際フォイエルバッハ学会副会長、フォイエルバッハの会事務局長に就任して現在に至りました。要するに、私が関係する研究団体運営のほとんどが、柴田さんとの二人三脚であったわけです。

一九九〇年代以降、彼と私の協同はいっそう親密になりました。拙著『フェティシズムの信仰圏』（世界書院、一九九三年）のドイツ語訳を進めていた頃、結果的に彼が全訳を担当してくれたのは忘れ得ぬことです（*FETISCHISMUS. Begriff und Vorkommen in Japan und andern Nationen*, Verlag für die Gesellschaft. Hannover. 1995.）。それ以外に、たとえば一九九〇年八月に刊行したローレンツ・シュタイン『平等原理と社会主義』の訳業（法政大学出版局、石川三義との三人共訳）がありますし、一九九四年四月に刊行したダーフィット・シュトラウス『イエスの生涯・緒論』（世界書院、生方卓、石川三義との四人共訳）があります。私はいずれも訳業を分担したものの、語学力の達者な柴田さんは先頭に立ってグイグイ進めていきました。その活動は、やがて以下の研究著作四点に結実しました。『シュタインの社会と国家—ローレンツ・フォン・シュタインの思想形成過程』（学位論文の出版、御茶の水書房、二〇〇六年）、『ローレンツ・フォン・シュタインと日本人との往復書翰集』（東洋大学社会学部社会文化システム学科、二〇一一年）、『シュタインの自治理論—後期ローレンツ・フォン・シュタインの社会と国家』（御茶の水書房、二〇一四年）、『連帯するエゴイズム—いまなおフォイエルバッハ』（こぶし書房、二〇二〇年）。

ここで、柴田さんと私との間で交わされた学問上の往復メールを転載したい。フォイエルバッハの用語〔他我、もう一人の私 alter-ego〕をめぐる柴田 - 石塚メール交信です。この議論の背景には、次のような経緯があります。フォイエルバッハ思想のキーワードに「他我」がある。ラテン語で〔alter ego（もう一人の私）〕となる。この alter ego に対応するギリシア語に heteros autos（もう一人の自身）がある。これはアリストテレス『ニコマコス倫理学』に読まれ箇所はラテン語では「自己（ego）」に代っている。柴田さんはそこを問題にして私に質問してきました。しごくもっともな疑問であります。

【隆　行】From: SHIBATA Takayuki 石塚正英 Date: 2020/11/29. Sun10:01 Subject:Re: 一九世紀古典読書会 online 講座②「人類学の存在論的転回について—フォイエルバッハとの接点」（石塚正英）

石塚さん

リモートは、お互いに発言の機会をつかむのが難しく、また一人で長時間語るわけには行かないので説明不足にもなり、直接対話と比べるとやはりかなり不十分なところがあります。

アリストテレスの「もう一人の私」について、石塚さんは岩田靖夫氏の論文を典拠にされていましたが、それが指示するアリストテレスの文献『ニコマコス倫理学』の第九巻第九章～一二章を見ると、私見では、読み過ごしてしまいそうなほど平凡なことが書かれているように思えます。

アリストテレスの考える「もう一人の自分」は、他者を自分分身、つまり自分の延長線上に「他者」なるものを置いてみる、われわれ（フォイエルバッハの考えを支持する者）からすれば、否定すべき見方だと、私は考えます。「他者のうちに自己を見る」のではなく「自己のうちに他者を見る」という立場に「自己・他者」関係を転換したのがヘーゲルであり、それをフォイエルバッハはさらに先へ進めようとしていると私は考えるので、アリストテレスの他者論は後退でしかないと思います。柴田隆行

【正　英】To: SHIBATA Takayuki Date: 2020/11/29. Sun 10:17 Subject: Re: 一九世紀古典読書会 online 講座②「人類学の存在論的転回について—フォイエルバッハとの接点」（石塚正英）

柴田さん

参照する文献が違うとこうも印象が異なるとは、びっくりです。私は、岩田さんの論文は傍証に使ったのですが、要はむろんアリストテレスの以下の文章です。「もうひとりの自分」（Lat. alter ego.Gr. heteros autos）その語源はアリストテレス『ニコマコス倫理学』のこの一節 "Ἔστι γὰρ ὁ φίλος ἄλλος αὐτός（友は第二の自分だから）です。「そんなわけで、よきひとにおいてはこういった諸相がことごとく自分自身への関係において見出だされるということ、しかるに彼は友をみること自分自身をみるごとくである（すなわち友は「第二の自身」である）ということに基づいて、「愛フィリア」とは以上のような態度の何ものかであると考えられるにいたるのであり、また「親愛なるひと」「友なるひと」とはこういった態度の見出だされるようなひとにほかなら

ないと考えられるわけであろう」。『ニコマコス倫理学』第九巻第四章 1166a30、岩波文庫版、下巻、二〇〇四年（初一九七三年）、一二一頁。

この邦訳引用文からすればアリストテレスは、彼（よきひと）は、友（他者）をみると、そこに自分自身をみる、と言っています。ここにでてくる「自分自身」を私は、〔もう一人の私〕と理解しています。よって、柴田さんの理解に同調するわけにはいきません。

往復書簡はそれくらいにしておき、次に、私個人との関係以外の話題を綴りたい。柴田さんは、長年にわたって多摩川の自然を守る会に関わり、その代表を務めるに至っています。共編著として『多摩川の自然を守る会三〇年の活動日誌　多摩川の自然を守る会結成三〇周年記念』（多摩川の自然を守る会、二〇〇〇年）、『西暦二〇〇〇年の多摩川を記録する運動活動報告書』（西暦二〇〇〇年の多摩川を記録する運動実行委員会、二〇〇二年）、『住民の目で見つづけた多摩川の三五年　蓄積した写真資料等による多摩川の自然環境の変遷を解明する研究　二〇〇八年』（とうきゅう環境浄化財団、二〇〇九年）を刊行し、単著として『住民の眼で見つづけた多摩川の三〇年　蓄積データ解析による自然の変遷と自然観の変化についての研究』（とうきゅう環境浄化財団、二〇〇三年）を刊行しております。『多磨全生園・〈ふるさと〉の森ハンセン病療養所に生きる』（社会評論社、二〇〇八年）をも共著で刊行しております。

私との協同で顧みると、『哲学・思想翻訳語事典』（私との監修、論創社、二〇〇三年）が光ります。その頃に交わした往復書簡を引用しましょう。

【正英】 ---- Original Message ----
From: “Ishizuka” <masahide703@spn1.speednet.ne.jp>
To: “SHIBATA Takayuki” <tamast@toyonet.toyo.ac.jp>
Sent: Monday, October 24, 2005 4:41 PM
Subject: 事典編集の件

柴田さん

一一月一九日のシンポジウムは私の職場の情報系がらみの研究とも関係するので、やる気満々です。それから、貴PJ（人間科学総合研究所「翻訳語の思想的研究」―引用者の補足）についてですが、事典の編集主体がまったく違うので、論創社の二〇〇三年版事典とは明確に別個に編集・出版してください。むろん、貴PJ自体については、心から成功を祈ります。なお、論創社の二〇〇三年版事典の改定については、森下社長と相談し、時期をみて私の方から貴兄にご相談します。

石塚正英

【隆行】—— Original Message ——
From: "SHIBATA Takayuki" <tar.ast@toyonet.toyo.ac.jp>
To: "Ishizuka" <masahide703@spn1.speednet.ne.jp>
Sent: Monday, October 24, 2005 4:55 PM
Subject: Re: 事典編集の件

石塚さんへ

柴田です。

事典の件、了解しました。当然のご意見だと思います。PJが順調に進展すればいずれ『翻訳語事典』との何らかの関わりが出てくると思い、将来的な展望としてかくの如く描きましたが、いずれにせよ、わがPJのスタッフでは永久に出版には至らないでしょう。こういう仕事は、貴兄のような抜群の企画力と指導力がなければ遂行できないと思います。

柴田氏と私の研究上の交流はこうして実り多き経過をたどって二一世紀を歩むことになりました。二〇一八年六月に刊行した『地域文化の沃土―頸城野往還』を献本したとき、その返信に絡めて私は次のような日記を書いています。「柴田隆行さんから、〔パトリオフィル〕を反家父長権的に表現するのは無理なんじゃないか。パトリは家父長なんだから、という疑問のメールを受け取った」(六月七日)。

それから、東洋大学の井上円了の遺言に発する記念行事「哲学堂祭」が二〇一九年一一月に開かれ、そこで彼は講演「カントと『現象』」を引き受けています。大学ホームページ掲載の報告にはこう記されています。「講演者の柴田教授は、「哲学は真理や本質の探究だとしても、日常私たちが触れている現象世界は、決して真実世界の影ではない。問題はこの現象世界を如何にして正確に捉えるかにある。」と述べました。この現象世界を、カントよりも前の時代の哲学者であるプラトンとアリストテレスは「理性」によって捉えることを重視していましたが、それに対しカントは理性も誤りうることを指摘し、原因は「感性」の軽視にあるとして感性の重要性を主張しました」。柴田さんが解釈するカントの「感性」は私と微妙に理解が違います。カントやヘーゲルにおいては真善美など抽象への感性であるのに対し、私の理解では、たとえばタンザニアのリランガが表現している森など自然(具象)への感性です。そのニュアンスは、我々二人の間では切磋琢磨の討論素材でした。

私個人との関係以外に、フォイエルバッハの会事務局編「フォイエルバッハの会の歩み(一九八九〜二〇二二)」で柴田さんの活動を追ってみましょう。

★二〇〇八年九月二六日

「通信」第六八号発行。紙上インタヴュー5：柴田隆行さん――国際学会研究発表「「フォイエルバッハと若きヘーゲルにおけるユダヤ教およびキリスト教の批判――人間的エゴイズムの意義」について、国際フォイエルバッハ学会シンポジウム『フォイエルバッハとユダヤ主義』報告（下）。

★二〇一四年九月三〇日

「通信」第九二号発行。【復刻】フリードリヒ・ヨードル著、暉峻凌三訳「フォイエルバッハの生涯」（『ルートヴィヒ・フォイエルバッハ』付録 Friedrich Jodl. Ludwig Feuerbach. 2.verbesserte Auflage. Stuttgart 1921。訳文は一九九三年一一月柴田隆行編集・発行）。

★二〇一六年九月二六日

「通信」第一〇〇号発行。【翻訳】フリードリヒ・フォイエルバッハ『将来の宗教』（柴田隆行訳）。

★二〇一七年九月二七日

「通信」第一〇四号発行。【翻訳】ウルズラ・ライテマイアー「誤認された思想家から現代的思想家へ。ドイツ語圏における一九六五年から二〇一五年までのルートヴィヒ・フォイエルバッハ哲学の受容」（1）（柴田隆行訳）。

★二〇一七年一二月二〇日

「通信」第一〇五号発行。石塚正英「換我心為你心（私の心をあなたの心と取り替えれば）」。【翻訳】ウルズラ・ライテマイアー「誤認された思想家から現代的思想家へ。ドイツ語圏における一九六五年から二〇一五年までのルートヴィヒ・フォイエルバッハ哲学の受容」（2）（柴田隆行訳）。

★二〇一八年三月二五日

「通信」第一〇六号発行。河上睦子「フォイエルバッハの「食の哲学」の近年の研究について」。【翻訳】ウルズラ・ライテマイアー「誤認された思想家から現代的思想家へ。ドイツ語圏における一九六五年から二〇一五年までのルートヴィヒ・フォイエルバッハ哲学の受容」（3）（柴田隆行訳）。

★二〇一八年六月一五日

「通信」第一〇七号発行。河上睦子「フォイエルバッハの『食の哲学』考――「供犠の秘密」を中心に」。【翻訳】ウルズラ・ライテマイアー「誤認された思想家から現代的思想家へ。ドイツ語圏における一九六五年から二〇一五年までのルートヴィヒ・フォイエルバッハ哲学の受容」（4）（柴田隆行訳）。

★二〇一八年九月二〇日

「通信」第一〇八号発行。石塚正英「マックス・シュティルナーのヘーゲル左派批判（上）」。【翻訳】ウルズラ・ライテマイアー「誤認された思想家から現代的思想家へ。ドイツ語圏における一九六五年から二〇一五年までのルートヴィヒ・フォイエルバッハ哲学の受容」（5）（柴田隆行訳）。

★二〇一八年一一月二四日

第二六回研究交流会（東洋大学白山校舎）。「フォイエルバッハ思想の全体像を求めて——改めて問う、そのアクチュアリティー」（報告者：川本 隆・柴田隆行・河上睦子・石塚正英）。石塚正英「マックス・シュティルナーのヘーゲル左派批判（下）」。

★二〇一九年六月二六日

「通信」第一一一号発行。柴田隆行「井上円了とフォイエルバッハ（上）」。川本 隆「『キリスト教の本質』から—三つの版の異同にかんする若干の考察」。

★二〇一九年九月二五日

「通信」第一一二号発行。柴田隆行「井上円了とフォイエルバッハ（下）」。石塚正英「ツイアビさんとフォイエルバッハ」。

★二〇二〇年一二月二〇日

「通信」第一一七号発行。柴田隆行「『連帯するエゴイズム—いまなおフォイエルバッハ』（こぶし書房、二〇二〇年）に対する諸氏からの感想や書評とそれへの著者によるコメント」。石塚正英「書評：柴田隆行著『連帯するエゴイズム—いまなおフォイエルバッハ』（こぶし書房、二〇二〇・二）」、リモート講座（二〇二〇年九月二六日一六時〜）石塚正英「フォイエルバッハの遺稿「日本の宗教」—石牟礼道子『苦海浄土』との接点」参加者（一部）感想文。

★二〇二一年一一月二〇日

第二七回研究交流会（オンライン）。テーマ：「いま改めて問う—われわれにとって疎外論とは何か?」（疎外論交流会）、報告一：藤澤秀紀「フォイエルバッハの宗教的疎外」、報告二：川本隆「本来性なき疎外論の可能性——共生社会の実現へ向けて」、報告三：石塚正英「若きマルクスの疎外論とフェティシズム——フォイエルバッハとの比較において」。

この一一月二〇日のオンライン交流会に、柴田さんは事務局長として参加し司会を行う予定でした。けれども、私は以下の彼からの一一月二日付メール受信を最後に、交信できなくなりました。

【隆行】----- Original Message -----
From: "SHIBATA Takayuki" <fbstein@cocoa.plala.or.jp>
To: "石塚（ますや）正英" <kamisabu54@yahoo.co.jp>
Date: 2021/11/02 火 16:38
Subject: 新著拝受

石塚さん

御新著お送り下さりありがとうございます。
数本既読のものがありますが、そうでないものも多く、
また既読でもアンサンブルとして読むと理解が異なるので、

これから数日かけて拝読します。
とりあえず拝受の御礼のみにて、
感想は後日にということで失礼します。

柴田隆行

その一〇日ほど後、彼は甲武信岳付近にある十文字峠の登山道で遭難しました。重要な要件をすっぽかして音信を断った彼を心配して、彼のスマホに幾度か電話をかけたのですが埒が明かず、二四日にご自宅に電話してわかりました。奥様の説明では一三日に十文字峠で遭難したとのことでした。直後の警察の捜索では安否が確認できず、民間の捜索が続いているとのことでした。翌二五日、ある会合で、数年前の一一月に同じ峠を埼玉側に下った方から経験を聴くことが出来ました。落ち葉で登山道が隠れ、獣の足跡を頼りに歩いていて、滑落しかけたとのことでした。そのような事態を、数多くのフィールド調査をしてきている柴田さんも経験済みだったと思うのですが、いまとなって、残念でなりません。

その後一二月下旬に至って、共通の友人である生方卓さんから電話があり、埼玉県の山岳関係者のインターネットに遭難の記事があると教えてもらいました。直ちにパソコンで探してみたら、埼玉県警のサイトに当たりました。こう記されていました。「埼玉県警察　山岳遭難発生状況
一一月一三日　十文字峠　単独　七〇代・男性　行方不明」

最後に大切な事柄を記します。二〇一八年七月一四日の夜半、私は転倒して頭部をうち、硬膜下血腫に陥り、かなり危険な容態となりました。硬膜下に厚さ一センチほどの血液が充満したのです。言葉も呂律が回らず、文字も満足に書けなくなりました。遺書も考えました。その時に手がけていた『フォイエルバッハの会通信』投稿用の論稿「マックス・シュティルナーのヘーゲル左派批判」を仕上げることが出来なくなりました。それで、「私がもしもの際には、そのまま投稿願います」という依頼状付きで、未完の草稿を柴田さんにメール送信しました。幸い死に至らず、結果として、不満足ながらその原稿を仕上げ、『フォイエルバッハの会通信』（第一〇八号、第一〇九号、二〇一八年九月一五日、一二月一五日）に掲載できましたが、柴田さんはそのとき研究上で私の遺言相手だったのです。彼もまた、ある人に「石塚君から遺言を受けた」という話をしたとのことです。運命の前途は魔訶不思議としか言いようがありません。

彼と私は誕生日が一日違いの同い年です。添付の写真は、毎年行ってきた故大井正先生を偲ぶ会「大井会」（大井淑子さま、生方卓、石川三義、石塚正英と共に、二〇一九年一〇月二六日）

での記念写真からトリミングしたものです。私は長きにわたって彼と二人三脚の学究生活を送っています。またいつの日にかどこかで会えることを心に念じています。それと、彼が完訳して残してあったシュタイン『国家学体系（System der Staatswissenschaft）』（全二巻、約八〇万字）を、彼に代わって刊行できるよう努力することを、彼とご家族の皆様に誓います。

（『季報・唯物論研究』（一五八号、二〇二二年六月）および石塚個人ブログ「歴史知の百学連環」（二〇二二年五月六日）の双方を編集しなおして転載）

第四部　たゆまぬ学び

The roads to learning

第15章
武蔵野の学徒帰りなんいざ頸城野へ

はじめに

本章は、長きにわたって綴ってきたわが備忘録『たゆまぬ学習(まなび)』のうち、誕生から高校時代にかけて、およびごく私的な部分を省いたもの、いわば〔研究日誌〕である。時系列に即してはいるが、折に触れて話題とした事柄を連ねているので、文脈上で相互に関係のない段落が唐突に並んでいたり、離れた個所に重複する話題が綴られていたりする箇所が多々ある。本章は、大ざっぱに括ると、生まれ故郷の頸城野で育ち、高校を卒業して武蔵野に向かい、そこで学問研究の半世紀を過ごしたのち、学究ミッション完遂の拠点としてふたたび頸城野に思いをよせていく、その歩みを回想してみたものである。

本章と類似の回想的記述は以下の拙稿に読まれる。「二〇歳の自己革命」(『学問の使命と知の行動圏域』社会評論社、二〇一九年、所収)、「歴史知の知平、あるいは転倒の社会哲学」(『歴史知の百学連環』社会評論社、二〇二二年、所収)。内容に多少の重なりは見られるが、いずれも個別の意図をもって編集されている。いわば姉妹編の位置にある。

第一節　若き日の読書ノート

昨今はビブリオバトルとかビブリオフィルとかが流行している。それで、私なりに今から約半世紀以前の一九六八年、日記に綴った読書感想文を以下に記してみる。私は、一九六九年四月の立正大学文学部入学に先立ち、一九六八年に長野市で大学受験の浪人生活をしていた。そのときに、受験勉強はあまりしないで、毎晩のように徹夜して、読書ばかりしていた。読んでは感傷に浸り、読んでは思いに耽っていたのだった。このメモは、私の青春の一記録というところであろう。まずは、ロマン・ロラン『ジャン・クリストフ』(岩波文庫)を読書したときのノートである。

クリストフ：じゃ、自分の考えなんてそっとしておけばいいでしょう！ なあに、愛しておれば、思想なんて問題じゃありませんよ。僕の愛している女が、僕と同じように音楽を愛していたって、それが僕にとってなにになるでしょう！ 僕にとっては、その女こそ音楽なのです！ あなたのように、愛し愛される可愛い娘があるという幸運にめぐまれたら、彼女は自分の好きなものを信ずるがいいし、あなたはあなたで自分の好きなものをなんでも信ずればいいのです。結局、あなたたちの思想には、優劣はないのです。この世には真実なものは一つしかありません。それは、愛し合うことです。（第七巻「家の中」第二部より、一九六八年一〇月三〇日メモ）

クリストフ：およそ社会生活のすべては、大きな誤解の上に立っていた。そして、その誤解の原因は言葉だった。…お前は自分の思想が他人の思想と通じうるものだと思っているのか？ だが実際は、言葉への間にしか関係はないのだ。お前は言葉を口にし、言葉に耳を傾けている。だが一つの言葉として、二つの違った口から出て、同じ意味をもっているものはないのだ。いや、それだけならまだいいが、一語として、ただの一語として、人生の中でその全体の意味を持っているものはないのだ。言葉は体験された現実のそとにはみ出ている。お前は愛や憎しみを口にする。…だが、実際には、愛もなければ憎しみもなく、友もなければ敵もなく、信仰もなければ情熱もなく、善もなければ悪もないのだ。ただあるものは、数世紀前から死んでいる恒星から落ちてくる、それらの光の冷たい反映だけだ。…友だちだと？ この名称を要求する人たちは少なくない！…だが、なんという味気ない現実だろう！ そういう人たちの言う友情とは、どんなものなのだろう？（第九巻「燃える茨」より、一九六八年一一月六日メモ）

私は、一九八〇年代になってフェティシズムに関心をもちそれを研究テーマにし、やがて結果的にその研究で博士の学位を得ることになるが、その下準備は、この読書ノートにあったのかもしれない。とくに、「言葉は体験された現実のそとにはみ出ている。お前は愛や憎しみを口にする。…だが、実際には、愛もなければ憎しみもなく、友もなければ敵もなく、信仰もなければ情熱もなく、善もなければ悪もないのだ」のセリフについては、今振り返って印象深く追想される。

長野市で予備校の寮に入り浪人していた一九六八年、私はロシアものとかフランスものとかのうち、ややシャドーのかかった小説を好んで深読みした。日本のものにしても、島崎藤村『破戒』など、社会的に意味はあれやはりどこかしら影のある小説を手にした。同年一〇月二九日の日記には、こう記されている。――島崎藤村『破戒』読破！丑松の弱さはラスコリニコフのそれだ。でも、心からの愛を知れて、二人とも幸福だ。お志保！ソーニャ！

三〇日には例の『ジャン・クリストフ』の第七巻を読み終えたが、その頃、同じロマン・ロランの『ベートーベンの生涯』をも並行して読んでいて、三〇日の日記には、こう記されている。――浪人、そのつらさ、苦しさ、楽しさ、そんなものを知れたこの一年が私の一生涯の何十分の一でもあったこと、そのことが価値ある。／「ぼくを引きとめたもの、それは『芸術』だ、ただそれだけだ」(Beethoven)。

一一月一三日にはレフ・トルストイ『復活』を読み終え、こう記している。――これほどトルストイから遊離した息子(ネフリュードフ)ははじめてみた。最初からマースロヴァがバカをみている。貴族社会に甘んじていればいいんだ。あんなにウブな奴もいるんだから、まいる。俺にはまねができんよ。

一九六八年一二月四日の日記には、ニーチェのあまりにも有名な言葉と、それからルートヴィヒ・フォイエルバッハ『キリスト教の本質』(一八四一年)からの引用が記されている。

「神は死んだ」

―ニーチェ―

「人間から最もかけ離れている対象もまた、それらが人間にとって対象であるが故に、そして人間にとって対象である限り、人間の本質の顕示なのである。」

―フォイエルバッハ―

上記の引用は、ともにアットランダムに読書―多読・乱読―していた時期にメモしたものだ。けれども、人はまるっきりどうでもいいようにして読書するわけではないだろう。読書とは、他者の声に耳を傾ける意識的行為でもある。あるいは、無意識ながらなにかを求める衝動でもある。私は、日本国中、いや欧米においても大学闘争が盛んなまっただ中に浪人生活を送った。その雰囲気につかりながら、進学先志望を自然科学系から人文社会系にかえた。中学卒業の頃に野尻湖でナウマン象の化石を掘って以来、古生物学や地質学、あるいは地球物理学に関心を抱いていたが、浪人中に、脳裏においてあれよあれよと、哲学とか歴史学に思考の軸が動いていった。その過程で知った思想家のひとりが、ニーチェであり、フォイエルバッハだった。とくにフォイエルバッハは、やがて私の社会思想史研究の中心に位するようになる。一九七〇年代後半から一九八〇年代にかけて、恩師の哲学者・大井正に導かれてのことだった。

文明人の宗教観を否定し非文明人の信仰観を讃美する

フォイエルバッハに、私は惹かれるのだが、一八歳〜一九歳の浪人時代のフォイエルバッハ読書は、結果として、そのような探究の下地を形成したのであろう。

第二節　学問の道を歩むと決心する

　一九七七年春、当時立正大学大学院文学研究科修士課程に在籍していた私は、恩師の酒井三郎とともに立正大学西洋史研究会を立ち上げた。またその後、酒井の喜寿記念事業の事務方を担当することになった。夏には、先生の歴代勤務校の幹事役に会うため、一緒に初めて四国の高知と九州の熊本を訪問した。酒井は、一九〇一年土佐の高知に生まれ、地元で小学校の教員をしたのち東北帝国大学文学部史学科西洋史の課程を卒業し、東京帝国大学大学院を出て、高知市の高等学校教師、校長を歴任した後、戦後熊本大学および立正大学の教授を歴任した。研究分野はジャン＝ジャック・ルソーを始めとする啓蒙期フランス・ドイツの史学史、大戦間現代史などだったが、彼は研究者というよりは教育者として群を抜く存在だった。

　その酒井に付き添って、まず生まれ故郷の香美郡で最初の教え児さんたちと会った。「先生、おとどしゅうございました、高橋であります」「安岡です」「山中です」。みなさん、もはや六三歳か六四歳の高齢だった。先生との年齢差は一〇歳か一二歳ほどでしかない。動かないからだをなんとかして参じた高橋さんの印象は今も鮮明である。当時を思い出している私自身、当年とって七二歳なのだが、今の私よりずっと年配に思える。やはり当時の還暦過ぎは相当な高齢者だったのだろう。ついでに、生まれて初めて高知城やよさこい橋を見てまわった。皿鉢料理の逸品カツオのたたきは最高の味だった。

　土佐を後にすると、今度は豊後水道（宿毛・佐伯間）をカー・フェリーで渡って九州に入り、肥後の熊本へ向かった。酒井の長男圖南郎（となお）さんの運転で阿蘇を突っ切り快適な旅だった。熊本では圖南郎さん宅に泊めてもらい、熊大を訪問したほか、西洋史の教え児さんたちに会った。寺田さん、坂口さん、清水さんほかのみなさん。西洋史専攻の同窓会はしっかりした組織になっており、酒井の喜寿記念はこの組織と立正大西洋史研究会が実質的な中心になるだろうと予感した。清水さんには阿蘇に案内してもらい、すっかりお世話になった。こうして事前の旅行を終え、いよいよ同年秋、東京ステーションホテルの宴会場で酒井三郎博士喜寿記念祝賀会を挙行した。立正大学西洋史専攻の後任になる村瀬興雄教授は、「これは酒井先生の花道ですね」と私に語った。それから数年してすみ子夫人が亡くなり、さらに数年して、一九八二年一〇月、先生ご自身が亡くなられた。最後にお会いしたのは、九月四日、水戸市見川の自宅にてのことだった。帰りしな、浴衣姿で玄関に見送りに出られた先生は、姿が見えなくなるまで、いつもとかわらず私を見送ってくださった。

大学院修士課程でのわが研究テーマは、青年ヘーゲル派の哲学運動である。学部ではヴァイトリングと義人同盟をテーマにしていた。一九世紀ドイツの革命運動である。これは一九六〇年代末の全共闘運動と深く関連していた。実存と不可分に絡み合っていた。けれども、その全共闘は壊滅状態となってしまい、大学にはふたたび管理体制が確立してしまった。大学での目標を失いかけた私は、いったん労働の現場に身をおきつつも、数年後には大学院に進んだ。なんのためにか。職場でからだを壊したからか。それは外的な理由にすぎない。やはり学問がしたいのだ。学部時代からの研究活動を続行したいからだ。

研究発表のためにと思い、博士課程に進んだころ『立正西洋史』と題する西洋史研究会の学術雑誌を刊行した（一九七八年四月創刊）。〔闘う考古学徒〕の畏友・小山顕治さんが知人と二人で秀文社を設立して間もないころで、さっそく彼に印刷を頼んだ。すでに酒井喜寿記念会の印刷物も彼に依頼していたので、これは二度目の仕事になる。この雑誌を刊行できたことは、おおいなる前進だった。これと、立正大学史学会の『立正史学』に発表した拙稿群は、のちに主著『三月前期の急進主義―青年ヘーゲル派と義人同盟に関する社会思想史的研究』（長崎出版、一九八三年）を刊行するに際してその土台となったものである。

大学院を出ても、とくに高校などの教員職がまっているわけではなかった。研究はそのまま続行していく意志であったが、すんなりと教員になれるとは、端から期待していなかった。むろん、資格がなければお話にならないので、大学院時代に教員免許は取得しておいた。酒井の熊本大学時代の教え子井手伸雄から立正大で卒論指導を受けてあった妻と一緒に、東洋大学の通信教育で単位をとった。教育実習は、東洋大学付属牛久高校で二週間かけて行った。まず妻が泊まりがけで履修し、その後私が通いで履修した。ともに佐藤という教員についたのだが、彼は夫婦そろって指導したのは初めてと、少し驚いていた。

一九八一年の夏、私は思い切って西ドイツに語学研修に出かけることにした。大学院の指導教授村瀬興雄は、その計画に賛成してくれた。欧日協会が毎年送り出しているもので、ヘーゲル学派研究の明治大院生石川三義さん、それにドイツ現代史専攻の東大院生原信行さんと一緒にでかけた。研修先はボン大学で同大学学生寮に宿泊し、滞在期間は二週間、その前後一〇日ほどは観光旅行にあてられていた。まず、試験でクラス分けされたのだが、筆記はまずまずなので中級に振り分けられた。これはたいへんなことになったと思い、担任の女性教師ヒルシュマンさんに初級に替えてほしいと頼んだ。そしたら、それだけの会話ができるのなら中級でだいじょうぶだといなされた。しかし、やはりディスカッションはほとんどついていけなかった。旅行での会話くらいはすぐにマスターしたが、三二歳で初めての体験なものだから、無理もみられたのである。わずか二週間の訓練というのも、辛いものがあった。

一応研修が終わると、前以てボンに呼んであった妻とともに南ドイツを旅行して楽しんだ。シュトゥットガルトからテュービンゲンへ、さらにコンシュタンツへ。そこからボーデン湖を観光船で渡ってガルミッシュ・パルテンキルヘンへと旅した。そこまで石川さんが一緒だったが、その後オーストリアに向かう彼とミュンヘンあたりで別れた。それからしばらく二人の旅は続いた。ドイツ農民戦争で叛乱軍についた自由都市ローテンブルグにも宿泊したりして旅程を満喫し、やがてマインツ、フランクフルトへ。

ドイツから帰ってしばらくすると、村瀬教授が、立正大学文学部非常勤講師の職を世話してくれた。資格審査の結果、翌年四月から歴史学特殊講義を担当することになった。この話はとてもうれしかった。ドイツに旅立つまえ、私は村瀬の勧めがあって、四百字で約千枚の論文を預けておいた。博士号請求論文である。これに対する村瀬の取り組みは、秋頃に曖昧となった。おそらく審査は無理と判断したのだろう。詳しくは本書第七章第三節「わが幻の学位請求論文によせて」に読まれるが、理由はしごく簡単なのだ。一九八二年当時、立正大学文学部史学科の教員で博士号を取得していたのは、立正出身者では皆無だった。トップの高島正人氏（一九二四年生）もまだだった。順番を無視してはならない。まして西洋史専攻者は後まわしだった。当時の西洋史専攻には、村瀬の指導を受けようと他大学から修士課程に移籍してきた原奈津子さんがいて、ドイツ現代史をしっかり研究していた。だが、彼女も立正大学には最終的に失望して去って行った。のち一九八二年から翌年にかけて、私は彼女と二人で『ドイツの盗賊と強盗（*Räuber und Gauner in Deutschland*）』と題するドイツ語の研究書を途中まで翻訳するなど、学外でしばらく一緒に研究した。

それはそれとして、私は西ドイツで少しばかり文献を収集してきていた。現在のような電子データの時代ではない。

ボン、ケルン、トリーアほかの市立図書館、トリーアのカール・マルクス・ハウス付属図書館などでコピーしまくったのである。その成果を、この際だから博士号請求論文に盛り込むことにした。たぶん、論文提出は無理だと踏んだので、大幅な書き直しに着手したのだった。その結果できあがったものは自分なりに納得がいった。どうしても公表したくなった。そこで、長崎出版社主の河野進に依頼し、一九八三年一二月、『三月前期の急進主義―青年ヘーゲル派と義人同盟に関する社会思想史的研究』と題して、これを出版した。河野は、一九七八年だったか、私が法政大学の大学祭で革命家ブランキについて講演した時にフロアーで名刺を受け取って以来のつきあいだった。この年には、そのほか『年表・三月革命人』（秀文社、のちに『ヘーゲル左派という時代思潮―A・ルーゲ、L・フォイエルバッハ、M・シュティルナー』社会評論社、二〇一九年に再録）、『マルクス思想の学際的研究』（長崎出版、明治大学大井ゼミ中心の社会思想史研究会メンバーによるマルクス歿百年記念論集）をも編集刊行している。

一九八四年五月、その大井ゼミの仲間に協力をあおぐかたちで、『社会思想史の窓』と題するミニ研究雑誌（B5判、最大三二頁、郵送）を創刊した。発行元を社会思想史の窓刊行会とした。これには、かねてよりの研究仲間や恩師などたくさんの人々が原稿を寄せてくれた。恩師では、布村一夫、大井正の二人がいる。先学では中央大学の田村秀夫、慶応大学の白井厚、松村高夫、国学院大学の藤田勝次郎、高柳良治、川村女子大学の青木道彦ほかがいる。同僚では柴田隆行、井上五郎、滝口清栄、小林昌人、生方卓、石川三義、高草木光一、的場昭弘、中村秀一、大沢明ほかがいる。これは一九九二年に第一〇〇号を数え、第一一八号からは体裁（A4判）と発行方式（社会評論社刊）を変更しつつ、刊行を維持していく。一一九号（一九九八年四月）では一九九六年度ノーベル平和賞受賞のジョゼ・ラモス・オルタの寄稿文「東ティモール人のアイデンティティーと言語」を掲載したりしている。その後一二四号（二〇〇〇年九月）からはインターネット（私のホームページ）に掲載しつつ、第一五八号（二〇〇九年二月）まで継続して終刊とした。ただし、発行元は潰さずに残し、二〇二二年の現在も折に触れては編集作業を継続している。

第三節　社会思想史研究と教師生活

その間に家族構成員が増え、生活費もそれに連動した。立正大学の非常勤だけではとても成り立たず、当時借りていた埼玉県蕨市塚越のアパートで、さらに隣部屋を借りて「満点ゼミナール」という名の学習塾（のちに「石塚塾」と改称）を始めた。一九八二年二月のことである。その翌月、住居を蕨市から浦和市元町の一軒家（屋号を「悠杜比庵」と命名）に移した。ただし、塾はそのまま蕨市で続けた。この生活費捻出装置が最終的に役たたずとなる一九九八年二月まで、石塚塾は一六年ほど存続した。もっとも、末期には部屋の家賃すら賄えないほど塾生は激減していた。私の教え方がまずいのでなく、地域業界間の競争に負けた。つまり、ライバル塾の攻勢に負けた格好だった。教育手腕と経営手腕は別物だったのだ。

一九八五年、私は北海道の鷲田小彌太さんに誘われて、『季刊・クリティーク』（青弓社）の創刊にかかわった。彼はどうやら、『社会思想史の窓』を編集する私の力量を当て込んだらしい。わがミニコミをそっくり『クリティーク』に取り入れたかったようである。けれども、そんなことは私には考えも及ばないことだった。

それはそれとして、この雑誌へのかかわりは、以後の私に新たな研究分野を開拓する契機を提供することになる。その分野とは、アフリカ現代史・独立運動史、いやもっと的確に表現すれば、ギニアビサウの解放指導者アミルカル・カブラル思想の研究である。

『クリティーク』創刊号で、私は、「アミルカル・カブラルのデクラセ論とギニア・ビサウの現実」と題する論説を発表した。それまでアフリカ現代思想には、フランツ・ファノンを除いてほとんど関心がなかったにもかかわらず、ここへ来て一気にカブラルに突進したのには、それなりの内的関連性がある。一つはヴァイトリング思想との絡みであり、一つは当時にわかに勢いづいて来たフェティシズム研究との絡みである。ポルトガル植民地主義に対する最下層労働大衆による武装蜂起、石器時代の生活をしているバランタ人のメディズィニャと称するフェティシュ。これらの要素、特にヴァイトリングとの絡みのものは私の社会思想史研究にとって、一〇年以上にわたる主要テーマだった。ヴァイトリングとカブラルは、いわばマルクスの辺境を生きる思想家、革命家として共通している。そしてまた、ギニアの最下層民衆が抱き続けている儀礼信仰は、一見するとアニミズムだがその本質に宗教以前の精神運動であるフェティシズムの遺制が潜んでいるのだった。このことが、私を現代アフリカに引き寄せた最大の要因だったのである。

『クリティーク』第三号はカブラル特集だった。アフリカ文化研究者にしてカブラル翻訳者の白石顕二さんに全面的に依存して編集したので、出来栄えはよかった。けれどもこの雑誌とは、その後急速に疎遠になっていく。最後にこれに載せた論文は、「唯物史観と原始労働」（第八号掲載）

だった。これはフェティシズムに関連するもので、論文自体はその後の研究方向を決定づける画期的な力作と自負するものである。

一九八五年にヴァイトリング研究第二弾『ヴァイトリングのファナティシズム』を長崎出版から刊行したが、それから六年後の一九九一年、ついにフェティシズム研究第一弾『フェティシズムの思想圏―ド゠ブロス・フォイエルバッハ・マルクス』を世界書院から、また翌年カブラル研究の集成である『文化による抵抗―アミルカル・カブラルの思想』を柘植書房から出版することになるのだった。なお一九九一年、ついでにヴァイトリング研究第三弾『社会思想の脱・構築―ヴァイトリング研究』をも世界書院から刊行している。

出版の件で早くも九〇年代に言及したが、私の八〇年代はまだまだ話題豊富である。第八号を限りに『クリティーク』の編集委員を辞退した後、一九八七年五月、研究家集団の相互交流を考えて、十九世紀古典読書会を設立した。東京経済大学の中村秀一さん、東洋大学の柴田隆行さん、専修大学の村上俊介さんほかとともに、森博さんを報告者に招いて東洋大学で第一回例会を開催した。テーマは森編集・翻訳『サン゠シモン著作集』(恒生社厚生閣)をめぐって、とした。以後、この研究会は良知・廣松編集『ヘーゲル左派論叢』(御茶の水書房)をめぐる報告会を行い、その後は一八四八年革命と共産党宣言発刊の一五〇周年を記念する報告会を続けていくことになる。また、この研究会は『社会思想史の窓』編集とも連動し、同誌には会の報告文がときおり掲載されていくようになった。二一世紀に至り、「十九・二十世紀古典読書会」と改名し、二〇一二年八月の第九五回例会まで存続することになる。その後二〇二〇年、コロナ・パンデミックのさなか、オンラインの講座を立ち上げて同年一〇月(九六回)から二一年九月(一〇七回)まで一年間だけ再開して沙汰止みとなった。

『社会思想史の窓』との関連では、フォイエルバッハの会にも言及する必要がある。この会はドイツで国際フォイエルバッハ協会が設立されたのを契機にして、哲学者の暉峻凌三が日本の研究者に呼びかけて一九八八年に発足した。賛同人には舩山信一、大井正、桑山政道、城塚登、山中隆次、ほかの先学が名を連ね、事務局は埼玉大学の寺田光雄、相模女子大学の河上睦子、そして友人にして暉峻の弟子であった柴田隆行の面々が入った。この会もまた、例会報告文を『社会思想史の窓』に掲載していった。要するに、私が関係する研究団体のうち独自の機関誌を持っていないところは、『窓』を重宝に使ってくれたのである。

そのほか、一九八〇年代に開始した研究領域の一つに、女性史がある。きっかけは二つあって、一つは八一年から八五年までの数年間、台東区谷中で、友人の田村敬さんや山本希一さん、高松隆子さんらと谷中女性史研究会を継続したことである。こちらでは、主に日本近代の女性史をテーマとし、私は後に、良妻賢母主義のテーマで一本論文を発表することになる。いま一つは、八一年一一月に明治大学で開かれた第一回女性史研究の集いに出席したことである。その会のテーマは「母権と共同体と女性史研究」で、報告者に熊本市の布村一夫先生、神戸市の井上五郎さんがいて、さらには、フロアーに熊本家族史研究会の女性史研究者がいたのだった。このとき、既に知り合いだった井上さんと初めて会っただけでなく、彼の紹介で布村や熊本の女性たちと会い、彼女たちから『女性史研究』への協力依頼を受けた。これによって以後一三年程、私の母権ないしバッハオーフェン関連の翻訳と論文執筆が継続することになるのである。その後の一九九五年一月、井上さんは、阪神淡路大震災で自宅が甚大な害を被ることとなるのだった。

いずれにせよ、私の研究と出版はいよいよもって拡大の一途を辿ることになるのだが、反面、一九八八年は生活状態が悪化しだした。収入は立正大学非常勤講師一コマの約二万円と蕨市で開いている塾の約二〇万円、それにZ会（大学受験用の問題通信添削）の原稿執筆料約一〇万円であり、年収は三五〇万円くらいだった。それに対して子ども三人を養うほか、『窓』発行費や奨学金返済など様々な出費が嵩み、家計は赤字の拡大を記録し、不足分は貯金を崩して補っていた。元号はあまり好きではないが、実質的に昭和の最後となる六三年は、楽天家の私も夜は天井を仰いで眠れない日々が続いた。子どもはまだ小中学生だったが、やがて確実に教育に金がかかるようになる。それまでの浦和市元町の借家が狭くなったので同市本太の一軒家に引っ越したが、家賃は二倍の一二万円となった。日々悲惨の度を深めていくのは歴然としていた。もう如何ともしがたくなったのである。

そんな経済状態のまま一九八八年が過ぎ行かんとしていたところに飛び込んできたのが、河合塾、専修大学、東京電機大学での非常勤講師職だった。

第四節　フェティシズム史学の樹立

単独で編集してきた『社会思想史の窓』読者の一人に、当時河合塾で世界史を担当していた青木道彦さんがいた。イギリス近世史を研究する青木さんは、中央大学の田村秀夫先生の関係で『窓』を知ったのだと思う。私は、それとなく河合塾での世界史講師の件を打診してみた。かねてからZ会で早稲田・慶応即応の問題を出題し、解答・解説してきたものだから、予備校で世界史の授業をするのは億劫でなかった。青木さんはさっそく履歴書を河合塾に渡してくれ、二つ返事で面接が決まった。一九八八年の師走だった。翌年元旦、採用通知が届いた。ただし、世界史ではなく小論文を担当するよう変更になったのである。青木さんによれば、私はたくさん文章を書いているから小論文に向いているということだった。こうして、河合塾講師の職が決定した。

　それとほぼ時を同じくして、やはり『社会思想史の窓』の関係で知り合うようになった長谷川如是閑研究者の山領健二さんが、彼に代わって東京電機大学理工学部の歴史学講座を担当するようすすめてくれたのだった。この話は、それまで立正大学でしか講師をしていなかった私には、途轍もなくうれしいトピックスだった。彼もまた、すぐさま履歴書を大学に渡してくれ、トントン拍子で審査が通過した。こんな目出度い慶事は滅多にない、と思って喜んでいるところへ、こんどはフォイエルバッハ研究仲間の澤野徹さんが、一年だけ専修大学経済学部の社会思想史講義を代行してほしいと報せてきたのだった。彼はちょうど一九八九年四月、ドイツに一年の期限で研修に出かけるところだったのである。持つべきは友、まさに、その諺のとおりの事態が急展開したのである。この非常勤職は一年では終わらず、澤野さんのほか友人の村上俊介さん、先輩の内田弘さんに助けられて、二〇〇七年三月まで長く続くことになったのである。

　専修大学経済学部では、講義開始にあたって学生に配布するシラバスに、以下の自己紹介文がそえられた。

「一九四九年、新潟県生まれ。高校時代まで雪に親しみながら育ち、その後埼玉に移り住む。モットーは二つある。第一、自分に対しては、Erst wägen, dann wagen! Wer Wagt, gewinnt!（熟慮断行、断じておこなえば鬼神もこれを避く！）第二、他者とくに学生諸君に対しては、Those who can do, do. Those who can't do, teach.（行動力ある者は行動せよ、それができない者は教えるにとどめよ）である。この矛盾した気持ちは私の心の中で一つに合わさっている。また、公私にわたる自分の生活も、なるほどこの二つのモットーのとおりに進んできた。会社づとめ——というよりつきあい——ができない、組織の一員となって他と協調できない。机上で独学することくらいしかできない。ところが、その机上に向かうと、がぜん熟慮断行！　行動の人となる。グイグイ進んで道なきところに道をつけるのが楽しみとなる。かくして、その成果を人にしゃべりたくなる。協調精神は奮い立つ。大学での講義はノリにノル。それから文章を書く、研究誌を発行する、研究会を組織する。そのとき、心の底から幸せを感じる。一九六九年にはじめたヴァイトリング研究を、二〇二二年現在も続けていて、「初期ドイツ社会主義―一九世紀ドイツの手工業職人ヴァイトリングの〈社会的デモクラシー〉」を『ユートピアのアクチュアリティー』（田上孝一ほか編、晃洋書房、二〇二二年）に寄稿したりして現在に至っている。

さて、一九八九年の文脈に戻る。立派に成長していく子どもたちに励まされつつ、私は馬力をアップしてシャルル・ド＝ブロス『フェティシュ諸神の崇拝』の翻訳に専心していく。また、新たに担当した東京電機大学の歴史学講義、専修大学の社会思想史講義に力を入れていく。そんな折り、八九年六月の北京天安門事件のことで、電機大学のある中国人留学生とこんな会話をかわした。「学生指導者のウアルカイシさんは立派だと思うけれど、どうですか？」「どうでしょう、あの人はウイグル人ですから」。彼は当時三四歳で、もと紅衛兵だったという。漢民族の彼には、民主化の前に異民族の問題が立ち塞がっていたのである。学問とか講義とかは社会へと開かれたもの、社会との接点をもつもの、というのが信条の私には、彼の発言は、物悲しくもリアルに感じられた。この一件は、学問を授ける教師とそれを修める学生とは、歴史的現在を背負って日々を生き抜く同じ人間として何の差異もないことを、三九歳の私に悟らしめるものだった。

一九八九年九月、恩師大井正が復刊に力を入れこむ『現代哲学』（新装版、世界書院）の校正をした。この仕事も学問の社会的意味を鋭く問うものだった。本書は大井が、ゴリゴリの弁証法的唯物論者だった一九五三年に青木書店から文庫判で出版したもので、冷戦的な時代を素直に反映していた。一九一二年生れの大井と親しい一九二九年生れの哲学者津田道夫によれば、スターリニスト大井を代表する著作ということになる。この「スターリニスト」という表現はしばしば相手を思想的に誹謗する時のレッテル効果をもつので、私としては、本人が自称するとかの場合をのぞき、使いたくはない。それはそうだが、しかし、一九五〇年代に刊行したこの本を、大井はまさか全然改訂せずに一九八九年に復刻するはずはない、と思っていた。ところが、大井は、私にまるごとの復刻を手伝わせたのである。

初版との相違といえば、巻末年表の増補と三〇年以上の年月を埋める新装版への補足説明の論文を添付しただけだった。

新版を校正していく過程で様々なことを考えさせられた。第一には、この新装版刊行の企画は他の二点の復刻とセットだったことである。他の二点とは、『日本近代思想の論理』（青木書店、一九五八年）、『現代の唯物論思想』（合同出版、一九五九年）である。大井はこの三点を同時に揃いの装丁で刊行したがっていた。体調を崩し入院したてだったせいか、私を病床に呼び寄せた時はなんとなく「後をたのむ」といった雰囲気だった。身体の方はそのようだったが、精神の方はすこぶる剛毅だったのだ。一九五〇年代六〇年代に刊行した著作を無修正で再刊するのだから、不屈の負けじ魂だったというほかはない。

それでも、本当のところは哲学者廣松渉さんの向こうを張っての強気だったのである。一九八〇年代の日本哲学界では、マルクス哲学の廣松さんは重鎮だった。同じくマルクスを研究する大井は、実体論から関係論へという廣松哲学について、「なにをいまさら、ぼくはすでに『現代哲学』でとうの昔に議論していることだ」と、かつて私に語ったことがある。ロートル大井は、その一点で、すでに旧著を再刊する意味があると思ったのだった。因みに、上記三点のうち実際に復刻できたのは『現代哲学』一点のみだった。

件の著作校正作業のおかげで、私は大井正と、しばしば哲学上での師弟の関係を忘れた議論を行うようになった。その一端は『季報・唯物論研究』第三八・三九合併号（一九九一年七月）掲載の大井正追悼文に記しておいたが、議論の一つにフェティシズムに関するものがある。この頃、私が学問上の師と仰いでいた――むろん今にしてなおのことわが師である――人物に、上記大井正のほか、熊本の布村一夫がいた。大井からは主にフォイエルバッハの疎外論哲学と宗教民族学ないし自然宗教論を学び、布村からは主にバッハオーフェンのムッターレヒト（母権）やモーガンのクラン（氏族）、ド゠ブロスのフェティシズムを学んだ。その際、私の研究意識内では、両人の研究テーマは相互に深く関連していた。だが、布村も大井もその関連性にはさして注目しなかった。フォイエルバッハのいう疎外はド゠ブロスのいうイドラトリであり、フォイエルバッハのいう自然宗教はド゠ブロスのいうフェティシズムやバッハオーフェンのいうムッターレヒトにぴったりあう。そこで私は、一九九〇年一月からもののけにとりつかれたようにして、フェティシズムに関する著作を執筆し始めたのである。右手中指のペンだこは、つぶれてはふくらみ、つぶれてはふくらみ、をくり返した。

当初「フェティシズムとイドラトリ」という書名を念頭におきながら書き進んだ。普通フェティシズムというと、マルクスの『資本論』にでてくる「商品の物神的性格」か、フロイトの精神分析学にでてくる性の倒錯か、その辺りで知られている。そのどちらもド゠ブロスの造語になるフェティシズムからの派生的な概念、フェティシュ゠物神である。ド゠ブロスではイドラトリ（偶像崇拝）と観念されているものがマルクスではフェティシズム（物神崇拝）とされ、ド゠ブロスでは生のマターであるものがフロイトでは性のマターに転じてしまうのである。それらがまるっきりの間違いという訳ではないのだが、ド゠ブロスからの甚だしい逸脱の原因にもなっている。だから、まずは術語の創始者ド゠ブロスの用いた概念を明確にするべく、執筆に専念したのだった。

じつは一九九〇年代、大井同様、私も廣松渉にはそうとうな激論をぶつけていた。例えば、彼の『資本論の哲学』（現代評論社、一九七四年）にある以下の記述が問題なのだった。「著者は『物象化』プロパーとそれの特殊形態の一つたる『物神化』とを当然区別して考えてきた」（同、二一九頁）廣松は先史と文明の前後関係を転倒させている。先史に起因するフェティシズムを文明に起因する物象化の「特殊形態」としている。そこが私には認めがたいのである。二〇二一年から翌年にかけて刊行してきた拙著三部作の副題は「文明を支える原初性」である。私に言わせると、物象化はフェティシズムの特殊形態（フェティシズムⅡ）にすぎない。

それから、『資本論の哲学』で向坂逸郎『マルクス経済学の基本問題』から引用することで、廣松はド゠ブロスとその著作を捉えた。しかし、彼の最接近であったにもかかわらずド゠ブロスを読まず、活かされなかった。廣松のド゠ブロス・フェティシズム無理解はこうして極まった。マルクスにおける「物神性の問題」は一八四二年のボン・ノートに記され、一部が『ライン新聞』に公開されたのであるが、廣松はその意義を捉えなかった。

さて、一九九一年一月二七日、恩師大井正が死去した。しばらくして私は、『季報・唯物論研究』から追悼文寄稿の依頼を受けた。そこで同誌の三八・三九合併号（一九九一年七月）に以下の文章を載せた。既述済みだがほんの一部を再掲する。「先生が昨年発表された『罪について』の最後の数行に、次の一節が読まれる。『わたしはまず、神と対決することを必要とするのである。神が観念にすぎないとしても、その観念を戦いの相手に、私は選んでいる。このさい自分も傷つく可能性があることを覚悟している。観念を相手にして』。…ところで、大井正にとって神とは一体何なのか？――この質問に答えられる者はだれもいない。…私なりに大井先生の立場を論じさせていただくなら、こうなる。己が神を己が好みで選び取り、これを拝み、打ち叩きもするフェティシストが唯物論者であったと同様、神は観念（模写）にすぎないと前おきしてこれと戦おうとする大井正もまた、どこまでも唯物論者たらんとしているのである」。

大井死歿直後の一九九一年四月に私は『フェティシズムの思想圏―ド゠ブロス・フォイエルバッハ・マルクス』を世界書院から刊行し、そのあと休みもせず、フェティシズムに関連する以下の文章を、たて続けに発表していく。「フォイエルバッハの現代性―Sache（事象）とBild（形像）との関係をめぐって」（『理想』第六四八号、一九九一年）、「母権とフェティシズム―バッハオーフェンとド゠ブロス」（共著『母権論解読』世界書院、一九九二年）、『フェティシズムの信仰圏―神仏虐待のフォークロア』（世界書院、一九九三年）、「聖書の神話的解釈とフェティシズム―シュトラウスを論じてフォイエルバッハに及ぶ」（『理想』第六五三号、一九九四年）、『信仰・儀礼・神仏虐待―ものがみ信仰のフィールドワーク』（世界書院、一九九五年）、『「白雪姫」とフェティシュ信仰』（理想社、一九九五年）。

さらに、一九九七年に入って数か月の内に私は、フェティシズムに関する以下の論文を一挙に発表している。「フェティシズム、または演出される自己同一」（『状況と主体』第二五五号、一九九七年）、「フェティシズム、あるいは変容する身体観」（同、第二五七号、一九九七年）、「母国語幻想を撃つ」（『人権と教育』第二六号、一九九七年）。以上のものはどれも現代社会ないし近未来社会の分析にフェティシズムの視点を導入しようとしたものである。例えば「身体観念のフェティシズム―バーチャル・リアリティ」、「国民国家のフェティシズム―演出される同質的諸個人」、「NK細胞のアフォーダンス」、「自己同一のフェティシズム」などの節を含むそれらの論文群は、我々現代人がネガティヴなフェティシストからポジティヴなフェティシストに自己変革していく必要性を訴えるものである（大かたは拙著『フェティシズム―通奏低音』社会評論社、二〇一四年、に再録）。

第五節　頸城野での神仏虐待儀礼調査

そうそう、一九九一年はまだ語り尽くされていないので、時計を少々巻き戻す。一九九一年に、私の研究はほかにも進展した。第一に、ヴァイトリング研究に一応の区切りがついた。五月に『社会思想の脱・構築―ヴァイトリング研究』(世界書院)を出版したことで、ヴァイトリング三部作が出揃ったのである。第二に、わが故郷の頸城野に、平野団三、笹川清信ほかの神仏虐待儀礼にまつわる調査協力者を見いだしたことである。その効果は翌年にあらわとなる。詳しくは本書第九章第一節「頸城野の石仏探究記―一九九〇年代を中心に」に記したとおりである。

一九九二年七月、私は浦和市に念願の自宅マンションを購入し、つつましくもハッピーな生活を開始した。そして同月末には頸城野で二回目の石仏調査を実施した。七月三一日、平野団三翁と秋山正秀さんに案内を依頼して浦川原村、安塚町、頸城村、吉川町で石仏調査を行った。この日は頸城村と吉川町の首無し地蔵で収穫があった。八月二日には上越市内の滝寺付近に出かけ、滝寺不動や毘沙門ほかを見て回った。浦和に帰ってからさっそく論文執筆の準備に入り、松村武雄『日本神話の研究』などを読みつつ八月一八～一九日に「法定寺石仏群のフェティシュ的性格」を書き上げた。これは一〇月に『史正』(立正大学)第二一号に掲載されることになった。また一一月には、この年の六月三日で発生から満一年を経過した長崎県島原市の普賢岳噴火にヒントを得て起草した短文「神仏虐待儀礼の発生根拠を問う」を、新潟県民俗学会会誌『高志路』第三〇五号に掲載した。さらには一二月「庚申信仰とフェティシズム」を『日本の石仏』第六四号で発表した。まことに、フェティシズムで明け暮れした一年だった。

一九九三年はたいへん辛い年になった。六月一五日に恩師布村一夫が死去し、一〇月九日に父が脳梗塞で倒れ、一二月二七日に母が糖尿病悪化で入院した。それに、私自身が一二月一日に交通事故で肋骨一本を折った。こんなにいやなことが頻発した年ではあるが、仕事は進んだ。

六月八日の夜、熊本の石原通子さんから便りがあり、布村翁が重体であることを知らされる。そこで、翌日熊本の済生会病院へ急行し、意識の薄れたままの布村を見舞う。一所懸命呼び掛けたなら、ほんの一瞬だけ私の声に反応してくれた。だがそれっきりで、もう二度と意識は回復せず、一五日に亡くなられた。複雑な思いがしてならなかった。その思いは、たしか酒井三郎死去の時にも、大井正死去の時にも味わったはずのものだ。けれども布村一夫はまた一つ印象が違う。「お仕事は受け継ぎます、安らかにおやすみください」――これが弔いの言葉だった。本書第一一章第三節「学問の道はどう歩むべきか―布村一夫先生追悼」に詳しく綴ってある。

一九九三年は、石仏調査以外にフェティシズム関連で次の仕事を果たしている。まず、著作『フェティシズムの信仰圏』（世界書院、五月）、翻訳『アミルカル・カブラル 抵抗と創造』（柘植書房、八月）を刊行している。また八月に河合塾大阪南校で講演「フェニキア神話とユダヤ神話―成る・産む・創るの差異」を担当し、一〇月に熊本女性学研究会で講演「母権論と女性学」を行った。そのほか石仏関係の文章として、「頸城野の石神・石仏を調査して（二）」を『高志路』第三〇八号に、「薬師信仰とフェティシズム」「続・庚申信仰とフェティシズム」をそれぞれ『日本の石仏』第六七号（九月）と第六八号（一二月）に載せた。そのほか特に『共産党宣言』に関する研究をも行い、「コムニステンはパルタイを超えている」を口頭（経済学史学会・関東部会、三月）で発表したり論文（専修大学社会科学研究所月報、一二月）にして発表したりした。その作業はのちに大きく展開することになる。

一九九四年であるが、この年はフィールド調査の点で一つ意義深いことがあった。それは、六月三〇日大宮市の氷川神社、七月三一日浦和市の氷川女体神社、七月五日同じく浦和の調神社、この三箇所での茅の輪神事調査で得られることとなった。神仏虐待儀礼の研究を石仏から拡張したもので、こちらも大成功だった。八月にはさっそく報告論

文の執筆に入り、その月のうちに完成させている。と同時に、前の年までに調査しておいた諏訪湖湖畔の万治の石仏と奇妙山石仏群の二例を用いた論文「作仏聖とものがみ信仰」を書きあげた。それは翌年九月刊行の『日本の石仏』秋号（第七五号）に載せた。万治の石仏を調査したのは九三年四月一〇日で、小学生の息子を連れていった。息子は、その時に撮影した巨大なおにぎり型の石仏写真を『TVパニックプレス』という雑誌に送ったが、それはみごと一九九五年八月号に掲載された。

第六節『二〇歳の自己革命』刊行

一九九五年は出版と編集の活動が例年に増してフル回転した。まずは前年から手懸けていた「白雪姫」を題材にした著作を一気に仕上げ、八月に理想社から刊行した。『「白雪姫」とフェティシュ信仰』である。この著作は今まで教

えを受けてきた恩師・指導教授の全員に感謝するべき作である。すなわち、白雪姫物語の原風景をおさえるために参考にしたルソーの反文明論的世界観で酒井三郎著作を再読した。またシュトラウスの神話論やフォイエルバッハの自然論で大井正著作を再読した。バッハオーフェンの母権論とモーガンの氏族社会論では布村一夫著作を、そしてナチズムとグリム童話についての研究では村瀬興雄著作を再読したのである。そうした分野を総動員して書き上げたのが『「白雪姫」とフェティシュ信仰』であった。これは比較的よく売れた。朝日・読売の各新聞社も新刊紹介をし、『週刊読書人』の編集人武秀樹も法学者の上山安敏に依頼して書評を掲載してくれた。

またこの年は、ナチスのイデオローグというレッテルを貼られて不当な扱いを受けてきたカール・シュミット歿一〇周年でもあったので、三月、あの切れ味よい民主主義批判の思想家について一文ものした。「ストイックなリベラリスムからの再出発」と題して『月刊フォーラム』(社会評論社)六月号に掲載した。この雑誌は、この年から私も編集人の一人に名を列ねることになったもので、発売元(社会評論社)の松田健二社主に気に入られての参加だった。またこの雑誌の版下を、古くからの友人である一ツ橋電植の小山顕治社主が担当していたこともあって、気楽に引き受けた。さらには、この雑誌の編集委員会に河合塾で一緒に仕事をしている安藤紀典と白川真澄が関与していたことも重要だった。この雑誌について私が編集担当者として特集を組んだ号は、九五年七月号「エンゲルス没一〇〇年―批判と継承と」くらいであるが、それなりにやりがいがあった。なによりも、問題関心と人的交流の範囲が新たな分野に広がったのである。

雑誌といえば、この年から社会思想史学会の常任幹事に選出され、年報『社会思想史研究』の編集も担当することになった。こちらはアカデミックなものだからその意味で窮屈だったが、滅多にできる仕事でもない。いい経験と考えて努力することにした。このような役は本来というか通例では、どこぞの有力教授が威張りちらしつつ事務局任せでやるものである。それを、大学に常勤席のない非常勤講師が引き受けるのは稀である。だが、実質的には一九八四年以来すでに一〇年以上『社会思想史の窓』を編集してきた私を知らない社会思想史研究者は少なかったので、大概の会員は何とも思わなかった。いや、編集委員長の石塚正英が非常勤であることなど、一般会員は思ってもいなかった。

その社会思想史学会の第二〇回大会が、一九九五年一〇月一九日~二一日に長崎市で開かれた。一度も訪れたことのない土地であり常任幹事でもあったからこの大会に出席したのだが、その機会に、当時純心大学の学長だった片岡千鶴子の講演「長崎とキリスト教—浦上四番崩れを中心に」を聴けたのは素晴らしかった。また、それに先立って前日、明治大学の生方卓と浦上のキリシタン関係地をめぐったのもいい経験だった。帰りの羽田行飛行機内で生方と他愛もない詩作に興じた。「浦上のステンドグラス心にしみて」(正英)↓「遠き日の祈り我れに迫りぬ」(卓)。「片岡のマリアの声に聴き惚れて」(正英)↓「オウムシスターズへの想い振り切る」(卓)。因みに、オウムシスターズとは、サリン殺人事件を起こしたあのオウム真理教の美人信徒のことだ。

それからまた、この片岡講演と、私の日頃の講義に出席している学生からの質問とをあわせて、『朝日新聞』の「声」欄に以下の投書を行った。不採用だったが、重要と思う。「先日、私の教える女子学生からこんな内容の問いかけを受けた。ガンジーのサティヤグラハ(非暴力的抵抗)に共鳴するインド民衆は、植民地時代、英軍の棍棒に対し、頭をしゃんとあげ、けがや死を逃れようなど微塵も考えず、景気づけの歌や大声もなく静かに、しっかりと歩を進めた。では、どうやったら彼と彼らに近づけるのだろうか。／教え子からのその問いかけに、私はとりあえず沈思するばかりだったが、一〇月二一日、長崎で片岡千鶴子さんの講演『長崎とキリスト教—浦上四番崩れを中心に』を聴いて、サティヤグラハとはこれなんだ、と深く感動した。／浦上村の潜伏キリシタンたちは、幕末、ついにカトリック教会大浦天主堂でサンタ・マリア像に出逢いそこの神父プチジャンにこう打ち明ける。『ここにおります私たちは、みな貴師さまと同じ心でございます』キリシタン復活だ。これを機に浦上村では史上四度目の大弾圧(崩れ)が開始する。でも信徒農民は晴れがましい。サンタ・マリアに出逢うことで、あらゆる拷問・処刑・流配に正面からむかいこれを静かに受け入れた。それから七〇年余りして、米軍は旧浦上村に無慈悲の原爆を投下した」(一九九五年一〇月二四日記す)。

石仏関係では、一九九五年三月の日本石仏協会第一九回総会に出席した頃から会長の坂口和子、竹寺の大野邦弘理事の面々と急速に親密となった。五月三日には、妻の慣れない運転で息子をも連れて飯能山奥の竹寺(八王寺)をたずね、神仏習合の著しいこの寺院に関して大野副住職(当時)から種々説明を受け、名物の精進料理をご馳走になった。そのほかフィールド調査の方も、この年は秩父のオオカミ信仰に一段と力が入り、八月二七日には釜山神社と宝登山神社に出向き、オオカミ石像を調査した。この時も妻の運転で息子も一緒、楽しいピクニック気分だった。

ところで、前年から進展してきた弘文堂『新マルクス学事典』の編集がここへ来て一挙に加速した。この企画はそもそもマルクス研究者の的場昭弘と私が立てた計画で、弘文堂はそれに応じるかたちで関わってきたものである。しかし、いざ動きだせば、今度は出版社の方がむろんスピード・アップすることになる。編集委員には、他に専修大学の内田弘、東洋大学の柴田隆行に参加してもらい、弘文堂側は浦辻雄次郎が担当し、ここに大きな編集事業が動きだしたのだった。刊行されたのは二〇〇〇年六月のことだった。二〇一一年には韓国語版が同国で出版されそれを手にしてはみたが、著者名以外すべてハングルなので不思議な気持ちになった。

私一人の出版としては、一九九五年九月にハノーファーのヴァルター・ノイマンの出版社 Verlag für die Gesellschaft からドイツ語の "*Fetischismus*" を刊行した。ノイマンさんは内田弘さんの本をもドイツ語訳で出版し、今回はその内田さんの紹介で私の『フェティシズムの信仰圏―神仏虐待のフォークローア』(世界書院、一九九三) のドイツ語版を刊行してくれたのだ。ドイツ語への翻訳は柴田隆行さんが最大限協力してくれた。親鸞の「悪人正機」を "Hilfe der schlechten Menschen"、「往相還相」を "Hin-und Herkommen" とするなど、私の試訳をチェックして訳文を最終的に完成してくれた。持つべきは友である。

この年も私の仕事自体はきわめて順調な進展を見せたのだが、世の中はバブル崩壊後の長引く不況のただ中にあった。それればかりか、新年早々に神戸と淡路島で大地震が発生し、六〇〇〇人もの死者がでる惨事となった。父はなんとか小康状態をたもったが、しかしそれは病院での延命治療の結果でもある。本当に回復していたわけでは、むろんなかった。容体が悪化しなかったのは、やはりうれしかったのではあるが。

一九九六年、それは否応でもひと区切りつけねばならない年であった。年末に父が亡くなるのだ。正月早々の七日午後に、筑波ほか関東の各地に隕石が降りその落下音が鳴り響いた。その瞬間、家では息子がファミコンに夢中で、私はパソコンに夢中だったが、そとで何か音のしたような気がしたことは事実である。この出来事に接しすぐさま短文「平成の薬師隕石か?」を書いて『日本の石仏』編集部におくった。かつてフランス啓蒙期の思想家シャルル・ド・ブロスが体験しフェティシズム論に援用したのを思い出しての寄稿である。この偶然は一回だけだったが、この年はそのほかにもフィールド調査で思わぬラッキーな偶然に出会うことができた。それは、秩父のオオカミ頭骨との遭遇である。
四月一日、いつものように妻の運転で、それに小学校を卒業し中学の入学式を待つばかりの息子を連れて、秩父のオオカミ石像調査に出かけた。目的地は岩根神社だったが、途中で、偶然にも、オオカミ頭骨を所持する長瀞町の井上喜六さんに出会った。井上さんは、明治時代に先祖が村田銃で仕留めたと言われるオオカミの頭骨を自宅で見せてくださった。本物である。この調査は意味のあるものだったし、その成果を八月三日の日本石仏協会・夏期講座で、論題「秩父の山犬石像とオオカミ信仰」と題して報告した。

そのほかのフィールド調査としては、八月二四～二七日の頸城野でのものが印象に残る。まず二四日に越後高田の知命堂病院に父を見舞い、元気な顔に一安心する。翌日郊外の上正善寺の帰命頂礼・薬師堂まで登山する。いつもの調査仲間である吉川繁さん、吉村博さん、それに初めて一緒になる清水文雄さんとともに登った。翌二六日には、尾神岳に登る。尾神岳山頂、大神社、観音堂ほかを調査見学した。いずれもすぐさま論文になるものではなかったが、いずれ参考にできるものばかりである。

これは本格的な調査とは言えないが、二月二六～二八日韓国のソウルに行き、市内の石仏を見て回った。東京新聞ソウル支局長の伸司兄のお陰で宿や食事の心配はしなくてすんだ。それから、七月一九～二一日には初めて沖縄へ行きシーサー石像を実見した。この旅行の直接の目的は雑誌『月刊フォーラム』の関係者が主催する沖縄シンポジウムに出席することだった。しかし、私には別の狙いがあったのである。その一つがシーサー見学である。

ところで、私はこの年、一九六八年から一九七二年頃までの学生時代に綴った文章を一冊にまとめて出版することにした。『映画「いちご白書」みたいな二〇歳の自己革命』と題するこの著作は、全共闘時代に用いていた活動家名ないしペンネーム「上条三郎」の著者名で出し、文中に登場する「立正大学」の文字を「A大学」とか「熊谷キャンパス」を「Bキャンパス」とした。そのことについて出版社・社会評論社の松田社長はなぜ仮名にするのかと質問してきたが、理由を伝えるのは面倒だったので、適当に応えておいた。けれども理由はある。それは、この文章は石塚正英でなく上条三郎が書いたものだということだ。なるほど後者は前者のペンネームではある。けれども、その名はその時の出版に合わせたにわか作りのものではない。「過去に上条三郎という名で活動していた人物が確かに存在し、今もその名で著作を刊行しようとする人物

が確かに存在するのだ」という、いわば私の自己史・自己確証の偽らぬ記録者としての上条三郎なのである。今、上条三郎の名を知る人はいない。それだけに、全共闘時代にはこのような無名の活動家つまりノンセクト・ラディカルズがたくさんいたのだ、というメッセージを発したかった。したがって一九六九年から七二年頃までに書かれたこれらの文章は、是が非でも当時の名前で再記録すべきだったのである。また、現在の時点で私を直接・間接に知っている人々が「これは石塚が書いたものだ」という認識を持つと、現在の石塚から二〇歳の石塚を類推するという反対の効果を産み出してしまう。それは、今回の出版の目的ではなかった。この文章を書きとおしたのは二〇歳の上条であって二〇歳の石塚ではない。立正大学の名を伏せたのもも以上の類推を避けたかったからである。

一九九六年六月二八日、私はずいぶん久しぶりにヘルマン・ヘッセの『デミアン』を読み返した。そして翌二九日、日記にこう記している。「ヘッセの『デミアン』を読み、カインについての話、神についての観念などぼくの一八歳のときの『デミアン』をおもいださせる！」そんな思いで『二〇歳の自己革命』刊行を待ち望んだ。それは一〇月四日に出版社から届いた。その後私は故意に、この上条三郎名で論説「［権利としての自由・義務としての兵役］を超えて」などを『月刊フォーラム』（一二月発売の九七年一月号）に載せた。その名の著述家はちゃんといるんだ、との証を記したかったのである。かつて一九六〇年代末〜七〇年代初に活動した人々は、ある意味でその後もしっかりと思索を継続しているのだ、ということを読書界に記憶させておきたかったのだ。上条三郎名はまたやがて、翌九七年春に刊行されることになった単独編集の『社会史思想史の窓』第一一八号にも登場することになる。還暦を過ぎたころから、私は上条と石塚の結びつきを読書界で公開している。

第七節　『哲学・思想翻訳語事典』編集

一九九七年は正月早々から三つの雑誌編集作業に着手する。一つは『社会思想史の窓』（社会評論社）第一一八号の「クレオル文化」特集、一つは『社会思想史研究』（北樹出版）第二一号の学会大会報告、そしてもう一つは『月刊・フォーラム』（社会評論社）九七年五月号の「スポーツ」特集。前二者は前年からの継続だった。そのほか大阪の田畑稔が中心となって編集する『季報・唯物論研究』（同刊行会）第六二号「フェティシズム」特集への編集協力（やすい・ゆたかとの共同編集）も引き受けることになる。また、編集でなく寄稿として月刊『人権と教育』第二七六号（九六年一一月）から毎月「紙面批評」と題するコラムを定期執筆することにし（九九年一一月刊の第三二号まで）、季刊『人権と教育』にも第二六〜二七号と論説を寄稿することになる。この雑誌はJR北浦和駅近くに事務局のある「障害者の教育権を実現する会」が編集・発行している。なおまたさらには、やすいゆたかの誘いに応じて『月刊・状況と主体』（谷沢書房）に往復書簡のようなかたちで、「フェティシズム」に関する論説を交互に二〜三編ずつ発表していった。

編集作業は単行本にも及んだ。まずは、河合塾小論文科での過去八年間の解説講義で塾生に書いてもらった小論文一五〇点あまりを一冊にまとめた。『十八歳・等身大のフィロソフィー』（理想社、四月刊）と題するこの編著のカヴァー表紙には一九歳か二〇歳の時の妻のポートレートをセピア色で印刷し、裏表紙には河合塾の教室で講義する四二か四三歳当時の私の写真を白黒で印刷した。いま一つの編集本は日本石仏協会編として刊行された『石仏巡り入門』（大法輪閣、九月刊）である。これは会長の坂口和子をチーフにして竹寺の大野邦弘、読売新聞社勤務の田中英雄ほかに私が協力するかたちでできあがった。この石仏協会では機関誌『日本の石仏』を年四回定期刊行しているが、その秋号（第八三号）「中世の石仏と地域文化」（青娥書房、九月刊）編集を私が担当した。坂口会長の信頼を得てたいへんうれしいことではあるが、この雑誌編集はかなり場違いな感じではある。けれども、何事にも億劫にならず積極的にチャレンジするのは理解の視野や活動の可能性を拡張するのに役立つ。石仏はまさにその一つになったのである。

編集といえば、もう一つマルクス関係の三点がある。それは十九世紀古典読書会での二点『共産党宣言―解釈の革新』（御茶の水書房）と『一八四八年革命の射程』（御茶の水書房）、それから既述した『新マルクス学事典』（弘文堂）である。そのうち事典がもっとも大きな仕事としてあった。秋には弘文堂の経営状態悪化が原因で一時出版が危ぶまれたのだが、編集費・原稿料について的場・内田・柴田・石塚四名の編集人が若干譲歩することで編集は再開された。

編集人の一人柴田隆行さんは三月に一年の予定でドイツのキールに出かけたが、彼とはいろんなところで共同作業をしていた。そのことに関して私は五月に画期的なことを行った。パソコン（IBMのアプティヴァ）を新しく購入して電子メールを開始したのである。キールと浦和はこのEメールのおかげで数秒で繋がったのだった。また、パソコンを新調した時あわせて小型のワープロ（NECのアルデータ）をも購入したのだが、こちらでもまたたいへん画期的なことを行った。いつもカバンの中に入れて持ち運んでは、この「備忘録」を執筆したのだった。ある時は新幹線の中、ある時は越後高田の家、ある時は大学や予備校の教員室と、様々な場所で空き時間を見つけては書き続けた。次々に飛込んでくる原稿依頼も、このアルデータのおかげで素早く対応できたのだった。それまでは手書きで仕上げていた原稿をこの時からはただちにワープロに入力するようになった。何という変身であろうや！この年に行ったフィールド調査の報告原稿（御殿場の道祖神・秩父のオオカミ信仰）はすべてワープロで仕上げた。フォイエルバッハ読書ノート「フェティシュなフォイエルバッハ」（『フォイエルバッハの社会哲学』社会評論社、二〇二〇年、所収）も小型ワープロのおかげでどんどん進んだ。

この年はEメールを駆使していま一つの交信をしげく行った。それは『社会思想史の窓』第一一九号特集「世界史の十字路―離島」編集の件で、仙台市の高橋道郎さん及び志木市の市之瀬敦さんと連絡を盛んに行ったことである。彼らにもう一人青山森人さんを加えた東ティモール関係者は、この年もっとも頻繁に連絡を取りあった人たちである。その一成果は「世界史の十字路」巻頭の討論会に示されている。

一九九八年に入る。新年早々、「青年期シュタインの社会主義論」、「宣言とユートピア社会主義」の執筆に入る。

また、エッセー「精進湖・女坂峠の石仏と信仰」、「哀愁の漂う小話一つ二つ」をも執筆。一月下旬には論創社の森下紀夫さんと話がまとまり、やすい・ゆたかとの共著『フェティシズム論のブティック』を出版することに決定する。

こうして著述活動の方は順調だったのだが、金銭稼ぎの方はうまくいっていない。一九八二年から続けてきた石塚塾がついに万事休すとなったのである。塾生がほとんどいなくなったのだった。一六年の幕を閉じたのは、二月中旬のことである。埼玉県蕨市に借りていたアパートを引き払ったのは二月二八日のことだった。荷物の大半は図書（わが蔵書）で、一月三〇日にペリカン便で頸城野の実家へ運んだ。高田には、いずれ帰るかもしれない。いや、帰れなくとも、荷物だけでもそうしておきたい。そんな思いで運んだのである。蔵書があれば、時々は高田に足を運ぶだろうし、そうすれば、老母を一人で住まわせておいても多少の罪滅ぼしになろうというものだ。一句詠んだ。高志の鄙いぶせき故宇に 吾が蔵書（一九九九年九月一二日記）。そろそろ、武蔵野の学徒帰りなんいざ頸城野へ、の思いが芽吹きだしていたのだろう。

二月六日、新幹線で北上し、宮城県色麻町の農業生活者たちと座談会を開催した。『社会思想史の窓』第一二〇号「浮遊する農の思想」のための特別企画だった。大内直子さんと夫の伊藤拓郎さんのお世話で、ほかに伊藤勝夫さん、渋谷文枝さん、早坂えみ子さん、星野行雄さんが参加してくれた。この座談会は知識人の集まりでなく、日常生活者の素直な意見交換になって、とても爽やかだった。グデングデンに酔っ払って、日帰りで浦和の家にもどった。でも、この仕事は何か編集をしているという実感がつよい。テープおこしのワープロ入力にも創造性が感じられた。

二月からしばらく、夢中になっていろんな原稿のワープロ入力をしていくことになる。それは、私が今までに書き継いできた様々の原稿を三冊の単行本にまとめる作業を開始したからである。その三冊とは次のものである。第一は政治評論である。政党の廃絶、リベラリズム論、近代日本の諸思想、アソシアシオン論などを骨格としている。第二はフェティシズムに関連する。農耕と儀礼、道祖神、オオカミ信仰、母権、フォイエルバッハなど。そして第三はヴァイトリング論である。アメリカとヴァイトリング、カリカチュア風俗史家フックスにおけるヴァイトリング、ヴァイトリングとアソシアシオンなど。三冊とも四〇〇字原稿で四五〇から五五〇枚くらいになる。そのためのワープロ入力が済んだのは四月上旬であった。その間に、幾つかの団体から原稿依頼があって、二〜三本短篇を執筆している。その中でも画期的なのは、「唯物論（materi-alism）の語原は母（mater）である」だった。

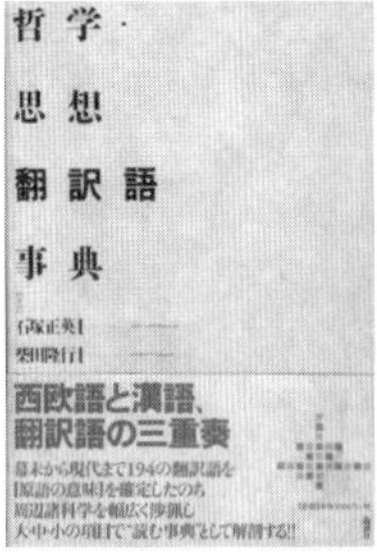

そんなことに熱中していた一九九八年二月には、長野で冬季オリンピックが開催された。開会式では元フィギュア・スケート選手の伊藤みどりさんが、まるで卑弥呼かアマテラスの様相で聖火台に登場した。驚いた。右旋回もはなはだしい。

その傾向は、三月八〜一〇日に行われた東京都平和フェスティバルへの都の干渉にも現われていた。私もボランティアで実行委員の一人になったこの企画では、例えば地雷設置反対の平和運動を紹介するセクションをつくった。地雷設置反対運動は前年のノーベル平和賞にもとりあげられとってもタイムリーな企画だったのに、都の横槍で味もそっけもないお座成りな企画にトーンダウンさせられた。東京大空襲の写真展示も、あまりにも悲惨すぎるといって、疎開先での楽しいひととき、といった雰囲気のものに替えられた。なんということだ。都はポーズとして「平和」をうたいあげているだけなのだ。実態は右翼に付け込まれることばかり気にして、小心者の本質を丸出しにしていた。我々フェスティバル実行委員の名さえ、公表しないでおくつもりだったので、五月になってからだったが、都にねじ込んでそれだけは撤回させた。

ちなみに、ここで私は「右翼」という言葉を使ったが、それは弥生右翼のことである。私自身が依拠する縄文右翼のことではない。詳しくは拙文「弥生左翼と縄文右翼」、『歴史知とフェティシズム』理想社、二〇〇〇年、第五章）に記してある。

さて、この東京都平和フェスティバル実行委員会には、とてもユニークな人たちが集まっていた。その一人に大岩川嫩（ふたば）さんがいる。かつてアジア研究所に勤務していた彼女は実に太っ腹ではっきりしており、むろん革新的である。気に入った。ちょうど論創社の森下紀夫社主とも知り合いだったので、意気投合した。大逆事件と幸徳秋水の研究家でもあり、私とは話があう。今後なにか一緒に仕事をするのではないかという予感がしたものである。

三月下旬には共編の『共産党宣言―解釈の革新』が御茶の水書房から出版され、四月上旬には『社会思想史の窓』第一一九号、特集「世界史の十字路・離島」が社会評論社から刊行された。また、三月から練っていた企画『哲学・思想翻訳語事典』の編集立ち上げを、いよいよもって実現する段になり、そのことで四月から五月にかけて、柴田隆行に種々相談していった。この企画は私が立てたものではあったが、哲学の専門家が柱にいないのでは話にならない。そこで、柴田さんを監修者の一人にと考えたのだった。彼は快くその仕事を引き受けてくれた。そうした下準備ののち、五月三〇日、東洋大学朝霞校舎で第一回編集委員会を開いた。編集委員としては、柴田の関係者で中里巧、私の関係者で市之瀬敦、鈴木由加里の二人が参加してくれた。論創社からは、私の友人でフォーラム90's以来付き合っている君島悦子さんが担当してくれることになった。これは一世一代の仕事となった。のちに韓国で、日本語のままでの海賊版が出回った。

六月には、やすいとの共著『フェティシズム論のブティック』が君島さんの努力の結果、論創社から出版された。これも意味ある出来事だ。私のライフワークになるであろうフェティシズム研究を日本の読書界に知らしめる、またとないチャンスである。六月にはまた、御茶の水書房から共著『一八四八年革命の射程』が刊行されて、この年は前半の六ケ月にとてもたくさんの本を刊行してしまったのだった。それでいいのだ。

七月に入ると、早くも次なる単行本の編集に取りかかった。それは、過去に発表してあった論文群を三点の著作にまとめる作業であった。大雑把にはすでに春までに分類しワープロ入力しておいたのだが、ここへ来てにわかに刊行したくなったのである。原因は前月の難病空騒ぎである。いずれにせよ、私の身体はいつ使いものにならなくなるとも限らない。だから本は出せるうちにだしておきたい、急にそう考えるようになったのである。

それで、しばし作業をやった結果、既発表の論文群は以下の三点にまとまった。『ソキエタスの方へ―政党の廃絶とアソシアシオンの展望』、『アソシアシオンのヴァイトリング』『歴史知とフェティシズム―信仰・歴史・民俗』。すべて四五〇枚から五〇〇枚程度にまとまった。そのうち、第一の著作を社会評論社で、第二のを世界書院で、晩秋から翌年春のあいだに出版することにした。第三のには未だ発表前の論文が二点ほど含まれていた。それで、いましばらく寝かせておくことにした。そのうちの第二の著作(九八年一〇月刊行)に記した「あとがき」を以下に引用しておく。

ヴァイトリングを研究し始めた時期は、全国で学生運動が盛んだった一九六九年のことである。当時一九歳の学生だった私は、神田の古書街で自由民権運動に関する論文の載っていた雑誌『歴史評論』を購入した。たしか、家永三郎の「植木枝盛と酒屋会議」という論文だった気がする。その雑誌に偶然、ドイツの農民革命家ゲオルグ・ビューヒナーに関する論説(伊東勉のもの)が併載されていて、それを読み出したのが、ヴァイトリング研究に入り込む直接契機になったのだった。直後から神田洋書センターに行っては関連のドイツ語文献を漁ることになるのであった。

あれから三〇年たった。今年で私は四九歳になる。前作『社会思想の脱・構築―ヴァイトリング研究』(世界書院、一九九一年)を刊行したおり、その巻末に「わたしのVormärz社会思想史研究・中間報告」を書き添えた。そこでは、私のヴァイトリング研究史(著作目録とその解説)をおおまかに跡付け、爾後の研究課題を提起してみた。そのときに提起した課題は、多少スピードを減じつつも、実現されてきた。その成果が今回の著作というところである。

それはそれとして、この三〇年、私は一つのテーマを追ってきたのではない。並行して少なくとも三つは研究してきている。一つはむろんヴァイトリング研究を含めたVormärz社会思想史研究である。そのほかに、ド゠ブロスのフェティシズム研究が大きい柱として存在する。これには石仏フィールド調査等比較宗教民族学的研究も付け加わる。また、現代世界史のトピックスであるアフリカ独立・建国にまつわる研究、人名に特化して括ればアミルカル・カブラルの解放思想に関する研究にのめり込んできた。ソキエタスとしてのアソシアシオン論は、私の場合、このアフリカ解放思想研究にも大きく関連している。そのほか、学生時代に始めてこんにちにまで絶えることなく継続しているマルクス研究などは、以上の三分野のすべてに関連していて、どこかに振り分けることなどできないものである。

そのような諸研究中、ヴァイトリング研究についてまとめた単著は、本書で五点目になる。ここらで、この研究は一服することにしたい。二〇世紀の最後を締め括る単著はこの一書になるとはかぎらないが、今後はフェティシズム研究を最優先することになろう。ヴァイトリングもマルクスも、カブラルも、これから当分はすべてフェティシズム研究に合流していくであろう。

最後になったが、出版元の世界書院には前作に引き続いてまたもや特段のご高配を頂戴することになった。梅田社主には心よりお礼を申し上げる。　一九九八年秋　石塚正英

第八節　歴史知研究会の創立

一九九九年に入る。この年わが家は、経済的にはとびきり苦しかった。大学生の息子二人の学費関連の支出が四〜五年で二〇〇〇万円を突破したためであって相対的なものであり、いわば誉れ高き耐乏ではあった。しかし、苦しいのはダントツだった。それなりに収入はあるのだが、とにかく教育費を中心に出費が激しいのだ。とはいえ、悲壮感はまったくない。ほんとうは金銭に困ってはいないのだ。それは天下のまわりものであって、近いうちにすぐまたもどってくるだろう、といった楽観の気分で新年を迎えた。とにかく、困ったときには民間信仰の神さまにお願いするのがいちばんである。神さまと人間たちのノーマライゼーションこそ、二一世紀に待ち望まれる精神的ゆとりなのだ。

この年に計画していた出版活動は、『ソキエタスの方へ―政党の廃絶とアソシアシオンの展望』(単著・三月刊行)、『海越えの思想家たち』(編著)、『子どもの世界へ―メルヘンと遊びの文化誌』(編著)、それに『ヘーゲル左派と独仏思想界』(編著)であった。社会思想史学会の年報や日本石仏協会の季報の編集は例年のこと。さらには、大学講義のテキストとして『情報化時代の歴史学』を編集し、一九九九年四月二〇日の日付で北樹出版から刊行した。

話は前後するが、九九年は六月から、東京電機大学教授の若松征男さんが主宰する「科学技術への市民参加」研究会で企画実施する「コンセンサス会議」(九八年大阪での開催に続き第二回)に参加することになった。六月、七月、そして九月と、埼玉県比企郡鳩山町の東京電機大学理工学部で開かれた会合に出席したが、これはなかなか意義のある運動だった。専門家としての科学者・技術者に対して素人

としての一般市民がなんでも質問して相互の合意（コンセンサス）を形成しようという構えである。そのためのコーディネートをするのがこの研究会の目的なのだ。いわば黒衣である。自らは出しゃばらない。並みの生活者にとって普段はブラックボックスに入っている部分を専門家たちに解説させ、それを受けて両者のあいだに合意を形成し、それを文章化して生活者が科学技術庁（現文科省）など行政当局に提言するという仕組みなのだ。これは、文句なく有意義な市民運動だ。九月にいったん解散した後引き続いて結成されたＮＰＯ科学技術を考える市民の会にも参加することにした。これも若松の提唱になる。彼は電機大学の同僚でもあるから私自身も運営委員になり、また事務局に加わることにした。

話題は転じて、同年八月七日、東京都東久留米市の主催する平和記念行事を手助けすることとなり、かつて長崎での初対面で感銘を受けた純心大学学長（現名誉教授）の片岡千鶴子さんを講演に招いた。もの静かな中に強く絶対平和を説く彼女の口調には、ふたたび感銘を受けた。人々の争いにとって宗教は両刃の剣であるが、シスター片岡にみなぎる殉教精神はカトリックの平和主義を象徴している。けれども一二月三日、遠藤周作原作の映画「沈黙」（篠田正浩監督）をテレビでみたときに感じたあの宣教師の弱さを前に、宗教について一抹の不安を抱いたことも確かだ。キリシタン禁制下の長崎で布教活動に専念するポルトガル人宣教師は、ついに捕らえられ拷問にさらされ、弾圧に屈し、とうとう踏絵する。ころんでしまう、つまり転向してしまうのだ。そこには、信徒に対するイエスの真の意図が表現されていない。

フェティシズムを研究する私であればこそ、こう考える。イエスは、彼を信仰する信徒たちに我が身を捧げ尽くしたのだ。最後の晩餐では、自身の肉体そのものを食べ血を飲んでいいとまで、信徒たちに告げているのだ。したがって、信徒が弾圧を逃れて生きぬくことができるのなら、彼らに我が身を踏まれることなど、イエスはなんとも思わない。いや、そうせずいたずらに死に急ぐ信徒をこそ、イエスは哀しむことだろう。信仰の証を求めて踏絵を強制する宗教などあるものか。そんなことをするのは政治権力だけだ。あるいは政治権力化して魔女狩りに奔走する宗教権力だけだ。まともに遇するに値しないのだ。

さて、この年は大蔵流の狂言師、大蔵彌太郎、千太郎、基誠（もとなり）父子、真船道朗らと知り合いになった。電機大学の同僚勝又洋子が大学の教養ゼミで狂言をとりあげ、その一環として九九年一〇月に「狂言の夕べ―伝統芸能狂言鑑賞とミニ講座」（主催・電機大学理工学部、共催・鳩山ニュータウン自治会・東松山市自治会連合会、協賛・大蔵彌太郎）を開催したのを契機にしてであった。この触れ合いをもとにして、彌太郎には、二〇〇〇年秋頃に刊行を予定していた『社会思想史の窓』特集「仮面」に協力してもらい、能狂言で使用する仮面の写真を借り受ける相談などをした。なお、この特集は、最終的には佐原真監修・勝又洋子編『仮面―そのパワーとメッセージ』（里文出版、二〇〇二年）として出版された。

一九九九年は、こんなことで夢中になっているあいだに暮れた。一二月二六日に満五〇歳になった。いろいろな意味で節目になる年だった。

貧乏とは物が足りないことをいうのではなく、どれだけあろうとも物が足りないと思うことを言う。これは最近テレビで知ったリトアニアのことわざである。また、以前電車内で見かけた吊り公告に、たしか公共公告だったと思うが、こんなのがあったのを覚えている。「輸入してまで食べ残す、不思議な国ニッポン 台所ゴミの四〇パーセントは食べ残し」。それから、九九年三月頃に出た通産省資源エネルギー庁の新聞公告にこんなのがあった。「豊かさは自分に、廃棄物は他人に、それでよいのでしょうか？」

そんなことわざや警句が飛び交う二〇世紀末ではあるが、実はこの日本社会はけっして豊かでないこと、これははっきりしている。たとえば一九九八年度の自殺者総数は約三万二〇〇〇人、一九九九年度は三万三〇〇〇人で、毎年増加している。これに交通事故の死者を入れると、毎日百人以上が不幸な理由で死んでいることになる。そのうち、自殺者は働き盛りの五〇歳前後に多い。リストラや倒産によって前途を悲観しての自殺だという。

そうした世相を身近に感じつつ、私個人は、とても爽やかな気分で二〇〇〇年の元旦をむかえることができた。その理由は、四月に東京電機大学理工学部への就職が決定していたことである。私と同世代の人たちは二〇代後半ばに正規に就職し、九〇年代初頭のバブル期までにはマイホームを建て、そして世紀末、五〇歳にさしかかって深刻な不況にダメージをくらっている。それに引き替え私は、彼らと逆のコースを歩んだことになる。すなわち、二〇代後半から三〇代初にかけては子どもを育てながらも学生生活を続け、三〇代半ばから五〇歳になるまで正規の就職をせず様々な収入源を確保して研究活動を持続してきた。そして、世の中が倒産・リストラの時期に突入すると、初めて正規に就職して安定した生活環境を確保したというわけだ。

この年の研究活動は、まず、グラント・アレンの名著『神観念の進化』の第一五章「供犠と聖餐」を訳すことから開始した。正確に言うと前年の暮れから訳し始めていたのだが、主としてジェームズ・フレイザーに依拠したこの章にはカニバリズム（人肉＝神肉共食の習俗）に関する考察と事例が豊富に含まれており、フェティシズム研究に最大の貢献をすること間違いなしであった。この翻訳活動は鯨岡勝成、鈴木源の二人が分担してくれることになっていたが、けっきょくは私一人で進行していった。

　その鯨岡さんとは、一九九九年一〇月に歴史知研究会を一緒に開始したのだった。二〇〇〇年になってからは、電機大学卒業生の福井俊保さんも事務的なことを手伝ってくれることになり、会の運営は一段と活発になった。会員は、上記二名のほか、明治大学の教え子である安藤儀一さん、柏渕直明さん、ＳＣＭ（ストーン・サークル・メール）のメンバー安藤等さん、加藤敦也さん、小竹雄磨さん、立正大学院生の角田晃子さんらである。最初の活動として、四月に会報『歴史知通信』第一号を発刊して、この年一二月時点で第八号まで刊行した。最終的には第五六号（二〇一三年八月一〇日）で休刊となった。

　また、この年から大学でも新規に講義内容をたてることとした。前期は「神話・叙事詩にみる古代世界史」、後期は「激動の現代百年史」である。そのための準備として古代地中海史に関する幾つかの文献を読んだ。また、テレビで放送中の「世界遺産」のビデオを録画し、講義の合間に学生に見せることとした。この神話的古代史の調査は、実は今後私が計画している母権的地中海世界フィールドワークの下準備でもあったのだ。

　それから、この年私は、上越市の石仏研究家・平野団三翁の論文集を刊行する計画を立て、二月、平野に出版の許可を戴くため手紙で連絡をとった。この依頼に平野は快諾の返事をくださった。その結果、平野翁へのご恩返しという長年の願いがついにかなった。詳しくは本書第10章（三）に記してある。

　さて、平野は私の大学での恩師ではなく、頸城野というフィールドでの恩師であった。それに対して、私の大学での恩師が三月二日に亡くなられた。一九一三年生まれの村瀬興雄である。村瀬は二〇〇〇年三月二日に多臓器不全で帰らぬ人となられた。何か虫が知らせたのか、私は昨年末に村瀬に電話で連絡をとり、ナチズム研究に関して村瀬の近況を尋ねた。そして、村瀬学説に関して解説文をまとめることにしたのだった。その原稿は残念ながら村瀬死後に脱稿となった。

　私が恩師と尊敬する人物はこれで全て他界された。酒井三郎（一九〇一～八二）、大井正（一九一二～九一）、布村一夫（一九一二～九三）、村瀬興雄（一九一三～二〇〇〇）、そして平野団三（一九〇五～二〇〇〇）。時代はまちがいなく二一世紀になるのだな、と感慨深いものがあった。

第九節　マルタ島でのフィールド調査

二〇〇〇年六月に、二〇世紀最後の単著『歴史知とフェティシズム』を理想社から出版したあと、八月末には『社会思想史の窓』第一二三号を刊行した。特集テーマは「二〇世紀の悪党列伝」。この号は過去に例のないほど難儀を重ねた。結果として、『窓』はこの号をもって市販を中止することとした。以後はまた私の個人的な研究テーマに即して、ミニコミとしてシコシコと号を重ねることに決断した。九月に刊行した第一二四号には、アレンの翻訳「供犠と聖餐」を掲載し、この決意はすぐさま実行に移された。

ただし、この号からは大学のサーバを通じて新規に開設したホームページにも掲載することにした。http://www.i.dendai.ac.jp/~ishizuka/　これが私専用のホームページを開くカギであって、開けば、当初は以下の記事が読めるのだった。A「歴史知研究会入会案内」、B「歴史知通信・最新号」、C「歴史知通信・総目次」、D「社会思想史の窓・最新号」、E「社会思想史の窓・総目次」、F「叢書・社会思想史の窓刊行にあたって」、G「石塚正英の著書」、H「十九世紀古典読書会・例会記録」。二〇一〇年三月の退職を以って、このページは削除されてしまった。

ところで、この夏、念願の海外フィールド調査を実行することになった。地中海のマルタ島での母神信仰の調査である。そのときの成果は、帰国後すぐさま文章にした。ここではその冒頭「はじめに」を引用しておく。

二〇〇〇年八月下旬、母神信仰の足跡をもとめて地中海のマルタ島へ行き、先史の巨石神殿を中心にフィールド調査を行った。約二〇年前、バッハオーフェンの『母権論』をつうじて先史ギリシア世界の母神信仰に関心をもって以来、いつかは行ってみたいと思っていた地中海海域、その一つマルタ島にようやく足を踏み入れることができた。この島には、ヨーロッパの女神信仰・母神信仰の祖型が存在する。なるほど、中東や東欧にもそれぞれにとても古い時代の母神信仰の証が残存している。しかし、バッハオーフェンの『母権論』に直接の起点を持つ女神信仰に関しては、私はことさら地中海をフィールドにしたかったのである。

マルタ島での今回の調査目的は、素っ気ないほどはっきりしている。それは、バッハオーフェンが『母権論』の中で説いた先ギリシア時代の母権的宗教ないし母神信仰の存在を裏付ける資料を収集することである。そのほか、例えばmater（母）やprima materia（始母）という語からmaterialism（唯物論）という語が派生したとの仮説を確かめようとする私の学問的探究心にとって、物質＝大地の世界に相応しい母神の成立事情を確認することは避けて通れない課題なのである。

二〇〇一年に入る。二月二八日、立正大学大学院文学研究科哲学専攻で論文による博士号を授与される。また、四月一日には、東京電機大学理工学部の教授に昇任する。同時に一般教養系列の主任に就任する。こうして、この年は春から嬉しい方向に身辺がめまぐるしく動いていった。

この年の夏は、前年に続いてマルタ島にでかけた。七月下旬から八月中旬にかけて、母神信仰の足跡をもとめて地中海沿岸を旅してきたのである。まずイタリアのミラノに立ち寄って、市中のカテドラル（完成まで五〇〇年を費やしたあの荘厳なドゥオモ）をはじめ主としてマリア信仰に関連する文化財を見学した。本当は一泊の予定だったが、翌日アリタリア航空がストライキでフライトがキャンセルとなったため、ガッカリの気持ちをウキウキに入れ替えるべく、ミラノの古代中世文化財を見学することにしたのだった。それから一日遅れでマルタ共和国のスリーマにいく。前年の首都バレッタ滞在に続いて二年連続のマルタ訪問になる。同島ではすぐさま、前年に調査できなかったイムナイドラ巨石神殿に出向いた。遺跡の外郭において先史マルタの母神をもっともよく象徴する神殿である。ちなみに、これは二〇〇一年三月に何者かによって一部破壊された。

ただし、この年はマルタ共和国のみにかかわってはいられなかった。まずは北アフリカのチュニジア共和国へととぶ。この旅行もマルタでチュニス行きのチケットがとれたという偶然が介在してはいるが、漠然と調査を構想していたものであった。初めてアフリカに降り立つや、イスラムの聖なる女性ファーティマ信仰の足跡を確認するため、サハラ砂漠近く先住ベルベル人の村落マトマタへいく。二泊したあと、引き返して首都チュニスで同国最古のモスクを見学する。さらには、古代地中海海域で各地の女性たちに広く信仰されたディオニューソスの祭儀そのほかを調査す

るため、チュニス近郊の遺跡都市カルタゴにいく。マルタに引き返すや、今度はギリシアのアテネにとぶ。なにはさておき、パルテノン神殿下のディオニューソス劇場遺跡をアクロポリス丘の上から確認する。詳しい調査は後回しにして、ディオニューソスゆかりの島クレタにとぶ。クノッソス遺跡を訪問しラビュリントスを歩き、ギリシア神話世界のルーツに接する。アテネにもどるやディオニューソス劇場遺跡を再度調査した。それから極めつけとして紀元一六七年に造られたヘロド・アティクス音楽堂（Odeon Herod Atticus）でエウリピデス作『バッカイ』を観劇した。バッカイとはバッコスつまりディオニューソスを崇拝する女性信徒「バッコスの信女たち」のことである。

　地中海域に母神信仰の足跡をもとめて行った二度目の旅は、予想以上に多くの成果を得た。その一端を「デーメーテールとディオニューソス」と題する論文にまとめることにした。デーメーテールとはギリシア神話に登場する豊饒の女神・母神であり、ディオニューソスとは上に記したように、古代ギリシア・ローマ社会において女性たちに熱愛された男神である。この二神を代表例にして地中海一帯の母神信仰を社会思想史的・宗教民俗学的に検討するのが、この原稿の執筆目的だった。

　ところで、地中海旅行の最中に立ち寄ったチュニス近郊の遺跡カルタゴには、何らかの儀礼で幼児を殺害し埋葬したトフェあるいはトペテと称する聖域がある。そこには、あまり整然としてはいないがたくさんの石塔が林立している。これは一見すると日本の墓地の風景とそっくりだったので、そのデジタル写真を石造史料比較研究所・所報『Greatstone-Circle』第三号（二〇〇一年一一月）に載せた。この団体は四月に私が石塚研究室を事務局として設立した研究機関で、初年度には六月、七月、一一月、一二月に所報を発行した。研究室を発行所にしている雑誌としては、そのほか『社会思想史の窓』がある。こちらは第一二四号から私のホームページに掲載し、インターネット上で公表した。第一一八号から第一二三号までは社会評論社からムック（Mook マガジンとブックの中間）にして市販していたが、その後は一五八号（二〇〇九年）まで、こじんまりと私の個人誌のような格好で継続することとなった。

　ところで、この年の九月一一日、ニューヨークで世界中

をあっと驚かせる事件が発生した。世界最強のアメリカ国家を象徴する超高層ビル世界貿易センターのツインタワーが航空機ゲリラ攻撃によって一挙に崩壊し瓦礫の山となった。あわせてワシントンの国防総省も航空機ゲリラ攻撃を受けて一部破壊され炎上した。それは、アメリカをはじめとする主要諸国のマスコミが、オサマ・ビンラディン指導のテロ組織アルカイダによる「同時多発テロ」として一括報道した出来事である。けれども、この国際テロに対するアメリカ政府の対応もアフガン空爆という無差別殺戮であった。日本政府はアメリカの暴挙を支援して自衛隊艦を海外に派遣した。これは平和に名を借りた政治謀略に直結しかねないとみた私は、『季報・唯物論研究』編集部からの依頼により、同誌に緊急声明を寄稿した。

アメリカ本土が、しかも経済と国防の中枢が暴力的に攻撃されるという、この前代未聞のテロ事件が生じたとき、息子の一人は七月から一〇月まで、会社の新入社員語学研修の目的でニューヨーク州アルバニ市に滞在していて、直前の週末にマンハッタンを観光したばかりだった。その後一〇月からアメリカ軍とイギリス軍を主力とするアフガン攻撃が始まり、一挙にエスカレートした。反面、ニューヨーク一帯においては郵便物に「白い粉」炭疽菌を忍ばせるという事件が発生し、なにやらバイオテロの懸念も出てきた。さらには、もしアフガン側がパキスタンと組んで核攻撃を開始したらという懸念もでてきた。そうなったら地球破滅的であったし、とにかく様々な意味でたいへん気になる出来事であった。

かように騒然たる一年ではあったものの、私自身は、秋以降、理工系の東京電機大学において複合領域の講座を開設する計画を立て始めた。最初は一般教養系列内部におくつもりで、以下のような案を系列会議や理工学部フォーラムで提案した。広域科目群として、科学哲学・社会科学論・国際関係論・美学芸術論・比較文明論・地域文化論・比較言語論。複合科目群として、映像メディア文化論・音響メディア文化論・マスコミ文化論・社会福祉サイエンス・文化財サイエンス・身体環境テクノロジー論・スポーツサイエンス・科学技術社会学。総合科目群として、社会参加論・マネジメント論・表象文化サイエンス・地球の歩き方論。技術者倫理科目群として、情報倫理・環境倫理・生命倫理・リスクマネジメント論。

その後構想はしだいに体系化の度を深め、ついには大学院まで視野に入れるようになった。その過程で私は、理念として「複合科学的研究の可能性―とりわけ認知・身体系複合科学について」と題する文章を関係者に配布した。複合領域をねらった新学科ないし新専攻科設置の運動を、このあと翌年まで引き続いて強化したが、その段階ではけっきょく実現しないままで終わった。科学技術の産官学軍寡頭支配に抗するノンセクト的学術革命を目指したかった。

二〇〇一年の回想を終えるにあたって、この年に出版した主要な著作を列挙しておこう。①「世界遺産としての三和村雨降り地蔵」（『三和村史紀要』第三集）、②「立正西洋史で私が学んだ諸先生」（『立正西洋史』第一七号）、③「マルタ島に母神信仰の足跡をもとめて―巨石神殿遺跡調査報告」（『東京電機大学理工学部紀要』人文社会編、第二三号）、④『バッハオーフェン―母権から母方オジ権へ』（論創社）⑤『ピエ・フェティシズム』（廣済堂）。⑥「大光寺石を活用した石造文化」（『三和村史』通史編、三和村史編さん委員会）

二〇〇二年は、複合科学という新たな研究領域に本格的に入り込んでいくこととなった。この領域に接近する直接のきっかけは、電機大学に新しい学科ないし専攻科を設置しようと運動したことだった。元来、私はフェティシズム研究の一環として身体論に関心を抱いてはいた。たとえば、「フェティシズム、あるいは変容する身体観」（月刊『状況と主体』第二五七号、一九九七年）などを執筆していた。けれども、いまや執筆する論文のすべてが身体論か複合科学に関連するものばかりとなった。以下に二〇〇二年上半期に執筆したものを列挙する。「フォイエルバッハの唯物論的宗教論」（フォイエルバッハの会の協同研究として執筆）、「身体論を軸としたフォイエルバッハ思想―フッサール・ハイデッガーなどとの比較」（月刊『情況』二〇〇二年八・九月号、情況出版）、「複合科学的人間論の可能性―歴史知的な立場から考える」（東京電機大学理工学部紀要、第二四巻、二〇〇二年一一月）、「ロボット・フェティシズム―もう一つのヒューマン・インターフェイス」（『理想』第六七〇号、二〇〇三年一月、理想社）。「〈生肉身体〉と〈機械身体〉のコラボレーション―歴史知的な立場から考える」（歴史知研究会の協同研究として執筆）。

なかでも特に、ロボットとの比較における身体論に夢中になっていく。また、新四年生に対しては、石塚ゼミへの以下のような勧誘を行っている。

平成一四年度卒業研究テーマ　指導教員　石塚正英

本研究室では、人文社会科学と都市環境工学の双方に関連する分野、いわゆる複合領域に位置づけられる諸問題を比較文化的観点から扱います。主要な研究方法は文献調査とフィールド調査です。調査の対象都市は海外をも視野に入れますが、各自は必ずしも海外調査をする義務を負うものではありません。

テーマ「ナヴィゲーション的発想からみた現代人と都市環境の関係」。人は生まれた瞬間からさまざまな人工物に囲まれて生活する。衣服や住居、都市など。それらは、一面では人々の生活様式を豊かなものにしているが、他面では人々の生活様式を外的に決定づける要因ともなっている。たとえば家屋に設置されたエアコンは快適な空調と室温を保証するかわりに、四季折々の香風・爽風を遮断してしまう。車に搭載されたナヴィゲーションは局地的情報をたえずネット上でキャッチしつつ運転者を目的地に案内するかわりに、彼自身から主体的な走行(距離・方向)感覚や鳥瞰的な判断能力を奪う。あるいはまた、近代的な設計によるニュータウンは人々に合理的な生活を保障するが、村祭りに似合うような遊び的雰囲気を限りなく削いでしまう。そのような諸問題はあるけれども、現代人は自然でリアルな環境よりも人工的でヴァーチャルな環境の方に馴染んでいるから、これを拒絶して生の自然に身を任せようとは思わない。本研究では、そうしたヴァーチャルな環境、あるいは都市的世界の各部分が動的にナヴィゲーション的に合成されて成立している場を調査対象に取り上げ、これを人文社会科学と都市工学の複合領域に位置付けて、比較文化的手法を取り入れながら検討してみる。

第一〇節　フレイザー『金枝篇』監訳のトピックス

二〇〇二年は、春からもう一つ大きな意義ある仕事に着手している。それは、フレイザー『金枝篇』日本語版の監修である。この翻訳は私が行ったのでなく、神成利男という人物が行ったものである。一九一七年生まれの彼はすでに故人になっていた。その仕事を私が監修者として引き継いで、出版にもっていくという企画だった。これを機に、奥様の神成サヨとはときどき電話で話をした。七月には超デカイ富良野名物のメロンを贈って戴き、一二月には平取牛入りのカレーを贈って戴いたりして、相互の交流も深まった。むろん、膨大な原稿分量のこの監修作業はたいへんな労力を要した。夏休み期間中も大学の研究室に缶詰になって奮闘した。念願のフレイザー完訳出版というビッグイベントである。こころウキウキ、からだワクワクの作業であった。作業は第一巻発行だけでも二〇〇四年までの三年越しになったが、全体を通じて、この上ない幸せの一時期であった。二〇二二年現在で第八巻まで進行している。

さて、二〇〇〇年代中盤にさしかかると、私は執筆活動をいっそうパワーアップする。まずは二〇〇三年の一二月に「ミームとジーン―複合科学的身体論のキーワード」(『東京電機大学　総合文化研究』創刊号)を発表し、同時に同姓の石

塚幸太郎氏との共訳ヅッカー『アメリカのドイツ人―一八四八年の人々・人名辞典』（北樹出版、奥付は二〇〇四年一月）を刊行しておいたが、その後次のような出版ラッシュとなった。二〇〇四年一月に編著『石の比較文化誌』（国書刊行会）、監修『哲学思想翻訳語事典』第二刷（論創社）、二月には編著『市民社会とアソシエーション』（社会評論社）、三月は編著『歴史知の未来性』（理想社）、編著『フォイエルバッハ―自然・他者・歴史』（理想社）、四月には単著『複合科学的身体論―二一世紀の新たなヒューマン・インターフェイスを求めて』（北樹出版）を刊行した。そのようなざわめきのなか、五月以降、フレイザー『金枝篇』（全八巻＋別巻の完結版、のち全一〇巻＋別巻に変更、国書刊行会）の刊行が始まった。以下に監修者による序文を引用することによって、詳しいことを記そう。

ヨーロッパの思想風土に発する近代合理主義の立場からみると、非ヨーロッパ社会や前近代の社会、そしてそこに生活する人びとの慣習、風俗には、とうてい理解しがたいものが多々見受けられる。ややもすると、野蛮とか未開などと形容して拒絶する以外に対応しきれないものもある。そうした事例は、特に宗教的というか儀礼的な生活において観察される。その一つに、非ヨーロッパ各地の民族誌・民俗誌に記されている神殺し・王殺しのフォークロアがある。あるいは神獣食習・神人食習のカニバリズムがある。

しかしながら、そのような「蛮習」は、実はヨーロッパの「文明民族」にもかつて存在していた。好例として、新約聖書に読まれる「最後の晩餐」がある。これがイエスの信徒による神イエスの共食の演習であることは文面から容易に判読できる。ただし、この文章を書いてあるとおりの儀礼が執行されたと解釈するか、イエスへの信仰を証する何らかの儀礼の象徴とみるかで、議論は分かれる。その際、あの場で文字通りの意図で儀礼が行われたことを示唆し、さらには一九世紀に至るもそれに類する習俗が遺されてきたと解される事例を古今東西から蒐集した文献として、フレイザーの『金枝篇』がある。ただし、本書に読まれる事例ではみな、神となった人（人神）や人となった神（神人）を、殺すために殺すのでなく、生かすために殺すのであり、別のいっそう若々しい肉体におけるよりいっそう強大な神霊の再生・復活を願ってこれを食べたり殺たりするのである。

本書に収録された民俗誌の豊富な事例群は、衣食住をととのえてその日を生き抜く視座と方法を獲得するべく行動する野生的な人々と、彼らの儀礼生活に関連する。そのような習俗は、近代合理主義では説明がつかない。これは例えば天動説と地動説の相違と似ている。すなわち、我々は現在のところ理性知の立場、科学知の視座から地動説を認めつつも、実際には生活知や身体知の視座から天動説にしたがって生活している。頭脳は地動説を承認するものの、身体は天動説を心地よく受け入れる。フレイザーがあつめた民俗誌は、いわば天動説＝身体知のパラダイムにあるのである。地動説すなわち科学知からはとうてい承認しがたいものの、現代人は、日常生活ではすっかり天動説すなわち身体知に依拠して生活しているのである。そうしたパラドキシカルな人間精神を理解するのに、本書は第一の裨益となるものである。

本書は、けっして前近代を素材にした風物詩や博物誌のたぐいではない。身体知（天動説）と科学知（地動説）を総合する知、人類史の二一世紀的未来を切り拓く知、監修者なりの表現をとれば、歴史知を探究するためのテキストなのである。

以上の序文の中で、イエスに関する記述に付き、国書刊行会から削除の要請があった。それで、その箇所につき、次のように改訂した。「好例として、例えばスイスはレッチェンタールの『チェゲッタ』がある。秋田に伝わるナマハゲに酷似したこのカーニバルは、ヨーロッパにキリスト教が浸透する以前のケルト系先住民の野生的儀礼の遺風である。以上のような先史から現代に伝わる様々な儀礼を古今東西にわたって蒐集した文献として、フレイザーの本書『金枝篇』がある」。

さて、二〇〇四年の六月に、勤務校の東京電機大学事務から「ヒトＥＳ細胞研究と生命倫理に関する公開討論」という集まりの案内を転送してもらったので、参加してみた。そのときに書いた傍聴記の一部分を以下に記しておく。

ヒトＥＳ細胞研究と生命倫理に関する公開討論会　傍聴記

東京電機大学・ヒト生命倫理審査委員会　石塚正英

標記の討論会は、特定胚及びヒトＥＳ細胞研究専門委員会（以下「専門委」と略記）の主催で、二〇〇四年六月三〇日、ホテルフロラシオン青山（港区南青山）で行われました。私は、東京電機大学ヒト生命倫理審査委員会委員長であることから、前もって文科省研究振興局より東京電機大学に届いていた案内に応じて、本日傍聴してきました。その印象を以下に記します。

専門委は、みずから意見を述べるときとフロアーから質問をうけるときとで、内容がずいぶん違うように思われたのは気のせいかな、と感じつつ、ここでは余剰胚のことに話題を絞ります。これが研究に役立つ資料だというのなら、表現としては研究のための「資料胚」と称すればいいのではないでしょうか。排卵誘発剤の影響などで生じる「余剰胚」は、当事者の夫婦にのみ実質的な余剰であるかも知れませんが、ＥＳ細胞研究機関には研究資料として必要不可欠な胚のはずです。余剰がなくなったからといって研究それ自体を中止する気はないはずです。「余剰胚」という表現は、当事者にはもはや余った受精胚だから研究に使用するのも許される、といったご都合主義から生まれたのでしょう。受精胚については、一方では「もう一度生かすことになる」としつつ、他方ではもはやいらなくなった余剰物、という位置づけもする。倫理的に問題がある発想といえます。

しかし、それにしても現状では、しっかりしたインフォームドコンセントを前提とした受精胚の無償提供となると、それは、ある意味で偶然に任せられているといえます。そのような偶然ごとに依拠した研究では、科学的正当性や倫理的妥当性に抵触するのではないでしょうか。ここはじっくり時間をかけ議論をつくし、市民と専門家のあいだのコンセンサスをとりつけるのが肝心といえます。専門家は心中でこうつぶやきます。「胚を壊すといっただけで、素人は無媒介に感情的になり、小さないのちを奪うな、と叫ぶ」と。けれども、不妊に悩む人たちはこう疑うかも知れない。「排卵誘発の処方がもしや専門家に必要な「余剰」を生み出しているのでは？」と。

会場から帰宅して郵便受けをみたら、友人小松美彦さんからの献本『自己決定権は幻想である』（洋泉社新書）が届いていました。さて、ＥＳ細胞への受精胚の提供という自己決定（権）はどうなるのでしょう。以上

この年はことのほか、立正大学の後輩たちとの交流が盛んとなった。恩師酒井三郎と私が創立した「立正大学西洋史研究会」の若者たちとの交流である。それまでの数年間、熊谷校舎における西洋史研究会の活動は途絶えていた。そこで、二〇〇四年三月に立正大学文学部史学科を卒業した川島祐一さんは、四月のガイダンスにあわせて熊谷校舎に

出向き、北原敦教授、古賀治幸さんにお願いして、西洋史関係の授業で勧誘の案内文を配布させてもらった。卒業生の一人川島祐一さんは、同年四月から、東上線高坂駅付近にある東京電機大の大学院に進んで私のゼミ（感性文化学研究室）に所属することになったため、自家用車で熊谷校舎に立ち寄ることが可能となったのだった。

ビラまきの成果はあった。すぐさま以下の新入生が参加してくれた。伊藤祐介さん、中島雄太さん。伊藤さんはドイツ現代史で、中島さんは古代エジプト史。伊藤さんの父は立正大学文学部史学科日本史専攻の卒業で、当時埼玉県で教員をしていた。史学科六〇周年に際して発行された卒業生名簿をみると、私より四、五年の後輩になるようだ。また、中島さんはエジプト考古学にも関心があり、考古学研究会にも所属している。私は、二〇〇〇年と二〇〇一年に地中海各地で古代遺跡のフィールド調査をしてあったので、中島さんともおおいに話が盛り上がると思った。とにかく、これを機に、西洋史研究会の熊谷支部が恒常的な活動を継続できる可能性が生まれたのだった。

九月に、教え子の川島祐一さんは、本人が管理するインターネットのホームページ「立正大学西洋史研究会訪問者とのコミュニケーションルーム」に恩師の思い出を掲載するページを設け、私に投稿を依頼してきた。それで、次のようなものを送った。

★村瀬興雄先生

ドイツ現代史の連続説をとる村瀬興雄先生は、学問上の論敵が多くいました。ビスマルク時代の統一ドイツとエーベルト時代のワイマール・ドイツ、そしてヒトラー時代のナチス・ドイツが支配勢力および民衆生活のレベルで因果をもって連続しているとの見解は、とくに民主主義科学者協会をはじめとして平和と民主主義を標榜する戦後の諸学界では端から相手にされないことが多かったのです。ファシズムとそれ以外の体制を、だれしも、現象としては一括りにできない。その点は村瀬先生自身がよく語っていました。ただ、いくらナチスの残虐性と異常性、例外性を強調しても、それだけではナチスはちっとも傷つかない、と先生は我々に語るのです。私は、その村瀬学説に心底学んだ。「研究者には机と椅子とペンがあればいい」と言って、家族をかかえ経済的に困難な院生時代の私を慰めてくださった村瀬先生は実に温厚でしたが、ドイツ現代史学界――とくに若手研究者の間――にあっては相当な偏屈者で通っていたらしい。論争において自説を決して曲げないからです。けれども、曲げなくてけっこう。先生は、実証の甘いところはいつも素直に認め、他の研究者の業績に依拠する柔軟性を十分兼ね備えていました。それからまた村瀬先生は、一九世紀ドイツ社会思想史を研究テーマとする私の研究環境を思いはかって、大学院博士課程の三年間を明治大学の大井正ゼミに送りだしてくださいました。あるいは、先生が監修される三省堂の『世界史小事典』に項目執筆の機会をくださったりした。たいへん光栄なことでした。

★綱川政則先生

一九七五年から非常勤で立正大学に出講されていた綱川政則先生は、それに先立ち、まず最初に着任した新潟大学高田分校時代に、すでに私と間接的な縁ができていました。一九六〇年代半ば、私は高田市（現在上越市）の県立高田高校の学生であって、まだ大学生ではなかった。しかし、綱川先生は上越市（旧高田市）にある私

の生家の真向かいに住む教え子である筑波啓一氏を訪問していたのです。そのことは、後で先生と私の妙に懐かしい「なれそめ」話となるのでした。新潟大学高田分校が廃校となり建物が解体されることになったある夏休み、先生はご家族で上越市の我が家を訪ねてくださった。まだ高校生だった娘さんも小学生か中学生だった息子さんも、私の母がもてなすスイカをとても美味しく召し上がってくださいました。先生がお亡くなりになられた一九九六年に、私の父も亡くなりました。

第一一節　研究活動のさなかに羽化するアゲハ蝶たち

一九七七年の創立以来三〇年近く、立正西洋史研究会では折に触れて歴代教授を中心とする西洋史研究室の記録は整理され発表されてきたが、歴代研究会会員の例会活動や大学祭参加、合宿参加、会誌編集活動などの記録はほとんど整理されてこなかった。

これまで一度も研究会（例会や交流会）の記録誌がでていないので、私としては、それを三〇周年記念としてみんなで力を合わせて実現したいと考えた。二〇〇七年四月に迎える三〇周年について、私は論文集や祝賀会よりも、記録誌に力点をおいた記念事業になってほしいと考えた。

二〇〇四年一二月一九日に西洋史研究会の研究報告と総会が開催され、三〇周年記念事業は承認された。また、この企画発足を受けて、二〇〇五年四月から、それまで第三代会長の職にあった柏倉知秀さんにかわって創立会員の一人である青木信家さんが会に復帰し第四代会長に就任することになった。あわせて、創立会員の熊田正次さんや尾崎綱賀さん、秋羽秀夫さんも会に復帰した。たいへんうれしい、好ましい状態になった。

さて、二〇〇五年七月から八月にかけて、暑苦しい日々、我が家ではちょっとした難事が続いた。植木鉢で育てている蜜柑の若木に、アゲハチョウが卵を生んだのである。毎年のことではあるが、今年はすでに合計四個めだった。一個めは七月中旬にサナギになった。幼虫は、一所懸命ハッパを食べている時期は蜜柑の枝ですごすのだが、タップリ食べ尽くした後で、いざサナギになろうという段階で、ほかの場所に移動するのである。前年まで、そのことに気づかず、てっきり飛来してきた鳥に食べられたと思っていた。けれども、今年は目撃したのであった！

その時が来ると、幼虫はけっこう速い動きでほかの種類の木や人工物にくっついて糸をはき､身を固定しだす。「これこれ、そこでサナギになると蝶になる前に鳥に食べられちゃうぞ！」と説教して、無理矢理もとの蜜柑の木にもどし､植木鉢全体を網で包んで､逃げ出せなくした。そしたら､幼虫は、しかたなく蜜柑の枝にくっついてサナギになった。

それで安心していると、一〇日ほどして羽化が始まった。「たぶんこの日だろう」と思っていた日の朝､私は指でちょいとサナギのきみを刺激してみた。そうすると、もだえるように動きだした。「そろそろだなっ！」と思いつつ二時間ほど植木鉢から気を逸らしておりました。妻が発見したときはすでに羽化がすみ、パッと黄色い羽を開いたところであった。かろうじて我が子の巣立ちに立ち会えることとなり、すぐさまビデオを回した。シュッとオシッコをして、数秒後、ヒラヒラリ、スゥーイッ、とビデオカメラの前数メートルの空間で舞ったあと、颯爽と大空へ飛翔していたのだった。「アッ、あ〜ぁ、いっちゃったぁ！　もう少し舞ってからにしろよ、挨拶くらいしてからにしろよな、きみぃ！」

その数日前のこと、くだんのサナギ君がまだじっと動かないでいたころ、妻が言った「また、三匹、幼虫がいるのよ」「あ、ホントだ、鳥のフンみたいな黒い粒のちぃっちゃいのがいるぅ！」「いやぁ、もう蜜柑の葉がないよ。一匹ならなんとかなるかも知れないけど、三匹じゃぁ、どれもこれもきっと飢え死にするね」鳥のウンチみたいな色をしている時期は一週間くらいである。ドンドン大きくなって、やがて鮮やかな緑色の幼虫に脱皮していく。三匹ともほぼ同時にそうなった。我が家の蜜柑の若木は背丈三〇センチほどだから、ひとたまりもない。妻は余所からハッパのついた枝をもらってきては、水を入れたリポビタンDの空きビンに刺して植木鉢におき、せっせと食べさせた。つつくと頭から角をだし、くさい臭いを発射する。子育ての甲斐あって、三匹とも立派なサナギになり終えた。

ところが、私ら夫婦は大失敗をしてしまったのである。ネットをかぶせるのをうっかり忘れたのだった。一匹めのきみは、こともあろうに、エアコンの室外機の送風口間近でサナギになっちまった！　ってわけ。さぁ、たいへん、エアコンが使えない。使えば熱風に煽られ、干物と化して昇天することだろう。それで、しかたなく熱帯夜の連続するこの数日、二四時間まったくエアコンを使用しないで過ごした。二匹目のきみは、植木鉢の中に立てた割り箸にくっついたというしだい。こいつは割り箸の色に変色した。エアコン室外機にくっついたのはやや白っぽい緑になった。割り箸のきみは移動が簡単である(!)。親孝行なヤツ。三匹目は一時ネットを植木鉢の下におろした隙に逃げ出した。息子に手伝ってもらいヤツをとっつかまえてもとにもどすと、こんどはなんと、植木鉢の外側の中程にくっついてサナギに変身しだした。おかげでつぶさに観察できはした。最後は植木鉢のアイボリーに変色して固くなり終えた。

さぁ、羽化する一二日前後が楽しみである。ただ、その頃私は亡父の墓参に故郷へでかけたので、三匹がオシッコして飛翔するところは見ることができないで終わった。いずれにせよ、毎日毎晩暑くて暑くてしようがなかったが、難儀してもいい、この子たちは自然のふところに向かって飛び立てるよう、しっかり育てたい、の一念であった。

ちなみに、四匹を育てるのに功労のあった蜜柑の若木は丸裸にされたが、幼虫たちがすべてサナギになったあと二日ほどしたら、枝のここそこで新芽を出した。実生のこの子も私ら夫婦の大切な子であるに違いはない。

秋になって、がぜん一書を刊行する気になった。『儀礼と神観念の起原』である。九月下旬に論創社の森下紀夫氏に連絡を取り、即座に引き受けてもらった。一二月一日付けで刊行した。かなり充実した気持ちになった。内容に自信がある。第一章から第七章（終章）にかけて、ミュトス（野生の神話）とロゴス（神話の文明化）を対比的に論じたところが気に入っている。第七章の末尾に次の［付記］を記した。先史のミュトスを「ミュトス神話」

とし、文明の非神話的神話を「ロゴス神話」として両者を区別するとすれば、今回は後者について詳論したことになる。前者についてはすでに第一章「デーメーテールとディオニューソス」で縷説した。したがって、本章をもって私なりの神話論（歴史知的神話論）は一応の完結をみた。

それから、前年から継続しているフレイザー『金枝篇』の続刊（第三巻「タブーと霊魂の危機」）を一一月に刊行した。そしてもう一つ、一九九八年から懸案となっていた良知力・廣松渉編『ヘーゲル左派論叢』の第二巻（「行為の哲学」）がようやく編集完了となった。最初の頃に共同編集者であった的場昭弘さんはけっきょく何も仕事をしなかったので、御茶の水書房の橋本盛作社主は的場さんを編集者からはずした。よって私の単独編集となって作業が完了したのである。振り返れば、私は、一九八三年に刊行した著作『三月前期の急進主義—青年ヘーゲル派と義人同盟に関する社会思想的研究』（長崎出版）で、すでにヘーゲル左派（青年ヘーゲル派）を事実上の博士論文にまで仕上げていたのだった。ようするに私は、ヘーゲル左派研究に三〇年の歳月を費やしていたのだった。その総決算として、今回の編集がある。良知力および廣松渉という、社会思想史研究上の巨匠的存在が二〇年以上以前に手がけた仕事を私が完成させることになった。感慨無量とはこのときの気持ちをさすのではなかろうか。

二〇〇六年春爛漫の頃、社会思想史の窓刊行会主宰で、読書会・討論会「〈近代の超克〉永久革命」と称する企画をたて、以下の案内により関係者に参加を呼びかけた。

ただいま、ムハンマド風刺画事件が世界各地に波紋を投げかけています。宗教問題、民族問題、政治経済問題など、さまざまな領域でさまざまな議論、対立、争いを引き起こしています。そのいちいちを検討するに際して、私たちはみな大概、二〇〇一・九・一一に立ち返り、九・一一から推論します。二〇世紀は九・一一に収斂し、二一世紀は九・一一から拡散していくように思えます。現代世界史において、九・一一は歴史の転換点として永久に刻印されることでしょう。

ところで、日本史上にもこのような収斂と拡散を象徴する日付が幾つかあります。その筆頭に私は一九四一・一二・八を挙げます。その出来事から約半年後の一九四二年七月一七日、「開戦一年の間の知的戦慄」のうちに〔近代の超克〕という討論会が当代日本の少壮文人知識人たちによって開催されました。そこで論じられた〔退っ引きならない諸問題〕から、幾つかを以下に拾い出します。

• 輸入品としての「近代」と我国に独自の「近代」の関

係を無視するな（中村光夫）

- ヨーロッパというのはヨーロッパだけではない、もっと世界的なもの、世界支配である（鈴木成高）
- 今次の戦争は、対外的には英米勢力の覆滅であるが、内的にいえば近代文明のもたらし　た精神的疾病の根本治療（亀井勝一郎）
- 八紘為宇の理念は自他不二の国家間的な共同性（西谷啓二）
- 近代の超克とは我々自身の超克である（下村寅太郎）

一九四一・一二・八開戦から半年というせっぱ詰まった段階における「知的戦慄」のうちに論じられた日本における〈近代の超克〉は、議論としても現実としても、未完に終わりました。そしてまた、二〇〇一・九・一一という歴史的画期を経験した今、あらためて、〈近代の超克〉の未完・未達成を再認識することになりました。

ところで、この〈近代の超克〉問題は、いまや日本対西洋、日本対アメリカという対抗関係においてのみならず、イスラム対欧米、アジア対欧米、という構図において深刻化の度をましております。その諸関係において、日本（に住む人々）は、あるときはアジアに与し、あるときはアメリカに与してこの〈近代の超克〉から逃避し、むしろ近代にドップリつかってきました。

けれども、もうそのような淀みに佇んではいられません。淀み自体が喪失しているのです。憲法九条存廃問題はその一象徴です。たんに理念やスローガンとして〈九条精神〉を守護していても意味はありません。国際社会に展開する現下の状況、地球社会に迫りつつある近未来の転変に応じて、〈九条精神〉の意味内容を国民国家レベルから世界市民・地球市民レベルへと更新・刷新していかねばなりません。その作業の下準備に打ってつけの知的理論的錬磨の素材に一九四二年七月の「座〈近代の超克〉」および同年秋の『文学界』九・一〇月号掲載の特集「近代の超克」があります。一二・八と九・一一、個別の比較研究か類似（Remember Pearl Harbor）の因果探求か、観点はほかにもさまざま考えられましょう。

このたび、上記の趣旨をもって読書会・討論会「〈近代の超克〉永久革命」を企画いたしました。主催は社会思想史の窓刊行会です。そうして煮詰めた議論を活字化したり論文化したりして『〈近代の超克〉永久革命』（仮）と題して本郷界隈から出版します（二〇〇八年中）。できれば、その〈永久革命〉を出版後、第二版〜第＊版刊行というかたちで、やる気のある人たちで永続したく思います。

以上の読書を継続している最中、私は、頸城野の在野文学者、相馬御風の思想と行動に鋭く注目することとなった。論文「東アジア協同体論の偏差」を書き上げたのが二〇〇六年三月下旬であり、それから一ヶ月後の四月末、日記に「相馬御風について少々調べる」と書き込むに至った。以後、五月上旬のゴールデンウィークいっぱい、御風に夢中となるのだった。そして、六日、「相馬御風の農本的自我思想」を脱稿した。なにがそこまで私を突き動かしたか？　それは、「相馬御風とシュティルナー自我論」と改題して雑誌『理想』六七七号（二〇〇六年九月）に寄稿した、その最初を読めばわかる。以下に引こう。

本稿では、そのような御風の生涯のうち、三〇代半ばに若くして帰郷した理由や背景について、「相馬御風とシュティルナー自我論」と題し哲学思想的に検討する。主な論点は、一、還元に至る経緯、二、郷土観、三、農民観、四、農本的自我思想、五、時局への対応、である。その中でとくにオリジナルな議論は、次の四点である。一、御風の思想と行動を分析するに際しては、一九世紀ドイツのアナキズム思想家シュティルナーと大杉栄を抜きに論じることは不可能である点。二、御風が芭蕉の俳風を民衆的俳句としては一時代古いもの、ないし先駆的なものとし、良寛や一茶の俳風をシュティルナー自我論の思想圏で括りつつ真に民衆的とした点。三、良寛や一茶の自我思想を御風以後の郷土的現実を生きる人間の未来に托した点。四、第二次大戦中に日本の政界・学界・論壇で議論された「東亜協同体論」について御風は独自の自我論的協同を展望したと思われる点、以上である。

第一二節　NPO法人頸城野郷土資料室の創設

二〇〇六年八月二七日に、府中市で「低周波音問題交流会」という催しがあった。未来文化研究室を運営する西兼司さんが主催したもので、低周波音被害に苦しむ人々とともに低周波音について調査・研究していこう、という趣旨の会合だった。これに参加した後、西さんはさらに一歩すすめて、恒常的な活動の場を得ようと、「低周波音問題研究会」を発足させることにし、私に記念講演を依頼してきた。音に関してなにか話しを、ということだった。それで、一一月二六日の当日、以下の出だしで講演を行った。

音の身体文化誌―雑音・楽音から野音へ

一、あいさつ

二、自然の音・人工の音、その表現方法

三、文学に表現された音文化
四、民俗に語り継がれた音文化
五、身体に刷り込まれた音文化
六、健康な音・不健康な音

ところで、この講演準備は、私の研究活動に思わぬ副産物を残すこととなった。それは耳の聴こえない作曲家ベートーヴェンへの接近である。一一月から翌年二月にかけ、私のベートーヴェン凝りは止まることを知らなかった。その結果、二〇〇七年二月に至って、次の論文を起草した。「始まりとしての八分休符―ベートーヴェン『運命』交響曲の歴史知的検討」

一九世紀初頭のドイツに一人の芸術家が登場し、自然と文明を芸術＝作曲の分野でみごとに接続させ、人類の未来を原始回帰においてでなく、自然と文明のコラボレーションにおいて展望する契機を後世に伝達した。その芸術家とは楽聖ベートーヴェンであり、その芸術を象徴的に示せば第五シンフォニーである。本稿は、ベートーヴェンの芸術活動に焦点をあわせることで、彼の楽想の中に二一世紀地球市民社会に求められる人類生存のグランドセオリーを探ることを検討課題とする。

二〇〇七年三月に、一九七〇年以来追究してきた学問論に特化した新著を刊行した。その献本の手紙を引用する。

このたび、『歴史知と学問論 *Historiosophy and Sophiology*』を社会評論社から刊行致しました。つきましては、ご笑覧戴ければ幸いでございます。

本書は、学問論（認識と方法）に関して私が永年追究してまいりました三つのテーマ〈フェティシズム・歴史知・多様化史観〉で構成される二一世紀的新機軸の提起を叙述目的としています。

そのような枠組みを設定した上で、本論を次のように構成することと致しました。主軸である第一部「歴史理論と歴史観」では、術語「歴史知（Historiosophy）」の説明と新たな歴史観の着想と創成にむかう議論を提示しています。学びの恩師である酒井三郎の文化史論がみちびきとなりました。第二部「歴史研究の現場」では、考古学、郷土史、現代史を事例（現場）にして歴史知に即した叙述を試みています。そして第三部「学問研究の態度」では、生涯を学問研究にささげた歴史学者（村瀬興雄）、哲学者（大井正）、民族学者（布

村一夫）――すべて学びの恩師――を具体例にしつつ、「学問論（Sophiology）」および学問する行為の今日的意味について議論しています。最終章では、二〇歳当時のわがデビュー作を刻印致しました。

この春、ほかに『歴史知の想像力―通時的・共時的に他者とどうかかわるか』（編集、歴史知研究会メンバーとの共著、理想社）を刊行致します。その二著をもって、二五歳時に第一作（ヴァイトリング論）を発刊して以来、単著・編著・翻訳書を含めてちょうど五〇点目の上梓を数えます。これをもって、ピラミッドに喩えるならばキャップストーンにあたるライフワーク執筆にとりかかる準備が、ほぼ整いました。

学問の道は、たゆまぬ学習の先、まだまだ遠く険しいです。今後とも、ご指導ご鞭撻のほど、よろしくお願い申し上げます。寸楮にて失礼致します。

二〇〇七年　春爛漫の頃

東京電機大学教授　立正大学史学会理事

博士（文学）石塚正英

前年末にかかわった低周波音問題研究会について、いま一つ記しておくことがある。それは、私がこの会の会長に推薦されたということである。会の趣旨が真摯なものであり、また、ベートーヴェン研究との絡みもあったので、この役職を引き受けることとし、会報『低周波音問題研究』第三号（二〇〇七年三月）に以下の巻頭言を書いた。

巻頭言　会長　石塚正英

本研究会は、規約第二条に記してありますように、以下の目的を掲げております。複合的な原因不明の発生源を含む人為的な発生源による低周波音の発生源解明に寄与することおよび被害状況を把握し、被害の救済・解決を世の中に訴えてゆくこと、解決に向けての研究ならびに被害者等の親睦を図ること。本会のメンバーは被害者とその支援者で構成されますが、支援者には、今後、電波工学・音響工学・医学・心理学・社会学など各方面の専門研究者が含まれることと思います。

低周波音被害が社会的に認知されるよう研究会や学習会、被害報告会の開催、研究会誌発行などを通じて広報活動を展開し、低周波音の測定および被害者からの聞き取り実態調査を継続していきます。測定や聞き取りについては、それに特化したフィールドワーク・チームを編成してシステマティックに遂行致します。

その際、傾聴によって得られたデータには健康面ほか多くの個人情報が含まれますから、情報倫理、プライバシー権・個人情報保護の視点にたち、公表においては資料の匿名化を原則とします。ここにいう匿名化とは、公表時における被害者（傾聴協力者）の匿名だけを意味するのではなく、資料作成段階から可能な限り番号化や暗号化を行なって、匿名性を保つことを意味します。また、そのことを傾聴説明書ないし傾聴同意書に明記致します。

ところで、被害の救済・解決を世の中に訴えると申しましても、ご本人にかわって被害とその解決を諸方面に訴えるわけではありません。本会は直接に闘争団体・争議団体として機能するものではありません。あくまでも、低周波音被害が社会的に認知されるよう研究会や報告会の開催を通じて広報活動を展開し、低周波音の測定および被害者からの聞き取り調査を強化し、同時に被害者と支援者が相互に支えあうことを目的としております。

自然界、野外ではいろんな音がアンサンブルとして響きます。それを私は「野音」と称しております。その中での低周波音は自然音に含まれます。ところが、人工的にある周波数域の音だけが取り出されると、それは自然な音でなくなります。そのうち、心地よいものは教会音楽や風鈴の音として文化的な響きをなします。私はそれを「楽音」と称しております。しかし文化とはほど遠い無機的な音、耳をつんざく音、いや生物的な次元で人間身体そのものを破壊する音、雑音・騒音・破壊音、その発生源はなんとしても解消しなくてはなりません。ひたすら低周波音を送り出す産業機材や家電機器を作るメーカーと、それをゆるす管轄官庁には、低周波音問題をまっさきに認識させたいものですが、そのためには、この問題がまずもって社会的に広く認知される必要があるでしょう。本会はその目的達成に向かって尽力致します。

二〇〇七年四月一日付で、私は東京電機大学学生支援センター長に就任した。この役職は理工学部だけでなく全学部（三キャンパス・五学部）を統括するもので、学部長や事務部長の会合に常勤で出席する大役だった。神田キャンパスに本部をおきデスクにすわり、約二〇名の事務員をかかえる管理職でもあった。千葉キャンパスの教授会に出席にする。後援会や校友会の理事にもなり、方々に顔を出す役職だった。こうして、月火の二日は印鑑つきから始まる日課をこなし、水～金と鳩山キャンパスで講義する、という周期を繰返すこととなった。この年、おりしも、若者のあいだで麻疹が大流行し、電機大学の神田キャンパスは六月一日から一〇日間休校措置をとったが、その対策本部長となって奮闘した。さらには、九月一一日に予定された学園創立百周年記念式典（日本武道館）の準備（学生誘導・学生参加のイベント準備）にも追われた。

考えてみれば、実におかしな人生である。通常の人なら退職近くになって正規に就職し、管理職に就くのだから。毎日のように研究を継続してきたから、論文の蓄積はある。したがって、多忙をきわめていても、論文はコンスタントに発表できている。隣人には不思議な現象にみえるらしい。

六月七日、上越市のある知人から封筒がとどいた。上越市で新規に登録された文化財の一覧がはいっていた。その中に、越柳と井ノ口の雨降地蔵があった。頸城野の石仏調査・研究者であった故平野団三翁がつとにその意義を説いていらした雨乞い石仏二体である。

一九九〇年代初から上越市三和区（旧三和村）でフィールド調査をしてきた私は、平野翁のご意向に基づいて上記石仏二体による雨乞い農耕儀礼を三和村の無形文化財に指定してもらおうと、二〇〇〇年に署名運動を起こした。

同年中に旧三和村へ提出した願書には、総数七〇名の関係者が署名して下さった。その中には三和村民の皆様に加え、日本石仏協会会長の坂口和子、新潟県石仏の会会長（当時）の石田哲弥、元会長の阿部茂雄、三和村末野新田の従兄である石塚賢らの名がみえる。この願書に対して三和村はすぐには回答を寄せてくれなかた。その間、同年六月一二日、平野翁は九五歳で永眠された。同年九月一〇日、私は直接三和村教育委員会に出向き、ようやくにして上記の石仏は村の無形文化財に指定されることが約束されたのだった。

その活動を機に、当時進捗していた新しい三和村史編纂に私も参加し、「通史編・民俗」の部に執筆寄稿することになった。原稿は、同年一一月二日、教育委員会の依頼により講演「世界遺産としての三和村雨降り地蔵」を行うため三和村村民体育館に出かけた折りに、村史編纂の代表である桑原久に手渡した。

その後三和村は、この石仏二体を文化財候補の一つとして村議会に上程し文化財に決定したのだが、村自体が上越市と併合することとなり、審議は一時的に断ち切られてしまったのであった。理由は、文化財評価は合併後の新市があらためて行うというもの。

その後、二〇〇七年六月一日付で、井ノ口と越柳の雨乞い石仏二体がはれて上越市の指定文化財になった。二〇〇〇年に、旧三和村教育委員会の依頼により指定に必要な文書（三和村文化財台帳記事）を書いた私としては、たいへんうれしい想いだった。

二〇〇七年秋から翌年にかけて、NPO法人頸城野郷土資料室の開設にむけた準備作業が活発化した。一二月四日付の『新潟県報』第九四号一七七九頁に、ＮＰＯ法人認証申請の公告が掲載された。また、ＮＰＯ法人設立との絡みで、頸城野のわが家、明治元年建造〔大鋸町（おがまち）ますや〕の明治時代創建時への修復工事がある。そうすることで、民俗文化財としての価値を高め、あらたに開設予定だった頸城野郷土資料室（Kubikino Kyodo Archive: KFA）の事務所として〔大鋸町ますや〕を利用することにしたのだ。

二〇〇八年三月二九日、ＮＰＯ法人ＫＦＡの設立総会を開催した。四〇名ちかくの参加者を得て、盛会だった。議事録には、「平成一九年一一月六日に開催されたＮＰＯ法人としての設立総会を踏まえ、理事長石塚正英は、あらためて本法人を基盤とした組織〔頸城野郷土資料室〕の設置を宣言した」とある。

第一三節　水車発電の実験企画

ＮＰＯ法人頸城野郷土資料室設立総会のあと、二〇〇八年四月一二日に開かれた第一回事務局会議について、私はメーリングリストを通じてメンバーに次のように報告した。

ＫＦＡのみなさん、昨日、ますやで事務局会議を開きました。主な議題は、一、ますやの管理体制、二、活動のメインテーマ選定。一については、佐藤・谷・柳原の三人が協力して行います。ますや使用規定、予約手続きなど、幾つかきめました。二については、明治四四年築の映画館（芝居小屋）の保存と活性化に決定しました。落語家の鶴べいや笑太が保存に協力的なので、全国規模でやれるかもしれません。そのほか、みなさんから提出していただきました「二〇年度活動計画」を検討しました。すべて各個人でがんばってください。なお、私は、四月三〇日午後七時から「雨乞いぶんなげ地蔵」と題して、第一回お話し会を大鋸町ますやでやります。前日に新潟県石仏の会の見学会があるので、ついでにお客さんをますやに呼び込もうとおもっています。

昨日、今日と、上越市は観桜会でしたので、市の宣伝でわがＮＰＯも観光地図でルートにはいり、お客さんが訪れました。修復された明治元年築のますやに町家文化を堪能していった方々がいました。うれしいかぎりです。以上。

ますや正英

ますや正英と名乗って開始したＮＰＯ法人の活動の一つに、ひとつ奇抜なアイデアがあった。それは上越山間部での水車発電の実験企画だ。二〇〇八年六月のことだ。実験は二〇一一年三月の候補地選定から二〇一四年八月の発電小屋撤去まで継続された。以下に、概要をメモした文書「企画立案の根拠」を載せる。

本NPOは、新潟県上越市（頸城地方）を拠点に、歴史的建造物・地域文化・景観の再評価、およびそれらの活用という観点にたって、当該地域周辺の活性化を目指して活動している。二〇〇七年度から上越市の委託を受けて市内全域の町内会にアンケート調査などを実施しているところである。それを前提にしたうえで、さらに、あるいはその一環として上越過疎地域での新エネルギー対策に注目するものである。こうしたエネルギー自立を支援することで、ひいては過疎地域の人々がそこに生きていく意志と希望とを再構築できるようになれば、本NPOとしては望外の喜びとなろう。

この問題に関連して、上越市当局は、新エネルギーに太陽（ソーラーパネル、おもに公共施設）と風力（巨大な風車、観光地周辺）を採用しているが、マイクロ小水力発電（ダムなどでなく自然の流れでの水車発電、出力一〇〇KW以下）は採用していない（新エネルギーに関する上越市の取り組み平成二〇年度、ほか参照）。本NPOとしては上越市域に含まれる多くの山間部にはマイクロ小発電が有効と思っている。これはかつての山村に多くみられた水車の自家発電転用である。この電力供給方法について、上越市は一度調査検討したことがある。しかし、その際に、発電適地はあったものの、周辺に電力需要がないなどの理由から見送った経緯がある（平成二一年六月、上越市環境企画課からの回答）。

ところで、現在では電気自動車用リチウムイオン電池など蓄電池の開発が格段にすすんでおり、発電地と消費地の連携はおおきく改善されている。よって、発電そのものの適地を有する上越地方では、マイクロ小水力発電の意義は増しているとみてよい。本NPOではそのようなエネルギー自立（サスティナブルな地産地消）をもって過疎地再生の方途を探っていきたい。

ちなみに、平成二一年三月の上越市議会（第二回定例会）で笹川栄一議員が小水力発電について木浦市長に質問した際（三月一九日・一般質問・〇四号）、市長は以下のように答弁している。「農村地域や中山間地域の用水路等を活用

した導入につきましては、かつて新エネルギー導入に関する適地選定調査を実施した際に、発電適地はあったものの周辺に電力需要がないなどの理由から見送った経緯がございます。今後地域の電力需要も勘案する中で、小水力発電の可能性について検討を進めてまいりたいと考えているところでございます。

二〇一〇年三月二六日、頸城野郷土資料室第二〇回理事会を開催し、NPO学園「くびき野カレッジ天地びと」について、以下のように基本方針を確認する。同年四月一日創立、九月一日開講と決定する。また、四月からエフエム上越で毎週月曜日の午後一時過ぎに放送される番組で、私は「ますや正英」と名乗って一年間トーク番組「大鋸町ますや参上！」を担当することになったので、ここでもカレッジのこと、水車発電のことなどNPOに関する様々な取り組みを大いに宣伝することとなった。

さて、本NPOでは、二〇一一年二月に『「裏日本」文化ルネッサンス』を社会評論社から刊行した。その経緯を「あとがき」から引用する。

本書は、二〇〇八年二月に新潟県知事の認証を得て四月一日に発足したNPO法人頸城野郷土資料室（Kubikino Folk-Archive）の学術研究成果である。新潟県上越市に事務所をおく本NPOの活動内容は、上越地方――通称「頸城野」――の町家雁木文化・海運漁業民俗・稲作農耕文化・信仰儀礼文化などの保存・研究、それに付随する資料の収集と整理、そして郷土文化教育である。それをもとに地域市民を主体とする読書会、講演会、展示会、見学会、フィールド調査など、様々な文化運動を企画ないし支援している。現在のところ、主な活動部門として町家文化部門・民俗調査部門・学術研究部門・教育事業部門がある。本書はそのうち学術研究部の活動成果ということになる。

学術研究員の一人である唐澤太輔は、本NPO設立当初から「裏日本」に関する研究課題を立て、二〇〇八年一一月には上越郷土研究会主催の文化講演会で「裏日本文化と韓神信仰」と題して研究成果を発表した。これはフロアーの市民多数から好評を得た。また、本NPOメンバーからも、研究の継続を望む声が発せられた。そこで、石仏を軸に民間信仰の面で日韓（新羅・頸城）の交流史を調査していた石塚が、本NPOにおける唐澤の研究をサポートする意味もこめて、『「裏日本」文化ルネッサンス』と題する協同研究を呼びかけた。その後、「天皇制の変遷と現状」（駒澤大学『仏教経済研究』第三七号、二〇〇八年）を発表して律令制以前からの天皇制を研究していた工藤豊会員が継体天皇論を軸に「裏日本」企画に加わることとなった。さらには、本NPO理事で「裏日本」の新潟市に在住する石川伊織会員が地の利を生かした独自のテーマ「鉄道と文学と裏日本」で参加した。本書はこのような経緯を経て成立した。

なお、本NPOでは、この企画と並行して『くびき野文化事典』（二〇一〇年刊）を編集してきた。こちらは文字通り、頸城野地方を中心とした歴史文化に関する基本項目を列記した事典である。そこに含まれる項目の一部は本書に関連している。とくに唐澤および石塚が担当した項目は本書の内容と密接に関係している。ついては、参照を願う。

二〇一一年五月、立正大学文学部史学科の木村靖二教授から一通のメールがとどいた。「立正大には正規の組織として史学会と『立正史学』があり、なぜ『立正西洋史』が並行してあるのかは誰もが疑問に思っているようで、小生もそれは当然と思います」。このメールを受け、東京電機大学を事務局とし立正大学を本部とする形での『立正西洋史』発行は断念することとし、ついに『立正西洋史』は第二七号で事実上の廃刊となったのだった。しかし、この事態はむしろ関係者の結束を強いものにした。すなわち、これに代えて新たな研究会と研究誌を創出する方向をとったのである。それは恩師酒井三郎にちなむ名称の世界史研究会と『世界史研究論叢』である。東京電機大学理工学部の中島浩貴研究室に本部をおくこととなり、二〇二一年四月からは、会長交代に伴い、金沢大学の石黒盛久研究室を本部とするに至った。

第一四節　韓国でのフィールドワーク開始

二〇一一年九月に『戦争と近代―ポスト・ナポレオン二〇〇年の世界』を社会評論社から刊行した。十数名の論文を編集したもので、その中には私の学位論文審査委員だった清水多吉翁もいる。私が起草した「はしがき」の前半部を引用しよう。

今から約二〇〇年まえ、ヨーロッパはナポレオン戦争のただなかにあった。ナポレオン軍はフランス革命精神＝「自由と平等」をヨーロッパの内外に武力でもって喧伝していた。また、ナポレオン戦争は古代ローマ帝国（古典主義）の再興をもくろむものであり、プロイセンに例をみる近隣諸国民はロマン主義的抵抗の構えをみせるに至った。あるいは、ナポレオンに恐れをなしたオランダなどはフランスに屈し、とくに世界貿易面でイギリスと対立した。

ナポレオン戦争、それは極東にあっては日本（佐賀藩）を揺るがす。一八〇八（文化五）年に長崎港で起きたイギリス軍艦フェートン号侵入事件とその後の佐賀藩における技術革新・産業育成である。次いでアメリカに飛び火する。すなわち、一八一二年、ナポレオン戦争に対し中立を宣言したアメリカに対するイギリスの海上封鎖に始まる米英戦争である。佐賀藩の近代化とアメリカ合衆国の第二次独立戦争とはナポレオン戦争を介してリンクしているのであった。いや、モスクワ炎上の少し前、ロシアとの対峙が深刻化する中、間宮林蔵が行った樺太から大陸への進攻ともリンクしている。

フランス革命当時、イギリスを軸に第一回対仏大同盟が組まれると、一七九三年二月、革命政府は強制徴兵令を発する。そうすると、これを契機にヴァンデ県を中心に、徴兵に反対する農民反乱が勃発し、急速に拡大していった。とくに王党派というかカトリック派というか、ようするにもともと革命に敵意を抱いていた下層大衆が内乱を拡大していくのである。むろん、彼らの多くは国民という概念には無縁であった。フランス革命後、国民国家としてのフランス政府は、フランス語がまったく理解できない人たちが四分の一もいたにもかかわらず、フランス語を「国民」に強制したのである。わけもわからない国や言葉のために武器をとるなどというのは、各地の地元民たちには考えも及ばないことだったであろう。しかしジャコバン派は、「国民の自由」にかかわる国家を防衛しなければならない。とくにヴァンデの反乱はなんとしてでも鎮圧すべし、ということであの恐怖政治（ジャコバン独裁）が開始する。そして、議会内のジャコバン派つまり山岳派は、翌々八月、総徴兵法を決定することになるのであった。こうして、戦争と近代、戦争と国民国家が手に手をとって歩みだしたのである。本書はこの問題をメイン・テーマにしている。

続いて、同年九月から大学テキスト技術者倫理に関する編集を開始した。これは理工系の出版社昭晃堂の依頼によるもので、ようやく執筆スタッフをそろえることができた。その他、三・一一以降版「近代の超克」企画を立てた。その呼び掛け文から前半を以下に引用しておく。

ここでテーマとする近代の超克は一九四二年七月の「座談会：近代の超克」および同年秋の『文学界』九・一〇月号掲載の特集「近代の超克」をベースにしていますが、それに特化するわけではありません。特化した共同研究はすでに石塚・工藤編『近代の超克―永久革命―』（理想社、二〇〇九年）で果たしております。

それにしても、この近代の超克問題は、二〇〇一・九・一一ニューヨーク・ワシントンを経て、いまや日本対西洋、日本対アメリカという対抗関係においてのみならず、イスラム対欧米、アジア対欧米、世界株価同時暴落等々という構図において深刻化の度をましております。また、この近代の超克問題は、二〇一一・三・一一の東日本大震災および福島第一原発爆発をへて、明確に「科学技術と近代」を「超克」の射程にとらえることとなりました。半年にわたって放射線被曝データ隠しに汲々とする政府・東電を見ると、これは大本営のようです。三・一一を経験した今日、「近代の超克」問題は論点を一二・八→九・一一→三・一一と重層化、ハイブリッド化していく必要があります。

政治と科学技術、政治の継続としての戦争と科学技術、経済と科学技術、そのように人類近代史の推進原動力だった科学技術は、三・一一以降、従来の盟主諸国欧米日本のいずれにも制御不能のデッドロックに乗り上げました。旧ソ連製空母ワリヤーグの改造を軸に空母（軍事＋政治パワーアップ）計画を着々とすすめる振興の盟主中国についても二〇一一年七月二三日の高速鉄道事故とその始末＝デッドロックからみて、制御はとうてい不可能です。科学技術（の先端）が制御不能となれば、これと抱き合わせで歩んできた近代（政治・軍事・経済）は到底そのままでは済みません。

二〇一二年に入る。二月二三日、文化庁は私の実家である上越市の大鋸町ますやを国の登録有形文化財に登録した。明治元年築の大鋸町ますやは、江戸時代の名残をとどめる高田地域の歴史的建造物だというのが根拠だった。文化庁から送られてきた記念プレートには「この建造物は貴重な国民的財産です」と記されている。名誉なことである。

勤め先の東京電機大学は、四月から足立区千住に新キャンパスを開設することになった。また、息子の一人とその友人たちは同じ地域で新たな教育施設「リテラ言語技術教室」を開設することになった。その二つを契機にして、三月に、私は次の企画を周囲にアッピールした。

千住地域におけるインタラクティブ・クラブ《Art & Métier club》開設計画の説明と協力のお願い

東京電機大学初代学長であります丹羽保次郎先生は、本学の教育・研究の理念を「技術は人なり」という言葉で表現されました。それを私なりに換言しますと、《Art & Métier》になります。Art とは「技術・芸術」、Méier（メチエ）とは「匠の技・職人芸」です。あわせて「技と芸」になります。技術や芸術作品には、それを産み出した人の精神、心情が綯い交ぜになっているということです。ところで、すぐれた技術や作品を保証する基準ないし条件は何でしょうか。それは利便性と安全性、経済性だけではありません。もう一つ、倫理性があるのです。それは人（製作者）と人（消費者）とのインタラクションを通じて醸成されます。現在では、そうした諸条件が備わってこその「技術は人なり」なのではないでしょうか。

そのような意図から、そのような意図を実現する場として、私は、平成二四年四月に東京電機大学が本部を構える北千住駅周辺に、地域貢献論を研究テーマとする石塚正英研究室（理工学部）およびその協力・支援団体と千住地域住民との連携の場を設けようと思います。この企画は、足立区が北千住駅東口周辺地区に設定している「まちづくり構想」とタイアップできるものと考えます。私どもとしましては、これまで培ってきました教育スキル・NPO精神を総動員して、非営利的な社会貢献活動を創出したく思います。その主催者を「インタラクティブ・クラブ《Art & Métier club》」（通称「アートメチエ倶楽部」・略記号「AMC」）といいます。

つきましては、各位におかれましては本企画につき、物心さまざまな面からご支援を賜りたく存じます。ご検討戴ければ幸甚であります。

そのような位置づけのもと、八月二三日に東京都足立区千住で、リテラ言語技術教室主催の第一回アートメチエ文化教養講座「塔とツリーの民俗誌」を私が講じ、以後「一生に一度見たい！　オーロラの魅力」（門脇久芳）、「食の記号学」（河上睦子）、「和紙の灯りと空間 ～細川紙の可能性～」（勝又洋子）、「わたしの知らないわたしに出会う　自分の顔の指人形をつくろう！」（井桁裕子）など、数々の講座が続いた。

二〇一二年九月一日、東京電機大学千住校舎で第四二回歴史知研究会を開催し、討論会「やすい・石塚の対論：歴史知・フェティシズム・ネオヒューマニズム」を行ったが、それはとても意義深いものとなった。私が追究してきた歴史知は、前近代と近代、あるいは非文明と文明の交点（交互）にかかわる。また、私が追究してきた身体知は、人間と自然、あるいは人間と社会（的自然）の交点（交互）にかかわる。それに対してやすい氏のネオヒューマニズムは人間と社会的諸事物、あるいは人間と環境的自然の等置・包含にかかわる。やすい氏の配布資料から引用する。

「人間」は元々は「じんかん」と読まれました。「人の棲むところ」とか「世の中」の意味でした。それが身体的個人も指すようになって「にんげん」と読まれるようになったのは、明治二〇年頃からのようです。…身体的諸個人と社会的諸事物、環境的自然が人間的実践によって構成しているのが人間だという捉え方の方がすっきりします。…いったん人間が作り出した核兵器も原発も、廃棄物の島も、温暖化で巨大化した台風も自己自身として引き受けなければならないのです。ネオヒューマニズムは、人間観をコペルニクス的に転換することによってそれを可能にする地平を開きつつあるのです。…家やビルディングも皮膚の延長だと言われると首を傾げる人がおおいでしょう。まして大都会の東京や上海も皮膚の延長だと言われると、「そこまで言って委員会」ということになりますね。それでも歴史知的に人間を拡張して捉えるという視点で物事を捉えればということで、そういう表現も一定の理解が可能です。

やすいさんのこの意見には前もってメールで接してあった。この発想は身体的諸個人から社会的諸事物・環境的自然へとベクトルが向いているように思われた。「皮膚の延長」という表現から、おおきな枠として人間をその外へ向かってか拡張しているように見えるのである。それで、前もってメールで次のような質問をしておいた。

「ネオヒューマニズムによるコペルニクス的展開ですが、ベクトルを反対にしたらどうでしょうか。家やビルディングも皮膚の延長、というのでなく、その反対に、皮膚は家やビルの延長という設定です。これはネオヒューマニズムではどう説明されるか」。

やすいさんの応答は次のようだった。「身体中心ということでなければ、逆のベクトルでもいえることになるのではないかという発想ですね。近代工業が発達したら騒音でしかなかった金属音が音楽の中心になっていくということで、事物側からのアプローチもあり得るかもしれません」。

さらに、こうも質問した。

「例のコペルニクス的展開ですが、マルキ・ド・サドの議論、悪徳も美徳も、神も悪魔も、すべては自然が根拠だという議論からすると、人間身体は自然（ビルもあれば天体もある）の延長ということになります。元に戻せばみな自然（元素）という主張です。やすいさんと逆のベクトルの逆説的ヒューマニズムです。ドルマンセ「人間が破壊と思いこんでいるものは、実は一つの幻想にすぎないのだ。殺人は決して破壊ではない。殺人を犯す者は、ただ形態を変えるにすぎない。彼は人を殺すことによって、さまざまな要素を自然に返してやるわけだ」（サド選集第三巻『閨房哲学抄』）。

これに対するやすいさんの回答は以下のようだった。

「まあ対談ですから、理解が完全でない方がスリリングなところがあっていいのかもしれません。マルキ・ド・サドの議論は、ヒューマニズムというよりもナチュラリズムですね。あるいは質料主義（マテリアリスムス）です。若きマルクスは、貫徹されたヒューマニズムと貫徹されたナチュラリズムの統合ですね。その場合は自然は人間の非有機的身体だということが前提です。そのことによってシェリングも言うように人間が自然の自己意識になるわけです。梯明秀先生の表現だと『地殻の自己反省』です。なぜ『ヒューマニズム』という言葉に拘るかということは、自己意識、主体、意志などが『人間』と切り離せないからかもしれません」。

私は、やすいさんが述べる「ネオ」を旗幟鮮明にするには、一度ベクトルの向きを反転してみるべきと思った。すなわち、環境的自然から社会的諸事物や身体的諸個人へと向かう人間（観）である。自然から出発するとはいえ、生物学的な意味における人類発生とは異次元の設定である。フェティシズムが効果的に現象する二極交互的次元である。討論会の当日、フロアからの意見として、米田祐介さんがこう発言した。「反対向きのベクトルから、スピノザを思い浮かべます」。やすい提案を正のベクトルとし、私の提案を反のベクトルとすると、その連合思想は近代の超克に連なるネオヒューマニズムになるかもしれないと思った。そして、その思いはドンドン強まり、ついに「環境の凝固結晶としての人間身体」と題する論文執筆に入った。それは一〇月初旬には完成して、理想社に送られた。

二〇一二年一二月になって、四年ぶりにフレイザー『金枝篇』の続巻、第六巻が出版された。二〇〇四年当初の予定では全八巻＋別巻のはずだったが、それでは一巻あたりのページ数が五〇〇を超えるので、全一〇巻＋別巻に変更となった。いずれにせよ、刊行が維持されるのであるから、とてもうれしいことである。本巻はとくに第四巻「死にゆく神」、第五巻「アドニス、アッティス、オシリス」で奏でられたライトモチーフの延長上にある。ディオニュソス、デメテル、ペルセポネなどギリシア神話の神々にことよせつつ、神々の死と再生に関する儀礼・民俗を、とりわけ古今世界各地の生活文化に保存されてきた植物霊、動物霊の死と再生にかかわるフォークローアを詳説している。そのうち、本巻は植物霊に特化し、続第七巻は動物霊に特化している。本巻の構成は以下のようである。第一章「ディオニュソス」、第二章「デメテルとペルセポネ」、第三章「初期的農業における協議の呪術的意義」、第四章「初期的農耕における助成の役割」、第五章「北ヨーロッパにおける穀物の母と穀物の乙女」、第六章「世界各地における穀物の母」、第七章「リテュエルセス」。

二〇一三年に入る。この年は、一月末の韓国ソウル旅行から書き込みたい。これは兄の伸司の提案で実現したもので、とても有意義だった。一月二六日に徳寿宮、大東門、大南門などを見学、一七日は水原（スウォン）の華城（ファソン）、民俗村、ソウルの国立中央博物館を見学した。二八日は昌徳宮、光化門、百済初期の遺跡などを見学した。すべて伸司の案内で、勉さんともども三兄弟でおおいに韓国を満喫した。韓国料理の美味しさに心を奪われた。

中でも面白かったのが、博物館での一齣。古代三国時代の金銅仏を見学したとき、私は、伸司の通訳を交えて、博物館の職員から幾つかの質問を受けることとなった。①八三号と類似する京都市広隆寺の弥勒菩薩半跏思惟像はかつてイタリア人観光客によって倒され、指を破損したのではなかったか。②弥勒菩薩像はアカマツで出来ているが、その表面に残る赤色は何か。③弥勒菩薩像は日本のものか韓国のものか。そのときは即答を避け、可能性としての意見を述べておいた。帰国後あらためて調べたところ、①はイタリア人でなく、昭和三五年に京都大学の学生が像に触れて生じた事件だったことがわかった。②は、この像はアカマツで出来ているが、当初は金箔をはりつけていたとあるものの、あらためて着色したかは未詳である。館員はアカマツの樹脂が浮き出てきていると推測しているようだった。その推測を否定する根拠を、私は持ち合わせていない。

③は、館員がもっとも知りたがったことである。この像はアカマツの一木造りだが、背中を彫って内部を空洞にした後に背中に取り付ける板材に、日本でしか自生しないクスノキが使われていることから、この像は日本で造られたという説が一九六八年に判明した。しかし、私の結論として、アカマツ用材の一木で造った仏像は当時この像のほかにないことから、広隆寺の弥勒菩薩像は日本列島に関係するよりも朝鮮半島にいっそう深く関係しているということである。背面の板は後世クスノキ材に取り換えたと推測できるし、背部にもともとあった衣文は取替え時にあらためて彫刻できる。ただし、背板が元来クスノキだったとした場合、当時、一木造りは朝鮮半島に稀で日本列島に屡だったので列島で造られたと考えることも出来る。だが、用材と細部の技法に限定するならば、この仏像は半島出自であ

る。列島に固有のものではない。また背板がはたしてクスノキなのかについては、背板がクスノキであることを「発見」したのは毎日新聞社が一九六八年に写真撮影するに際して、山崎隆之が―仏像補修の専門家とはいえ―外側から調査してのことであり、小原氏のような試料による科学的調査を経ていないこと。さらには、その背板がクスノキであると記述したのは写真家（飛鳥園）の小川光三だが、その根拠は山崎の指摘だけであることである。いわく「調査に同行された山崎隆之さんが、背板が樟材であることを指摘されました」。

二〇一三年も、頸城野でのNPO活動は前年から真っ盛り。とくに高野恒男さんとのコンビは最高潮。その一環として、高野さんが会長をつとめる「越後高田雁木ねっとわーく」の会員になることになった。それまで開店休業状態にあった会のウェブサイトを再構築することが任務だった。さいわい、リテラ言語技術教室の岡本陽介さんが技術面で支援してくれたので、立ち上げるのに難はなかった。そのような雰囲気の中で、高田開府四百年祭へのかかわりが深まった。会長は植木宏氏（カレッジ講師）、副会長は高野さん、というキャストだから、どんどん深入りしていった。三月に幾度か会合をもったが、それはすべて叔父の佐藤正清さんが担当してくれた。四月には観桜会とプレ高田開府四百年祭を記念して「時代民俗ファッションショー」が行われ、私は初代高田藩主松平忠輝の家老、氷見志摩守役を演じ、以下の台詞を披露した。「平安の時代より長く越後の国の府中社であった祇園社すなわち現在の八坂神社は、松平忠輝公による高田開府ののちも直江の津にとどまったのじゃ。祇園祭については高田にでむいて執り行いたいと、ときの神主は、忠輝公に願い出た。その願いは認められた。第二代藩主酒井忠勝公の時代、元和四年（一六一八年）には、家老、氷見志摩守すなわちこのわしは次のようなお墨付きを祇園神主に発したのじゃった。お殿様より恒例によって祇園祭に資金を提供する、よって祭りをねんごろに挙行せよ。また、高田での祇園祭においては、お馬出しにお旅所を設けることを許可するものであるぞ」（平成二五年四月一四日、高田城下お馬出しにて）。

第一五節　著作選『社会思想史の窓』全六巻の刊行

二〇一三年四月から五月にかけて、数冊の編集本を刊行した。Ⅰ『技術者倫理を考える』（昭晃堂、四月）、Ⅱ『世界史プレゼンテーション』（社会評論社、四月）、Ⅲ『哲学・思想翻訳語事典』（増補版、五月）。それぞれの「はしがき」から、以下に引用しておく。

Ⅰ　このテキストは、市販されている類書と編集方針を大きく変えている。従来の市販本は大概①理論編（倫理とは、技術者倫理とは、生命倫理・環境倫理・情報倫理）がまずあって、そのあとに②事例集（最新の事例解説）が続く。この区分けはよくあるもので、技術者倫理としてはあまりふさわしくない。三倫理（生命・環境・情報）の寄せ集めにすぎないのが多いし、そこまでの解説で講義日程の大半を費やしてしまうのである。本テキストはこの枠組みを廃止し、②の中に①を織り込むことにする。事故の隠ぺいとかラベルの張替とか虚偽報告とかは技術者倫理でなく企業倫理・経営倫理の範疇である。待ち望まれる技術が、所期の成果を十分に達成した先に、あるいはそれと並行して出現してくる倫理問題、リスクの評価できない意図せざる帰結に含まれる倫理問題。それらを具体的な現場で考察してみたい。

Ⅱ　ところで、これまでにも「問題史別」の記述は存在した。しかし、それらは大なり小なり①地域的および時代的区分を前提にしつつ、そこに②問題史別の観点を導入している。すなわち、全体的に①の記述を行い、それにコラムなどを設置し補足するかたちで②を記述するか、あるいは全体を二部構成にし①→②と進む構成である。前者は例えば石塚正英『情報化時代の歴史学』（北樹出版、一九九九年）に見られ、後者は例えば中屋健一・中村道雄『体系的研究世界史』（向上社、一九五七年）に見られる。それらに対して本書は、分量をコンパクトに抑えることも念頭において、①を省略し②に立って世界史を編集している。いずれの問題史テーマであれ、世界史的要因および現代的要因にリンクできるように編集している。それを選択するとさまざまな時代や地域を連結でき、さらには現代社会の諸問題に接近できるように編集している。ただし、テーマは一〇〇項目を少し超えた程度であり、世界史の全体をカバーするものではない。項目選定の基準は以下の三点である。①世界史的に意義を有する事象や地域、②現代世界に意義を有する事象や地域、③日本との関わりの深い事象や地域。ようするに、日東西を積み上げて世界史を構築するのではなく、主眼は問題史的整理におきたい。そこに本企画のオリジナリティを見出したいのである。以上をもって本書へのいざないとしたい。

Ⅲ　本書は大部の一冊であるにも関らず、第一刷（二〇〇三年一月）から一年後にはやくも第二刷を刊行するという順調な歩みをなしてきました。以後、約一〇年を経て、日々展開する諸状況・諸要求に応じるべく増補新版を刊行します。本事典は小項目を並べるのでなく、原語・翻訳語の詳細にわたる記事をしっかり書き込む方針を採用しましたが、その成果は十分に達成され、各方面から好評を得てきました。また、近隣諸国での需要も伸びております。現に、韓国のSOMYONG社より韓国語版が準備されています。ヨーロッパで成立した哲学・思想概念を明治以後において日本語に翻訳するという営為は、ヨーロッパ哲学・思想の東アジア受容にとどまらず、東アジア独自のそれを形成する営為でもありました。だからこそ、日本語版はふたたび近隣諸国の言語に翻訳されるのです。監修者として、これ以上の歓びはありません。なお、増補版の編集については、論創社の森下紀夫社主、編集部の松永裕衣子さんに、心からお礼を申し上げます。

八月下旬、妻といっしょに初めてのアメリカ観光を楽しんだ。滞在先は息子夫婦のいるノヴァイだ。そこに息子の一人が勤務する企業の出先があるためだった。それからまた、一〇月下旬に子どもが生まれる予定だったので、その前に遊びに行こうと決めたからだった。現地では、二人の案内でノヴァイのほか、シカゴやミシガン湖、デトロイト、ナイアガラ滝など、たくさん見学した。その間に私は、いつもの習性で、研究活動を兼ねた行動をとった。一つはナイアガラ滝とイロクォイ人、一つはシカゴのフィールド博物館見学。これは、三〇年来のテーマである母系社会研究の一環となった。そしてもう一つ、これはシカゴ川の観光船から偶然見つけたシカゴ・トリビューン社ビルにインスパイアーされたトリビューン研究だった。それらの成果は、以下の論文に結実した。「母方オジ権と歓待の儀礼―ハイダ人社会とイロクォイ人社会」。その前書きに以下の文章を記した。「二〇一三年八月二八日、私は米イリノイ州シカゴ市のフィールド自然博物館を訪れた。同時に、ミシガン湖からシカゴ市中に流れ入るシカゴ河・ミシガン湖畔の見学調査を行った。翌日、デトロイト市近郊ノヴァイ市を出発してカナダ領に入り、米ニューヨーク州・カナダ・オンタリオ州境ナイアガラ滝に向かった。観光旅行を兼ねたナイアガラ滝付近の風土見学調査である。本稿は、その簡単な報告書である」。そして、もう一編「欧米新聞史上における紙名『Tribune』の意味」。その末尾に次の文章を記した。「なお、二〇一三年八月下旬にシカゴ市を訪れ、ゴシック風のシカゴ・トリビューン高層タワーを目の当たりにして、本稿を執筆するモチーフを得た。約三〇年ぶりの一九世紀アメリカ社会研究となる」。

二〇一四年に入る。一月一八日、はげしい頭痛に襲われる。はじめての経験だった。翌日に大学センター入試の監督をせねばならない、これはたいへんだ！とにかく安静第一、しずかにして、好きな酒もやめて、はやく眠った。その甲斐があって、翌朝には平常にもどっていた。私は、基本的には健康・体力に自信はある。若い時に腰痛を患ったが、それはむしろ身体をいたわる契機となってきた。けれども、還暦を過ぎて少し経つと、些細なことがもとになって筋肉痛や足の攣りがでてしまうようになった。視力も次第に衰えてきている。年相応、と思えば悲観的になることはないが、絶対的に無理はできないわけで、常備薬が増えだしている。目薬、解熱・消炎剤、ビタミン錠剤、ゼリー栄養剤、などなど。定期健診での基礎的なデータは要注意ではあっても即時精密検査、というのはない。飲酒は毎日なので肝臓もギリギリの値だが、再検査にいたってはいない。飲酒のプラス効果が続いている！

昔から継続してきたミニ・メディアに以下のものがある。『社会思想史の窓』『歴史知通信』。それから立正西洋史三〇年記念を準備する媒体としての『獅子の会通信』（研究会ＯＢ対象）、さらには二〇〇八年に創立したＮＰＯ法人頸城野郷土資料室の会報『くびきのアーカイブ』である。そのうち、一九八四年から二〇〇九年まで継続した『社会思想史の窓』は、集成五巻と六巻を合本した。一五八号で終刊となっていた。二〇〇〇年から二〇一三年まで継続した『歴史知通信』は全一巻でまとめた。二〇〇〇年から二〇〇六年まで継続した『獅子の会通信』も全一巻でまとめた。二〇〇八年から編集を開始した『くびきのアーカイブ』は引き続き編集・発行を行っているが、とりあえず創刊号から三〇号までを合わせ第一巻（二〇一三年）にまとめ、後に、最終的に四一号までを合わせ第二巻（二〇一五年）にまとめた。

三月一九日、「くびき野カレッジ天地びと」講座で開講済みのもののうち、私にかかわるものをネットのYou-Tubeにアップした。①くびき野の精神風土、②川上善兵衛の放射道路、③くびき野ストーン、④愛の風と風の神、⑤石垣の上の高田城、⑥吉川区大乗寺址に残るラントウは黙して語る、⑦塔とツリーの民俗史、⑧白雪姫の内臓が食べたい！⑨道祖神の信仰と民俗、⑩韓国とくびき野の文化交流、⑪岡倉天心「アジアは一なり」の意味。これまでカレッジで活動してきたことの一端であり、同時にくびき野での四半世紀にわたるフィールドワークの成果でもあった。「武蔵野の学徒帰りなんいざ頸城野へ」の思いはつのるばかりだった。

二〇一四年一〇月から大きなプロジェクトが開始した。私の著作選がむこう半年、毎月、社会評論社から刊行されることになったのだ。その第一巻献本のあいさつ状を以下に記す。

研究上でお世話になります関係者各位

西日本を中心に猛暑と大雨、大洪水の夏でしたが、ようやく涼しい秋となりました。みな様にはいかがおすごしでしょうか。

さて、ここ二〇年ばかりの間に発表してまいりました研究成果を、全六巻からなる著作選に編集して社会評論社より逐次公刊することになりました。

拙著の第一作は『叛徒と革命―ブランキ・ヴィトリンク・ノート』（イザラ書房、一九七五年）です。あれからほぼ四〇年が経過しました。

その間、私の研究は時代とともに紆余曲折を経て進んできましたが、テーマは、おおまかにみて、次の二つに分類されます。一つは行動における価値転倒・地位転倒であり、これはヴァイトリング研究に発しカブラル研究に行き着く、いわば横倒しとなった世界史あるいは多様化史観の探索です。いま一つは思索における価値転倒・地位転倒であり、これはフォイエルバッハ→シュトラウス→ド゠ブロスへと向かう、神々と自然、神々と人間の地位が回転する世界の探究です。あるいは社会と国家の地位が転倒する世界の探究です。いずれもオリジナルであって、昨今顕著になっている〔コピペを見抜かない査読〕体制の転倒した科学論文の世界とは対極にあります。

そのような研究足跡のうち、最近二〇年ばかりの成果からその一部を編んだものが今回の著作選です。本選集全六巻連結のキーワードは〔フェティシズム〕、〔歴史知〕、それに〔アソシアシオン〕です。

まずは第一巻が刊行されることとなりましたので、謹呈させて戴きます。今後とも、研究上の連携を切にお願い申し上げます。

【参考】石塚正英著作選【社会思想史の窓】全6巻

第一巻　フェティシズム―通奏低音

第二巻　歴史知と多様化史観―関係論的

第三巻　身体知と感性知―アンサンブル

第四巻　母権・神話・儀礼―ドローメノン（神態的所作）

第五巻　アソシアシオンの世界多様化―クレオリゼーション
第六巻　近代の超克―あるいは近代の横超

二〇一四年は、私の大学批判がいつにもまして強まった。日本における大学の教授会はいまや「大学の自治」を体現できず、あるいは大学運営の決定機関でなくなり、学長の諮問機関に貶められつつある。文部科学省のサイトに次のような文章が記載されている。「大学運営における学長のリーダーシップの確立等のガバナンス改革を促進するため、副学長・教授会等の職や組織の規定を見直すとともに、国立大学法人の学長選考の透明化等を図るための措置を講ずる」。「一、学校教育法の改正〈副学長の職務について〉第九二条第四項関係・副学長は、学長を助け、命を受けて校務をつかさどることとする〈教授会の役割について〉第九三条関係・教授会は、学長が教育研究に関する重要な事項について決定を行うに当たり意見を述べることとする・教授会は、学長及び学部長等がつかさどる教育研究に関する事項について審議し、及び学長及び学部長等の求めに応じ、意見を述べることができることとする」。

たとえば、日本弁護士連合会などは、この動向に対して異論を唱えた。ときに学閥・派閥の勢力争いの場になることもある教授会だが、民主主義同様、手間暇・紆余曲折をへて議論されるのは、むしろ重要なことなのだ。学長の方針優先で運営の迅速化を促しても、長期的にはいいことはない。かならずや弊害が表面化する。二〇一五年二月一九日、東京電機大学理工学部教授会で、この措置について議論があった。学長サイドはこの措置を受け入れる方針を学部教授会に提案したが、私は反対を表明した。その態度は、【二〇歳のノンセクト・ラディカルズ】時代から変わらぬ、一貫した反国家主義のあらわれなのだ。表決の結果、三四対一九・棄権数票で敗北したが、それも美学である。

さて、二〇一三年二月に続き、二〇一五年二月も三兄弟一緒に韓国への第二回旅行を行った。日程はだいたい以下のようだった。

二二日午前一〇時時発のアシアナ便で羽田をたち一二時過ぎに金浦空港着。地下鉄でソウル駅に行き、釜山（プサン）、慶州（キョンジュ）までのチケットを往復予約。ホテルでチェックインの後、ソウル市中心部の観光案内所で釜山と慶州の観光地図を入手。時間があったので、夕刻に韓国最大規模の教会で少しミサをきいた。

二三日は午前六時三〇分ソウル発の新幹線でプサン駅に向かう。九時過ぎに到着。タクシーで影島（ヨンド）の南端・

太宗台（デ・ジョンデ）に行った。遊覧バスで展望台に向かい、トンへ（東海）沖五〇キロほどの対馬を遠望することとした。当日、天候は晴れだったが黄砂がひどく、玄界灘方向の遠望はできなかった。けれども、レストランで対馬が見える方向を眺めつつ旨いビビンバを食べた。そのあと遊覧船に乗り込んで海から展望台や灯台、その下のみごとな岸壁を見上げて景色を楽しむ。むろん、玄界灘、というより能登半島から佐渡ヶ島、出雲崎に連なる海原に接して大感激だった。さらに旧市街地に戻って、チャガルチシジャン（チャガルチは小石、砂利、シジャンは市場）、竜頭山公園（ヨンドゥサンコンウォン、江戸時代の唯一の在外公館、草梁倭館があった一帯）などを歩く。チャガルチ市場ビル一階市場でヒラメを二万ウォンで購入し二階食堂でそれを刺身とあら煮鍋にして味わった。夜は焼き肉を食べマッコリや焼酎を呑んでからプサンタワーに上って、きれいな夜景を楽しんだ。

二四日は午前八時三〇分プサン駅発の新幹線で慶州（キョンジュ）に向かい、九時ころに着いた。タクシーを一三万五〇〇〇ウォン借り切りにして石窟庵（ソックラム）、仏国寺（ブルググサ）に向かい、とくに後者ではボランティア・ガイド、仏国寺漢陽民藝社の李能煥氏の説明をうける。再びタクシーで中心部に戻り、慶州国立博物館、ナムサン、古墳公園などを見学した。とくにナムサンの後期新羅時代に造られた「磨崖仏」はおもしろかった。午後四時五八分発の新幹線で慶州をたち、七時過ぎにソウル着。まだ十分ソウルの夜を楽しめる時間であり、夕食はホテルのある江南地区で探した。そこは観光ルートでないのでソウル庶民の飲み屋の雰囲気があった。

二五日は午前中に市中のナンデムン（南大門、崇礼門）を見上げ、それからソウル市南部にあるナムサンにタクシーで向かい、ケーブルカーで山頂に上り、ソウルを俯瞰した。ソウルが城塞都市だったことがよくわかった。南側には裾野までアカマツ主体の松林が広がり、見事だった。その後国立中央博物館で前回に続き弥勒菩薩半跏思惟像を見て、キョンジュ出土の金冠を見た。最後に青瓦台サランチエ（大統領博物館）で歴代大統領関係の品々を見学した。夜二〇時発のアシアナ便で金浦空港を離陸し、二二時過ぎに羽田空港に着陸した。

第一六節　ライフワーク『革命職人ヴァイトリング』刊行

二〇一四年七月に、上越市の知人から、以下のメールを受け取った。「私ごとですが、じょうえつ東京農大は藤本前社長が二月に亡くなったため、私がリリーフで社長になり三月の決算と六月の株主総会を終えて第七期を迎えました。以前お話しましたが、有機栽培で中山間地の農業を活性化しようと高邁な会社の理念を掲げたことで初期投資がかさみ、会社の経営状況は六期連続赤字です。当面は単年度黒字を実現するのが命題ですが、なにせ私は七五才であり体力（フットワーク）が衰えてしまい、後任の社長を探そうと思っています。幸い、運転資金は三～四年分ありますので、石塚さんがご存知の方でやって見ようという有為な人材は居られないでしょうか。（必要なら、決算書などを送ります）

私も十才若かったら、こんな弱音を吐かないのですが。よろしくお願いします。益々、ご活躍ください」。

藤本彰三さんは高校の同期生だった。二〇〇八年から、彼は桑取地区でベンチャー企業「じょうえつ東京農大」をはじめ、私は同じ桑取地区でＮＰＯの水車発電プロジェクトを始めた。そのこともあって、時折相互に交流していたのだった。その後、二〇一五年六月、藤本夫人のヘレンさんから以下のメールを受け取った。

「I remembered your kindness and care of the company, and your feeling for my husband. May I ask your help in this? Would you consent to be a Board Member（Yaku-In）for Jnodai? I'm sorry this is so long and all in English. It is a trouble for you to read. I ask from the bottom of my heart. With all good wishes, Helen」

そのような経緯を経て、私は、じょうえつ東京農大の役員（専務取締役）に就任することとなった。農業技術的なことは経験もなく役立たずだが、社内外の交渉や取りまとめ、問題解決には貢献できるので、割り切って任務を遂行することとした。幸い、この年はコメの実りが良好だった。その後、二〇一七年六月の株主総会で、会社の本体が農大から上越市の農場に移転することが決定された。私は、これでアドバイザー、コーディネーターの役目を果たしたと考え、同総会で取締役を辞任した。

さて、以下は、二〇一〇年代に入っていっそう激しさを増した安倍政権の軍事化政策を批判する行動についてである。二〇一五年八月二九日、研究仲間の楠秀樹さんから以下のメールが届いた。「石塚正英先生　突然メール失礼します。安保関連法案に関して、廃案を求める諸大学での動きがありますが、電機大学の方では何か動きがあるのでしょうか。蔵原さんとそういう話になりまして、もしも何かお手伝いできることなどありましたらお声がけください。楠　秀樹」この一本のメールで、私は東京電機大学有志の会を立ち上げる決心をした。電撃的なことだった。「楠さん　cc蔵原さん　以下の件にお答えします。現在のところ電大の有志組織はどこにもありません。私は共通教育群の岡林茂さんといっしょに有志の会を立ち上げたいと思っていますし」そして、その日のうちに声明文を起草した。

声明文

みなさん、国際平和の維持、安全保障を目的として一九四五年に設立された国際連合の憲章第二条四項に、次の条文が記されています。「すべての加盟国は、その国際関係において、武力による威嚇又は武力の行使を、いかなる国の領土又は政治的独立に対するものも、又、国際連合の目的と両立しないいかなる方法によるものも慎まなければならない」。ところで、最近この条文に異論を唱える人々が現れております。従来、国連に対する過度の期待から第二条四項は基準とみなされてきたが、いまや国連の地位や権威は低下しており、自衛権の行使は例外でなくなりつつある、という見解が目立つようになっているのです。とても賛成できない見解であります。国連の地位が相対的に低くなったのであれば、その地位を回復することこそ国際平和に貢献することになるのです。この問題については、地位低下の原因なのか結果なのか、いずれにせよアメリカの責任は重大であります。その一例としてイラク戦争が挙げられましょう。この戦争を主導したアメリカは、当時、国連決議を経ないまま「大量破壊兵器」を口実にイラクを武力攻撃しました。国連（安全保障）を無視した集団的自衛の戦争は国際法に抵触するのです。国連軍介入が間に合わない緊急の事態でのみ一時的に集団的自衛は許されるだけなのです。しかしアメリカは国連憲章 第二条四項を無視して戦端を切ったのです。第二条四項には例外の一つとして自衛権の行使（第五一条）が関係するものの、それは国連憲章を無視してよい根拠には、けっしてなりません。

みなさん、さらに思い出しましょう。安倍晋三首相は、二〇一三年（平成二五年）四月二三日の参議院予算委員会で次の発言をしました。「侵略という定義については、これは学界的にも国際的にも定まっていないと言ってもいいんだろうと思うわけでございますし、それは国と国との関係において、どちら側から見るかということにおいて違う」と。しかし「侵略の定義」（Definition of Aggression）はすでに一九七四年一二月の国連第二九回総会で議決されており、また近年では二〇一〇年六月に国際刑事裁判所の加盟国が「侵略犯罪」（Crime of Aggression）の規程に合意しています。日本もまた国連総会の一員であり、国際刑事裁判所の加盟国の一員であるという事実は、こうした定義を軽視するのにふさわしい理由といえるでしょうか？

国際法がなるほど不完全・発展途上だとしても、国際法が日本一国の都合で軽視できる程度の存在ならば、どうして無法国家を非難できるでしょうか？　たとえば安倍首相のロジックを現在の日本の領土問題にあてはめてみましょう。いわゆる「北方領土」問題、あるいは竹島や尖閣諸島をめぐる外交において、もし相手国から安倍首相の言説を根拠にして領土問題の侵略性は「学界的にも国際的にも定まっていない」と主張されたなら、日本の法的立場はどうなってしまうでしょうか？

振りかえれば過去の戦争、たとえば第二次世界大戦のドイツやソビエト連邦、あるいはイラクへの武力攻撃にせよ、侵略者は国際法を都合よく歪曲し、脅威論を煽りたてて自国の非人道的行為を正当化しました。安倍政権のロジックは歴代の侵略国が行ってきた一連の欺瞞にあまりにも似すぎています。それはかって私たち日本国民が決別したはずの戦争・敗北への一歩に再びなりかねないばかりか、いずれ未来の世界史に現れるかもしれない戦争犯罪者に対して言い逃れの材料を与えたという点で人類全体の福祉を損なっているのです。

過去から未来への連鎖としての戦争を世界史的に断ち切るには、脅威論や抑止論の立場から再武装する道を、ぜったいに選んではなりません。自衛のための武装は国際社会の現実からして必要悪だと譲歩しても、同盟国間の集団的自衛権と国連による集団安全保障は厳に区別せねばなりません。近隣諸国から攻撃されても太刀打ちできるくらいの武装は必要だ、との立場から軍備増強を平和維持の必須条件とみたり、アメリカ（米軍基地）を日本の平和・安全の抑止力とみたりしている人々は多いです。でも、その考えは、世界史的にはビスマルクの時代から第二次世界大戦後の冷戦時代まで流布した戦略思想で、戦争状態の永続を意味するだけです。日本国憲法第九条があればこそ、集団的自衛権に関する先頃の安倍内閣の閣議決定を違憲と判断できるのです。

安倍晋三首相は、二〇一五年七月二〇日、フジテレビ系の「みんなのニュース」に生出演し、徴兵制との関連で戦争のハイテク化に言及しました。ところで、戦争のハイテク化は、由々しき倫理問題を含んでいます。戦場からの人間性の排除の問題です。科学技術の発展は、戦場のあり方を変え、武力紛争法のルールにも大きな影響を与えてきました。そのことは、二〇世紀の戦争に顕著であります。たとえば、飛行機の発明による空爆問題、化学兵器の問題、核兵器の問題など、技術と戦争をめぐる問題を挙げていけば、枚挙に暇がありません。二一世紀に入ってアフガニスタンやイラクへ侵攻し、自国の兵士に多数の殉職者を出したアメリカでは、戦場へのロボットの投入が加速しています。例えば、無人偵察機プレデターは、米国本土の基地から操縦し、遠く離れたアフガニスタンなどで空爆を行うことができるのです。その他にも様々なロボット兵器が用いられています。民主主義国家であるアメリカでは、戦闘による国民の犠牲は、政権の支持率に如実に反映します。そのため、自国兵士の犠牲を減らすために、無人のロボット兵器が好んで用いられるのです。そのようにして、戦争のハイテク化＝戦争の拡大に歯止めはなくなっていきます。

同盟国アメリカとの友好関係はもちろん望むべきことではありますが、安倍政権が安保法制をもって今後も強力な同盟関係を築いていきたいと考える相手国アメリカ（米軍基地）を日本の平和・安全の抑止力とみるのは国際平和の理念に反します。軍拡競争による〔脅威・抑止〕対策でなく、日本国憲法と人道に基づく国際法とを基盤とし弛まぬ〔外交・合意〕を通じた平和維持という発想こそ、人類の英知なのです。よって私たちは、安倍政権が現在進めている安全保障関連法案という名の戦争法案に反対し、その即時撤回を求めます。

二〇一五年八月二九日

安全保障関連法案の廃案を求める東京電機大学関係者有志の会

よびかけ人　岡林　茂、楠　秀樹、蔵原　大、石塚　正英

私の草案に蔵原さんが補足して、この正式な声明文ができあがった。翌日までには楠さんの努力でサイトができ、署名活動を開始した。約半月で六六名になった。また、諸団体（埼玉・大学人の会、獨協大学有志の会、市民団体など）と連携して様々な活動を推進した。①埼玉県庁記者クラブでの記者会見（九月九日午後）、②大宮駅デッキでのリレートーク（九月一三日午後）、③国会議事堂前で四万五〇〇〇人とともにコール（一四日夕刻～）。特に国会前での活動は感慨無量だった。四〇年前の一九七〇年安保で駆けつけるはずだった場所だからだ。あの時は、事前逮捕で警察署の留置所内に拘束され、六・一五を闘えなかったのだ。その頃、藤圭子の「夢は夜ひらく」が流行していて、留置所房内でハミングして気を紛らしていた。むろんその日が過ぎれば「証拠不十分」とか告げられて何ごともなかったことになった。

二〇一五年四月の石塚正英著作選最終巻刊行後、私は、もう一つの画期的プロジェクトを開始した。それはヴァイトリング研究の集大成だった。二〇歳代から四〇年ばかりの間に数点の著作にわたって発表してきたドイツ手工業職人ヴァイトリングに関する研究成果を、全一巻からな

る著作『革命職人ヴァイトリング』に編集して社会評論社より二〇一六年に公刊したのだ。

一九七〇年代に端を発するヴァイトリング研究は、わが研究歴の端緒であり経過であり、深層だ。本書は、ヴァイトリングに関連する拙著五点――『叛徒と革命』（イザラ書房、一九七五年）、『三月前期の急進主義』（長崎出版、一九八三年）、『ヴァイトリングのファナティシズム』（長崎出版、一九八五年）、『社会思想の脱・構築』（世界書院、一九九一年）、『アソシアシオンのヴァイトリング』（世界書院、一九九八年）、そして論文「欧米新聞紙上における紙名『Tribune』の意味」（世界史研究会、二〇一四年）――を括りつける総集編である。この編集は、なにがなんでも全一巻に収めなければならないのだった。春に刊行完結した『石塚正英著作選【社会思想史の窓】』（全六巻、社会評論社）に分冊で追補することは考えていなかった。私のヴァイトリング研究は、分割せずに連結させる、いわば総決算の旬に至ったのだ。以下に「あとがき」の一部を転載しておく。

一九六〇年代末、全国の大学は全共闘運動のピークを迎えていた。私が入学した立正大学（東京都品川区大崎）も激しい運動のさなかにあった。この動きは、一九七〇年代に入ると、大学内ではしだいに下火となった。理由の一つは、現場が学外に移り、学内闘争よりも街頭闘争が目立つようになったこと、一つは学内に拠点をもつノンセクト・ラディカルズが減少し学外党派の活動が目立つようになったことである。学内における闘争はしだいに内面的な方向に変化していくことになる。ノンセクト・ラディカルズだった私の場合は、ドイツ労働運動史の研究に向かった。注目した運動はヘッセンの農民闘争とその指導者ゲオルグ・ビュヒナー、ドイツ手工業職人の秘密結社とその指導者ヴィルヘルム・ヴァイトリングである。一九七〇年に結成した歴史科学研究会の活動として研究した。一九七一年の秋には相当分量の多い論考になっていた。ちょうど卒業論文執筆の時期と重なっていたので、翌年一月、この研究を卒論に代用して指導教授の酒井三郎に提出することにした。論題は「プロレタリアの党形成史―ドイツ手工業職人の役割」だった。当時大学ノートに記した論文草稿は、今も我が家の書斎に眠っている。…私はその後も研究を深め、一九七五年に『叛徒と革命―ブランキ・ヴァイトリ

ンク・ノート』（イザラ書房）を刊行し、その翌年、立正大学大学院に進んだ。…

二〇一七年に入る。二月、恒例の兄弟韓国旅行を楽しんだ。以下に紀行記を記す。——

平成二九年二月二〇日、八時四〇分羽田発のアシアナ航空機でソウルに向かい、一一時ころ金浦空港到着。その後、韓国のり巻きキンパを食べて、ソウル駅から一三時過ぎのKTX新幹線に乗車、一六時ちかくに釜山到着。地下鉄で梵魚（ポモサ）駅に移動し、梵魚のホテルにチェックインした（四万ウォン×二泊）。その後、隣駅近くにある高速バスターミナルで、二二日早朝に乗車する光州行き高速バスのチケットを購入し、さらに地下鉄で東莱（トンネ）駅に行き、近くの韓国レストランで韓国料理のパジョン（ちじみ）などで夕食を楽しんだ。飲みものは久々のマッコリだったが、自分で小さな甕からしゃもじですくう方式なので、ペットボトルのマッコリとは一味も二味も異なった。

二一日の朝、東莱で慶尚南道の金海（伽耶）行きのバスに乗車した。到着後、まず大成洞（テソンドン）古墳を見学した。ハンギョレ新聞（二〇一二年八月八日付ウェブ版）には次のように書かれている。「金海、大成洞古墳博物館は去る六月から行ってきた大成洞古墳群に対する七次学術発掘調査で、四世紀前半に作られた王陵級の大型木棺墓二基と五世紀後半頃の石槨墓五基を確認したと七日明らかにした。発掘された古墳の中で注目されるのは八八号と九一号と名付けられた木棺墓で四世紀に中国東北地方鮮卑族系統の銅椀（銅製の器）と銅鈴（青銅鈴）、殉葬人骨などが確認され、墓の性格を巡って学界の関心が集まっている。シン・ギョンチョル釜山大教授は『墓の規模や殉葬跡などから見て、王陵級であることが明らかで、中国・日本系統遺物が一緒に出てきていることから古代東アジア古墳遺物編年に重要な根拠資料になるものと見られる』と話した」。ここに記された博物館は、出向いた当日は内部工事中で入館不可だったが、古代の東アジア文化交流を偲ぶのに格好のロケーションだった。現地に立つフィールド調査の醍醐味だ。フィールドに立ったなら、成果なしということはありえない。

続いて国立金海（キムへ、キメ）博物館に向かった。ほどなく路上に埋められたプレートを発見してびっくり驚いた。巴型（巴文様）の図柄なのである。このデザインは古代の日本列島（弥生後期〜古墳時代）と韓半島に共通している。そのことを実物で確認するためにキムヘ博物館に向かったのだ。それが、向かう途上ここかしこ、プレートでもって迎えてくれたのだった。国立であれば全国一律入館無料の博物館で実物をしっかり見学した。館内で購入した図録（日本語版、一万三〇〇〇ウォン）には以下の説明が読まれる。「巴形銅器は、革で作られた盾を装飾した道具として知られている。日本でもこのような遺物が多く出土しており、加耶と日本との活発な交流を証明する遺物である」（一一八頁）。この件については念のため帰国当日（二四日）にソウルの国立中央博物館で再確認した。そのときに展示されていた交流地図からは、巴形銅器は日本から韓半島にわたったような印象をうけた。しかし、どちらが先かなどは些細なことだ。なぜなら、この種の文様は古代ユーラシア交通路を経由して西方からもたらされたものと比較してかからねばならないからだ。

同博物館には、古代日韓交流の証として、ほかに環頭大刀が展示されていた。これと類似する遺物は日本列島にも存在し、「高麗剣」と総称している。韓半島からもたらされたもの、それを模して列島で生産されたものなどが混在するが、日韓交流の有力な物証となっている。

その後、午食を遅らせて、金海博物館近く、西上洞にある金官伽耶の金首露（キム・スロ）王とその王妃許（ホ）の陵墓に向かった。途中で龜旨峰（グジボン）と称する小高い丘を越えた。そこで私はびっくりものを目撃した。なんと、丘上がメンヒルと、それを取り囲むストーンサークルになっていたのである。これはあきらかに先史古代の祭祀場である。先史ギリシア文化でいうならばドローメノン（神態的所作）とレゴメノン（神語的唱誦）の儀礼挙行の現場である。拙著『母権・神話・儀礼—ドローメノン』（社会評論社、二〇一五年）に通底する。丘の上で、一〇〇年ほど前に韓国で石造物調査を行った人類学者の鳥居龍蔵を思い起こした。

サークルの脇に、一見するとドルメン風の石造物が半分以上埋まったか倒れたかした状態で残されている。その水平板に「亀旨峯石」と刻印されてあった。傍らの説明板には「グジボンのドルメン（支石墓）」とある。また、紀元前五〜四世紀に有力者のドルメンとして建立され、のちに李氏朝鮮時代になって書道家韓石峰（Han Soek-boug、一五四三〜一六〇五）の文字を刻印したと推測されている。サークルの脇にはそのほか、幾つかのタマゴを供えた祭壇と、それに関して説明を施した写真掲示板がある。それによると、グジボンに天降ってきた六つのタマゴの一つからキム・スロが誕生した。なお、現場にあるのは写真のみであるが、その理由として掲示板に次のように記されている。これは「一般造形物であり、史跡地内の設置は不適だという専門家の意見を反映させて、二〇〇二〜三年に行われた伽耶歴史文化環境整備の時に、現在の首露王陵の近く移された」。

午後二時過ぎになってようやく金海を後にし、昨年ヒラメ刺身を食べた釜山港の水産市場（チャガルチ・シジャ）に行き、こんどはヒラメの煮ものと刺身の両方、それにアワビの刺身とサザエのつぼ焼きを食べた。その後、近くを観光して梵魚のホテルへ。

二二日、早朝に起床し六時二〇分発の高速バスで光州（クァンジュ）へ。あいにくの雨模様だったが、パンを食べながら車窓の景色を三時間ほど堪能したのち、国立光州博物館を見学した。ここでは特に、パンフレットにあった初期鉄器時代とされる巴文漆器に目が留まった。あの巴形が銅器でなく漆器で作られているのである。それで、館内を探し回ったが見つからず、係員に質問したところ、いまは他所に貸し出し中とのことだった。各展示室を一巡し図録（三万ウォン）を購入したあと、タクシーで三〇分ほどの月桂洞（ウォルケドン）古墳に向かった。そこには日本独自の造形である前方後円墳、韓国の呼び名では長鼓墳（チャンゴブン）が残されているのだった。

半島西南部には五世紀後半から六世紀前半に築かれたと推定される古墳が一〇数基知られている。造営者や造営目的は諸説に分かれているが、これらは日本列島と韓半島の政治経済・文化交流を如実に示すものといえる。二二日は、これを実見することを最大の目的にしていたので。小雨降る中ではあったものの、気分は大満足だった。

その後再びタクシーで光州松汀（クァンジュソンジョン）駅に移動し、KTX新幹線で木浦（モクホ、モッポ）に向かった。乗車時間はわずか三〇分、ホテルにチェックイン（五万ウォン×二泊）。近くに沿岸旅客船ターミナルがあり、海鮮にことかかないことから、夕食は刺身でマッコリと決めていた。名物はタコ。小さなイイダコと思うが、生きたまま足だけをぶつ切りにし、クネクネ動いているところを地元特産のタレにつけて食べつくす。

二三日、午前中は国立海洋文化財研究所（木浦市南農路（龍海洞））の展示館で一四世紀の難破交易船を見学した。難破船の復元展示物は迫力満点だった。木材の生命力は長い時をかけて朽ちていく過程にこそ漲るものなのだ。日本語音声ガイドの導きで館内を見学した。圧巻は一三二三年に全羅南道新安（チョンラナムド・シンアン）沖で難破した元の「新安船」である。一九七五年に復元が完了した。中央日報日本語ウェブ版（二〇〇四年一二月一三日）には次の記事が読まれる。「本来、長さ三四メートル、幅一一メートル、高さ三・八メートルの二〇〇トン級帆船で、引き揚げられた面かじ（船の右側面）部分（長さ二八・四メートル、幅六・六メートル）は本来通り復元し、残りの部分は鉄骨で形と規模が把握できるようにした。新安船は発見当時、右に一五度ほど傾いた状態で海底の砂に埋まっていたが、沈没後約七〇〇年間の水流と害虫の影響により、船の左側などはあとをとどめていなかった」。積み荷は陶磁器を中心に元・高麗・日本の遺物二万点余りだった。

同館で、私は思わぬ展示物を目撃した。それは、高麗時代（一〇～一四世紀）の韓半島において、製材のために考案された大きなノコギリ「オガ」である。隣の陳列ケースには、浜辺で作業する船大工を模したジオラマがあり、そこでオガをつかう職人の姿があった。オガには二人で使うオガと、一人で挽くオガ（前挽きオガ）がある。そのうち、後者は押さず引くだけなので、日本で考案されたとの説があった。しかし、それは私の眼前で修正を迫られることとなったのである。

ビビンバを食べて、午後は市街地や多島海が見渡せる儒達（ユダル）山（二二八メートル）に登り、さらに日本統治時代の建物が残る旧市街地を見物した。とくに、木浦近代歴史館一館（旧日本領事館、一九〇〇年）と二館（旧東洋拓殖株式会社木浦支店、一九二〇年）では、日本による植民地支配の状況を知ることができるのみならず、「忘れられて行く木浦の昔の姿をいきいきと返り見られる。」（二館リーフレット）とりわけ建造物、家並みの印象は文化的に有意義と感じられた。夕食は港で太刀魚の塩焼きを食べた。前日のくねるイイダコ刺身より美味しかった。

二四日七時一五分木浦駅発のＫＴＸ新幹線に乗車し、九時四七分ソウル・龍山（ヨンサン）駅着。すぐさまタクシーで中央博物館に向かう。伽耶や光州、木浦で見学し損ねたものはないか、もっとたくさんあるのではないか、という思いから向かったのだった。案の定、伽耶の展示スペースに金海博物館のと同じ巴文様銅器が、いやもっと立派なものがあった。良かれあしかれ、さすが中央だ。一四時前、金浦空港に到着。お土産にキョンジュパンを買い、レストランでジャージャ麺を食べ、一五時五〇分発羽田行きのアシアナ機で帰国した。

第一七節　文明政治権力に抗うパトリオフィルの概念確立

二〇一七年四月、ＮＰＯ法人頸城野郷土資料室を設立して一〇年目に入った。同月八日、第一四期くびき野カレッジ天地びと終了後、事務所でささやかな記念祝賀会を行った。また、記念事業の一つとして、村山和夫（頸城野博学士）の長年の研究著述活動の成果を一書に編集する企画を立てた。以下の構成である。

書名　頸城野近代の思想家往還
第一部　くびき野を訪れし人士済々
勝　海舟　越後の勝家の祖と頸城の地
東郷平八郎　海将が頸城の地に残したもの
岡倉天心　小林古径を育て赤倉の地を愛した
夏目漱石　大患を救われた森成麟造との交流
森　鷗外　『山椒大夫』「東条琴台碑」に偲ばれる
尾崎紅葉　粋人の赤倉・直江津来遊記
福澤諭吉　上越に二度も訪れることとなる
第二部　くびき野に生まれし人士済々
竹内金太郎　日本の大事件に関わった弁護士
白石元次郎　横浜に白石町の名を残した鋼管王
竹村良貞　事業新聞の先駆者、帝国通信社社長
庄田直道　明治の世を駆け抜け事績を今に
藤縄英一　民間航空機操縦免許第一号取得者
小林百哺　和算を激動の経世に生かした
高見実英　浄泉寺の住職として英語塾を開いた
第三部　特記二件
小林古径記念美術館設置を迎えて
会津藩士と高田

この年は、上越出身の児童文学者である小川未明の生誕百年にあたっていた。また、それとは別個に、私は二月に東京都小平市の小平霊園に小川未明墓参を行った。二月一七日、SNSのフェイスブックにこう書きこんだ。

「きょうは、きのうの会合で話題になった小川未明の墓地に詣でております。小平霊園（西武新宿線小平駅近く）です。彼はなぜこの地に眠っているのか、心地よいか、など対話したり、考えたり感じたりしております。春一番の中、うららかでもあり、よい一日を過ごしております」。「墓地におかれた未明直筆の碑文は「詩筆百篇 憂國情」とあるようです。未明は何を憂いたのか？　私の調査はオリジナリティを醸し出すでしょうか？　これだからフィールド調査は無視出来ないのです！」

そのような事情から、この年は小川未明研究に拍車がかかった。以下に、エッセイ「小川未明の愛郷心について」から、その一部を転載する（『地域文化の沃土　頸城野往還』社会評論社、二〇一八年、二六三頁、二七九～二八〇頁）。

未明は一般的には童話作家に括られるが、そのほかに「社会主義者」としての側面がある。未明は、一九〇一（明治三四）年、東京専門学校に入学するが、のちに「童話を作って五十年」で次のように語っている。「私は田舎におった時も、貧富の懸隔があることは知っていました。毎日勤労に過している者が、米も高くて買えぬ、そういうしがない生活をしている人を見ると、ほんとうに可哀相だなと思いました。しかし東京へ来てからは、ブルジョアと無産者の生活の激しいちがいが、だんだん目について来たのです。…小説を書くのも世道人心のために筆を執らなければならぬ、と考えておりました。それだけに私は、貧富の懸隔の激しいのを見て、これでよいのかと思ったのです。（童話を作って五十年、前掲書、四三〜四四頁）

在京中にそのような思いを抱く未明は、一九一三年に社会主義者の大杉栄と出会い、深い感化を受ける。ロシアのクロポトキンにも関心を持ち始める。そして一九二〇年、日本社会主義同盟の創立発起人となったのである。そのことを知った父親は上京し、息子と意見を交わす。

（未明）「田舎では正直でまじめに働いている百姓が食うや食わずの貧乏をしているのに、一方では不労所得で悠々と暮らしている地主たちがいるじゃありませんか。東京へきてみても同じです。これを改めることこそ正義だと思う。世の中の理性に訴えてなんとか解決しなければならないと思っています。」

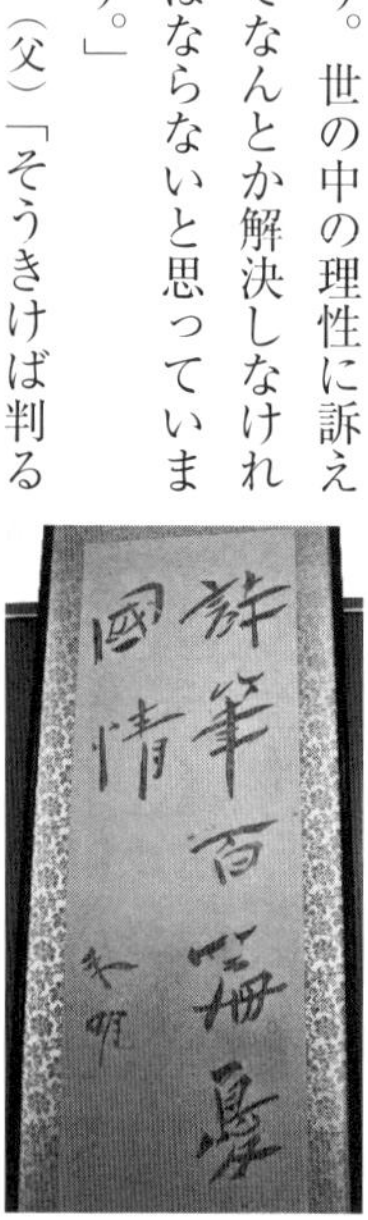

（父）「そうきけば判るな。正義のために筆を執れ」（岡上鈴江『父小川未明』新評論、一九七〇年、一五二頁）。…

「未明霊碑に刻まれた『憂国』の意味を私なりに解釈しよう。彼にとっての国とは政治的な国家でなく風土的なクニに近いことが判明する、とすでに書き記した。それから、「人と土地とは有機的な関係があるもので、国土を措いて人間はないのです」との未明の文章を引用した。なお、娘である岡上鈴江著『父小川未明』二四二ページに未明霊碑の写真はあるのだが、なにも言及されていない。だが、一九三ページに引用されている戦後の未明の言葉は印象的である。

「もし自国への愛情があるとしたならば、次代の子供に継承されるようその愛情を育てていかなければならない」。

それから、未明生誕百年を記念して発表された坂井勝司『童話のふるさと』（小川未明生誕百年記念事業実行委員会編『未明ふる里の百年』同会、一九八三年）には、こう書かれている。

「だが、未明は決してふるさとを筆の上での食いものにしていたのではない。たとえ、田舎は貧しく暗くとも、大きな声で叫べば、きっとみんながこたえてくれる人間関係を信じて、ふるさとの姿が今日的にどうなっているのか、これからどうして行かなければならないかを、作品を通じて訴えていたのである」（一二一頁）。

以上のことがらから推察すると、彼の意識する「憂国」とは、政治的であるよりも社会的、風土的な概念であり、権力的であるよりも非権力的な、道徳的な存在であるということである。そういう意味でのクニを未明は憂うのだった。私の造語に摺り寄せて表現すれば、パトリオフィルの表出なのである。付け足すと、未明の代表作『野薔薇』（一九二二年）のモチーフにもパトリオフィルは感じられるのである。

参考までにここに転載する墨書「詩筆百篇憂国情　未明」は、小川の母校、上越市立大手町小学校の来賓室にいまも置かれている。

さらに補足するならば、南方熊楠の思想にもこのパトリオフィルは垣間見られる。とくに彼の『神社合祀に関する意見』の中に読まれる。

神社合祀は、第一に敬神思想を薄うし、第二、民の和融を妨げ、第三、地方の凋落を来たし、第四、人情風俗を害し、第五、愛郷心と愛国心を減じ、第六、治安、民利を損じ、第七、史蹟、古伝を亡ぼし、第八、学術上貴重の天然紀念物を滅却す。

第五に、神社合祀は愛国心を損ずることおびただし。愛郷心は愛国心の基なり、とドイツの詩聖は言えり。

（『南方熊楠全集』第七巻、平凡社、一九七一年、五六二頁、参照）

二〇一七年一一月の連休を利用して、NPO法人頸城野郷土資料室設立一〇周年を記念する自著『地域文化の沃土　頸城野往還』（社会評論社、二〇一八年）の編集を行った。その「はしがき」を以下に添付する。――

北陸から北方の日本海沿岸一帯を、古くは高志ないし古志と称していた。『日本書紀』天智七年（六六八年）の箇所に、その一帯から「燃える土」と「燃える水」が近江大津宮に献上されたという記録がある。「三十八代天智天皇の七年越の国より朝廷に燃土燃水を献上せり」。

その地には、早くから民間ルートを通じて東アジア大陸の諸文化が伝えられていた。例えば道教ないしそれに起因する民間信仰は、飛鳥の欽明天皇時代における仏教公伝

（五三八年、ないし五五二年）よりもずっと早くから高志の一帯に浸透している。また、飛鳥時代には、高志のことを「蝦夷」とも称していたが、当時「蝦夷」とは倭＝朝廷に服従しない蛮族の意味があった。実情がわからないので脅威と畏怖の対象だったのだ。何を信仰しているのか、覚束なかったのだろう。

古代の日本は、国際的には、政治経済、そして生活文化の全てにおいて日本海側が玄関だった。また、仏教世界でも、浄土は日本海の西にあったから、浄土に還る夕陽、すなわち没する太陽こそ偉大な神だった。能登あたりの海岸では、神社の鳥居は海に向かって建てられた。神は海の向こうから受け入れ、信徒もまた海の向こうからやってくるのだった。太陽の没する地は聖域に属していた。よって、「日出る処の天子 書を日没する処の天子に致す」は当時の日本（飛鳥王朝）が中国（隋王朝）に対して最大級の敬意を表していた傍証と考えられる。なお、親鸞が越後に流罪となって生活した時、居多の浜（現上越市）で日の丸を描いた。それは居多神社に現存するが、その日の丸は夕陽であったと推定できる。

さて、古代における日本と近隣諸地域との交流は、まずは民間の生活文化的な動機から開始して、その後国家間の政治経済的な動機が重きを為すに至った。その際、前者の交流は日本海沿岸の汀線航路（ていせんこうろ）（なぎさを結ぶ沿岸航路）を用いて行われ、後者の交流は飛鳥・奈良の国家的プロジェクトによる道路交通網を用いて行われた。その際、七〇一年大宝律令の後に整備され始めた五畿七道の一つ、畿内から東北方面を結ぶ東山道が重要となってくるものの、この二種の交通路のうち前者を軸に据えて古代の日韓交流を考察するのが、本書編集の第一の目的である。

ところで、古志・高志の域内にあって、現在の上越地方のことを、古代においては頸城、久比岐と称した。「くびき」と読む。現在でも、上越地方を頸城野と称している。その「くびき」の意味は、要衝の地としての「頸（くび）」と境目としての「城・岐（き）」の合成とも理解できる。あるいは、『日本書紀』欽明天皇二三年七月の条に「韓国（からくに）の城の上に立ちて（柯羅倶爾能 基能陪儞陀致底）」とあり、これは「城」という語が独立して用いられた最も古い例なので、「城」は朝鮮半島に関係しているのかもしれない。

上越市三和区の「三和」という名称は、美守（ひだもり）・里五十公（さといぎみ）・上杉の旧三ケ村を合わせたところに由来する。その旧村名のうち、美守は、古代には夷守（ひなもり）と記した。九三四年（承平四年）頃成立の和名抄には、すでに「夷守」と称する郷に関する記述が存在している。その際、「夷（ひな）」とは、「鄙（ひな）」とも書き、都から遠い「ひなびた」ところ、辺境という意味である。したがって「夷守」とは、一見すると辺境を守る（人）の意味になる。具体的には蝦夷の攻撃から大和朝廷が国土を守るという意味、あるいはそこから転じて国府・国司の別名になるようである。

しかし、平野団三「古代頸城文化の内証」によれば、「夷守」とは蝦夷の里を意味する。頸城地方に大和朝廷の勢力が及んでもなおしばらく蝦夷は自民族の根拠地を確保しており、それを大和朝廷側は「夷守」とか「五十公」とか称した。なお「五十公」は当初「夷君」と記したが、やがて時が経つにつれ「夷」が嫌われて「五君」「五十君」「五十公」などと改称された。また「守」は「かみ」とも読むので、「夷守」は「ひなのかみ」と読んで「夷君」ともども大和朝廷側が蝦夷の首長を遇するのに用いたと考えられる。とにかく、古代の頸城地方には大和朝廷に打ち負かされない文化をもった先住民がいたことになる。その先住民の一部に渡来人がいて、不自然なことはない。

ところで、二〇一七年秋、群馬県の古代碑文「上野三碑」がユネスコの世界記憶遺産に選ばれた。これは古代日韓交流史に深くかかわる碑文である。七世紀から八世紀にかけてこれらの碑文を建立した人々は朝鮮半島系渡来人の子孫と考証されている。この三碑建立に関係した人々は、まえもって半島から上野の地に移住していた集団の末裔である。当初の住民は、飛鳥や奈良の中央政府の政策で移住してきたわけではない。彼らは、前以て何らかの動機に裏付けられつつ、半島から北陸にまで航海した。ダイレクトに、あるいは汀線航路を伝わって越後沿岸にたどり着き、現在の新潟市を河口とする信濃川・千曲川や、現在の上越市を河口とする関川から信濃や上野の奥地へと南下した。あるいは現在の三国峠（上・越県境）や関田峠、富倉峠（いずれも信・越県境）をたどって同じようなコースを移動した。そのような可能性を想定できる。上野三碑を建立した人々は東山道を通じて畿内と連携していたとして、これらを建立した人々の祖先は越後沿岸から幾山河を経て上野の地に住み着いた渡来人集団だった。そのような可能性を想定できる。

上野三碑はたしかに東山道（八世紀初頭以来の政治経済の道）を介した飛鳥・奈良王朝の内示外交政策に関係しはするが、私が注目するのは、五世紀・六世紀には推定できる半島→越後→信濃水系・関川水系・峠越え→群馬という生活文化の道である。上野三碑は国家・政治的に意味がある前に、これを建立した人々が切り開いた民間移住の軌跡なのだ。政治支配に彩られる日韓関係でなく、文化伝播の相互交流で意味をもつ上野三碑に注目するのである。

そのような歴史的・文化的背景を有する頸城野の今昔に

ついて縷々説明を施すことが、本書編集の第二の目的である。その際、本書第七章「小川未明の郷土愛」において初めて使用する術語「愛郷心（patriophil）」は一つのキーとなる。本論で縷々説明するが、この語は、概念・術語とも私のオリジナルである。「パトリオフィル」の「パトリ」は郷土を、「フィル」は愛を意味する。二語を合わせて「郷土愛・愛郷心」となる。それは、中央の政治国家にでなく地域の生活文化にかかわる。

最後に、本書に含まれる諸研究のためのデスクとフィールドを提供してくれたNPO法人頸城野郷土資料室の創立一〇周年を記念することが、本書編集の第三の目的である。以上の解説でもって、本論へのいざないとする。

二〇一八年に入る。すでに二〇一七年四月一六日に自身のブログ【歴史知の百学連環】にアップしてあった「パトリオフィル（愛郷心、patriophil, patrophil）」という私自身による造語について、二〇一八年七月一日開催の歴史知研究会第六〇回報告会で、あらためて公開した。以下にそのときに配布した資料を一部転載する。

〔一　中央集権にあらがう社会的抵抗〕

「パトリオフィル」あるいは「パトロフィル」は、私の造語である。「パトリ」は郷土を、「フィル」は愛を意味し、合わせて「郷土愛・愛郷心」となる。それは政治的・国家的であるよりも社会的、あるいは文化的な概念であり、権力的であるよりも非権力的な規範概念である。「パトリオフィル」とは、国家を愛することよりも、それを産出するもとにある社会を愛することに意義を有する。二者択一的に結論付けるならば、国家の前に社会がある。「パトリ」は、組織形態でいえば、政治的な国家（nation state）でなく風土的なクニ（regional country）に近い。

パトリオフィルは古代ギリシア・ローマの父権・家父長権（paternitas）と相対的に区別される。たとえば、先史地中海社会の母権（maternitas）に優越する文明的支配権でなく紀元前後に輪郭をあらわにするローマ皇帝権（imperium）＝中央集権にあらがう社会的抵抗権＝地域的カウンターパワーである。

従来の先史・古代史においては、前期バッハオーフェン（『母権論』一八六一年）にならって母権社会（氏族共同体）から父権社会（家族・都市国家）への移行という了解がオーソドックスだったが、私は、後期バッハオーフェン（『古代書簡・第一巻』一八八〇年）にならって、その中間に母方オジ社会を挿入している。母方オジ権（avunculat）は男権ではあるが父権ではない。父が自氏族の外にいる母中心の氏族社会では、息子たちは大人になるまで母たちの兄弟に教育を受けることになる。そこで氏族社会では、ことの成り行き上、母の息子たちと母方オジたちとの親密な関係が成立し持続することになるのであった。

　私は、後期バッハオーフェンにならって、①母権社会から③父権社会への過渡期に②母方オジ社会が存在したとみる。①から③の間に母（mater）と母方オジ（avunculus）が氏族（clan）の協調関係を維持し、やがてそれに族外婚的関係にあった別氏族の父（pater）が対立し家族（familia）支配を確立して③家父長（paterfamilias）となった。しかし共和制下における家父長には②母方オジ権（avunculat）の印象が大なり小なり残存していた。この②段階における家父長は郷土主義者（patriota）として迫りくる中央集権（imperium）・家父長支配（paterfamilias）にあらがうこととなった。

〔二　父である前に人である〕

　ところで、語源から考察しても、②段階のpaterは、いまだ③段階のpaterの概念を示すに至っていない。ギリシャ語で「父」を「パテラス πατέρας」という。ラテン語で「父」を「パーテル pater」という。paterの第一要素「pa」の意味は「守る」で、第二要素「er」ないし「ter」の意味は「人」である。双方合わせて「守る人」「保護者」となる。paterは最初から「父」といった性別を示していたのではない（マルティネ著・神山孝夫訳『「印欧人」のことば誌：比較言語学概説』ひつじ書房、二〇〇三年）。母権社会では母たちがpaterであり、母方オジ権（avunclat）社会では母方オジ（avus）がpaterであったとしてよい。paterが「父」という概念を得るには、「父」が存在し、あるいは父を軸とした「家族」が存在することを前提とする。ギリシャ古代史に照らすと、先住農耕ペラスゴイ人社会に北方からインド・ヨーロッパ語族のギリシャ人が浸入する幾世紀の過程を経て、紀元前八世紀ころ、それまで自然的に営まれてきた氏族（gens）が解体してポリス（polis）が人為的に形成される出来事、「集住シュノイキスモス synoikismos」を象徴的な画期とする。

　迫りくる中央集権（imperium）・家父長支配（paterfamilias）にあらがったpaterは、古代エジプトでいえばやがて初期王権よって抑圧されていくことになるノモス(nomos)にふさわしく、古代中国でいえば共有地に支えられた邑＝社稷（しゃしょく）に似つかわしい概念である。

〔三　歴史貫通的なパトリオフィル〕

　この種の概念は、その後の文明社会ないし政治的国家において死滅せず、通奏低音のごとく潜在してきた。その種の規範概念はいわば歴史貫通的であって、近現代にも見通すことができる。例えば以下の事例において確認できる。

一つは、日本美術運動の指導者岡倉天心による英文著作“*The Ideals of the East with special Reference to the Art of Japan*, 1903.”の日本語版『東洋の理想』（一九〇四年）冒頭に読まれるフレーズ「アジアは一なり（Asia is one）」である。その言葉の天心なりの意図は、インド・中国・日本などのアジア諸地域間に見られる、文化的な次元での理念的通時性共時性を称えることなのであった。その言葉を記した天心の真意は、ナショナルな侵略と正反対の内容、パトリフィルの精神を備えていたと結論づけられる。

一つは、一九三〇年代四〇年代の政治状況に影響力を有した思想家権藤成卿の主著『自治民範』に読まれる以下の議論に確認できる。「君民の共に重んずる所は社稷（しゃしょく）である。社稷を重ぜざる民は民ではない。社稷を重ぜざる君は君ではない」「君を主とするから、暴君政治の弊が起る。民を主とするから、賤民政治の弊が起る」「憲法即ちコンスチチューシヨンといふ語は、本質といふ意味である。國の本質は、社稷の外にはない」（権藤成卿『自治民範』平凡社、一九二七年、二七八〜二七九頁）。以上の引用中、社稷はパトリオフィルと共鳴する。

いま一つは、一九〜二〇世紀の博物的奇才である南方熊楠の思想に確認できる。とくに彼の「神社合祀に関する意見」の中に読まれる。「神社合祀は、第一に敬神思想を薄うし、第二、民の和融を妨げ、第三、地方の凋落を来たし、第四、人情風俗を害し、第五、愛郷心と愛国心を減じ、第六、治安、民利を損じ、第七、史蹟、古伝を亡ぼし、第八、学術上貴重の天然紀念物を滅却す」（『南方熊楠全集』第七巻、平凡社、一九七一年、参照）。以上の引用中、神社合祀はパトリオフィルの抑圧、ナショナリズムの強化に通じる。

第一八節　突発の硬膜下血腫を乗り越えて

二〇一八年七月一四日夜半、母校新潟県立高田高等学校の校友会・同期会（宴会）後、上越市仲町の雁木通りで転倒して頭部を強打した。その時は誰かにうしろから鈍器で殴られた気がした。いや、傷跡からしてたしかに後頭部を鈍器で一気に叩き込まれた。しかし、酔っていたこともあって記憶は不確だ。雁木の敷石に打ちつけた顔面から血が滲んでいたが、とにかく自宅の大鋸町ますやに戻って朝まで寝入った。翌日早朝、新幹線でさいたま市に戻り、妻の車で直ちに自宅近くの総合病院に向かった。結果、「急性硬膜下血腫」の診断を受けた。医師は、顔面と後頭部のダメージのうち、後者は転倒によるものとは言えない打撲だと診断した。頭蓋骨の下にある硬膜とくも膜の間が出血していた。直ちに入院したが出血は止まっていたので、翌日には退院した。しかし、二〇日の診察で再び出血していたことがわかり、即刻再入院した。

出血が断続的となれば死は明日とも知れなかった。脳神経外科の主治医に、手術もありうると宣告された。もはや、覚悟した。妻は、私の身体的変化にそれを悟ったようだ。第一に会話力（活舌）や思考力に著しい支障がで始めた。やり残した研究論文を仕上げたかったが、痺れる手の文字は乱れ、パソコンのマウスも長くは握れず、だった。新聞などまったく読みたくなくなった。意欲のあるうちに、と思い、概要のみ記した未発表原稿を最も信頼している畏友の柴田隆行さんにメール送信した。もし命尽きたら『フォイエルバッハの会通信』に遺稿として掲載してほしいと依頼した。「承知した」との返答を受けた。研究こそわが使命だったから、とりあえず安堵した。これで死の準備はできた、さぁ、いつでも来い！

研究活動で、もう一つ気がかりな件があった。それはフレイザー『金枝篇』監修だった。全一〇巻のうち、八巻以降が未刊だった。この仕事については、前々から受け継いでもらいたい研究者がいた。南方熊楠研究のホープ唐澤太輔さんだ。フレイザー『金枝篇』は南方熊楠や柳田國男の注目する文献だった。私に異変があった場合は、ぜひとも監修を受け継いでほしかったのだ。それで、以下のメール交換を行うこととなった。

★七月二二日　唐澤太輔様

実は中旬に転倒し頭蓋骨内出血となり、さいたま市で入院中です。出血はいちど止まり再び起こり、かなり拡大した後、すべてのデータが正常値に戻ったので、現在はおさまっています。しかし、不安が残ります。あす退院しますが、再入院となればゆゆしき方向です。

つきましては、私に万が一のことが生じましたら、『金枝篇』第八巻から第一〇巻まで、私に代わって編集していただきたいのです。ゲラを精読チェックし、巻末解説を書きます。解説の前半は当該巻の要点です。後半は特筆すべき記事です。すでに特筆すべき記事は一〇巻まで仕上げてデータで保存してあります。

今すぐに代わってもらう事態に急変するか分かりませんが、分野的に貴君は私のもっとも信頼する研究者です。そうならないよう願いつつ、フレイザー研究という学問の発展に寄与していく使命を私と分かちもって戴ければ嬉しく存じます。

石塚正英

★七月二三日　石塚正英先生

ご入院されたと聞き、大変驚いております。具合はいかがでしょうか。心からお見舞い申し上げます。

『金枝篇』の編集の件、承知致しました。万が一がありましたら（勿論そうならないと信じています）、フレイザー研究の発展に寄与していく使命、引き継いでいきます。

色々とご心労もあるかと思いますが、どうかゆっくりお休みになり、ご全快いたしますことを心からお祈り申し上げます。私で役に立つことがございましたら、どうぞ遠慮なくお申し付け下さい。

メールにて恐縮ではありますが、取り急ぎお見舞い申し上げます。くれぐれもご無理なさらぬように。唐澤太輔

★同日　唐澤太輔様

本日、脳神経外科でMRI検査をしました。急性硬膜下血腫という病名です。頭蓋骨と脳の間の出血です。一五日の一度目の入院ではわずかに確認できただけなので、翌日に退院したのですが。そのご数日かけて拡大していました。恐ろしいです。

私から、頭痛があまりに異常なので再検査を申し入れ再入院しました。幸い、緊急手術をせずに出血を抑えにかかり、なんとか間に合いました。本日のMRI検査で終息が確認されました。少しずつ治療と養生に取り組みます。

フレイザー翻訳が気になってしかたなくご連絡いたしました。突然ご心配をおかけし、申し訳ありませんでした。

石塚正英

★七月二四日　石塚正英先生

MRI検査で終息が確認されたとのこと、少し安心しました。しかし、頭のことですので、今後も十分お気をつけくださいませ。

先生にはまだまだこれからも教えていただきたいことや一緒にしたいお仕事がたくさんあります。ご家族の皆様もご心配されていることと思います。本当に無理をなさらず治療にご専念下さい。お返事はどうぞお気になさらずに。

唐澤太輔

八月上旬になって、急速に症状が回復に向かった。九日、今後の療養のスケジュールを立てるための検査があった。以後は二週間に一度の通院（CT検査など）で症状の確認をしていくことになった。むろん、血腫（老廃物）は血液が長時間をかけて外部へ除去していくので、除去が完了するまで今後も様々な影響は残る。しかし、養生次第では回復へ向かう可能性が明白になったので、とりあえず周囲の関係者に「怪我とその後の経過」と題するメールで知らせることとした。みな、たいへん心配してくれた。こういう時こそ、信頼できる人々からの言葉は身に染みた。

ところで、スイスはルツェルン在住の工業デザイナー山

本まさとさんも、七月に交通事故で大怪我をしていた。以下、その彼に送ったメールである[1]。――

★七月中旬に路上で転倒して頭部を強打し、さいたま市内の病院で「急性硬膜下血腫」の診断を受けました。ただちに入院し、いったんは退院したものの、数日後、再出血が確認され再入院しました。出血が断続的となれば死は明日とも知れず、なのです。医師に、手術もありうると宣告されました。もはや、覚悟しました。妻は、私の身体的変化にそれを悟ったようです。第一に会話力（活舌）や思考力に支障がで始めましたから。

やり残した研究論文を仕上げたいのですが、痺れる手の文字は乱れ、マウスも長くは握れず、でした。新聞などまったく読みたくなくなりました。意欲のあるうちに、と思い、概要のみ記した原稿をある研究会報におくり、もし命尽きたら遺稿として掲載してほしいと依頼しました。承知した、と返答を受けました。そのほか、信頼のおける研究者に仕事の継続を託しました。研究こそわが使命ですから、とりあえず安堵しました。これで死の準備はできた、さぁ、いつでも来い！

そしたら、八月一〇日ころ、きゅうに症状が回復に向かったのです。きょうは九月四日、明日は元気に理工学部へ出勤します。

以下は山本さんからの同日の返事。　　石塚正英

★masato yamamoto@BeepBB　奇跡の快復、ほんとに良かったですね。ボクは「いいガーディアンエンジェルがついてるね」とホームドクターに言われました。お互いまだ何かすることがあってこの世にあって生かされたと考えましょう。くれぐれもお大事に、研究をお続けください！

一〇月二一日、専修大学神田校舎で開催された〔マルクス生誕二〇〇年記念シンポジウム〕において、「マルクスのフェティシズム論―古代史・人類学研究（一八八〇年代初）の遺産―」と題する報告を行った。座右には、刊行したばかりの『マルクスの「フェティシズム・ノート」を読む―偉大なる、聖なる人間の発見』（社会評論社、二〇一八年一〇月刊）を置いた。

ただ、この新刊本にはおおきな欠陥がある。それは、第一部の摘要に含めたフランス語原文のはなはだしい誤記・誤植である。なぜそうなったか。理由は以下の通り。①旧著『フェティシズムの思想圏』から単純に電子スキャンしただけの原稿だったので、変換ミスが多かっ

た。業者はフランス語が分からないのだから仕方ない、では済まされない。②校正ゲラが手元に届いたときは一〇月に入っていたので、校正の余裕がなかった。できれば、フランス語熟知の研究者にチェックしてもらうはずだった。③七月中旬に私は転倒アクシデント（頭蓋骨内の硬膜下血腫）に見舞われ、その後しばらく頭痛や眩暈、手の痺れに悩まされていた。

さて、以下において、〔マルクス生誕二〇〇年記念シンポジウム〕で配布した資料の一部を転載する。

Ｉ　史料提示

最初に、本報告の史料的根拠として、①マルクス「ライン新聞」（一八四二）及び②マルクス「ラボック・ノート」（一八八二）から必要個所を引用する。

引用１：『ライン新聞』第一九一号（1842.7.10）から…「フェティシュが、フェティシュ崇拝者の粗野な欲望を最も忠実にかなえることをやめるときには、崇拝者はそのフェティシュを破壊してしまうのである。」*MEW*.1.S.91.（攻撃面）

引用２：『ライン新聞』第二〇七号（1842.11.3）から…「キューバの野生人（Wilden）は、黄金をスペイン人のフェティシュだとみなした。彼らはそれのために祝祭を催し、その周りで歌い、しかるのちそれを海中に投じた。キューバの野生人がライン州身分議会に出席するとしたら、彼らは木材をライン州人のフェティシュと考えるのではなかろうか。」*MEW*. 1. S.147.（祝祭＝崇拝、しかるのち廃棄＝攻撃）

引用３：「ラボック・ノート」（一八八二）から…「ラボックは気づいていないものの、野生人の『推理力』がヨーロッパ人の信心家のそれに勝っている点に関して、ラボ（ック）、一二八頁以下を参照せよ」。「偶像崇拝は、人類の発展のやや高い段階の特徴をなす。最下位の人種のあいだにその根拠は見られない。（中略）偶像崇拝を下位の人種に一般的な宗教と見做す誤認が主として、偶像とフェティシュとの混同に起因してきたことは疑いない。しかしながら、フェティシズムは神への攻撃であって、偶像崇拝は神への屈服なのである」。（四〇年後、もうだれにも相手にされない老化の果て）

Ⅱ　報告概要

『ドイツ・イデオロギー』（一八四五～四六）に次のくだりがある。「所有の最初の形態は部族所有である」。この文章には以下の編集注がついている。「『部族（Stamm）』という用語（中略）の概念の厳密な規定と区別は、モーガンによってその著作『古代社会』（中略）においてはじめて与えられた。この主著のなかで（中略）はじめて、原始共同体秩序の基本細胞としての氏族の意義を示し（た）」。

その『古代社会』をマルクスが読みノートを執るのは一八八〇年末から翌年三月にかけてである。同時にラボック『文明の起原と人類の原始状態』も読んだ。こうした古代史・人類学研究書の読書を通じてマルクスは、死ぬ間際において、人類史を総合的に再構築する道に分け入ることになる。その際、人類の社会構造と精神構造に関して、ある決定的な認識に達する。前者はモーガン読書でインスパイヤーされた氏族組織、家族出現以前の原初的社会形態（ソキエタス）についてであり、後者はラボック読書で甦った若き日のド゠ブロス『フェティシュ諸神の崇拝』読書で読み取ったフェティシズム、宗教出現以前の原初的精神形態についてである。

本報告では、おもにド゠ブロス『フェティシュ諸神の崇拝』摘要（一八四二年春）を軸に、そのような意味でのマルクス思想を読み取っていく。結論として、「経哲手稿」から「資本論」に至る彼のフェティシズム論は〔アニミズム論〕（イドラトリ論）であり、彼のフェティシズム論は、「ライン新聞記事」（一八四二年）を前提としつつ、「ラボック・ノート」（一八八一年）で確立したことを報告する。「古代社会ノート」、「ラボック・ノート」の老マルクスは、『資本論』の壮マルクスを凌いだ。

（Ⅲを省略）

Ⅳ　マルクスのフェティシズム論

さて、ここからが本題である。マルクスが『資本論』第一巻で述べた「商品のフェティシズム的性格」は、誤ったフェティシズム理解に基づいている。彼によると、労働生産物は、生産物それ自体に価値があるのでなく、それに付着した抽象的人間労働に価値がある、とした。そのうえで、もともとは無価値の生産物をみて、価値が付着した（ankleben）生産物をもともと価値あるものとみなすのがフェティシズムだというのである（*Karl Marx-Friedrich Engels-Werke*, Band 23, S.86f.）。

フェティシズムの観点からすると、その立論には大きな陥穽が存在する。「付着（Gallerte）」（*MEW* 23. S. 52.）はフェティシズムでなくアニミズムに特有の霊魂付着現象である。フェティシズムにおいては、あるものがそれ自体でフェティシュに転化する。アニミズムにおいては、あるものはそのままで、それにアニマが付着したり離脱したりする。あるいは、フェティシズムにおいてはDing（モノ）がSache（コト）に転化するのであって、アニミズムのようにDingにSacheが付着するのではない。

ド゠ブロス的立場から説明すると、①物的実体は生産物（社会的力）に転化し、②生産物（社会的力）は商品（社会的力の再自然化）に転化するのである。『資本論』のマルクスは②を問題にしていたのだが、肝心のフェティシズム理解にゆがみがあったので、彼のいう「商品のフェティシズム的性格」は妥当でない。マルクスを訂正すると、次のように言える。自然物は人間労働を介して生産物（フェティシュ①すなわちalter-egoもう一人の私）になる。それが再自然化（物象化）して商品（フェティシュ②すなわち疎外態たるイドル）になる。後者から「商品のフェティシズム的性格」は導かれる。ド＝ブロスのフェティシズム論に立脚する私にすれば、マルクスの言う「商品のフェティシズム的性格」は、「商品のイドラトリ的性格」である。

なお、『資本論』とのからみで私のマルクス・フェティシズム論を理解してくれた第一人者は、故佐藤金三郎氏である。

二〇一九年に入る。前年末、若き友人の米田祐介さんから、小川未明は三島由紀夫に多大な影響を与えていたらしいとの教示を得、以下の資料を受け取った。「未明の童話ぐらゐわたしを悲嘆に沈めたものはない」。「未明の童話はいきなり自分の生活にとびこんで来て、それだけ深く喰ひ入るのだつた」（「童話三昧」から）。この件を機に、私は、年末から新年にかけて「三島由紀夫『憂国』を再読する」を執筆し、ブログ「歴史知の百学連環」にアップした。その要点を以下に引用する。その見解は、二〇一九年の始まりを象徴していた。

- ようするに、モチーフは、国を憂えることを通じて何かを解決するとか結果を得るとかのストーリーを描いてはいない。ひとえに、抱擁と割腹という肉体関係を通しての、大地に血潮降注ぐ愛と死のドローメノン（神態的所作・神楽的振舞い）を終始描いたまでなのである。したがって、憂国を代理の言葉で表記するならば、愛国でなく、愛血であろう。
- そのほかのキーワードは、「肉の欲望」「快楽」それに「陶酔」だ。それらに比べると、「皇軍の万歳を祈る」とか「天皇皇后両陛下の御真影」とかは、抱擁と割腹という肉体関係を通しての、大地に血潮降注ぐ愛と死のドローメノン（神態的所作・神楽的振舞い）という作品モチーフの背景となってしまっている。ただし、「戦場の死」だけはこの日の麗子とともにあったと同時に、親友たちの叛乱軍、陸軍青年将校蹶起のモチーフに絡んでいる。総じて二・二六は舞台背景なのである。
- 三島における〈憂国〉は、政治的概念というよりも文化的・芸術的概念だということだ。忠君愛国は美学においてはじめて有意義となったといえる。

・三島は政治をするためでなく美学を貫徹するために一九七〇年一一月の行動に出たのだ。その目的をないがしろにすることはできないのだった。そう思って、大地に血潮降注ぐ愛と死のドローメノンを「至純の魂を持つ諸君」（檄文から）とともに決行したかったのだった。

第一九節　研究生活五〇年の歩み

二〇一九年一月二三日、私は身体の急激な異変に気付き苦しんだ。それは、右手首から始まった水泡のラッシュだった。あれよあれよと思う間に、一日で全身に広がった。水ぶくれというより、黄色い膿を噴出するミニ火山の林立だった。兆しは二〇日ころから手首に出始めていた。二四日の朝一番で近所の医院にいき、直ちにウイルス感染の水痘という診断を受けた。いわゆる水疱瘡だ。むこう一週間は外出禁止だ。さぁ、困った。とにかく職場には以下の緊急連絡を入れた。

佐藤学系長、中山専攻主任

じつは、一週間ほど前から皮膚病を患い、一昨日いっきにひどくなったので本日医師の診断を受けました。結果学校保健安全法による第二類学校感染症に分類されている水痘（水疱瘡）でした。むこう一週間は外出禁止です。発熱などはありません。ひたすら全身かゆいだけです。唇や口の中まで発疹が見られます。

つきましては、二六日の修論発表会、二八日の卒論発表会を欠席いたします。卒論発表会での石塚研発表については、急遽、RL系列の柳原良江先生に司会・取りまとめをお願いし、お引き受け戴きました。なお、三〇日の学系会議には出席できるかもしれません。二月初旬の千住キャンパスにおける入試業務も、大丈夫と思います。

どうぞ、ご承諾いただきますよう、お願い申し上げます。

石塚正英

辛い日々を過ごすと、その先には吉報のとどく日がまっているものだ。念願の拙著最終企画三点の刊行元が決まった。『学問の使命と知の行動圏域』（二〇一九・一一）、『フォイエルバッハの社会哲学―他我論を基軸に』（二〇二〇・一）、『価値転倒の社会哲学―ド＝ブロスを基点に』（二〇二〇・五）を社会評論社から出版することになった。視力の衰えからすると、今後は新たな著作の執筆は困難とわかっているので、たとえ既刊拙著の再編版としても、学術書としては最終作となるかもしれないと思った。

その企画推進と前後して、二〇一九年（令和元年）六月、大学院時代からの知人である尾崎綱賀さんは、秋に刊行予定の『世界史研究論叢』第九号に寄稿しようと、エッセイ「石塚正英氏と私、大学院修士時代の彼を語る—生誕七〇年・古稀を記念して—」を執筆した。そのことを知った私は、それは研究会全体の関心事とは言い切れないので、本誌に載せるのでなく、別個に簡易なエッセイ集を用意してはどうかと、事務局に提案し、そのように進めることになった。結果、有志によって以下のような企画が実現した。タイトル『石塚正英研究生活五〇年記念誌』、編集長・尾崎綱賀、編集事務・川島祐一、発行所・中島浩貴研究室。また、一二月一日には、正英の研究生活五〇年を記念して、立正大学で歴史知研究会第六四回例会が開催された。講演名は「歴史知の知平あるいは【転倒の社会哲学】—研究生活五〇年によせて—」。米田祐介事務局長の尽力によるもので、たいへん嬉しい。その模様は録音され、今回の記念誌に収録されることとなった。

こうして私の研究生活半世紀を締め括るようなイベントはつつがなく進んでいったのだが、その二〇一九年末に、世の中がどんでん返しになるような出来事が発生した。新型コロナ・ウイルス感染症（COVID-19）の蔓延である。中国から全世界に拡大した。その影響は私の周囲にも当然ながら及んできた。まずは二〇二〇年二月に予定していた韓国の済州島旅行をキャンセルせざるを得なかった。ただし、影響のすべてが悪いものばかりではなかった。ひょうんなことから、この事態が一つの要因となって、私はあらためて数点の著作刊行を企図していくことになるのである。その事情については、新刊の一点『歴史知のオントロギー—文明を支える原初性』（社会評論社、二〇二一）の「はしがき」から引用する。

> 二〇二〇年の春先、新型コロナウイルスの感染が全世界的に広がった。いわゆるパンデミックの発生である。最初は中国の武漢で感染者が現れた。二〇一九年末、なぜ武漢がウイルスに襲われたのか、原因は定かでない。けれども、感染はその後翌年に入ってアジア各地に拡大し、感染経路が明らかではない患者が日増しに増え、二〇二一年五月現在で日本国内の死者は一万人、世界大では三三〇万人を超えた。
>
> パンデミックによって、世界各国の住民は生命にかかわる環境異変を共有することとなった。世界中の人々が大規模な集会・イベントを自粛し、屋内にあっては窓を開けて換気に気を配り、互いに接近せずマスクをつけて

いる。その光景は東京で、パリで、ロンドンで、そしてニューヨークで同時に見られたのである。二〇一一年三月の福島原発事故に際しても、似たような危機意識は生まれたが、その意識は、放射線漏洩の現場から遠ざかれば和らいだ。けれども、人とモノと情報が地球上を移動してやまないグローバリズムの今日、ウイルスはその動きに乗って世界中にいわばくまなく蔓延していったのである。

その事態を目の当たりにして、人々は、この地球上に生きて存在していることの意味を否応なく実感させられた。そう、人は、なによりもまず〔存在する〕ことの確認において人として認めあってきたのである。その際、〔存在（be, being）〕とは、地球上、すなわち自然環境と社会環境の只中に内在していることを指す。あるいは、人と自然が互いに存在を認め合う関係を指す。それを象徴的に表現すると、〔人（one-self）と自然（another-self）のbe動詞連合〕となる。

第二〇節「大鋸町ますや」とその住人たち一五〇年の記録

本章タイトルは「武蔵野の学徒帰りなんいざ頸城野へ」である。私は、一九六九年から武蔵野は埼玉県（熊谷市→川口市→蕨市→さいたま市）に暮らしているが、生まれ故郷は、上越後（かみえちご）あるいは頸城野（くびきの）と呼びならわされてきた新潟県西南部（上越地方）の城下町高田（現上越市）である。高校卒業まで暮らした家は今も残っている。屋号を「大鋸町ますや」と称し、現在はNPO法人頸城野郷土資料室の活動拠点となっている。「帰りなんいざ頸城野へ」とは、この故郷とこの家屋を指しているのである。以下において、その家屋とそこの歴代住民の物語を記す。

一八六八年秋（明治元年）、越後高田の大鋸町（おがまち）に「ますや」が建造された。明治維新は旧暦の同年九月八日であり、新暦に換算すると同年一〇月二三日にあたる。雪国の高田において秋に家を建て始めるはずはないので、着工は少なくとも一八六八年の春、すなわち慶応四年、戊辰戦争の頃と思われる。また、明治維新とともに、慶応四年はすべて明治元年に読み替えられたので、いずれにせよ記録上では明治元年築となった。なお、現在の屋号「ますや」は一九五九年（昭和三四年）から石塚鉄男（登記上で第八代の所有者、わが実父）が用いたものであって、創建当初に屋号があったかどうかは未詳だ。

明治四〇年の登記簿には二階建てとあるが、正しくは差し掛け式で平屋という建築様式だ。これは、表通りに面して武士を見下ろすような二階建ての許されなかった江戸時代の名残をとどめるものだという。建築に用いた材木にはチョウナ痕の残るリサイクル材が多く含まれている。当時は、火事で焼け残ったり地震で倒壊したりした部材が大切に保存され、再利用されたものと推測される。リサイクルに職人技を競った大工道具跡がここかしこに伺われる。

この町家を建てた人物は野口善吉（一八四二～一九一五）と思われる。江戸時代から野口家は家督相続とともに家長は代々「善吉」を襲名している。ここで問題となる一八四二年生れの善吉本人が歿したのちは、息子の馬治が善吉と改名した（一九二〇年）。野口家は材木商を営みつつ、同時にまた、その資力をもって頸城自由民権志士の活動を経済的に支援した模様である。明治四〇年にかつての志士たちと撮影した記念写真が残っている。

一八九〇年（明治二三年）三月に至って、野口善吉はこの町家を自身の名義に登記した。高田町ではおそらくこの年に登記制度が開始したのだろう。その登記簿によると、当時の住所は中頸城郡高田町大字大鋸となっている。一九一五年（大正四年）四月、善吉の息子の馬治がこの家を継いだ。野口家は二代にわたりこの家でおおいに栄えたことだろう！

登記簿によると、住所は高田市大鋸町五九番地一にかわっていた。ちなみに、この家屋から徒歩五分ほどのところにある本覚寺（真宗大谷派、本町七丁目）に野口善吉が建てた墓石がある。墓石の裏面に「本家　野口善吉」「分家　野口金次郎」と刻印され、向かって右側面に「明治廿一年四月」と刻印されている。また、徒歩一五分ほど寺町三丁目の太子堂（大工職人は聖徳太子を信仰した）にはほかの功労者とともに野口善吉の名を墨書した顕彰碑（木製）が収められている。善吉は材木商であった関係で大鋸町の大工職人を中心とする組合（太子講）結成に尽力したのだ。

さて、一九一七年（大正六年）六月、風間熊吉がこの家を購入した。新しい一家である。茶の間にある箱階段の箱に、鯛を釣る戎（えびす）さまの図像とともに「風間米穀、大鋸町」という文字の刻印されたカラフルな引き札（広告紙）が貼りつけてあるので、風間家はおそらく米穀商だったのだろう。このとき、住所は高田市大鋸町四四番地一になっていた。ちなみに、この箱階段は、その当時近くの玉井家からもらいうけたものである。階段の裏面板に事情が墨書されている。当時の玉井家は本家が呉服屋で、分家が鉄工所だった。いずれも大正七年前後に建て替えているので、そのどちらかの家から譲りうけたようである。

一九二一年（大正一〇年）九月、熊吉の息子の風間伊五郎がこの家を継いだ。登記簿によると、住所は高田市大鋸町五九番地一である。けれども、すぐ翌月、この家は別人にわたってしまう。一九二一年（大正一〇年）一〇月、渡辺サクがこの家を購入した。サクの本籍というか前の住所は、高田市杉ノ森町三二番地一だった。だが渡辺サクは、この家の持ち主になってたった一年ほどで、早くも手放すこととなった。いったいどんな事情があったのだろうか？

一九二二年（大正一一年）一〇月、池田宗治がこの家を購入した。それまで池田家は高田市長門町一九七番地一を所有していたので、すぐ近くから新居に越してきたわけである。

一九三七年（昭和一二年）三月、宗治の息子の池田精治が相続によりこの家の主になった。登記簿によると、住所は高田市仲町六丁目四五番地一となっていた。昭和二〇年代末から三〇年代前半にかけての精治家族について、私にはかすかな記憶がある。雁木に格子のついたお店で反物を商っていた。

一九五九年（昭和三四年）五月、石塚鉄男つまり父が池田精治からこの家を購入した。登記簿によると、住所は高田市仲町六丁目四九番地である。戦争直後、父母は数軒離れた借家で生活し始めた。私たち兄弟（伸司・正英・勉）はその間に次々と生まれた。父はこの家を購入後、屋号を「桝屋」とした。のちに、子どもにも読めるようにと屋号を「ますや」に改めた。

一九九六年（平成八年）一二月、父が死去し母キミエがこの家を相続した。住所は上越市仲町六丁目五番地一号になっていた。二〇〇八年（平成二〇年）二月、母キミエが死去する二一日の直前、私は母の支援をえて特定非営利活動法人「頸城野郷土資料室」を新潟県に申請し認証された。その際屋号を〔大鋸町ますや〕と命名しこの家を法人事務所として使用することとした。

ところで、二〇一二年二月、大鋸町ますやは国の登録有形文化財に認定された。その件に関して、文科省から「登録有形文化財登録証」、文化庁から「認証プレート」が届き、三月、その伝達式を行った。〔大鋸町ますや〕（明治元年築）のほか、麻屋高野（昭和一二年築）、幸村宅（旧玉井宅、大正一〇年築）も一緒に登録され、一緒に伝達式が行われた。

二一世紀の私たちに〔大鋸町ますや〕を身近な生活文化財として残してくれた野口さんご家族（明治元年から、四八年間）、風間さんご家族（大正、五年間）、渡辺さんご家族（大正、一年間）、池田さんご家族（大正～昭和中期、三七年間）、石塚鉄男・キミエさんご夫婦（昭和後期～平成、四九年間）に、令和時代の住人、ますや正英（第一〇代所有者）より、心から感謝を申し上げる！　私はいま〔大鋸町ますや〕と、還暦のころ御殿山に建てた資料室〔アトリウム御殿山〕を活動拠点にして、学問のフィールドワークを存分に楽しんでいる。

第二節　ブログ「歴史知の百学連環」やSNSへの書き込み

本書の最後として、フェイスブックやブログ「歴史知の百学連環」に最近書き込んだ小文を以下に転載しておく。

★トイレで身体と科学文明を考える（2021.05.03）

食物はたんなるエネルギー源ではありません。人間身体を更新する要素です。排泄物には食べ滓・消化滓のほか、廃棄された人体細胞滓も含まれています。トイレには、そのように重要な結果が落下していくのです。

一九世紀から二〇世紀にかけては科学技術の時代でした。科学技術はまず産業ないし生産の領域で開発・応用され、その後流通と消費の領域に拡大しました。日本では戦後の一九五三年が国民生活上の電化元年にあたっています。松下電器がナショナルという企業名を選んだのには時代的な意味があったのです。その後現代人は、一九六〇年代の3C時代を経て、一九八〇年代のME革命、一九九〇年代のITイノベーションを経験し、今こうして二一世紀のとば口に立っています。

さて、そのような科学技術全盛の二〇世紀に、反面で私たちは、自然界の一員として維持していなければならない大切な要素を喪失してきました。それは、自然生態系に順応した生活感覚、自然的感性とでも表現できるものです。ここでは試みに、トイレ様式の変遷を例にして説明しましょう。

ご存じのように汲み取り式便所は排出物を一時溜め置きます。たえず匂いますし、見えることもしばしばです。ところで排出物とはいえ、糞尿は廃棄物とは限りませんでした。人の口から便所へ、便所から畑の作物へ、そしてまた人の口への自然物循環の途中にある場合も多くありました。それが水洗式となると、糞尿は文字通り廃棄物となりました。一気に流して棄てます。汚い物の代名詞となった糞尿は、いったいどこへ流れていくのでしょうか。そのような疑問を現代人は抱きません。そのような暇はないのです。

しかし、よく考えてみると、汲み取り式便所は人も自然の一部であることを日々確認する現場でした。それに対して水洗式トイレは、人の中にあるはずの自然的要素を見ずに棄て去る処理場のようです。さらにウォシュレット式は、人と自然とを断ち切る究極の様式かも知れません。人間は、消化器官ばかりか全身で汚物を生産し排出していることを知ってか知らずか、ウォシュレット＝現代文明は直接人体を洗浄しに肛門めがけてやって来るのです。いやそればかりか、宿便を洗い出すとかの理由で肛門の中まで洗浄する装置すら発売されています。

とはいえ、現代人は一度受容した科学文明を放棄して自然人の生活に戻ることなどできませんし、そのようなことはナンセンスです。その意味からして、ウォシュレットを使用する人を非難するのはおかしいでしょう。けれども、いっそう便利なトイレ様式を開発する者使用する者は、人と自然との絆をいかにしたら回復できるか、その問題に取り組む社会的態度がいります。廃棄物としての糞尿ですと環境汚染の原因になりますが、リサイクル品としての糞尿ならば環境整備に一役かいます。

ですから、ウォシュレットという機械＝人工に身体＝自然を委ねるのでなく、むしろ反対に、機械＝人工を身体＝自然の循環に組み込む技術を開発するべきなのです。

★山涼し仏師木屑の中に住む（2021.06.22）

きのうの毎日俳壇（毎日新聞二〇二一年六月二一日朝刊）、井上康明選のトップに、以下の句が掲載され、講評されています。

〔作品〕山涼し仏師木屑の中に住む

〔講評〕どこか山の麓に工房を構える仏師だろう。山から切り出した木に仏を彫る。木屑に包まれる一途な日々が、涼気を呼ぶ。

縄文文化が大好きな私ですから、仏師が木屑に包まれるという解釈は取りません。仏師が木屑に入り込むのです。

〔石塚講評〕竹取の翁のように、仏師は涼風そよぐ麓の柴に小さな息吹（生命）を感じ、己が生命までも刻んだ木端に託している。

★擬神化（2021.09.07）

最初に、人間が自然物から神をつくりました。つぎに、自然物のままでは神々しくないので、神に目鼻をつけて人間の姿にかえました。擬人化といいます。理想の身体から理想の神体を得ることで神は永遠の存在になりました。擬神化といいます。フェティシズムという私の研究テリトリーからの説明ですがね。

★自然存在として過去・現在・未来を生きる（2021.09.08）

私は自然信仰者です。自然は私を育みます。死して私は自然（元素）に帰ります。けっして無になりません。再構成されて新しい生命の要素になります。私自身、エゴとしては再生しませんがGattung（生物）として再生するのです。自然存在として、私は過去・現在・未来を生きるわけです。すばらしいことです。

★主客転倒の人間観（2021.10.25）

ヒト（Homo sapiens）は知性（sapiens）でもって道具（faber）をつくったのでなく、道具＝社会的自然をつくることで知性を獲得し、その過程でヒトは人間となった。道具＝社会的自然は、本来は人間のアルターエゴ（alter-ego もう一人の私）として間主観的に存在したが、やがて転倒が起こって人間の生存手段に貶められた。だが、いまや道具＝社会的自然は情報通信技術（ICT）や人工知能（AI）を備えて人間のパートナーに返り咲く。けれどもそれは人間＝身体の拡張としてあるのではない。人間＝身体を介して自然＝環境が道具に吸収され凝固・結晶することによって生じるのである。身体の変容は、身体が道具を用いて環境へ拡張することによって生じるのではなく、環境が道具を通じて人間身体に吸収され凝固・結晶することによって生じるのである。かように、〔道具＝社会的自然〕は〔人間＝身体〕のアルターエゴなのである。こうして〔脳＝知性〕は〔身体＝感性〕に支えられる。あるいはまた、或るときの「ホモ・ファベル（Homo faber、道具を使う人）」は、或るときには「ホモ・ルーデンス（Homo ludens、遊ぶ人）」であり、また或る時には「ホモ・ベルム（Homo bellum、戦う人）」である。いずれをも否定することはできない、転倒を介しての相互連携である。

★ソクラテスの「哲学者」は文章を書き残さない（2021.11.08）

ただいま、プラトン『パイドロス』（岩波文庫）を久しぶりに読み返しています。今回の読書目的は、デカルト、スピノザ、フォイエルバッハ、と辿って追究してきた「魂」についての、ソクラテス・パイドロス対話です。ただし、その課題はまだ当分文章化する余裕はありません。なのでそれは横に置いておき、ソクラテスがパイドロスに告げる会話で「哲学者」が登場する、そこが何度読んでもおもしろいのです。

　ソクラテス「ぼくたち二人（ソクラテスとパイドロス）は、ニュンフたちのすみかである神聖な泉のあるところまで道を下って行って、そこでお告げを聞いた。（中略）第三には、ソロンをはじめ、政治的な言論の領域で、法律という名の書き物を書いた人に、次のように伝えよと命じていた。すなわち、いわく、もしそういったものを書くに際して、真実がいかにあるかを知り、自分の書いた事柄について訊問されたときに、書かれたものは価値の少ないものだということを、みずからが実際に語る言葉そのものによって証明するだけの力をもっているならば、そういう人は、それらの書き物からつけられる肩書で呼ばれてはならない。彼の呼び名は、真剣な目的をもって当る仕事からこそつけられるべきである、と――。
　パイドロス：では、あなただったら、そういう人に何という呼び名をあたえますか。
　ソクラテス：これを「知者」と呼ぶのは、パイドロス、どうもぼくには、大それたことのように思われるし、それにこの呼び名は、ただ神にのみふさわしいものであるように思える。むしろ、「愛知者」（哲学者）とか、あるいは何かこれに類した名で呼ぶほうが、そういう人にはもっとふさわしく、ぴったりするし、適切な調子を伝えるだろう（278D）。

弁論術・言葉に信をおくソクラテスは、文章による伝達には懐疑的だったようです。ソクラテスは「書かれたものは価値の少ないものだということを、みずからが実際に語る言葉そのものによって証明するだけの力をもっている」人物が哲学者であるといっています。そこまで文字に疑念を懐くソクラテス。「愛知者」（哲学者）を英訳本（The Phaedrus, and Protagoras, Lysis: PLATO, London, 1916.）で確認すると、"Lovers of wisdom（philosophers）" となっています。さぁ、たいへんです。哲学者は書物を書き残してはならないというか、避けるべきというか、慎重に禁欲しなければならないのでした。それでソクラテスは、著述をいっさい残さなかったのでしょうか。でも、「弁明」を始め何から何まで、プラトンに好き放題書かれてしまいました。

　プラトンに操られたソクラテスは死を次のように定義しています。「それは、ぼくの見るところでは、二つのもの、つまり魂と身体とが、互いに分離するということにほかならない」（プラトン「ゴルギアス」524B）。だから言わないこっちゃない。自分で書き残しておけばよかったんですよね。

さて、本題は「魂」です。この件は、いずれまた。

★ニニギに戻る（2021.12.24）
男系天皇の議論があるが、万世一系とは男子一二六代までの一系列でなく、その都度ニニギに戻って累代を統べる事である。継承の基準は男子か女子かではない。ニニギに戻る事である。拙著『フレイザー金枝篇のオントロギー』（社会評論社、二〇二一年）所収の第一六章「大嘗祭における呪術性の再検討」を参照。

★歴史知研究会のみなさん（2021.12.27）

かつて南アでアパルトヘイト（人種隔離政策）の撤廃に尽力し、一九八四年にノーベル平和賞を受賞したデズモンド・ツツ（Desmond Mpilo Tutu）元大主教が、昨日（二〇二一年一二月二六日）ケープタウンで死去しました。九〇歳でした。ツツさんは、アパルトヘイト撤廃後も、白人政権の人権犯罪を明らかにする委員会を率いるなどして、生涯を通じ人権問題に取り組んだ人です。私は、一九八六年八月広島での平和サミットに参加するために来日した彼が日比谷公園の野外音楽堂で行った講演を聴きに行きました。アミルカル・カブラル研究で一緒だった白石顕二さんがコーディネートした催しでした。ツツさんの話しぶり、それと壇上で司会を務めながらツツさんと親しく語らう白石さんの笑顔に、心深く素晴らしい感銘を受けました。当時（一九八六年八月）の日記を読んで思い出しています。

★非常に残念なお知らせ（2021.12.30）

みなさん、「フォイエルバッハの会通信」新号（一二一号）が本日発行となり会員各位に郵送されたので、ホームページにも掲載します。以下のURLでお読みください。
https://kamisabu54.wixsite.com/website

ただ、非常に残念なお知らせがあります。本会の事務局長にして創立者の一人である柴田隆行さんは、一一月一三日に奥秩父の十文字峠付近で遭難され、いまだに行方不明なのです。当面、事務局住所は川本氏が代行し、ホームページは私が新たに構築しました。かように事務局業務は川本氏と私で種々遂行しておりますが、たいへん残念な事態であります。

★二〇二一年が暮れなんとする（2021.12.31）

二〇二一年は、私にとって教師生活満四〇年目でした。遠い昔、一九八一年、一念発起して西ドイツ（まだ東西統一前）のボン大学へ語学研修に出かけました。乏しい研究

RHEINISCHE FRIEDRICH-WILHELMS-UNIVERSITÄT BONN

ZEUGNIS

über die Teilnahme am
Sommerkurs für Deutsche Sprache und Literatur

Herr Masahide Ishizuka

- Japan -

hat in der Zeit vom 7. bis 28. August 1981
am Sommerkurs für Deutsche Sprache und Literatur an der Universität Bonn teilgenommen.
Auf Grund des Ergebnisses der schriftlichen und mündlichen Prüfung in der ~~Anfängerstufe~~ – ~~Grundstufe~~ – Mittelstufe A – ~~Mittelstufe B~~ – ~~Oberstufe~~ – wird ihm (~~ihr~~) die Note
befriedigend – zuerkannt.

Bonn, den 28. August 1981

DER REKTOR DER UNIVERSITÄT BONN
Im Auftrage

Noten: sehr gut, gut, befriedigend, ausreichend

能力を豊かに養うきっかけ作りのためでした。成績は中級(Mittelstufe)の良(befriedigend)でした。翌年の春、私は立正大学の文学部で講座を担当し始めました。当時の教え子、古賀治幸さんや宮崎智絵さんは、私と同じ職業について現在に至っています。教師冥利に尽きます。「為せば成る、為さねば成らぬ何事も、成らぬは人の為さぬなりけり」(上杉鷹山)。七〇歳で東京電機大を退職し、コロナ禍に見舞われて丸二年たつのですが、白内障の手術を受けてあるので、来年度も大学院講座のみ続行し、教師生活四一年目に入ります。思えば遠くへ来たもんだ(海援隊)。どのような職業、活動にも言えることですが、人に認めてもらうことを第一目標にしたら自身の偽造が起きやすいです。自分に納得できることを第一目標にしたら自身の歩みに充実の轍がついていきます。

むすびに

はじめに記したように、本章は日々の日記とは違い、備忘録である。最初、一九九七年五月一四日から一〇月八日の間に断続的に起草された。このような記録を綴ることにした動機は、一九九六年一二月、父の死である。一九九七年以降の記録は、当該年が過ぎゆくにつれ、あるいは過ぎた時点で各々執筆されていった。その間、二〇一八年七月一四日の夜半、路上で転倒し、硬膜下血腫というリスクの大きい怪我を被った。いろいろな意味で、人生行路の画期に至っている。よって、まだ死ぬには早いが不安もあるので、それまでに記してきた備忘録をまとめ、継続を休止することに決した。いかにも途中経過の雰囲気で擱筆となる。けれども人生というものは、いずれはそのようにして幕をとじる。よって、これでいいのだろう。備忘録と同名の日記『たゆまぬ学習(まなび)』は今後も毎日欠かさず書き続けていく。

初出一覧（再録にあたり多少の補筆を施したものもある）

第1章　武士神道と武士道の類型的相違、NPO法人頸城野郷土資料室学術研究部研究紀要、ディスカッションペーパー、第七巻第一号、二〇二二年三月九日

第2章　正倉院籍帳に読まれる家父長像の歴史知的二類型、NPO法人頸城野郷土資料室学術研究部研究紀要、ディスカッションペーパー、第七巻第三号、二〇二二年四月九日

第3章　幸徳秋水『基督抹殺』とヘーゲル左派、NPO法人頸城野郷土資料室学術研究部研究紀要、ディスカッションペーパー、第七巻第二号、二〇二二年三月二一日

第4章　超自然は文明固有の概念である―フレイザー『サイキス・タスク』批評、NPO法人頸城野郷土資料室学術研究部研究紀要、フォーラム、第八一号、二〇二二年二月一六日

第5章　国家の興亡に立ち会った歴史家たち、『世界史研究論叢』第一号、二〇一一年一〇月）

第6章　啓蒙期歴史学とルソーの叙述―歴史知的考察、NPO法人頸城野郷土資料室学術研究部研究紀要、ディスカッションペーパー、第七巻第四号、二〇二二年四月二八日

第7章　シュタインの自治国家構想― not 国家連邦 but 自治連邦、NPO法人頸城野郷土資料室学術研究部研究紀要、ディスカッションペーパー、第七巻第五号、二〇二二年六月六日

第8章第一節　意識の共通性を発見し連帯を勝ち取ろう!!　石塚正英（筆名・上条三郎）編集発行『眼―歴史学をみる…その眼』一九七〇年一二月

第8章第二節　孤独な中の自由な選択、石塚正英（筆名・上条三郎）編集発行『眼―歴史学をみる…その眼』一九七〇年一二月

第8章第三節　わが幻の学位請求論文によせて、二〇二二年四月一二日起草、未公開。

第9章第一節　明治維新と農業、石塚正英（筆名・上条三郎）『映画「いちご白書」みたいな二〇歳の自己革命』社会評論社、一九九六年。

第9章第二節　ビスマルクの外交、石塚正英（筆名・上条三郎）『映画「いちご白書」みたいな二〇歳の自己革命』社会評論社、一九九六年。

第10章第一節　頸城野の石仏探究記―一九九〇年代を中心に、NPO法人頸城野郷土資料室学術研究部研究紀要、フォーラム、八〇号、二〇二一年一二月六日

第10章第二節　飛鳥美人画を救出 した石工左野勝司の矜持飛鳥美人画を救出 した石工左野勝司の矜持、フォイエルバッハの会通信、一二三号、二〇二一年三月二〇日

第10章第三節　専門家にはじつに頼りない人がいるものだ、二〇二二年三月九日起草、未発表

第10章第四節　松尾芭蕉の高田宿泊先と追善碑「はせを翁」、NPO法人頸城野郷土資料室学術研究部研究紀要、フォーラム、八九号、二〇二二年五月@日

第11章第一節　文検西洋史研究法―酒井三郎、世界史研究会編『世界史研究論叢』第七号、二〇一七年一〇月

第11章第二節　ウィラー＝ベネット著・酒井三郎訳『悲劇の序幕―ミュンヘン協定と宥和政策』、立正大学史学会編『立正史学』第四二号、一九七八年。

第11章第三節　立正西洋史の井戸掘り教授・酒井三郎博士、立正大学西洋史研究会編『立正西洋史』第二三号別冊「立正大学西洋史研究会三〇年の記録」、二〇〇七年二月
第12章第一節　神話と共同体の人類史像―布村一夫著作との出会い、熊本女性学研究会編『新女性史研究』第四号、一九九九年一二月
第12章第二節　日本古代の家族史を解明する―モーガン学者布村一夫の仕事、『季報・唯物論研究』第四八号、一九九四年。
第12章第三節　学問の道はどう歩むべきか―布村一夫先生追悼、熊本家族史研究会編『女性史研究』第二八集、一九九四年。
第12章第四節　フェティシュを投げ棄てる布村一夫―生誕一〇〇年を記念して、サイトちきゅう座 http://www.chikyuza.net/〔study489:120506〕二〇一二年五月六日
第13章第一節〔人間のなかの神〕を考える―出隆と大井正と、頸城野郷土資料室学術研究部研究紀要、Forum10, 04.14 二〇一七年四月一四日
第13章第二節〔人間のなかの神〕を考える―大井正学匠に何を学んできたか、『季報・唯物論研究』三八・三九合併号、一九九一年七月一〇日
第13章第三節　神と戦う哲学者―人井正生誕一〇〇年を記念して、サイトちきゅう座 http://www.chikyuza.net/〔study487:120505〕二〇一二年五月五日
第14章第一節　自然法爾と横超についての石塚＝柴田往復書簡（二〇〇六年八月）、未公開
第14章第二節　母主義としてのマテリアリズム（石塚著作選月報柴田担当）、『石塚正英著作選　第四巻―母権・神話・儀礼』月報、二〇一五年。
第14章第三節　井上円了シンポジウムのシナリオ（二〇一五年三月上旬）、未公開。
第14章第四節　エゴ（利己主義）とはちがう、他の自我（もう一つの私）を通して初めて自らを実現しうるエゴ（私）、『図書新聞』三四五三号、二〇二〇年六月二七日。
第14章第五節　シュタインとフォイエルバッハの学徒―柴田隆行に思いを馳せる、『季報・唯物論研究』（第一五八号、二〇二二年六月）および石塚個人ブログ「歴史知の百学連環」（二〇二二年五月六日）。
第15章　武蔵野の学徒帰りなんいざ頸城野へ、感性文化研究室、二〇二二年一月二三日。

あとがき

本書の第一四章〔社会思想の柴田隆行〕は、構想当初組の章立てにはなかった。若いころからの研究仲間であり畏友である柴田隆行が、二〇二一年秋に武蔵野の山中で行方不明になってしまい、いろいろと思いに耽っているあいだに増補しようと決心したものである。

人の命は美しいが儚い。死歿に臨んで、我を思ってくれる隣人がいれば、その人の寿命が尽きるまで、暫しその人の心中に我は生きる。中国古来の概念である魂魄を思念すると、私は霊魂の霊でなく魂魄の魄に気が向く。魂は天空にでも去るが魄は地上の亡骸（ほね）とか何かの遺物にとどまるらしい。わが死歿とともにわが霊魂は尽きても、わが魂魄はすぐには尽きない。

ある人が大工職人であれば建てた家が魂魄である。私の場合は、著作物が魂魄である。印刷に用いた紙とか文字とかでなく、綴られている内容がわが魂魄なのである。物質としての書物はしばし残っても永遠ではない。また、書物が残っていても、わが叙述表象が誰にも相手にされなくなれば、わが魂魄は尽きる。いずれにせよ、永遠などということは一切あり得ない。

そのような感慨を抱いてから、ずいぶん年月が過ぎた。最初は、明治大正期の高木敏雄や、大正昭和期の松村武雄が著した神話学・民俗学の研究書を読んで感じた。出版から年月が過ぎ、束が壊れページがうまく捲れない古書に接すると感慨深い。既刊自著『フェティシズムの思想圏』のストックが尽きたのでオンライン古書店でそれを購入した時のこと、以前の所有者（拙著読者）がわが著作の行間や欄外に残した書き込みを読んでジ～ンと感じた。傍線があると、さてこの線引きは何を意味しているのだろうか、と思ったりした。そうだったのだ、論文執筆に生きる我が身は、知らず知らずにではあるが、読者諸氏とこうして魂魄の交流ができているのだった。

そうなのだ、自分で我慢づよくコツコツと書き続け、未来に万が一でも高木や松村のような存在になることができれば、と夢見て死歿を迎えようではないか。つまり、今の私は、半面では未来の読者のために執筆しているのである。できれば百年後に生まれ来る人と交流したいと願っている。マルキ・ド・サドは『食人旅行記』で書いている、肉体は元素が結びついて存在する、と。そうだとすると、わが肉体を構成している物質は地上から消滅しない。ならば魂魄の魄は消滅しないのか。これからもじっくり思念していこうと思う。なにしろ、先般は「野生的なまなざしの象形画家ジョアン・ミロ」を脱稿し、いまは「バロックという社会思想―ジョルジョ・ヴァザーリから説きおこす」、「ニーチェ哲学の価値転換（Umwerthung）と歴史知の価値転倒（Werthumkehr）」を構想して将来を見通しているのだから。
最後になったが、本書刊行に尽力された社会評論社の松田健二社主、および編集部の板垣誠一郎氏にあつくお礼を申し上げる。

二〇二二年梅雨の候
かたやコロナウイルス蔓延、
かたやロシアのウクライナ侵攻に固唾を呑みつつ
悠杜比庵主　石塚正英

事項

索 引

人名

著者略歴

石塚正英（いしづか まさひで）

1949年、新潟県上越市（旧高田市）に生まれる。

立正大学大学院文学研究科史学専攻博士後期課程満期退学、同研究科哲学専攻論文博士（文学）。

1982年～、立正大学、専修大学、明治大学、中央大学、東京電機大学（専任）歴任。2020年以降、東京電機大学名誉教授。

2008年～、NPO法人頸城野郷土資料室（新潟県知事認証）理事長。

主要著作

叛徒と革命 ―ブランキ・ヴァイトリンク・ノート、イザラ書房、1975年

〔学位論文〕フェティシズムの思想圏 ―ド＝ブロス・フォイエルバッハ・マルクス、世界書院、1991年

石塚正英著作選【社会思想史の窓】全6巻、社会評論社、2014-15年

革命職人ヴァイトリング ―コミューンからアソシエーションへ、社会評論社、2016年

地域文化の沃土 頸城野往還、社会評論社、2018年

マルクスの「フェティシズム・ノート」を読む ―偉大なる、聖なる人間の発見、社会評論社、2018年

ヘーゲル左派という時代思潮 ―ルーゲ・フォイエルバッハ・シュティルナー、社会評論社、2019年

アルミカル・カブラル ―アフリカ革命のアウラ、柘植書房新社、2019年

学問の使命と知の行動圏域、社会評論社、2019年

フォイエルバッハの社会哲学 ―他我論を基軸に、社会評論社、2020年

価値転倒の社会哲学 ―ド＝ブロスを基点に、社会評論社、2020年

歴史知のオントロギー ―文明を支える原初性、社会評論社、2021年

価値転倒の思索者群像―ビブロスのフィロンからギニアビサウのカブラルまで、柘植書房新社、2022年

フレイザー金枝篇のオントロギー ―文明を支える原初性、社会評論社、2022年

歴史知の百学連環 ―文明を支える原初性、社会評論社、2022年

歴史知のアネクドータ

武士神道・正倉院籍帳など

2022年9月30日初版第1刷発行

著　者／石塚正英

発行者／松田健二

発行所／株式会社 社会評論社

〒113-0033　東京都文京区本郷2-3-10　お茶の水ビル

電話　03（3814）3861　FAX　03（3818）2808

印刷製本／倉敷印刷株式会社